地形図でたどる長野県の100年

長野県地理学会 編

信濃毎日新聞社

はじめに

長野県各地の5万分の1地形図が陸軍参謀本部陸地測量部によって作られたのは、明治末期から大正初期で、今からちょうど100年前に当たります。この地図は標高を等高線で、事物を記号で描くという本格的な地図で、10年から十数年毎に修正更新されてきました。現在は国土交通省国土地理院に引き継がれ、いつでも新しい地形図に接することができます。

100年前と現在―。新旧の紙地図を並べてみると、地域の変化がリアルに浮かび上がります。旧地図はそのままでは静かに眠り続けるだけで何も語りませんが、現在の地図と突き合わせ、同じ場所の変化や違いを見比べることで100年前の風景が蘇(よみがえ)ってきます。

長野県地理学会では地形図に見られる地域の変貌に焦点をあて、地形図が初めて世に出た100年前と現在を比較する研究を続けてきました。地域の変貌を地図から見るということは、地形や土地利用といった空間情報を鍵として、その背景や経過を読み解こうという試みです。新旧の地形図を比較しながら、かつて何が、どこに、どのようにあったのか、そして今、それがどのような状態であるのか、なぜそのように変化したのかを考えることです。

本書ではそれによって見えてきた成果を、「開発」「発展」「変容」の三つのテーマで章分けして紹介します。第一章「開発」は、大規模な自然開発による変貌です。軽井沢や蓼科高原といった全国に名の知れたリゾート地は、昔はどんな地で今はどんな姿になったでしょうか。その変貌は地図ではっきり見ることができます。繰り返す災害とたたかってきた地域が、地形的な要因をどう乗り越えてきたのかもここで取り上げます。第二章「発展」は、農業や工業など確かな基盤を実現することで発展をとげた地域の変貌です。中野市や安曇野市、川上村など全国有数の果樹や野菜の産地、製糸業から精密工業へと転換を果たした諏訪市や岡谷市などの今昔と、発展の要因を地図からたどります。第三章「変容」は、都市化や過疎化といった社会的な要因に伴う「まち」や「むら」の変貌です。県都・長野市街地の成熟や近年急速に都市化した佐久平の劇的な変貌ぶり、人口流出が止まらない中山間地などの変化も地図から読み解くことができます。

現代はデジタル化された地図が主流となりつつあります。ですが、スマートホンの地図アプリの代わりに、改訂を積み重ねてきた紙の地形図を手にして地域を歩いてみてください。多くのことに気づくことでしょう。また、多くの疑問もわいてくると思います。この疑問を大切にして、地域に関する本や資料を深読みしたり、現地を訪ねて地域の人の話を聞いてみてください。自ら探求して疑問が解けた瞬間はとてもうれしいものです。この本をきっかけに、読者の皆さんがそれぞれのやり方で地図に親しみ、地図を楽しむことを願っています。

『地形図でたどる 長野県の100年』編集委員会

地形図でたどる 長野県の100年　CONTENS

1. Development 開発

2. Growth 発展

3. Transformation
変容

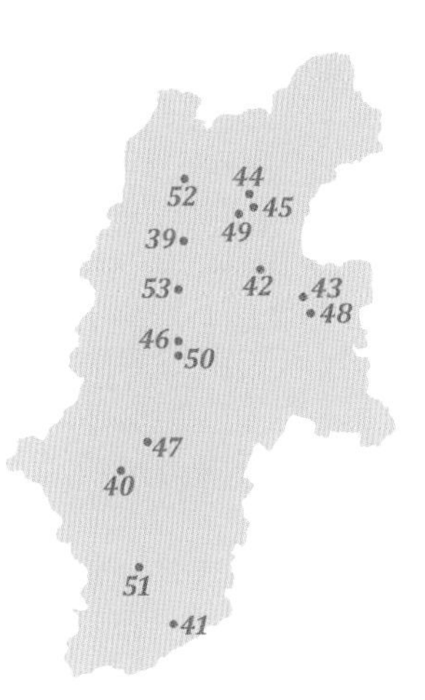

地形図を見てみよう

すべての地図の基本となっている「地形図」に親しみ、楽しく利用できるようになりましょう。
詳しくは地図の専門書にゆずり、ごく基本だけ解説します。

地形図とは

地表面の様子を、約束ごとを決め、記号を使って分かりやすく平面上に表したものが地図です。本書で取り上げる現在の「地形図」は国土地理院が作成したもので、等高線や土地利用、施設の位置、水系や道路などが記されています。上が北です。

2万5千分の1、5万分の1の地形図が書店などで購入できます。2万5千分の1の地形図は空中写真による測量と現地調査により作成される実測図で、全国を網羅している基本図です。5万分の1地形図、20万分の1地勢図は編集図です。

縮尺（スケール）

実際の距離を縮小して表す割合が縮尺です。地図上の2点間の長さを測り、2.5万倍、5万倍すれば実際の距離となります。

▼ 実際の距離 地図上では？

地形図縮尺	1/25,000	1/50,000
1kmは？	4cm	2cm

等高線

地形図の等高線は同じ高さの地点を結んでいて、標高や傾斜が読み取れます。

▼ 等高線の間隔

地形図縮尺	1/25,000	1/50,000
主曲線	10mごと	20mごと
計曲線（太）	50mごと	100mごと

地形の基礎知識

本書を読むにあたり、知っておくと便利なことを紹介しておきます。

▼ 傾斜と緩急

▼ 尾根と谷

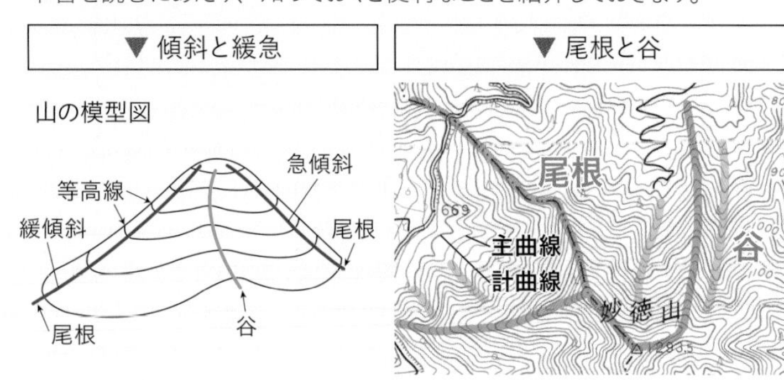

谷部＝等高線が山側にくい込む　尾根部＝等高線が低い方に張り出す

▼ 川の右岸・左岸

川の下流を向いて右側が右岸、左が左岸

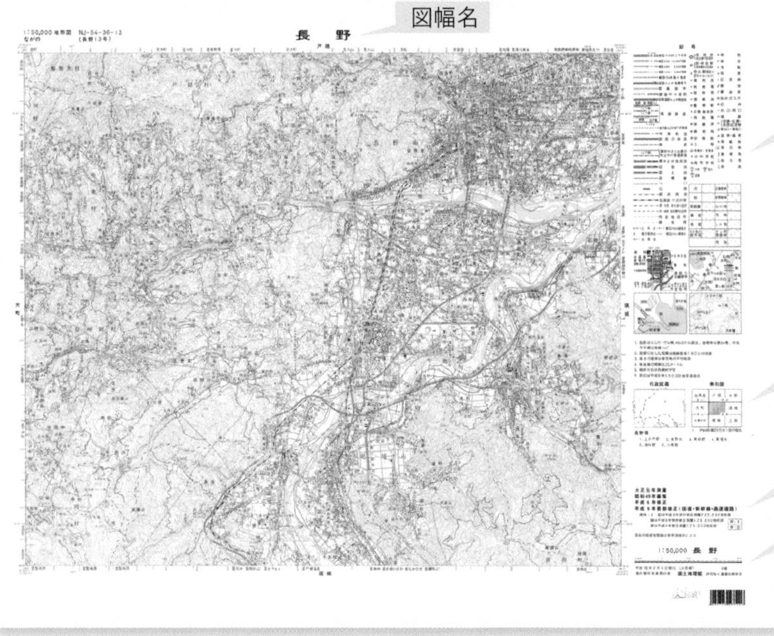

5万分の1 地形図の構成

この本では、主に5万分の1地形図が登場します。2万5千分の1地形図4枚分の範囲が収まります。小縮尺で表現はやや大まかですが、4倍の広さを見ることができます。地図枠外の四方には隣接の地図名や道の接続、等高線の高さも表示されています。

地形図の寸法　580×460㎜（柾判）

信州の特徴的な地形

長野県を知る上で重要な地形を紹介します。本書には何度も登場します。
これらの地形を克服し、利用してきた歩みが長野県の歴史と重なっているのです。

▼ 扇状地

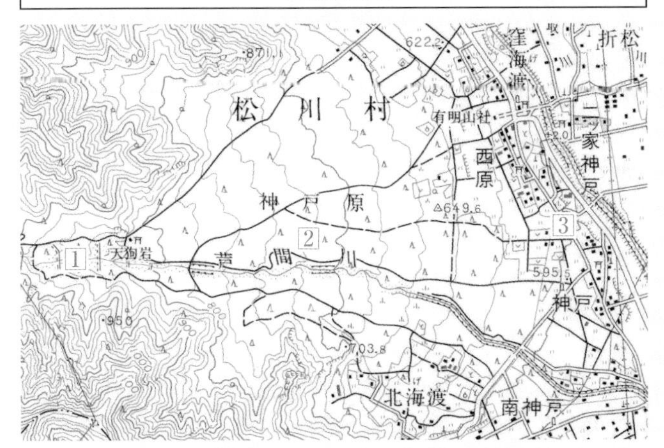

平成5年修正　5万分の1地形図「信濃池田」　原寸

山岳・山地から盆地へ流れ下る河川が運んだ礫や土砂が堆積し扇形に広がる地形です。上部から扇頂1・扇央2・扇端3と続きます。扇央は水が浸みこみやすく地下水も深いため、水の確保が難しい場所です。反対に扇端では水田地帯が見られます。山が連なる長野県では扇状地が重なり合った複合扇状地も多く見られます。先人たちは乏水地の扇央部をどのように活用してきたのでしょう。その大きな変化を新旧地図で見つけてください。

▼ 氾濫原

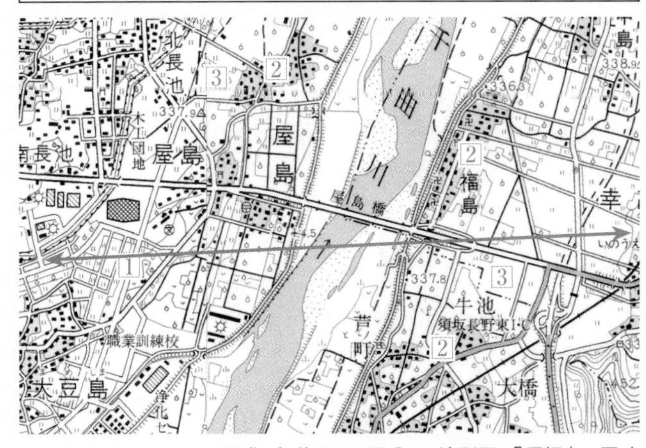

平成6年修正　5万分の1地形図「須坂」　原寸

長野県では千曲川や天竜川はじめ大小河川が昔から氾濫を繰り返し、広い氾濫原(川があふれた地)1、両岸には運ばれた土砂による微高地(自然堤防)2、その背後に後背湿地(後背低地)3ができました。微高地はそれなりの広さがあり畑や集落に、低湿地は水田というように氾濫原を利用してきました。場所によっては災害との闘いが続きました。こういった地形を先人はいかに克服してきたのか。ご注目ください。

▼ 河岸段丘

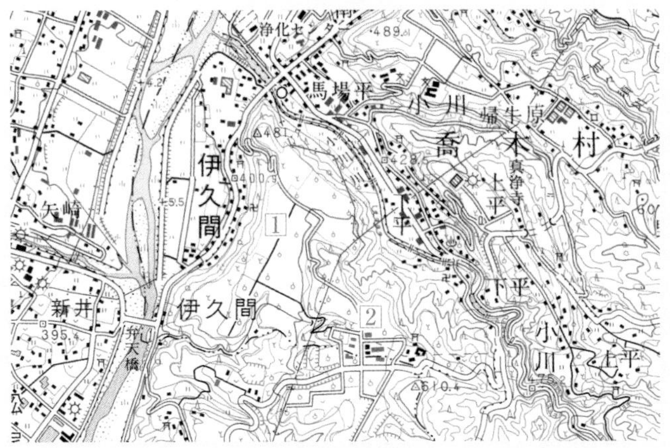

平成15年修正　5万分の1地形図「飯田」　4年修正「時又」原寸

天竜川が流れる伊那谷で、生活の舞台となっているのは河岸段丘です。等高線でもわかるように階段状になった台地12として残されています。断続的な隆起と川の侵食でつくられた平坦面です。大小の段丘は長野県各地に見られます。川よりも高く、水の確保が難しい場所をどのように改良して活用してきたのでしょうか。

▼ 高原と火山地形

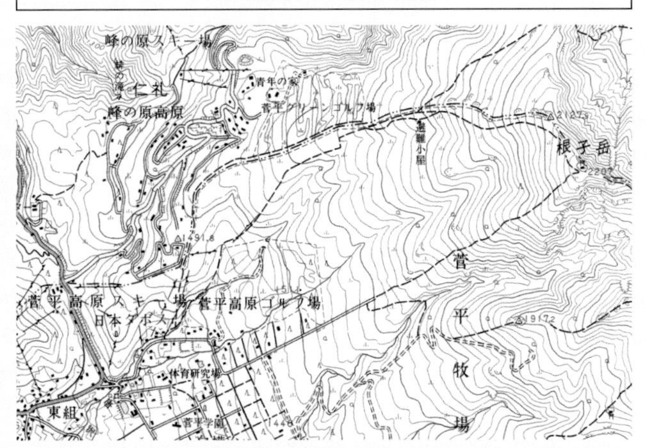

平成6年修正　5万分の1地形図「須坂」　80%

信州の高原の多くは、火山がつくった地形の上にあります。植生は貧しく利用が限られていた地が、戦後の大開発によりスキー場やゴルフ場、別荘地へと姿を変えました。これは長野県の100年を象徴する変化といえます。地図は古い成層火山の根子岳山麓に広がる菅平高原です。蓼科や志賀など代表的なリゾート地もこのような地形の上にあります。

地形図を読むヒント

5 万分の1地形図を見ながら、地形図に慣れましょう。いくつかの手がかりがあります。
この地がどんな地域かを地図から想像できるようになると、楽しくなってきますよ。

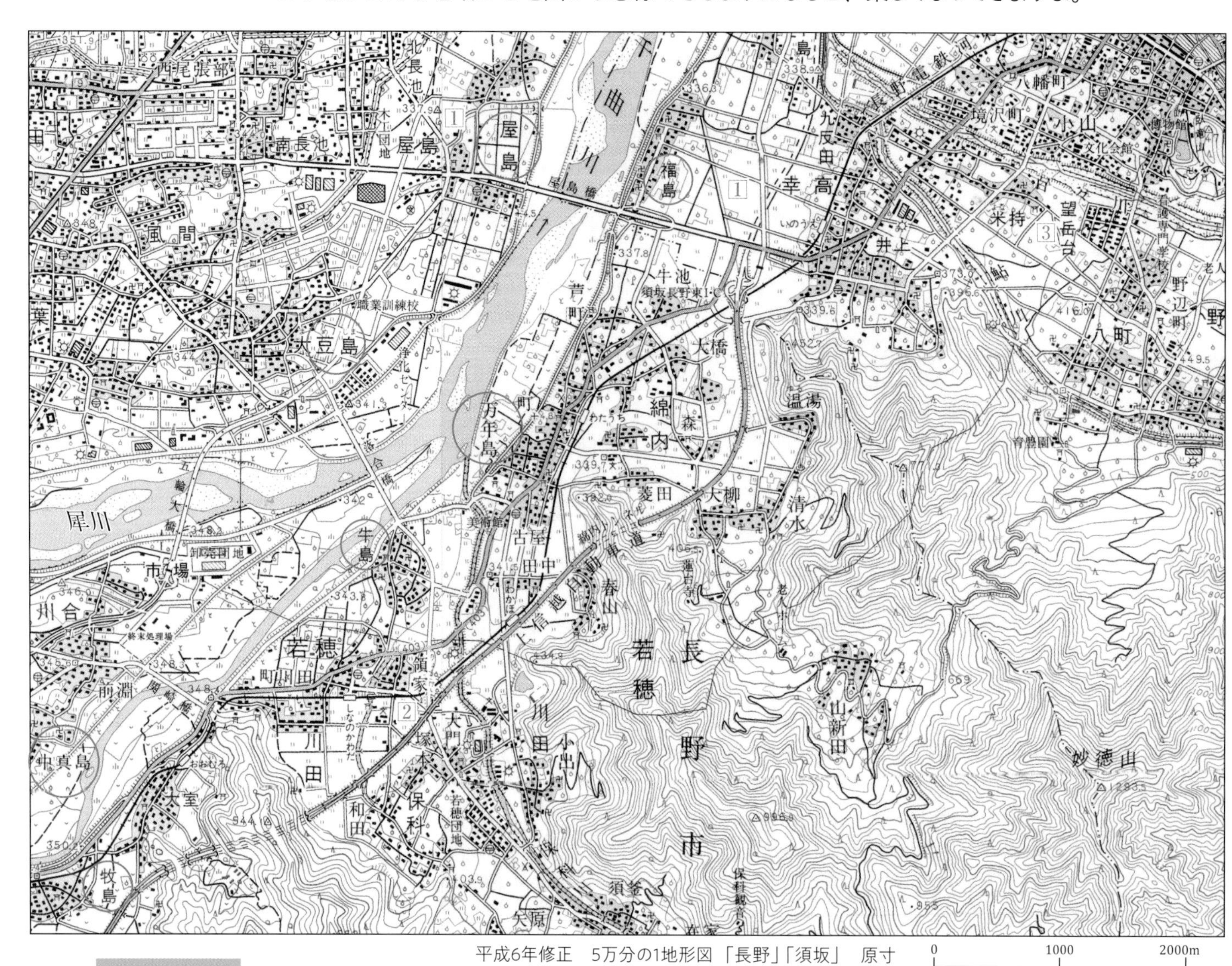

平成6年修正　5万分の1地形図「長野」「須坂」　原寸　0　1000　2000m

地形を見る

▼川

中央の大きな川は千曲川です。沿岸は広い氾濫原で、福島や屋島の集落と果樹園が自然堤防上に、その背後の後背湿地は水田1になっています。この地域では自然堤防上の集落に「島」の地名が多く見られます。堤防にも着目を。

▼山

千曲川の右岸に目を向けると、山地となっていて妙徳山があります。等高線は密で急傾斜の地形がわかります。尾根や谷筋をイメージしてみましょう。平坦な氾濫原に急な山地が迫っている様子が想像できます。

▼特徴的な地形

【Try2】で紹介した特徴的な地形を探しましょう。妙徳山の西側を流れる保科川をたどると、千曲川へ向かって緩やかな傾斜が続きます2。扇状地です。広い平地に見える3も、実は百々川（どどがわ）がつくった大きな扇状地なのです。

街・集落・インフラを見る

地域の動脈となる広い道を探して道筋をたどってみましょう。地図では高速道路、鉄道（後に廃線）も見つかります。大きな川にかかる橋の数や規模も確認しましょう。集落の広がり具合はどうですか。古い地図と比べる時に参考になります。

土地利用を見る

川の沿岸、川から少し離れた平地部、山地の斜面などを順に見て行きましょう。地形による土地利用の違いを確かめてください。

特徴を大づかみする

この一帯は、千曲川沿岸の治水を図りながら氾濫原に農地を保ち、同時に都市化してきた地域である様子が伺えます。

新旧地図で変化を見つけよう

新・旧の地形図を見比べて地域の変化を読み取ってみましょう。以下のような楽しみ方をおすすめします。地域の歴史を知る手がかりがわかってくることでしょう。

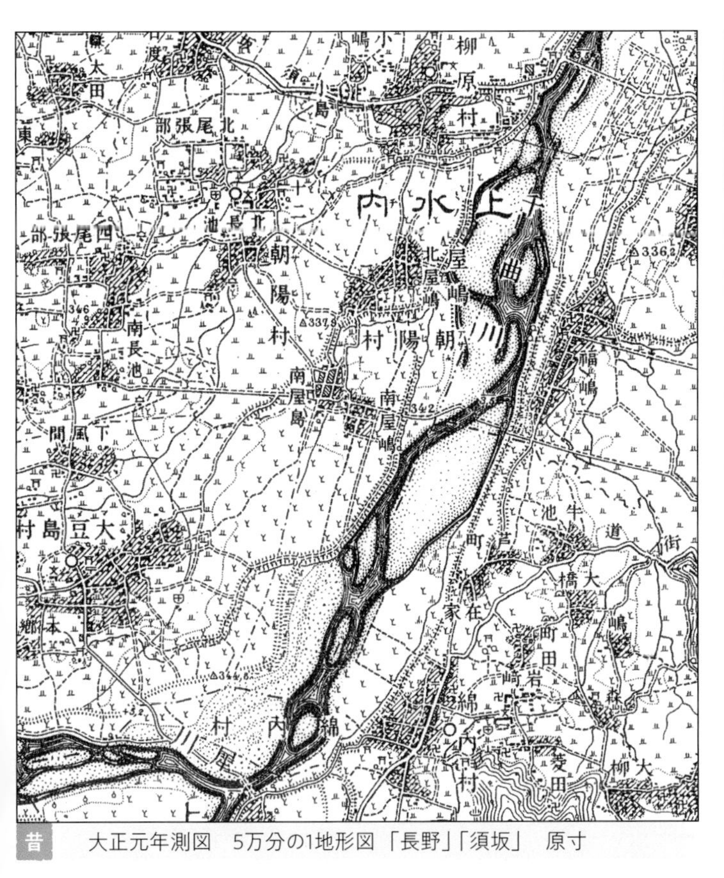

昔　大正元年測図　5万分の1地形図「長野」「須坂」　原寸

平成6年修正　5万分の1地形図「長野」「須坂」　原寸　今

1　まずは眺めて発見を楽しむ

まずは2枚の地図を見比べましょう。新しい道や橋、川の様子、住宅地に変わった土地、変わっていないものなど、何でもかまいません。発見を自由に楽しみましょう。見るたびに新しいことに気付くはずです。

2　ヒントを元に地図を読んでみる

前頁の地形図を読むヒントを元に、地形図を読んで自分の発見を増やしてみましょう。旧地図には現在では見られない地図記号も見つかります。また、元々の地形がよくわかるのも旧地図の楽しみです。

3　変化の背景・理由を調べよう

変化への興味が高まってきたら、本書の解説を読んで参考にしてください。現地にも行ってみましょう。地形を確かめたり、開発の記念碑を探し、地元の人に話を聞いてみるのもいいでしょう。

百年前、この辺の千曲川沿岸は一面の桑園だったのです。集落は今のような広がりではなく島のように点在していたのですね。今の屋島橋は古い地図では舟の記号になってますが、渡し船だったのです。現在は道が増え、橋も堤防の様子も違います。高速道も走っています。かつての桑園は果樹園や畑に変わったり、住宅地が広がっています。千曲川の流れはほぼ変わりませんが、人々の暮らしは大きく変わりました。そこにはどんな歴史があったのでしょう。

本書について

◆見開きの地図は、旧地形図が大日本帝国陸地測量部、新地形図が国土地理院発行のものです。旧地図は地名表記が右書きとなっています。

◆新旧地形図は主に5万分の1地形図を取り上げ、同範囲を切り取り、右にほぼ現在の地図、左にほぼ百年前の地図を並べています。それぞれ測図年と図名（図幅）を掲載してあります。方角は原図通り、上が北です。

◆地形図は原寸を基本としていますが、原図を縮小して掲載したものもあります。その場合、縮小率を掲載し、スケールも縮小してあります。5万分の1地形図と2.5万分の1地形図を比較している場合は、それぞれの拡大・縮小率を示してあります。

◆本文をわかりやすくするために、地形図原図に書き加えた情報もあります。地図によっては、市町村名が合併前のまま掲載されているものもあります。

◆各トピックの「読図ポイント」では、本文の解説項目に合わせて着眼点を挙げてあります。また、旧地図のものを中心に関係する地図記号を例示しています。地図記号は年代により変わっているものもありますので参考にしてください。

◆本文を読み進める際の手がかりとなる地図掲載の地名（原図への書き込み情報も含む）をゴシックで示しました。

地図記号

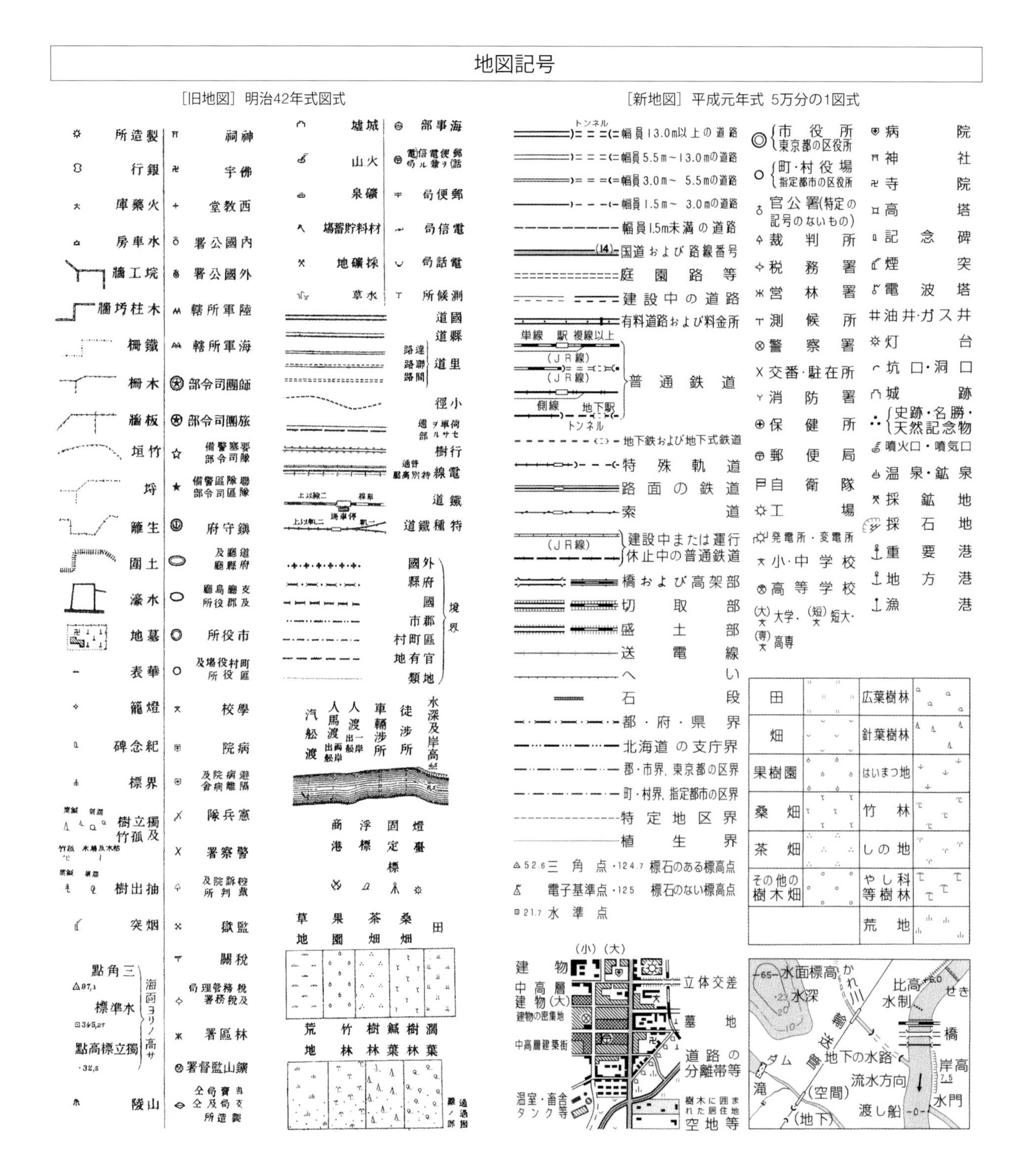

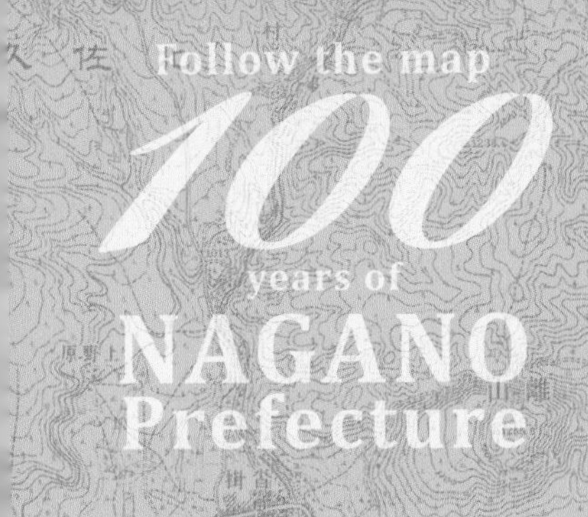

1. Development

開発

広大な別荘地にスキー場、ゴルフ場、山岳ロープウェイ。雄大な山岳風景と相まって高原リゾートとしての信州のイメージを定着させた観光地は、かつてはどんな場所だったのだろう。また、奥深い山国ゆえの難所をどう切り開き、どんな場所に快適な道や鉄道を実現してきたのだろうか。現代では山あいの地に高速道路が延びるなど、手つかずだった自然の劇的な変化が地図に刻まれている。防災対策も含め、まずは自然との格闘や克服の足跡を見てみよう。

01
軽井沢
〈北佐久郡〉

日本最初の高原リゾート 誕生

西欧風な風土と、優雅で歴史あるイメージをもつリゾート「軽井沢」。国内屈指の避暑地の歴史は約100年前、涼を求めた外国人の別荘生活に始まる。高原のまちは外国人との交流の中で発展し、今では文化・観光・スポーツ・商業など多彩な観光地として抜群の人気を誇る。軽井沢の今昔を新旧地図から探ろう。

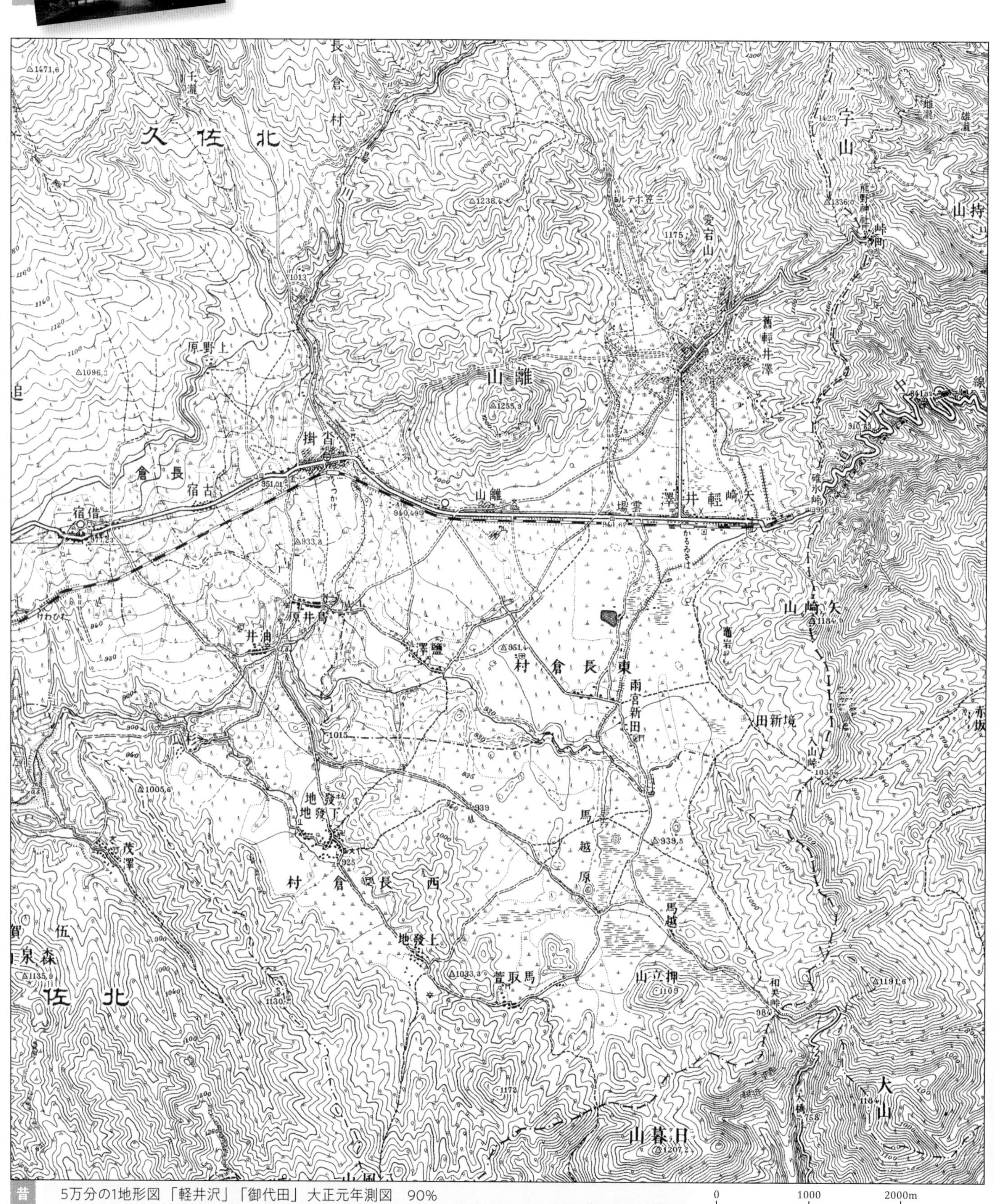

昔　5万分の1地形図「軽井沢」「御代田」大正元年測図　90%

読図ポイント

[地図記号] 昔 湿地 荒地 針葉樹林 広葉樹林 今 田

1 別荘地の原型を見る

旧地図でショーから始まった初期の別荘地が確認できます。軽井沢宿周辺を見てみよう。どんな規模だったでしょうか。

3 別荘の広がりを見る

最初と比べ、軽井沢の別荘地はどんな広がりを見せましたか。1,000m の等高線をたどり、規模や場所を確かめよう。

2 道と鉄道の変遷を見る

旧地図で旧中山道の碓氷峠―軽井沢宿―沓掛をたどってみよう。現在はどんな道があり、鉄道はどう変わりましたか。

4 リゾートの象徴を見る

新地図では高原がスポーツリゾートであることもわかります。それを象徴する施設は何でしょうか?探してみよう。

5万分の1地形図「軽井沢」「御代田」平成9年修正　90%

0　1000　2000m

今

1 ショーからはじまった

A. C. ショー

■避暑のはじまり　現在の地図を見ると、標高1,000m前後の高原には、整然とした区画が何カ所もある。これが軽井沢別荘地帯である。まずそのはじまりを見てみよう。

大正元年(1912)の地図は、別荘ができはじめた頃のものである。これより前の明治19年、避暑地としての軽井沢に目を付けたのは、英国聖公会宣教師カナダ人のA.C.ショーと友人のJ.M.ディクソンであった。布教の帰途立ち寄ったショーは故郷のカナダ・トロントに似た風景、さわやかな気候、清冽な水に注目し、家族と共に**旧軽井沢**で一夏を過ごしたのが軽井沢避暑のはじまりである。当時、日本に住む外国人は増えていたが、夏季の高温多湿な気候に苦しめられた。ショーは「軽井沢は屋根のない病院」として外国人たちに避暑を勧めたのである。

■外国人別荘地　明治21年、ショーは軽井沢宿近くの**愛宕山**(あたごやま)南麓(図1:1)に別荘建設を始めた。鉄道が東京につながると、外国人宣教師・医師・大使館員・大学講師などが旧軽井沢での別荘暮らしや軽井沢宿での避暑生活を楽しんだ。話を聞きつけたアジア各地の欧米人駐在員らも集まり、軽井沢は外国人の交流の場となった。

旧中山道の軽井沢宿は当時、新道開発により客足が途絶えていたが、別荘居住者や避暑客が多くなると、商店街もにぎわいを取り戻した。店頭にはローマ字や英語の看板があふれ、外国人向けに始まったキャベツ栽培は、後に「軽井沢キャベツ」の産地として発展する契機となった。ただ、外国人別荘　居住者は静寂な環境を好み俗化を嫌った。大正5年に避暑外国人による「軽井沢避暑団」が結成され、宿場時代の「飲む」「打つ」「買う」の三悪習を追放する「軽井沢憲法」が創られた。この精神は今日まで軽井沢のまちづくりに息づいている。

別荘1号のショー・ハウス

2 中山道から新道や鉄道へ

■信州の東玄関口　地図を見てみよう。軽井沢は浅間山南麓の標高900mの高原で、周囲を1,500m前後の山地に囲まれた小盆地である。信州と関東を結ぶ東の玄関口に当たり、近世には中山道が通り、浅間山麓には追分(おいわけ)・**沓掛**(くつかけ)・軽井沢が「浅間根越しの三宿」として栄えた。この高原の東端にある旧碓氷峠(=**峠町**、1,180m 図1:2)と群馬県側の坂本宿との間に標高差700mの急傾斜の山地があり、交通の難所となっている。

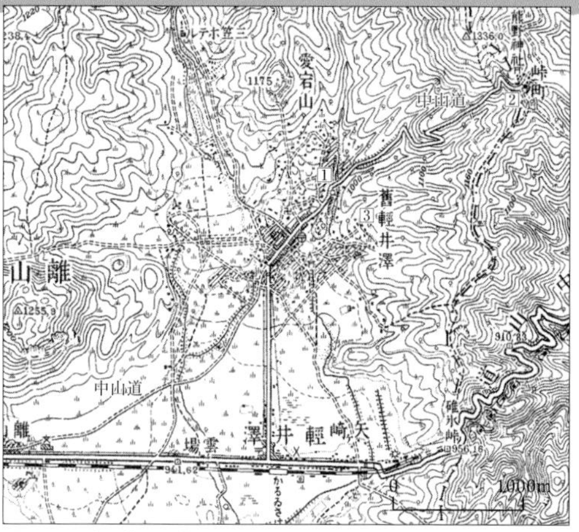

図1:旧軽井沢宿周辺　旧地図75%

近代に入り明治17年(1884)、長野県は「七道開鑿」(しちどうかいさく)(近代道路網の整備)の第1号線として新道を建設。**離山**(はなれやま)から東に一直線に進み、**矢ケ崎山**の北麓956mを**新碓氷峠**(新旧地図の「碓氷峠」)とした。新峠は旧峠より224m低く、新道も道幅4間(7.2m)と広く勾配も緩やかとなり、馬車や自動車道となった。同21年に官設直江津線(直江津—軽井沢間)が敷かれ、同26年には新碓氷峠にアプト式鉄道(後の信越本線)が敷設されて東京と結ばれると、**軽井沢駅**(新軽井沢)が新たな玄関口となり、軽井沢宿(旧軽井沢)は衰退した。

■きびしい高冷地の農業　当時の軽井沢高原は天明3年(1783)の浅間山噴火で、山麓はほぼ全域が火山灰や厚い軽石層に覆われ、旧地図に見るようにススキの草原(荒地)であった。また高原を流れる**湯川**が**油井**(ゆい)付近で高原の基盤をつくる溶結凝灰岩に侵食を止められ、湯川や支流の**泥川**流域は湿地化しヨシ原となっていた。

気候も夏季は東京より6.9℃、冬季は東京より9.6℃低い寒冷地である。冷涼で霧の発生が多いため、農産物はソバ・ジャガイモ・稗などに限られ収量も少なかった。甲州の実業家雨宮敬次郎は、**東長倉村**で1,100haの新田開発(旧地図**雨宮新田**)を行い、ブドウ栽培や畜産も手がけたが大成しなかった。雨宮は後にカラマツ植林に尽力、これが軽井沢高原のカラマツ林の基となった。

3 広がった別荘地

旧軽井沢の別荘地

■富裕層向け大別荘地開発
外国人の別荘地建設に触発されたのは日本人実業家たちであった。外国人別荘地の多い旧軽井沢周辺に別荘を建設することで高級別荘地のイメージが定着していった。増加する避暑客を見込み、明治期創立の万平ホテル(図1:3)や**三笠ホテル**が洋式ホテルとして営業を開始。旧地図に旧軽井沢周辺の別荘地開発や三笠ホテルを確認できる。

大正に入ると、好景気を反映し国内富裕層向けの大規模な別荘地開発が進められた。同4年、貿易商の野沢源次郎は離山のふもとに**野沢原**と呼ばれる660haの別荘地を開発、同8年にゴルフ場を開設した。

実業家・堤康次郎の箱根土地(株)は同4年、草津温泉への草軽軽便鉄道の敷設が始まると、北部や北軽井沢の開発に着手した。同7年には沓掛区有林の千ケ滝一帯200ha

三笠ホテル

万平ホテル

で別荘地を開発し安価で分譲した。さらに同9年**発地**区有地・六里ヶ原・鬼押出し一帯を購入、町内最大の土地所有者となる。堤はその後、軽井沢駅から南に広がる地蔵ケ原の湿地帯に「20間(36m)道路」を建設したことをきっかけに観光開発に着手、昭和初めには、ここに飛行場・競馬場・ゴルフ場を建設した。この時代、軽井沢に別荘をもつことは実業界富裕層のステータスであった。

堀辰雄や川端康成ら文人作家も別荘を構え、高原での生活を描写、軽井沢が一般にも広く知られるところとなり、避暑客は増加、別荘も大正12年の542戸から昭和10年には2倍に急増した。

■戦争と軽井沢　太平洋戦争下、外国人別荘が多かった軽井沢は、政府により在日外国人の強制疎開地に指定され、ホテルや別荘で生活した。ドイツ人は同盟国人として200家族600人に達した。東京空襲が激しくなると別荘所有者や学童の疎開者が多くなり、また、在日大使館約40カ国の外交官が軽井沢に避難、三笠ホテルには外務省出張所が置かれ、外交交渉の舞台となった。

昭和20年の敗戦で外国人強制疎開地は解除されると、今度は米駐留軍保養地としてホテル・別荘・ゴルフ場・テニスコートなど55施設が接収され、常時200～300人の米兵が滞在した。さらにゴルフ場、駐留軍専用飛行場や冬季滞在暖房施設等の建設要請があり、日本側はすべてに対応した。接収は同26年の講和条約締結で解除され、諸施設は日本に返還された。同年、国会で「軽井沢国際親善文化観光都市建設法」が公布、住民・別荘客・県民が、大正期につくった「軽井沢憲法」を再確認し、この精神を生かしたまちづくりが進められた。

4 大衆化する高原リゾート

ショッピングモール

■別荘の大衆化　戦後は高度経済成長などによる国民所得の増加、信越本線の改良や自動車交通時代の到来、**碓氷バイパス**建設(昭和46年)を経て、東京からの所要時間も上信越自動車道開通(平成5年)で2時間、現**北陸新幹線**開通(平成9年)で1時間10分に短縮。こうした中で一般大衆のライフスタイルも大きく変化し、多様なニーズが別荘購入に向かいブームとなった。

旧軽井沢銀座商店街

堤の国土開発(株)は南軽井沢の**馬取**共有地200haを購入、湿地帯に湖(レマン湖)の造成と別荘地レイクタウンを開発、その後、発地区有地を購入し**八風郷**別荘地を開発した。また県内外の不動産業者や長野県企業局などのデベロッパーも各地で別荘開発を進めた。新地図に見る900～1,200mの山林や草原への網の目のような道路建設と宅地造成が別荘地である。別荘戸数は昭和35年の2,200戸から、昭和末には1万戸を突破、平成29年には1万6,000戸に増大、近年は別荘の周年利用も出てきた。

昭和49年、町は別荘に宅地並み課税(特別土地保有税)を課し、増収分で観光施設の充実を図った。以後は地方交付税不交付団体となり、豊かな町の財政を象徴している。別荘以外にもホテル・旅館・ペンション・民宿・学校や企業の寮が増え、博物館・文学館・美術館など数多くの文化施設の設立も相次いだ。観光客の増加に伴い、しゃれたレストランやカフェも増え観光リゾート化が進んだ。その結果、軽井沢町の課税地の約70%は県外者の所有という特色ある町になっている。

上:民宿テニスコート(塩沢地区、昭和57年)
下:昭和40年代のゴルフ場

■多様化するリゾート　戦後、軽井沢では夏季にサイクリング、冬季にはスケートが盛んになり、**千ヶ滝中区**に同31年、スケートセンターが建設された。昭和30年代にはテニスブームとなり、**塩沢**地区を発端に民宿とセットで高原の各地にコートが造成され、現在も1,300余面がある。同39年の東京オリンピックを機に乗馬が広がり、さらにゴルフが軽井沢を象徴するスポーツに発展。**ゴルフ場**は戦前2カ所、戦後の昭和時代に3カ所、平成に入り南部の湿地帯を排水するなどして5カ所が造られ、現在10ヵ所(1,150ha)ある。平成10年の長野オリンピックを機にカーリングとスキーが広まり、アイスパークやスキー場も登場した。

■大衆化を進める軽井沢のショップ　軽井沢の大衆化はショッピング施設にも見ることができる。夏季、旧軽井沢には都内ショップの出張店がアウトレット商品を格安で販売、平成初期には500余店を数え、軽井沢はにぎわいを増した。さらに同11年、軽井沢駅南に広大な大手ショッピングモールが東京から進出、観光客は年間840万人に達している。静かで伝統ある高原のイメージを保ちながら、リゾート軽井沢は進化を続けている。

(佐々木　清司)

02
菅平高原
〈上田市〉

スポーツのメッカになった高原

菅平といえば「ラグビー合宿の聖地」で知られる。夏はさまざまなスポーツの競技会や合宿の舞台となり、若者たちでにぎわいを見せる。しかし、標高 1,200 ～1,500 mに広がる高原は、冬は過酷な寒さにさらされ、人々の居住を拒んできた。きびしい自然を活用することで人々がどう暮らし、全国有数のスポーツリゾートにまで定着させたのだろう。高原の歩みを見てみよう。

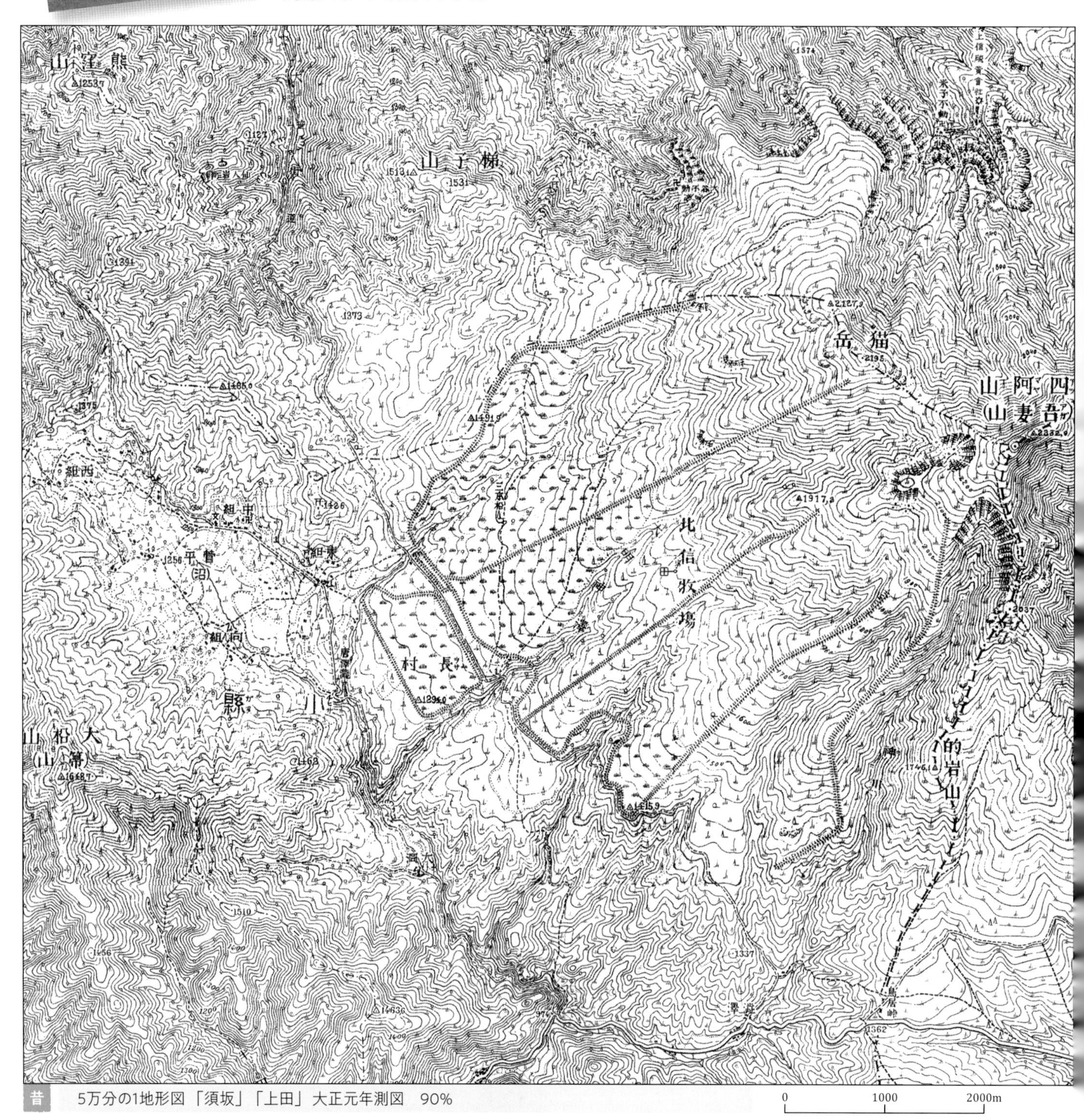

昔　5万分の1地形図「須坂」「上田」大正元年測図　90%

四阿山（右）と根子岳

1 菅平高原の火山地形と気候

■四阿火山がつくった地形　**四阿山**と**根子岳**（**猫岳**）は溶

［地図記号］ 昔 草地 荒地 牧場 盛土 針葉樹林 広葉樹林 今 畑 湿地 リフト

1 火山地形を見る

四阿山と根子岳の南西麓に広がるスロープ状の地形を見てみよう。菅平は火山がつくったこの地形上にあります。

2 スポーツの拠点を見る

「スポーツのメッカ」の始まりはスキーでした。リフトのある場所と地形を確認しよう。

3 高冷地農業を見る

冷涼な菅平では農業も大きく変わりました。広大な傾斜地の土地利用の変化を地図記号で読み取ろう。

旧地図で集落を探しましょう。高原で最初の集落です。道路や宅地の開発ぶりも見てみよう。

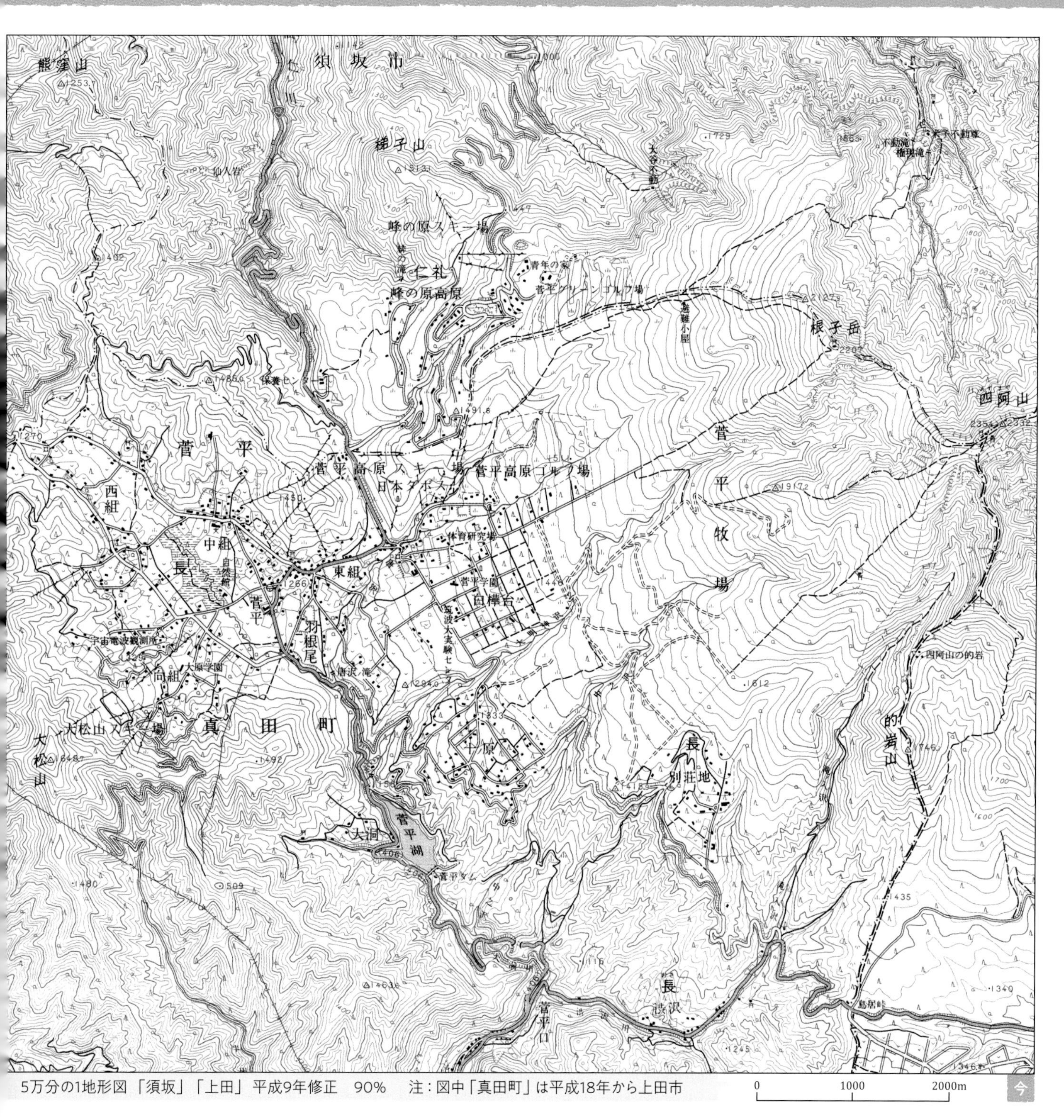

5万分の1地形図「須坂」「上田」平成9年修正　90%　注：図中「真田町」は平成18年から上田市

0　1000　2000m　今

岩層・ローム層が層状に堆積した成層火山（コニーデ）である。山体の上部は爆裂によるカルデラで、北部は急崖となっている。二つの山頂はカルデラの縁にできた外輪山で南西面は緩やかで広大な斜面が続く。ここが菅平高原である。裾野は小盆地で、中央部のくぼ地帯は火山泥流により菅平川がせき止められた湿地帯（旧地図では**沼**）となっている。

■高原の気候　菅平高原は標高1,200～1,500 mで冬季は積雪が1m以上あり、1月の平均気温－7.0℃で冷帯気候に属す。一方、8月の平均気温は19.2℃で、これは東京の5月の気候に相当する。この冷涼でさわやかな気候が菅平を特色づけてきた。

2 スポーツリゾートへの歩み

■菅平のスポーツはスキーから　菅平スポーツリゾートとしての歩みはスキー場からだった。ラグビー合宿が入る少し前、昭和2年(1927)に東大医学部の矢追秀武博士がこの地を訪れた際、**「日本ダボス」**と名付けスキー場としての可能性を提案した。翌年、上田温泉電軌が上田―真田間に鉄道を敷設、リゾート化が本格化した。昭和5年、オーストリアからシュナイダー選手をスキー指導で招き、**菅平スキー場**の名は全国に広まった。雪質は水分の少ないパウダースノーで、変化に富む山麓のスロープは絶好のスキー場となった。裏ダボスにジャンプ台ができ、スキークラブが発足して各種大会の会場となった。昭和8年には文部省菅平体育研究場が設立され、スキーをはじめ体育指導者の養成機関となった。現在、ゲレンデ12・コース36・リフト19基が整備され、冬季は35万人が訪れる。新地図を見てスキーリフトを確認すると、多様なコースがあることが読み取れる。

スキー場(昭和41年)

■スキー民宿　菅平スキー場の名が全国に広まると宿泊施設の少ない菅平では農家がスキー客を泊める民宿を始めた。夏の高原野菜作りとの半農半観の経営体系である。その後スキー客の増加で旅館・ホテル・ペンションなどの宿泊施設が増加した。

■若人であふれる菅平の夏　夏の冷涼でさわやかな気候に注目したのはラグビーであった。昭和初期、スキーに次いで法政大・早稲田大が夏季合宿を行い、「ラグビーの菅平」の名を広めた。戦後は大学生・高校生のラグビーからサッカー・陸上・テニス・各種の夏季運動部合宿場へと拡大し、若者があふれるようになった。平成27年の合宿数はラグビー828、サッカー211、陸上208、テニス116チームをはじめ、各種運動部や文化部で合宿数は1,400チーム、合宿参加人数は約75万人にのぼる。スキーブームからの旅館・ペンション・民宿が周年利用され、現在合計109館、収容数は1日最大14,000人にのぼる。

菅平の強みは、宿泊施設の近くに独自の芝グラウンドを完備していることだ。多くは農家が高原野菜畑をグラウンドに造成した。今ではラグビー・サッカーグラウンド109面はオール芝(個人102、市営7)、テニスコート120面、体育館も9棟ある。市営「サニアパーク菅平」には第3種日本陸連公認全天候型陸上競技場とグラウンド5面がある。高原には各種のスポーツ施設が整備され、多角的なスポーツリゾートとして拡大している。近年、スポーツ界では高地トレーニングの重要性が認識され、菅平は広く知られるところとなっている。これは昭和43年(1968)、高地メキシコで開催されるオリンピックに対応するため、菅平体育研究場で代表選手の高地トレーニングが行われたのがはじまりであった。

ラグビー合宿

3 牧場と高冷地農業の先進地

■県内最大の牧場　スポーツのメッカとしての顔を持つ前の菅平を振り返っておこう。盆地周辺で江戸末期より開拓が始まった。しかし、夏季の冷涼な気候のため収量が少なく定住には困難をきたした。旧地図を見ると、菅平を特徴づけていたのは広大な牧場である。明治16年(1883)、上高井郡豊丘村(現須坂市)の灰野牧畜改良会社(組合員75名)が根子岳の中腹に**北信牧場**を開いた。明治中期から大正初期までが全盛期で、牧場面積は2,000haと長野県最大。組合員は北信一帯で745名に増え、乳牛を中心に1,700頭を放牧した。旧地図には明治20年代につくられた牧柵土堤で仕切られた4区画が確認できる。

北信牧場(昭和32年)

明治30年には盆地周辺で4集落(**東組・中組・西組・向組**)が成立、菅平区が誕生した。この頃から種ジャガイモ・薬草・養蚕が始まった。種ジャガイモは軟腐病(疫病)で全滅となるなど苦難の開拓時代であった。

■高原野菜産地　昭和に入り、冷涼な気候を利用してキャベツやハクサイが導入され、大都市へ出荷する高冷地農業が始まった。戦後、野菜産地の指定を受け、種ジャガイモからニンジン・キャベツ・ハクサイ・レタスなど高冷地の夏秋野菜産地がいち早く確立し農業基盤ができた。道路整備の進展で昭和50年代以後はレタス産地へと移行した。現在は100戸の農家が大型機械化農業に着手。収穫後すぐ予冷し、輸送には保冷車を利用して大都市向けコールドチェーンシステムを完備、農協を通して出荷している。

戦後、牧場は農協法に基づき菅平牧場畜産農協となった。北信地方の酪農ブームが去り、農業の機械化で役牛の需要が減少し、放牧事業は縮小した。昭和38年からは広大な牧場を観光会社に貸与し、保養所運営や別荘地開発など、観光事業を進めている。　(横澤　瑛)

高原野菜畑とラグビーグラウンド

Column: 01　山岳盆地にあった上田飛行場

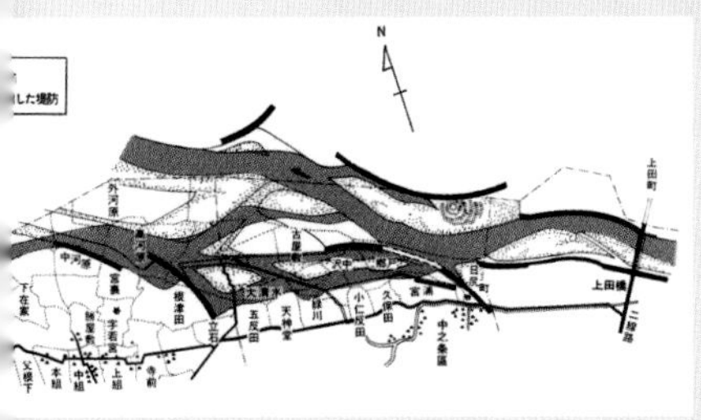
千曲川の明治39年水害現状地図。破堤した中之条堤防一帯が荒れた状態で川原化したままの様子がうかがえる（上田市公文書館蔵）

川原の滑走路に並ぶ軍用機（上田市立博物館蔵）

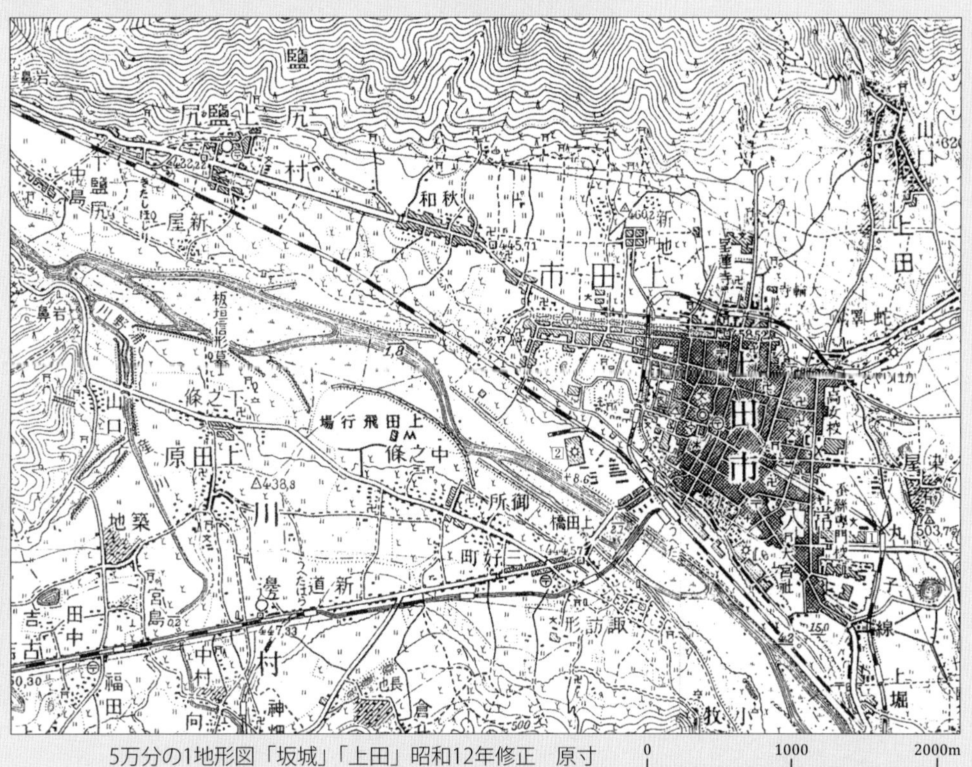
5万分の1地形図「坂城」「上田」昭和12年修正　原寸

■洪水常襲地の川原

昭和時代初め、上田盆地の千曲川の川原に小さな飛行場ができた。狭い山岳盆地に飛行場ができたのは国内初であった。上田盆地は幕末から蚕種業が主力産業となり、とりわけ千曲川の川原は「歩桑」（ぶくわ・ぶっくわ）と呼ばれる良質の種桑が植えられていた。しかし、洪水は沿岸にしばしば大きな被害をもたらした。明治39年（1906）の大洪水で左岸の中之条堤防が破堤、修復工事中の43年にも大洪水で同じ箇所が破堤して桑園や水田が流失、川原化した。千曲川では大正期後半から当時の内務省が堤防建設に着手し、強固な堤防の完成後に破堤洪水はなくなったものの、中之条の川原はそのまま放置されていた。

■市営飛行場建設で失業対策

昭和4年9月、津田沼飛行学校（千葉）の教官が、この中之条川原上空で「航空ページェント」を行った。見物客5万人を集め、飛行機に対する市民の眼を開いた。その後、民間機（東京朝日新聞）の不時着を契機に、中之条川原に飛行場建設が進められた。昭和恐慌下の当時、上田でも蚕糸業が大打撃を受け、失業者があふれていた。

市は同5年、失業対策事業として政府資金で中之条川原の飛行場建設に着手した。人力で地をならし、翌年に東西400m、南北200mの「市営上田飛行場」が誕生した。この川原は下流の坂城方面から西風が強く吹き付け、短い滑走路でも離陸には好条件であった。折しもこの年に満州事変が勃発、市は飛行場を地域再建の柱と位置付けて整備を進め、荒廃した周囲の桑園へと東西200m拡張し、敷地面積約13万㎡、格納庫や補給庫等を備えた内陸唯一の飛行場となった。朝日機や立川民間飛行学校機が利用したが、多くは陸軍省の所沢・立川・浜松・八日市場の飛行連隊による山岳地飛行訓練であった。

■陸軍に飛行場を献納

昭和8年、上田市が主催した陸軍の大演習を機に、市は飛行場を陸軍に献納した。陸軍からは山岳飛行場として高い評価を受け、山岳地の飛行訓練や耐寒飛行演習地となった。同12年には所沢陸軍飛行学校分教場、続いて熊谷飛行学校分教場となり、九十五式練習機（通称赤トンボ）の訓練場として軍事色が強まっていった。太平洋戦争に突入すると、沖縄戦を控えて特攻隊の攻撃訓練が行われ、ここから九州の特攻出撃飛行場へ向かった。

■米軍の空襲とその後

京浜工業地帯が米軍の空爆下に入ると、上田地方への工場疎開が行われた。昭和20年には航空機関係の工場が上田飛行場周辺の山地に疎開し、地下工場の建設も始まった。この地方では同19年12月9日、市内にあった小県蚕業学校①が米軍B29による空襲を受け校舎全焼、20年8月13日には米艦載機グラマンが上田飛行場を空襲、15日にもグラマンによって三菱重工業第5工場②、東塩田村鈴子の来光寺池、東内村和子（わご）、長久保古町等が空襲された。

敗戦後に飛行場は米軍に接収され、その後廃止となった。飛行場に利用された農地の大部分は地元農家へ払い下げられた。飛行場の関連建物、滑走路の一部は同23年に県立上田千曲高校用地として県有地となり、また一部は千曲町の住宅地にもなっている。（佐々木　清司）

03
志賀高原
〈下高井郡山ノ内町〉

火山地形に築かれたスキー天国

今や全国屈指の広大なスキーリゾートであり、長野冬季オリンピックの舞台ともなった志賀高原。昭和に入り、長野電鉄の丸池ヒュッテが建設されてから多くのスキー場やホテルが設けられてきた。ここは火山がつくった多数の湖沼や湿地がみられる風光明媚な地で、古くは麓の沓野集落の入会地として竹細工や炭焼きなどに利用されてきた。地図で高原の今昔を見比べてみよう。

［地図記号］ 昔 針葉樹林 広葉樹林 小径 今 リフト

読図ポイント

1 湖沼群を見る
地図で湖沼はいくつ見つけられるでしょうか。なぜ多いのでしょう。この地が火山地帯であることが関係しています。

2 スキー場を見る
国内屈指のスノーリゾート・志賀高原のスキー場はどんな場所にできたでしょうか。地図で地形や規模を見てみよう。

3 道路の今昔を見る
昔からの道と新しい道をなぞってみましょう。草津（群馬県）へ 通じる古くからの街道は現在ではどうなったでしょうか。新しい道はどこへ通じているでしょうか。

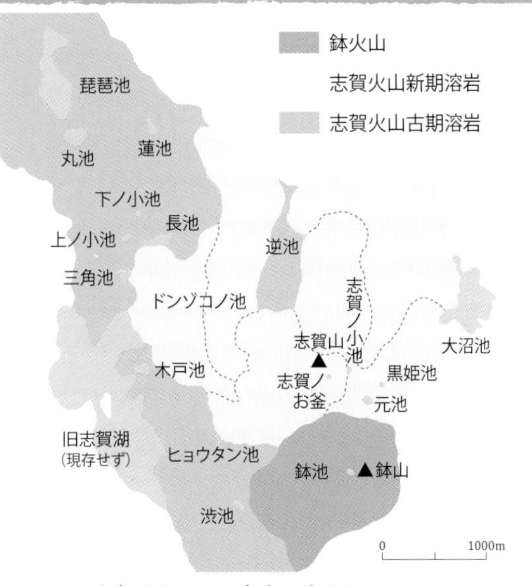

志賀山周辺の溶岩と湖沼
赤羽貞幸信州大学名誉教授の原図を基に作成

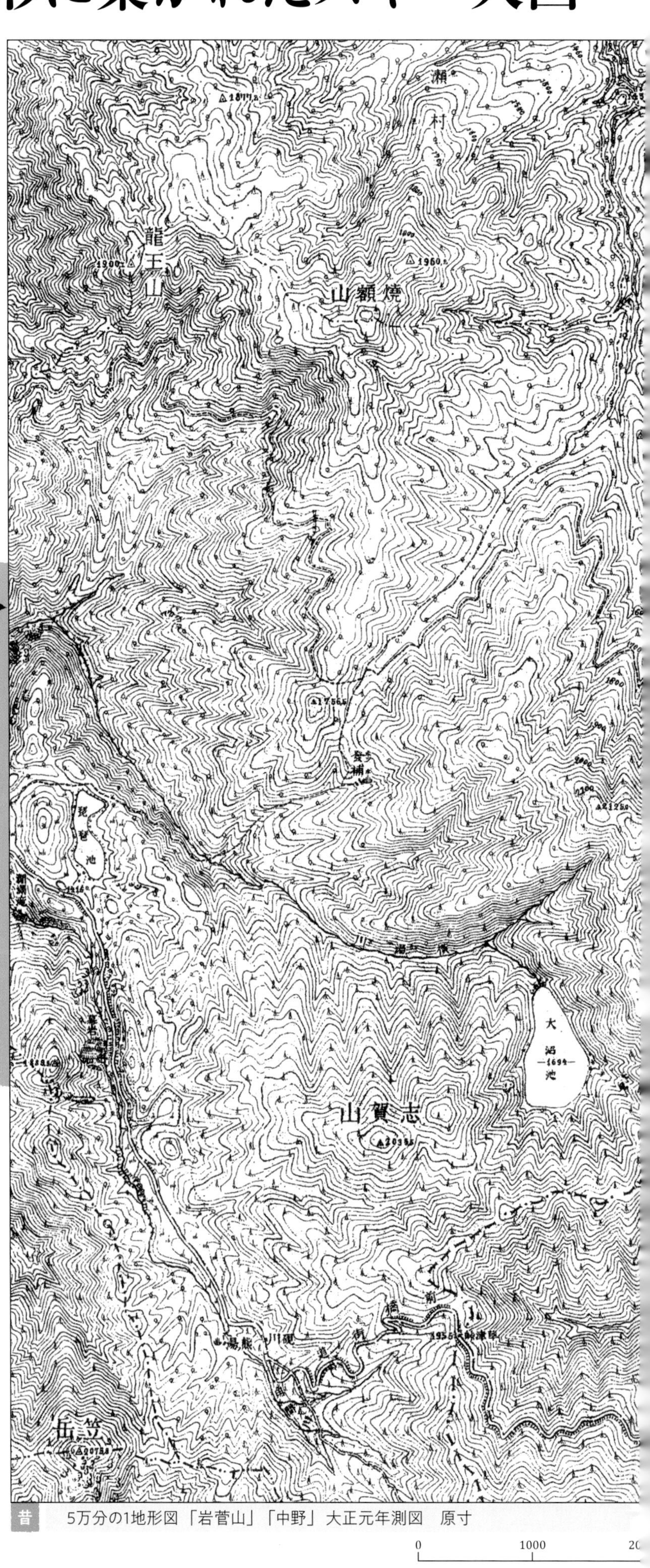

昔 5万分の1地形図「岩菅山」「中野」大正元年測図 原寸

0 1000 20

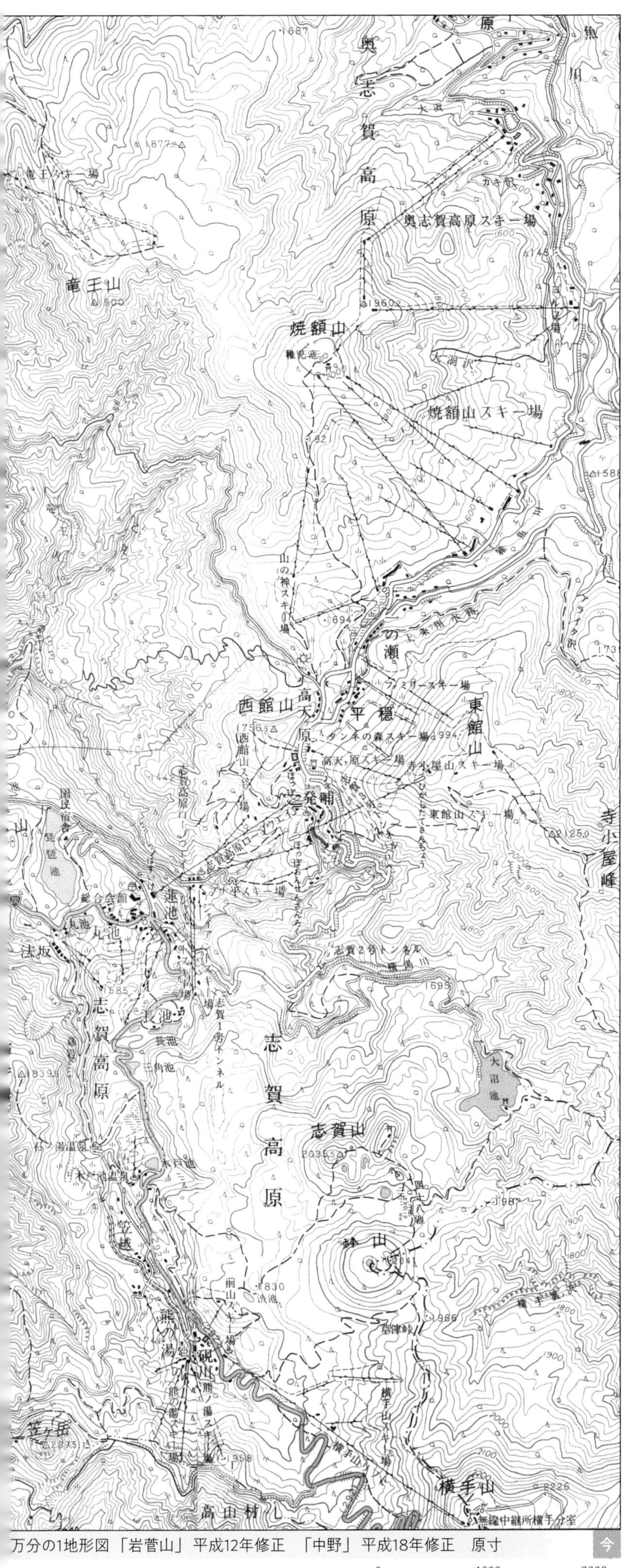

万分の1地形図「岩菅山」平成12年修正　「中野」平成18年修正　原寸　今

0　1000　2000m

湖沼群

1 湖沼群は火山に成因が

現在の地図から、**志賀山**を囲むように点在する湖沼を探してみよう。現地に足を運んでみると森林や草原・池・湿原それぞれの地形に多様な植生や植物を見ることができる。これらの湖沼は志賀山などの火山活動の結果つくられたもの だ(図参照)。成因により次の３タイプに分けることができる。

1：火口跡に水が溜まってできた火口湖／お釜池（志賀山）　鉢池（**鉢山**）　**稚児池**（**焼額山**（やけびたい））

2：溶岩が作った凹地（おうち）に水が溜まった池／一沼　**琵琶池　丸池　蓮池**　長池　三角池　木戸池

3：溶岩によってせき止められてできた池／**大沼池**

新地図には上記の湖沼をはじめ多くの池や湿原が地図に表記されている。ところが、100年前の地図ではなぜか湖沼の記載が少ないことがわかる。

四十八池と志賀山

2 ゲレンデスキー発祥の地

■日本初のスキーリフト　新旧地図を見比べると、何本ものスキーリフトが架かり、多くのスキー場が造られた様子がわかる。志賀高原の開発は丸池から始まった。昭和5年（1930）に長野電鉄が丸池にヒュッテを開業、昭和12年には県営の志賀高原ホテルが竣工した。終戦翌年の昭和21

旧志賀高原ホテルと進駐軍のスノージープ（志賀高原歴史記念館所蔵）

大にぎわいのスキー場（熊の湯、昭和42年）

年、同ホテルは進駐軍に接収され、その翌年には進駐軍によりスキー用リフトが架設された。これが日本最初のスキー専用リフトということになる。

■スキー場の展開　架設リフトは昭和 27 年に進駐軍の接収が解除されると、長野電鉄によって架け替えられ、丸池リフトとして営業を始めた。それまでスキーといえば歩く山スキーを指したが、このリフトの営業により、今日にみられるゲレンデスキーの歴史が始まったといわれている。その後は志賀高原に入会権を持つ和合会会員を中心に開発が進められた。昭和 30 年代に入ると、丸池より標高が高い**熊の湯・横手山**にリフトが架けられた。昭和 30 年後半には、より多くの積雪と標高差を求めて、**東館山**（ひがしたてやま）・**奥志賀高原**と北方面への開発が進み、昭和 58 年の焼額山スキー場開設でほぼ現在のスキー場の分布になった。

■冬季五輪後の試練　増え続けたスキー客は昭和 63 年（1988）の356 万 5 千人をピークに減少へ。

オリンピックの観衆

その後、平成 10 年（1998）に東館山スキー場・焼額山スキー場・**西舘山**スキー場が長野冬季オリンピックとパラリンピックの会場となり、周辺道路などアクセス環境が整備され利便性も高まった。しかし、五輪開催で世界的に知名度が上がり集客が期待されたものの、スキー客は平成 28 年度には 88 万 5 千人にまで減少してしまった。平成 31 年にはまた 94 万 7 千人と増加に転じた。これは、ふもとにある地獄谷のスノーモンキーブームを受け、インバウンドの海外スキー客が増えたことが大きい。

3 高原の暮らしの道と取水源

■前橋街道・草津道　100年前の地図をみると、**熊の湯温泉**の近くに**前橋街道**が通っている。この街道は戦国時代以前からの道で、ふもとの渋・沓野と上州草津とを結び、草津道とも呼ばれていた。古くから沓野の人々はこの街道を利用して炭や白箸を生産したり山菜を採り、草津まで米などを運んだ。明治 19年（1886）には前橋街道として整備されたが、大正 15年（1926）に草津電気鉄道（後の草軽電鉄）が草津まで延びると次第に衰退していった。

その街道に沿って、昭和 40年（1965）、日本道路公団により志賀草津高原ルート（現在の国道 292号）が開かれた。現在、この道は群馬県と長野県北部を結ぶ重要な観光道路となっているが、白根山の噴火の影響が懸念されている。

志賀草津高原ルート

■スーパー林道　丸池から**高天ヶ原**方面への道路は、製紙会社が開いた林道を改良し、昭和 53 年（1978）に奥志賀スーパー林道の名で栄村（秋山郷）・野沢温泉村・木島平村に至る山岳道路として開通した。現在、冬季は奥志賀高原まで除雪され、多くのスキー場への重要なアクセス道路となっている。新地図からは丸池から高天ヶ原にかけて三本のトンネルを読み取ることができる。これらは長野冬季五輪開催時、競技会場である焼額山スキー場・東館山スキー場への道路整備で新設されたものである。

■等高線に沿う歩道は？　100年前の地図で、**龍王山**や焼額山の南斜面を等高線（1,700m）に沿って東西に続く歩道記号（点線）は農業用水路の管理道路である。この用水路は江戸時代に開堰され上条堰（新地図「**上条用水路**」）と呼ばれ、岩菅山（いわすげ）の**アライタ沢**から分水域を越え、龍王山を経て南西麓の上条地区まで約 23㎞にわたり水が引かれている。この水は農業用水として利用されない冬期間、高天原水道組合へ貸水されている。

さらに、旧地図には前橋街道に沿って**草津峠**から東側に続く別の農業用水路を見ることができる。明治時代に作られた寒沢堰（さむさわ）である。開堰当時、群馬県側で集めた水は分水域を越え山ノ内町寒沢地区まで引かれていた。現在は**角間川**へ水を落とし、中部電力が発電用水として利用している。

また、新地図の「奥志賀高原」表示の辺にも、横倉上堰・須賀川堰・横倉下堰と呼ばれ、奥志賀高原から分水域を越えて、ふもとの横倉・宇木・須賀川地区の耕作地へ水を引くための灌漑用の水路がある。これら三本の堰は現在パイプラインで一本にまとめられ、その水はおよそ 300ha の耕地で利用されている。（80・81 頁地図参照）　（青木　正彦）

上条堰の取水口（アライタ沢）

Column: 02 新幹線飯山駅は信越振興のカギになるか？

平成 27年（2015）3 月 14 日、飯山市に待望の北陸新幹線飯山駅が開業した。東京まで最短 1 時間 39 分、金沢まで同 1 時間 15 分で結ぶ。北陸新幹線の基本計画が決まったのは昭和 47 年（1972）で、飯山ルート決定は昭和 57 年（1982）。しかし、昭和 63 年にはミニ新幹線による飯山ルート消滅案が浮上した。総決起大会や陳情など市民一丸となった運動を展開し、平成 8年（1996）にフル規格での整備が決定し、10 年に工事が始まった。

長野県北部の豪雪地である飯山市は、新潟県や長野県内各地との流通で栄えてきた城下町・地方都市である。しかし、戦後は人口流出が進み、過疎化が地域の課題となった。そこで市は、斑尾（まだらお）高原などの観光開発や工場誘致、700 区画に及ぶ住宅団地造成などの対応をとってきた。特に南部には住宅が増えた。平成 9 年（1997）には上信越自動車道の豊田飯山インターチェンジができたが、過疎化の波は押さえきれない。また、市街地南部の国道 117 号沿いには新しい店々が建ち並んだが、市街地では人通りが減り「空洞化」が進んだ。新幹線飯山駅の開業による地域再生の夢は、時代を超えた悲願だったのである。

新幹線飯山駅には、近隣地域からも振興拠点としての期待がかかる。駅から 20㎞圏内にある 9 市町村（飯山市・中野市・山ノ内町・信濃町・飯綱町・木島平村・野沢温泉村・栄村・新潟県妙高市）では、県境や市町村境を超えた広域観光圏「信越自然郷」のアピールに取り組んでいる。「アジアを代表する山岳高原・スノーエリアに!」が合言葉。具体的には、飯山駅を起点に雪質や量に恵まれた世界有数のスキー場や外国人にも人気の温泉を結ぶバス運行、圏域の多彩な自然や里の風景を巡る日帰りバスツアーを企画して誘客を図っている。

信越の名所への玄関口として飯山駅の知名度アップはなるか。国内外への発信はまだまだこれからだ。

（畔上　不二男）

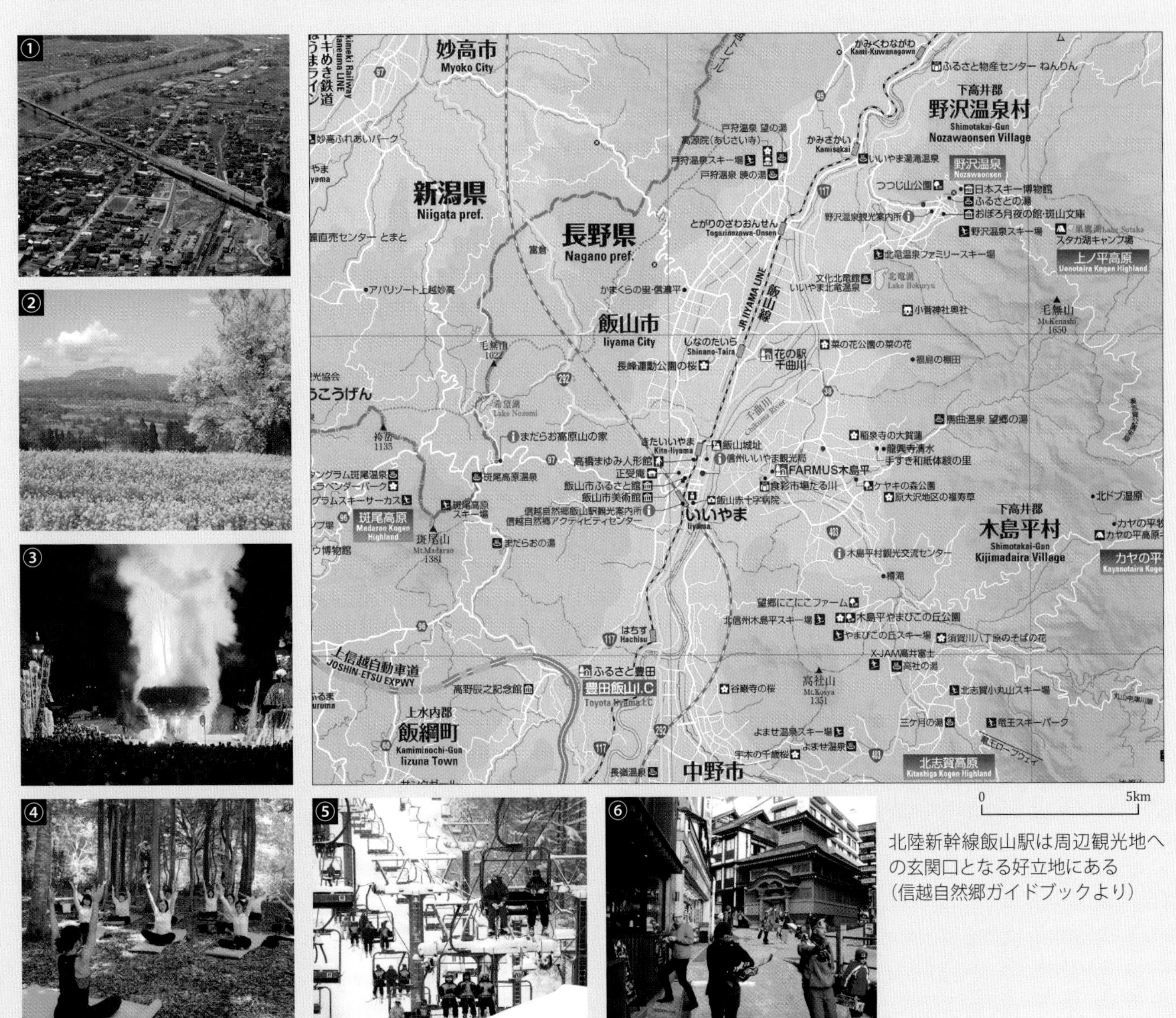

北陸新幹線飯山駅は周辺観光地への玄関口となる好立地にある（信越自然郷ガイドブックより）

①市街地に実現した新幹線飯山駅 ②いいやま菜の花公園 ③野沢温泉火まつり ④ブナ林でのヨガ体験 ⑤にぎわうスキー場 ⑥温泉街を歩く海外からのスキー客

04
白馬村
〈北安曇郡〉

世界へ飛躍したスキーの村

長野冬季オリンピックの競技会場として世界的にも知られ、海外からのスキー客であふれる白馬。北アルプス直下の村はかつて収量も乏しい稲作中心の「寒村」だった。大正時代からのスキー場開発を核に、登山客らも含め100万人近くを集客する観光地へと姿を変えた。大きな飛躍を果たした「ハクバ」の歩みを振り返ってみよう。

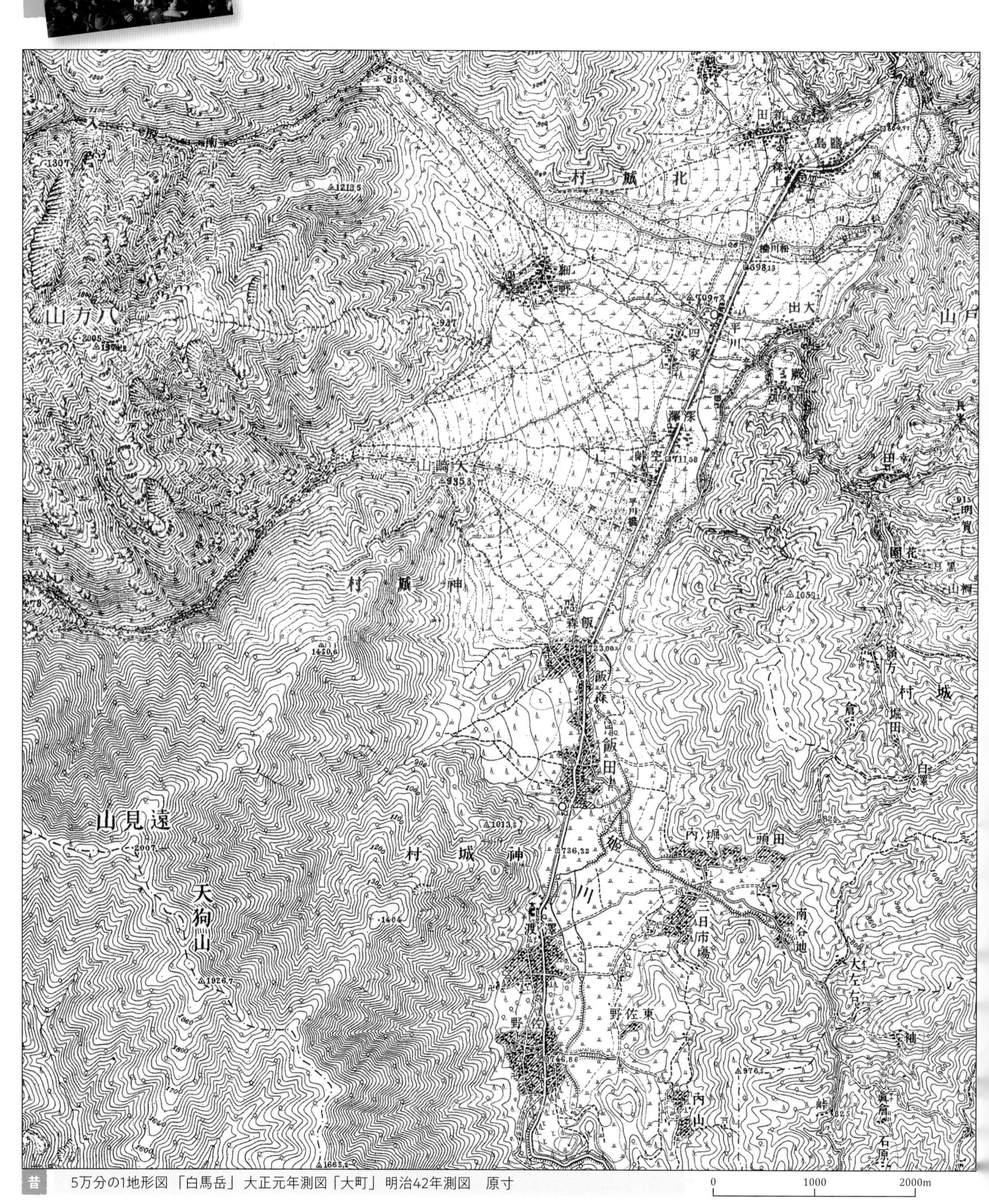

昔　5万分の1地形図「白馬岳」大正元年測図「大町」明治42年測図　原寸

0　1000　2000m

読図ポイント

[地図記号] 昔  針葉樹林 広葉樹林 田 今 リフト

1 スキー場開発を見る

白馬を代表する大規模なスキー場は、地図記号ではどんな場所だったでしょうか。等高線と合わせて見てみましょう。

2 長野五輪の遺産を見る

長野冬季五輪の舞台となった競技場を探しましょう。ジャンプ台のほか、滑降の舞台・八方尾根スキー場もあります。

3 街の広がりを見る

スキー観光を支える街の広がりを確かめましょう。新旧の地図を比べると、鉄道や道路、集落など新しくできたものがたくさんあります。名前が変わった地区もわかるでしょうか。

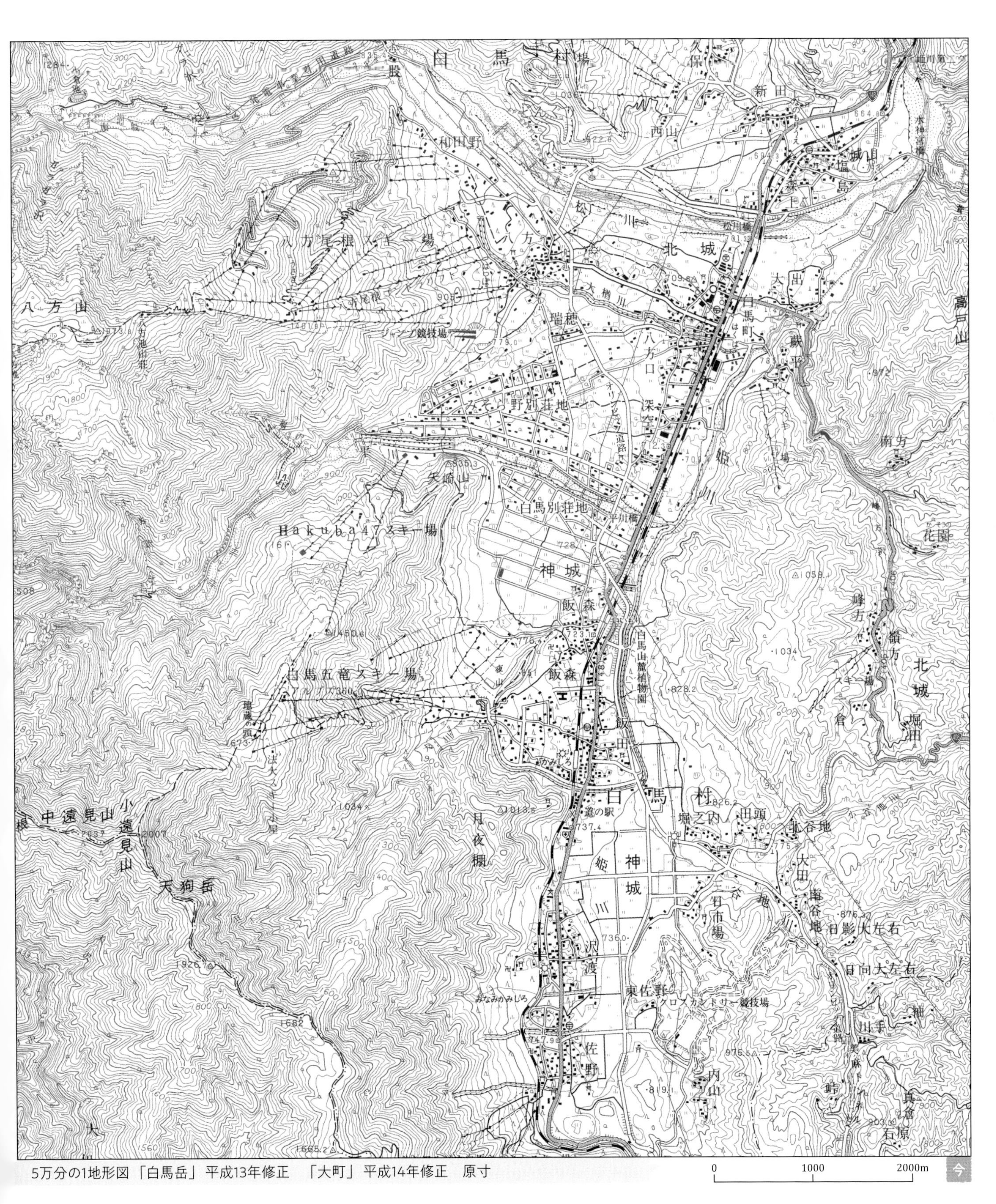

5万分の1地形図「白馬岳」平成13年修正　「大町」平成14年修正　原寸

0　1000　2000m　今

白馬八方尾根スキー場

1 八方山の緩斜面にスキー場

■草刈り場としての山麓斜面　旧地図をみると、**姫川**左岸には緩傾斜地が広がっている。村の西側には標高 2,900m 前後の後立山連峰がそびえ、そこより流れ下る河川(**松川**、**平川**など)によって形成される扇状地が重なり合う。この一帯は蛇紋岩を多く含み、崩落や地滑りが発生しやすく、土壌の特異な化学組成や乾燥に耐えうる植物などからなる貧弱な植生で、荒れ地や草地、原野となっている。地元の人たちは畑地への開拓もできず、採草や刈り敷の「刈り場」としてしか利用できなかった。

■スキー場開発、地元から大資本へ　白馬村にスキーが入ったのは大正 2年(1913)である。当初は小学校でスキー練習を行う程度だったが、次第に山案内人や警察、営林署員、郵便局員が利用するようになった。大正中頃にはスキーを使って白馬岳(しろうまだけ)など冬山登山に挑む岳人や大学生も現れ、スキーへの関心が一層高まり、競技スキー習得のための講習会もたびたび開かれた。昭和に入ると八方山の北斜面に村営スキー場が造られた。**細野**地区によるスキー場の造成も行われ、登山者やスキー客を泊める民宿が始まった。現在の**八方尾根スキー場**の基礎となった。戦後の昭和 33年(1958)、八方尾根で東急資本による八方尾根ケーブル(後にゴンドラリフト)が架設されるなどの大開発が行われた。以降、白馬五竜はじめ各スキー場のリフト架設が進み、スキー場施設の充実が図られた。また国道の整備や大糸線の電化(昭和 35 年)による輸送力の向上でスキー客は急増し、平成 3 年(1991)には過去最高の 280 万人に達した。

2 オリンピックで世界に発信

■世界に飛躍した白馬村　新地図に「**ジャンプ競技場**」とあるのは平成 10年(1998)2 月に開催された長野冬季オリンピックのジャンプ競技会場である。ジャンプ台はノーマルヒルとラージヒルの台が並び、現在はリフトと展望エレベーターを利用して、地上 140m のスタート地点に立つことができる。世界各地からアスリートや観光客が大勢訪れ、村の様子は世界に発信されて一躍国際観光都市となった。白馬を世界に知らしめたスキー場は新地図にある 3 カ所のほか、平成 27 年現在は白馬岩岳、白馬さのさかを合わせ計 5 スキー場が営業している。現在では 60 基のリフトが稼働している。

軒を並べる宿泊施設

■増える外国人スキー客　スキーブームに沸いた折りには、スキー客向けの宿泊施設も大幅に増え、ピーク時(平成 2 年)は約 800 軒、収容人数約 3.5 万人で村世帯数のおよそ 3 割が携わっていた。その後スキー離れが深刻となり、スキー客が 99 万人に減少(平成 21 年)。膨れあがったスキー産業も陰りを見せ、宿泊施設 320 軒弱、収容人数 1.5 万人とピーク時の半分以下、従事する世帯数も 1 割以下に減少した(27 年)。26 年には 100 万人を回復したが、これは外国人スキー客の増加が背景に挙げられる。口コミにもよるが、パウダースノーに魅せられて来日するスキー客が多い。外国人観光客約 8 万人の 6 割がオーストラリアで、シンガポール、台湾、香港などの地域からも訪れている。外国人がショップや宿泊施設を経営する例も見られる。

3 スキーを軸に変わる地域

■スキー競技会、別荘地、道路整備　スキーブーム到来時、白馬はスキーのメッカ的存在となり、全日本のスキー大会や国体競技会場となった。別荘分譲地が造成され、ペンションが建てられた。長野冬季五輪では長野市と白馬の競技会場を 1 時間程度で結ぶ必要から県道の改修や中心部を通らない**バイパス道路**(通称「オリンピック道路」)が建設された。それによって白馬村民の買い物は大町市や松本市だけでなく、長野市まで広がるようになった。さらに志賀高原と結ぶルートも確立し観光道路として機能している。

オリンピック道路

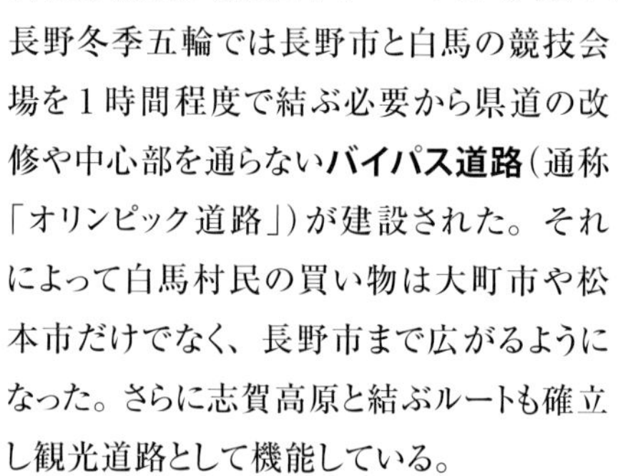
スキー場へ向かう車の渋滞(昭和53年)

■新しい地区の誕生と地区名の変更　スキーを軸に観光地化する中、新旧地図では地名も変わっている。昭和 31 年、神城村と北城村が合併して白馬村が誕生。新図では西山山麓一帯に「**瑞穂**(みずほ)」や「**どんぐり**」等の新たな地区名が見られる。昭和 30 年以降に他地区から移住した人たちによって形成された集落である。また平川の形成した扇状地を利用して「**白馬別荘地**」や「**みそら野別荘地**」が造成された。旧図「細野」「**四ッ家**」は、スキー場にもちなみ、それぞれ「**八方**」「**八方口**」と名前を変えている。旧地図以降に開通した大糸線の、かつての信濃四ッ谷駅も**白馬駅**と名を変えている。

(内川　淳)

Column: 03　激しい侵食の地　犀川丘陵に生きる

■山地を侵食し続けて蛇行する犀川

侵食力が強い川が隆起する山地を流れのままに削っていった谷の地形を先行谷（せんこうこく）といい、このような河川を先行河川という。犀川丘陵はその典型である。松本盆地の水を集めた犀川は、旧明科町木戸から狭い谷を北流する。航空写真で見ると東は筑摩山地、西は水内丘陵に挟まれた山間部を犀川が蛇行して流れる様子がよくわかる。数十万年前の犀川は準平原を蛇行しながら流れていたが、山地の隆起後もその流れのまま侵食を続けて現在の地形となった。犀川に沿う道路の建設は難しく、近年まで橋も架けられず小舟による渡し舟で行き来していた。

■100年近くかかった犀川通船の開設

江戸後期の天保3年（1832）、この犀川で水運事業が始まった。これには北国西街道沿いの宿場筋から強い反対があり、通船願いが出されてから94年の年月を要し実現した。開設にあたっての取り決めも、積み荷は米穀類・酒・長竹・石など宿方の支障にならない物に限定し、宿継ぎ荷物や往来の旅人は乗せない、船荷の改めを行い、取り決め以外の荷物が見つかった場合には焼き捨て、通船も止める―など厳しいものであった。にもかかわらず新町（長野市信州新町）の商人は特産品の麻や楮（こうぞ）を近郷から集荷し、長野や松本にとどまらず江戸・京・大坂まで出荷していた。水運は明治35年（1903）の篠ノ井線開通で衰微し、昭和13年（1938）に犀川沿いに国道19号が完成したことで廃止となった。

■制約ある地形上にブドウ畑や発電所

川沿いの山村・生坂（いくさか）では、耕地が段丘上や山腹にあるため河川水を直接利用することができなかった。電気揚水によって開田も進め、水田率30%と稲作が農業の主力となった。草尾地区では、昭和50年頃に盛んだった養蚕に代わって巨峰ぶどうの栽培も始まった。栽培面積・出荷量とも増加し、今では約30haのぶどう団地ができ、全国に出荷される主力産品となっている。後継者育成にも力を入れ、成果が出ている。また、険しい地形を利用した施設として発電所がある。広津発電所は高瀬川・青木湖・木崎湖から水内丘陵を貫いて引水、落差200mの水路式発電所で、昭和14年に昭和電工大町工場の自家用発電所として建設された。東京電力は39年に高さ17.5mの生坂ダムを建設し、犀川を堰き止めて発電し、蛇行区間には5つのダムと6発電所がつくられている。ダム湖は水鳥が群れる公園となったが、崖にそそり立つ奇岩奇石は水没した。さらに下流には33年建設の平ダムと発電所がある。

■交通障害を克服して

犀川に沿う国道19号は、松本市と長野市を結ぶ幹線道路また過疎地の生活道路として、崩落防止柵や洞門によって維持されてきた。カーブが多く、多数の犠牲者を出したスキーツアーバス転落事故も起きた。その後、トンネルや長大橋などで直線化が図られ、通行時間も短縮された。長野自動車道の開通により交通量は減少したものの、地域の幹線として役割を果たし続けている。ただ、交通の円滑化に重点が置かれ、集落が取り残された感も否定できない。山間地の振興のあり方も問われているといえよう。

（斎藤　慎一）

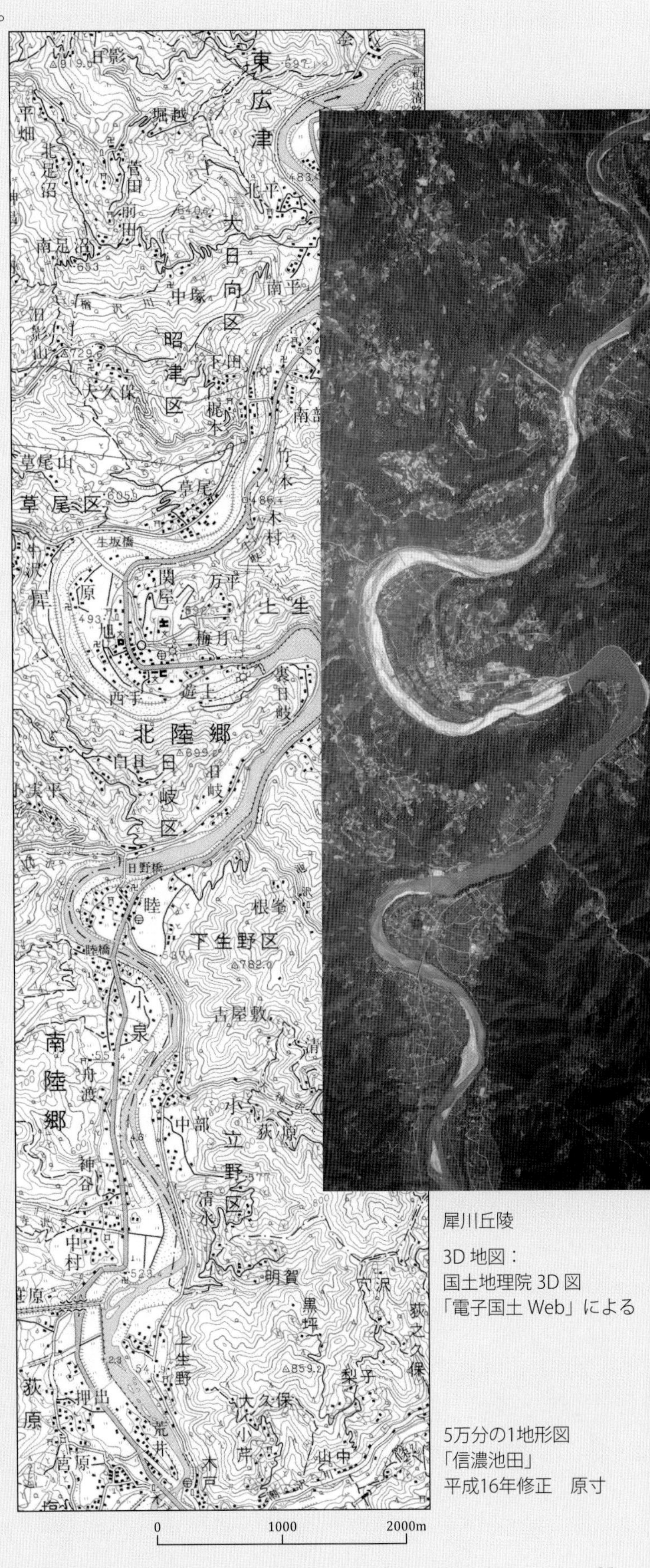

犀川丘陵

3D地図：
国土地理院3D図
「電子国土Web」による

5万分の1地形図
「信濃池田」
平成16年修正　原寸

05

白樺湖・蓼科高原

〈茅野市・北佐久郡立科町〉

原野とため池が巨大観光地に

信州の高原リゾート代表格の蓼科(たてしな)高原は、八ヶ岳・蓼科山麓の標高1,200～1,400mに広がる緩やかな傾斜地で、かつては麓の集落が稲作を維持するための刈敷を採取する入会地(いりあいち)だった。この林野と共に、戦後、農業用ため池として造成された白樺湖、蓼科湖が観光の軸となった。一帯には県外資本による別荘開発が相次ぎ、ホテルやスキー場、ロープウェイがそろい、巨大観光地として急速に発展した。

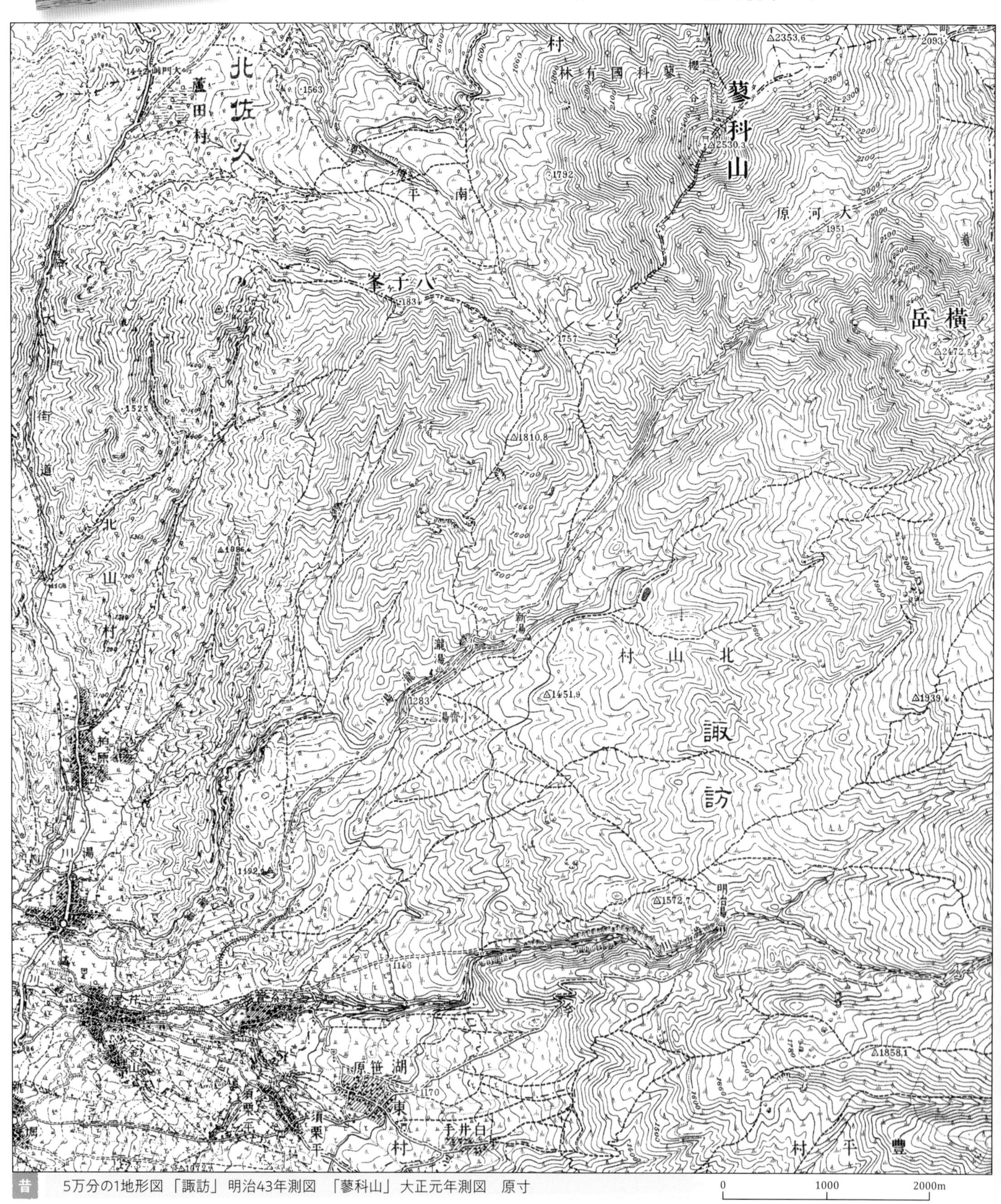

昔　5万分の1地形図「諏訪」明治43年測図　「蓼科山」大正元年測図　原寸

0　1000　2000m

［地図記号］ 昔　荒地　針葉樹林　広葉樹林　桑畑　温泉

1 巨大開発の前後を見る

現在の別荘地の規模や道路を見て、広がりの大きさを確かめよう。巨大開発はなぜ可能だったのでしょう。等高線で傾斜を見てみましょう。

2 観光名所の今昔を見る

観光名所の白樺湖と蓼科湖は旧地図ではどうなっていますか。周辺に何ができたかも確認しましょう。

3 貴重な用水路を見る

別荘開発された一帯はその昔、草地が広がり農業に欠かせない一帯でした。旧地図で水田の分布や水路を確かめてみましょう。旧地図に見える2本の用水路は世界かんがい遺産として現在も変わらずに使われています。

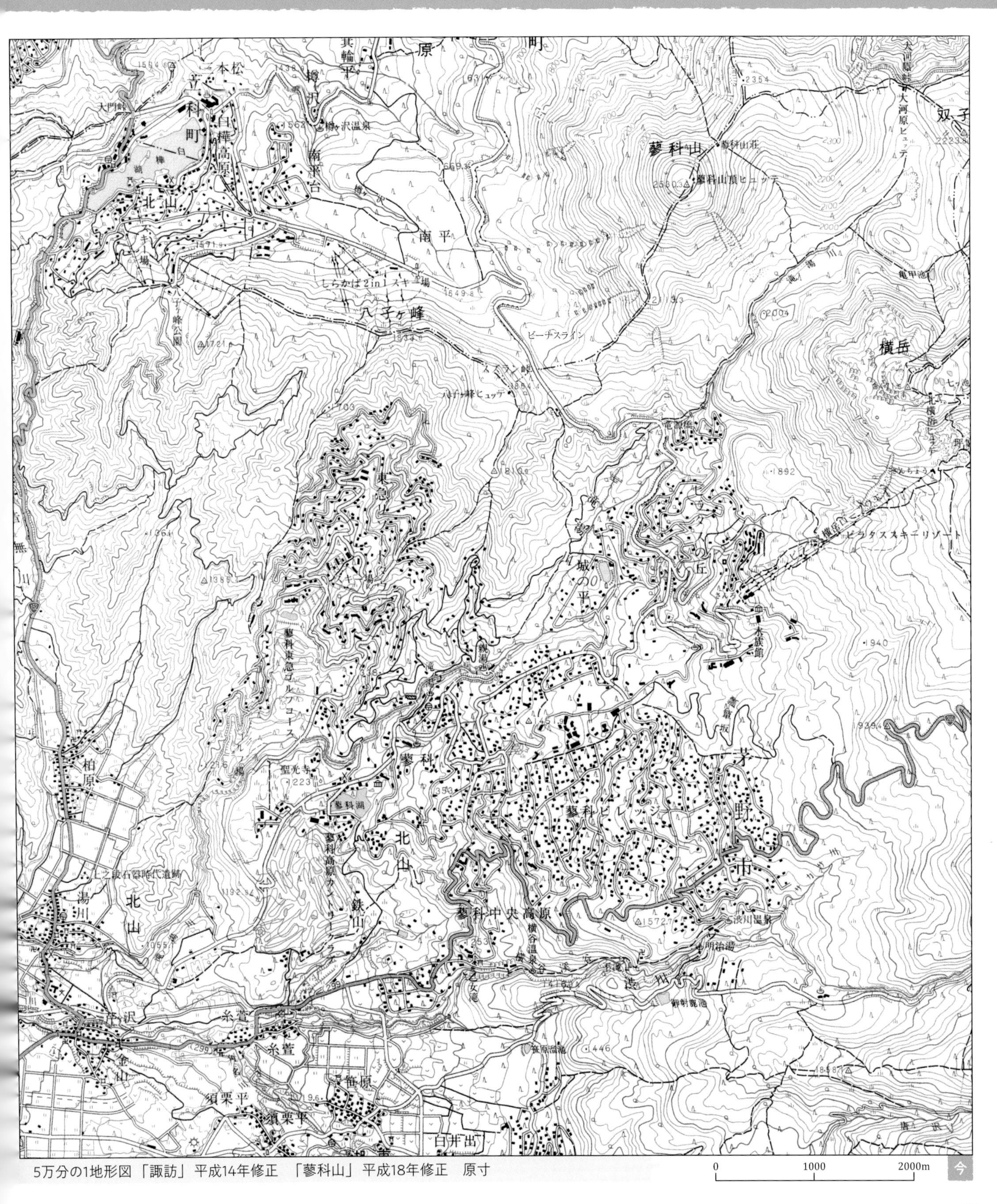

5万分の1地形図「諏訪」平成14年修正　「蓼科山」平成18年修正　原寸

0　1000　2000m　今

1 巨大高原観光地の出現

■県外資本による蓼科開発　蓼科高原が一大別荘地帯へと変貌するきっかけをつくったのは、昭和35年（1960）に湯川財産区有林を3億円で購入した東洋観光事業株式会社だった。同社は極めて積極的な別荘開発を進めた。蓼科高原の別荘地は、新旧地図や下の開発図を見比べると、標高の高い緩やかな斜面の広大な荒地等に造成されたことがわかる。かつてここは山麓の**柏原**、**湯川**集落など火山灰地の稲作を支えた入会林野だった。昭和30年以降、入会地は農業に活用されなくなり、土地は購入し易くなっていた。東洋観光の開発を契機に県外資本は別荘開発を競って進め、**蓼科ビレッジ**、**ピラタスの丘**、**東急リゾート**の巨大別荘地が出現、**蓼科東急ゴルフコース**、**蓼科高原カントリークラブ**の造成も続いた。ピーク時は別荘約1万戸、ゴルフ場は5ヵ所に達した。

■共同及び貸付による白樺湖開発　昭和42年に竣工した**日本ピラタス横岳ロープウェイ**は、長野県が湯川財産区から用地165haの提供を受け、地元との共同出資で建設した観光施設である。一方、**白樺湖**の観光開発は、周辺に土地を所有する柏原財産区が、県外大手観光資本には財産区有林・土地を一切売却せずに全て貸付とし、大部分を直営方式で開発・運営した。

■高原観光地の巨大化と課題　これらの開発と合わせ、昭和38年に茅野駅付近を起点とした有料道路蓼科線（茅野市塚原—白樺湖）が開通、昭和43年にこの延長として有料道路霧ヶ峰線（白樺湖—強清水）が開通すると観光客は急増した。二つの有料道路はその後**ビーナスライン**と呼ばれるようになった。同41年には白樺湖南側にスキー場（現白樺湖ロイヤルヒル）開設、45年にビーナスラインが和田峠まで開通した（八島線）。昭和56年に中央自動車道諏訪ICが開設されると、首都圏とこれら高原観光拠点がつながり、白樺湖～蓼科高原に巨大高原観光地が出現した。

大資本がけん引する形で巨大高原観光地へと姿を変えた蓼科高原であるが、現在は観光客の減少によるホテル倒産も出ている。各別荘地がそれぞれ独自に運営する水道の老朽化、傾斜地に造営された別荘立地の人気低迷など、切迫した課題に直面している。

2 白樺湖・蓼科湖の誕生前後

■白樺湖の原風景　ところで、旧地図を見ると、この観光地の中心でもある白樺湖の姿はまだない。白樺湖が造成された場所は「池の平」と総称される**大門街道**沿いの高層湿原（標高1,416m）だった。その中心を**音無川**の源流が流れ、川沿いには白樺やカラマツ、葦が茂り、草原は地元青年会の運動会場としてにぎわう程度の静かな環境だった。完成当初、湖底には音無川の川筋や水に沈んだ大門街道の道筋がはっ

別荘地をめぐる道路網（昭和47年）と蓼科高原の別荘地（昭和41年）

右：蓼科湖
左：観光開発が進んだ白樺湖

きり見えるほど水は澄み、水没した白樺林の先が湖面に突き出て神秘的な美しさをたたえていた。

白樺湖は昭和21年11月に、湖面面積36haをもつ県内有数の県営農業用温水ため池として、柏原財産区内に完成した。目的は、**北山**・米沢・豊平（とよひら）・永明（えいめい）の4カ村の水田約500haへ、音無川の水温を10度以上に上げて給水することだった。当初、県知事により「蓼科大池」と命名されたが、7年後に地元考案の「白樺湖」に改めた。造成当時は観光に利用する意図は全くなく、誰もが高原リゾートへと発達するとは思っていなかった。

五輪選手も練習した蓼科湖のリンク（昭和39年）

白樺湖周辺で観光地化が進んだのは戦後の昭和24年ころからで、茅野駅から1日1往復のバス運行とバンガロー経営が始まり、観光貸馬業や貸ボート営業も見られるようになった。

■蓼科湖の原風景　一方、**蓼科湖**も農業用温水ため池として昭和27年5月に完成した湖面面積8.5haの人造湖である。蓼科高原の周辺は、戦前から**滝ノ湯**、**新湯（親湯）**等の温泉施設があり、別荘も昭和12年には100～150戸を数えた。ただ、蓼科湖を取り巻く一帯は湯川財産区等の広大な入会地で、造成当初の湖は岬や洲が入りこみ、葦やばら藪が茂るような状態であった。蓼科湖が竣工すると、湖畔にバンガローやキャンプ場が開設され、観光地化が急速に進んだ。

蓼科高原・白樺湖の観光客入込数の推移（単位100人）

	蓼科高原	白樺湖
昭和40年	6,034	6,374
昭和50年	17,192	18,837
昭和60年	17,803	12,867
平成 7年	20,480	13,009
平成17年	16,682	18,959
平成27年	15,051	14,397

長野県統計書より

また、標高1,250 mのこの湖は、昭和30年代末まで国内最高級の天然スケートリンクとして全国規模の大会の舞台となり、スケーターのメッカであった。

Mini Column　農業用水の確保と火山灰地農業

■堰・ため池による農業用水の確保　旧地図を見ると柏原から笹原にかけての地域は稲作が行われ、また**滝ノ湯堰**1**と大河原堰**2が読み取れる。この堰を開発したのは諏訪郡田沢村（現茅野市宮川）の名主、坂本養川（ようせん）（88頁参照）である。坂本は天明3年（1785）の滝乃湯堰を手始めに大河原堰も含めて15本の堰を開削した。保水性があり、水量豊かな北八ヶ岳・蓼科山麓の水源から流れ出る滝ノ湯川から取水し、等高線に沿って堰を引き、それぞれ横切る小河川や湧き水でつぎ足しながら水量を確保する方法（繰越堰）を取ったため、遠距離の集落の新田を開発することができた。

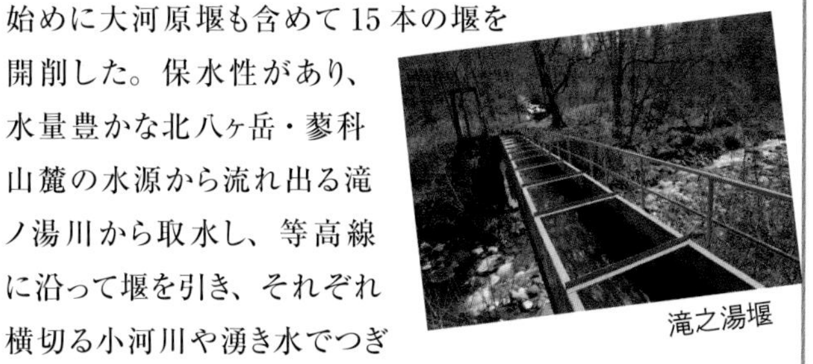

滝之湯堰

一方、この地域は高冷地である。稲作に必要な水温を上げる工夫は「ぬるめ」のほかに温水ため池がある。白樺湖や蓼科湖はそのために造られたのである。

大河原堰の乙女滝（人工滝）

■火山灰地農業　広大な別荘地を形成する以前の入会地は、昔は地元農民にとっては大切な林野であった。山麓の水田地域はもともと火山性土壌であり、欠乏の激しい燐酸（りんさん）分を補うためには刈敷等の大量の草肥の投入が必要だったからである。しかし、昭和30年以降、化学肥料が普及すると、広大な入会林野は無用の土地となっていった。このことが皮肉なことに高原観光開発に多大な貢献をしたのである。

（櫻井　洋）

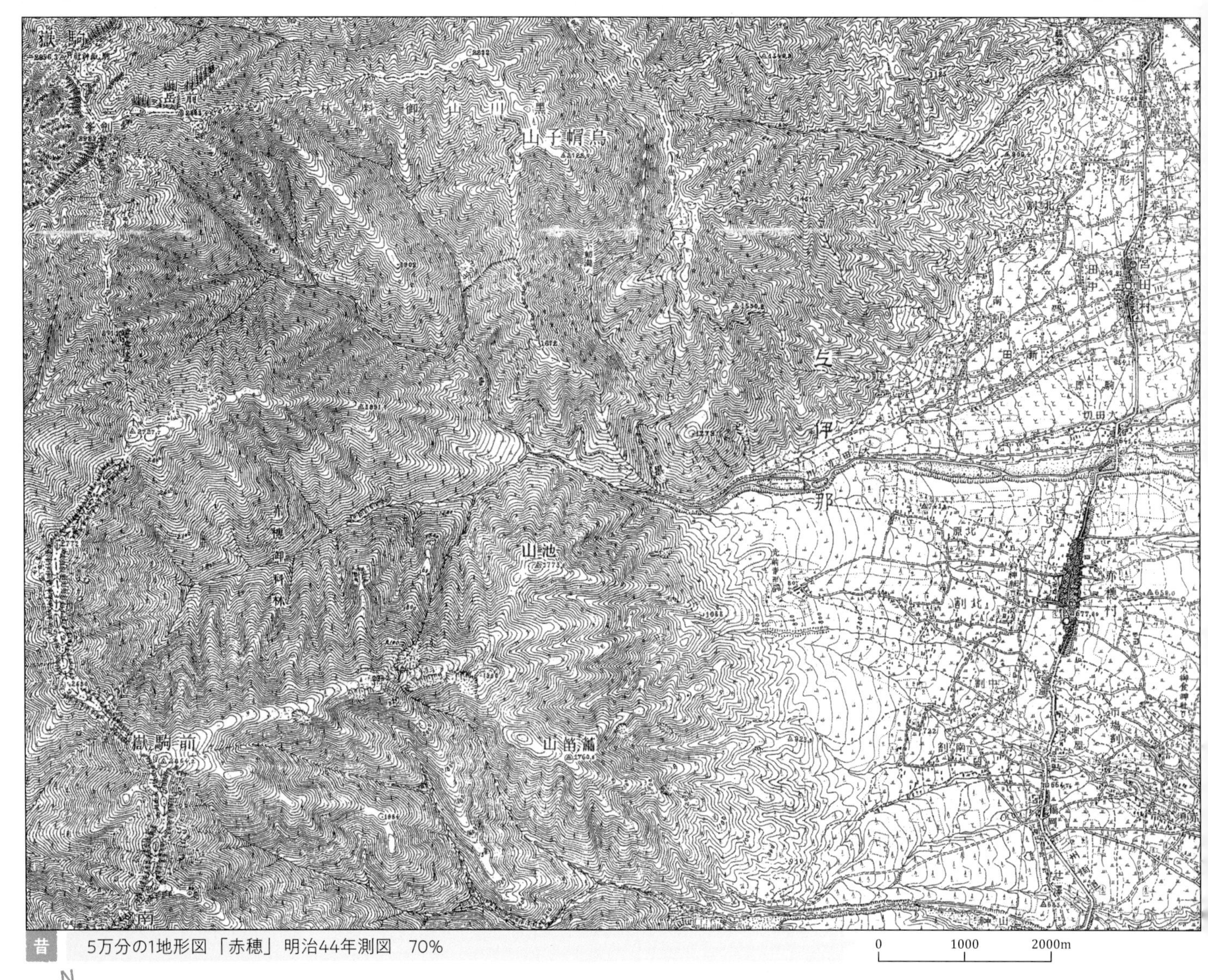

昔　5万分の1地形図「赤穂」明治44年測図　70%

0　1000　2000m

06

駒ケ根高原

〈駒ケ根市・上伊那郡宮田村〉

地元の熱意でロープウェイ実現

中央アルプス木曽駒ヶ岳の東山麓にある駒ヶ根高原は、壮大な山頂の直下まで運んでくれる駒ヶ岳ロープウェイが地域を大きく変えた。地元の熱意で実現した観光開発にともない、山麓の土地利用や施設にも大きな変化を生んでいる。

1 国内初の山岳ロープウェイ

■開発前の駒ヶ岳　旧地図を見ると、山麓から広がる大田切扇状地の大部分は森林原野に覆われ、名刹・**光前寺**(こうぜんじ)が目立つのみである。**北割・中割・南割**集落の東側一帯は水田や桑園地帯だった。「割」の地名は新田開発に由来する。南北を縦断する**三州街道**沿いには**赤穂**などの集落がみられる。駒ケ岳の山頂まで一本の登山道が見えるが、これは少数の登山客や中学生登山に利用されていたに過ぎなかった。

■ロープウェイ建設まで　急峻で何もない山岳地帯に昭和42年(1967)、**ロープウェイ**が建設された。宮田(みやだ)村地籍の**しらび平**(1,661.5m)を起点に、**宝剣岳**(2,931m)直下の通称「千畳敷カール」までを7分30秒で結ぶ国内初の山岳ロープウェイで、高低差950m、終点千畳敷駅の標高2,611.5mはともに日本最高である。

ロープウェイ計画は、初代駒ヶ根市長の北原名田造や建設の中心となった小平善信ら地元有志の発案と熱意で進められた。現在は中央アルプス観光株式会社が運営しているが、前身は伊那谷開発公社で、名鉄や伊那バス、信南交通、駒ヶ根市、宮田村をはじめ伊那谷の大部分の自治体が参画するという地域をあげての開発であった。

2 登山基地から山岳観光地へ

■観光で結ばれたロープウェイと中央自動車道　この地

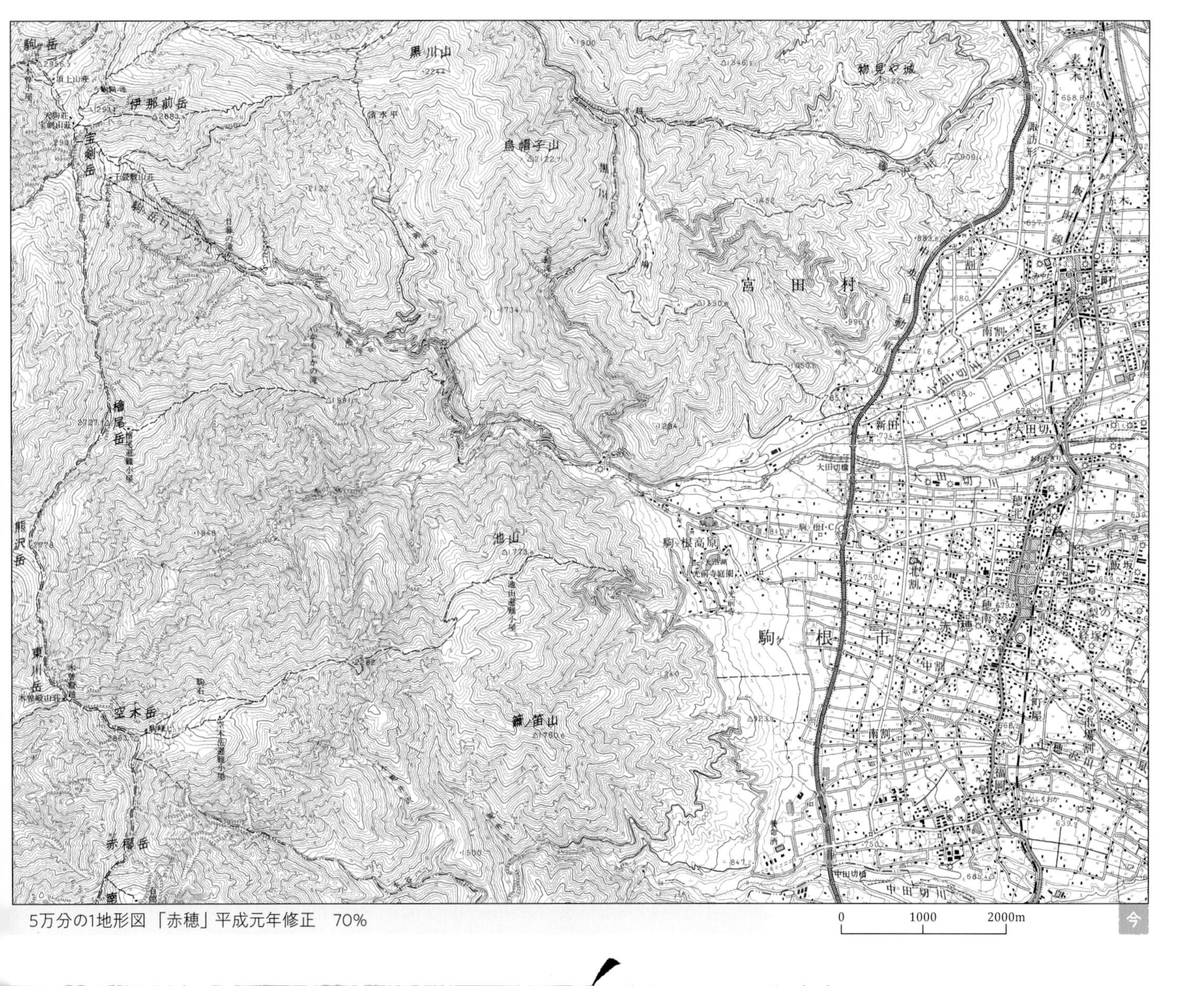

5万分の1地形図「赤穂」平成元年修正　70%

[地図記号]　昔　田　荒地　針葉樹林　今　ロープウェイ

読図ポイント

1 ロープウェイを見る

駒ヶ岳ロープウェイのある場所の標高を確かめよう。3,000m級の山のすぐ手前、千畳敷カールまで達します。

2 観光の拠点を見る

中央道駒ケ根ICはロープウェイ観光の起点です。ここから西側の山麓方面への道をたどり開発の様子を見てみましょう。

千畳敷カール

域の観光事業が本格化してきたのは、中央アルプスが県立公園に指定された昭和26年頃からで、駒ヶ根高原一帯の開発に伴い観光客が年々増えた。ロープウェイ開通で気軽に山岳風景を楽しむことができるようになり、登山客以外の軽装の観光客が一気に増加。平成27年(2015)にはロープウェイ客が年間23万人余に達している。

新地図で地域全体を見ると、平坦部は農地化され集落が全域に広がっている。南北には中央自動車道と**駒ケ根IC**が開設される一方、その東側に広域農道、**JR飯田線**、国道153号、伊南バイパスが走り、これらを横に結ぶ多数の道も整備されている。**駒ヶ根高原**には駒ヶ根高原スキー場、家族旅行村、温泉や宿泊施設ができるなど地域が一変した。交通インフラの整備で中京圏、首都圏との結びつきが強まり、一帯は山岳観光地として発展している。

■山岳観光と農工観光の結びつき　中央アルプス東山麓には北から南へマルスウイスキー、駒ケ根ファームス、**養命酒**等の農業施設、工場が連なっているが、これらの施設に訪れる観光客も多い。地元では山岳観光と農工観光をセットにして通年観光を期待している。このセット観光には養命酒に近い青年海外協力隊駒ケ根訓練所も含まれる。

Mini Column　青年海外協力隊駒ケ根訓練所

山麓の特色ある施設の一つに国際協力機 構(JICA)青年海外協力隊駒ケ根訓練所がある。昭和54年から開発途上国への協力活動のために派遣される隊員の訓練を合宿制で実施する施設として設立された。福島県にある訓練所を合わせると、平成30年までに53,000名の隊員が途上国へ派遣されている。また、訓練生による地元市民、小中学生との交流や農家、保育園、福祉施設等でのボランティア活動も積極的に行われている。

国際交流する訓練生

(有賀　秀樹)

07
和田峠
〈小県郡長和町・諏訪郡下諏訪町〉

街道の難所 ルートの変遷

中山道の時代から往来の難所であった和田峠は、今なお交通の要所である。今日では広く整備された舗装道路にマイカーや大型トラックが頻繁に往来するが、明治の頃、諏訪方面への繭を運ぶ道でもあったこの峠をいかに越えるかが課題であった。何度もの道路改良やルート変更など効率化への足跡を新旧地図から探ってみよう。

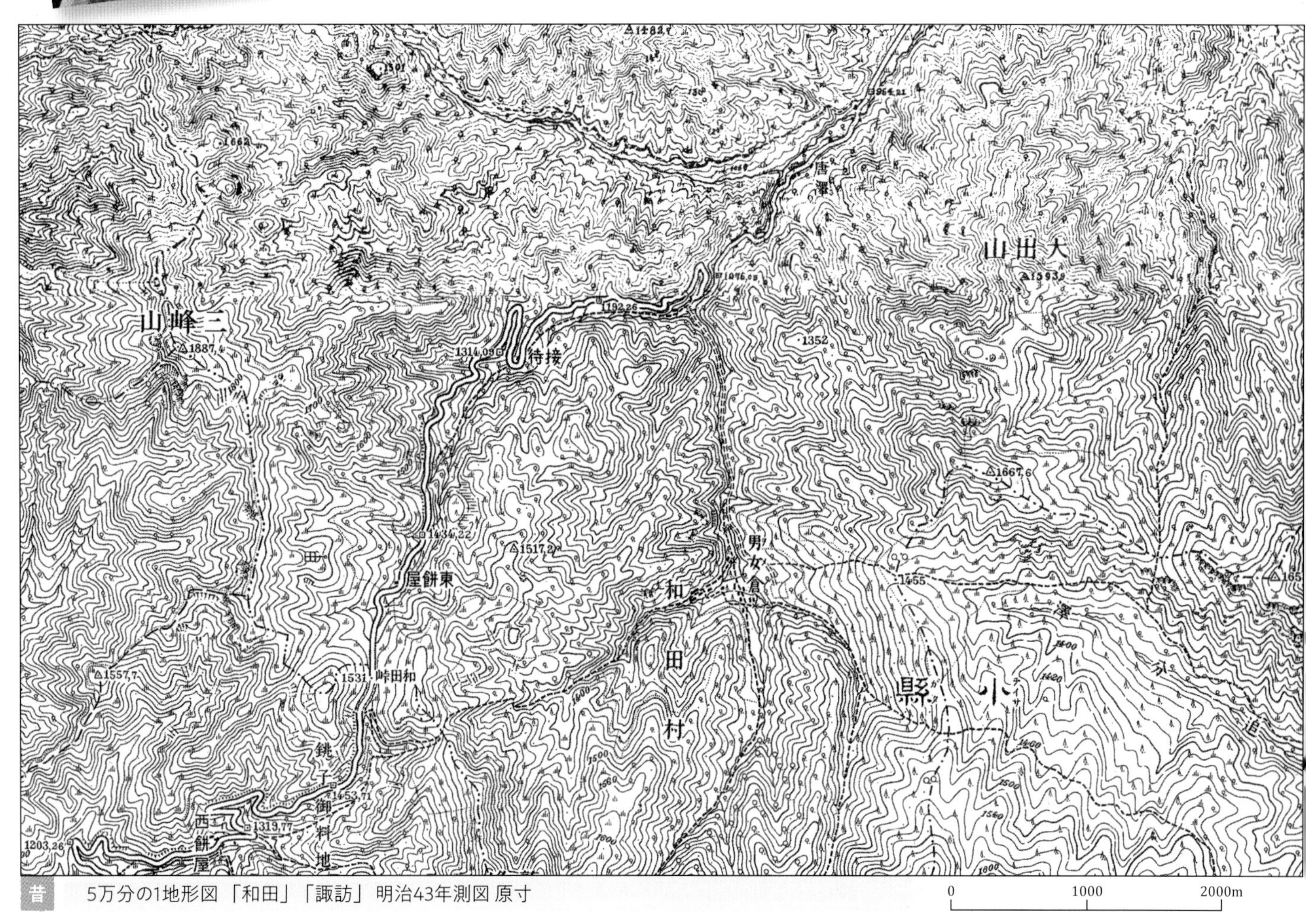

昔 5万分の1地形図「和田」「諏訪」明治43年測図 原寸

0 1000 2000m

1 近代化を迎えたころの和田峠

■明治になっての和田峠 まずは和田峠の歩みを振り返ろう。この峠は太平洋と日本海の分水嶺で、中山道の和田宿—和田峠—下諏訪宿間は22kmもある厳しい峠道であった。碓氷峠に並ぶ難所で、旧地図にある**接待**、**東餅屋**、**西餅屋**には旅人の茶屋（休憩所）が設けられていた。新地図を見ると「**和田峠**」付近に古い道筋2本が破線で記されている。中山道時代の峠（古峠＝1,650 m）は図中の①である。明治9年に古峠東側の鞍部に新たな峠（旧峠＝1,570m）②と道が開削されて翌年完成すると、古峠道は廃道となった。

新旧地図の「和田峠」(1,531m)は、明治27年から2年がかりで開かれた道路（和田峠新道）の峠である。旧峠より東側に移り、新道は山の鞍部を切り通して開削されている。この新道は峠を挟んだ地元小県・諏訪の要望を受け、黒鍬衆（土木普請を専門に携わった職人）や松本監獄の囚人らを動員して建設された。建設費は主として岡谷の製糸業者の拠出によるといわれている。

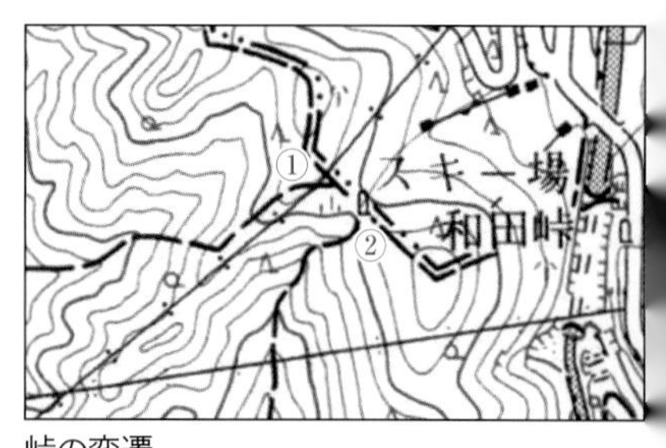

峠の変遷

■「繭峠」と呼ばれた時代 東信地方では、明治18年に高崎—横川間、同21年に直江津—軽井沢間、同26年に碓氷峠を越える鉄道が開通し信越本線が誕生。さらに同29年大屋駅が地元住民のほか諏訪、伊那、松本などの製糸業者の請願で実現した。これにより西の諏訪方面から和田峠を越えて和田宿で泊り、翌日大屋駅から関東地方へ向かう客が増加。岡谷の製糸業者も和田峠を経て鉄道で繭や生糸

読図ポイント

1 いにしえの街道筋を見る

古い地図で地名に中山道時代の名残を残す峠越えの道筋をたどってみよう。急峻で険しい地形もわかるでしょうか。

2 新道・新和田トンネルを見る

新和田トンネルの新道をたどりましょう。旧道とは別の道筋を通り、カーブも少なくなっているのがわかりますか。

左から
中山道和田宿
旧和田トンネル（昭和30年）
峠の旧道

かつての国道142号（昭和38年）

注：図中「和田村」は平成17年から長和町

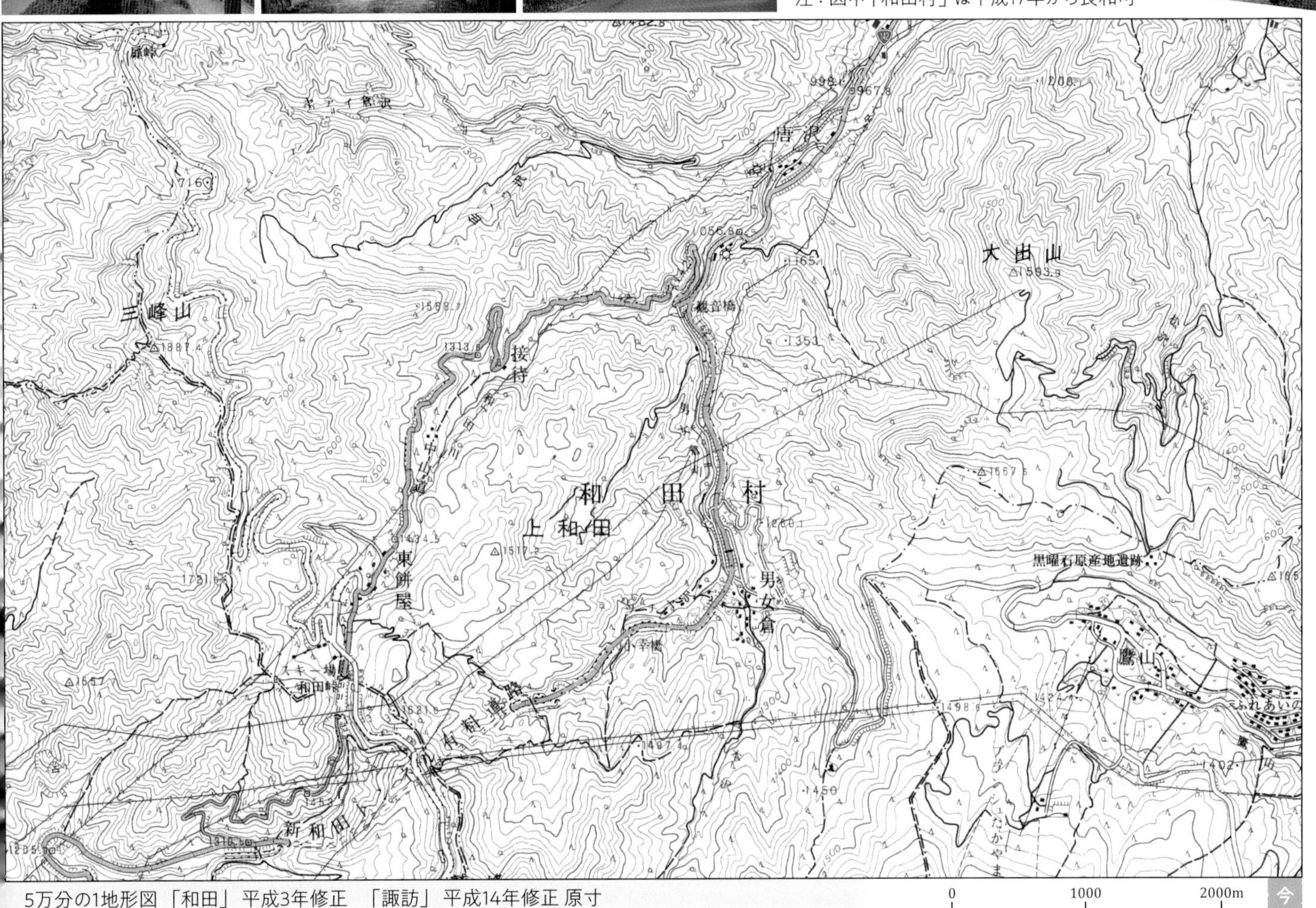

5万分の1地形図「和田」平成3年修正　「諏訪」平成14年修正 原寸

0　1000　2000m　今

を運ぶようになり、小荷駄馬・荷車で峠道は雑踏を極めた。同32年の和田宿には荷積馬車130両、賃馬37頭、人力車24両、飲食店40軒ありにぎわった。正に「繭峠」であった。

車時代の到来とルートの変遷

■自動車道の建設　明治35年に篠ノ井線、同39年に中央東線が全通すると和田峠越えの通行や物流は減少していった。この峠道に車の運行をという計画が持ち上がったのは大正末期。和田嶺自動車（株）が設立されたが、峠は冬期には積雪2m以上にもなり運休もしばしばであった。新地図を見ると和田峠も**トンネル**に変わっている。これは昭和8年に雪崩防止のスノーセット134m（後に撤去）と合わせて完成した。これにより下諏訪―丸子間の所要時間は2時間となり、「省営バス」も運行され、一時は上田―下諏訪間の営業も行われた。

昭和40年代からは関東から中京・関西方面への物流路線としての重要度を増してきたが、和田峠を通るこのルート（国道142号）はカーブが多く、トンネル内は交互通行で大型輸送車の通行は困難を極めた。

■新和田トンネルの開通　新地図を見ると、男女倉（おめくら）地籍を通る**新和田トンネル**（全長1,922m）が新設されている。これは昭和53年に県道路公社が有料道路として建設したルートである。標高は1,333mで旧トンネルより200m低く、所要時間も約30分短縮された。

開通当初の年間交通量は約40万台だったが、近年は5倍を超している。夏秋期、東信地方や群馬県の高原野菜の輸送ルートとして、夕方から夜にかけてのトラック輸送が多くなった。　（横澤　瑛）

N

08

碓氷峠

〈北佐久郡軽井沢町〉
〈群馬県安中市〉

進化を重ねた急勾配への挑戦

標高差553m。横川・軽井沢間の厳しい勾配は古くから交通障壁として人々の前に立ちはだかった。明治から約百年間、この急勾配に挑み続けた先人たちは克服を重ね、中山道時代の難所に高速道路や新幹線を実現した。大カーブの緩傾斜道、大橋梁、トンネル…、この峠越えの功績は今やいかなる地形をもほぼ克服してしまう土木・交通技術の先例となっている。

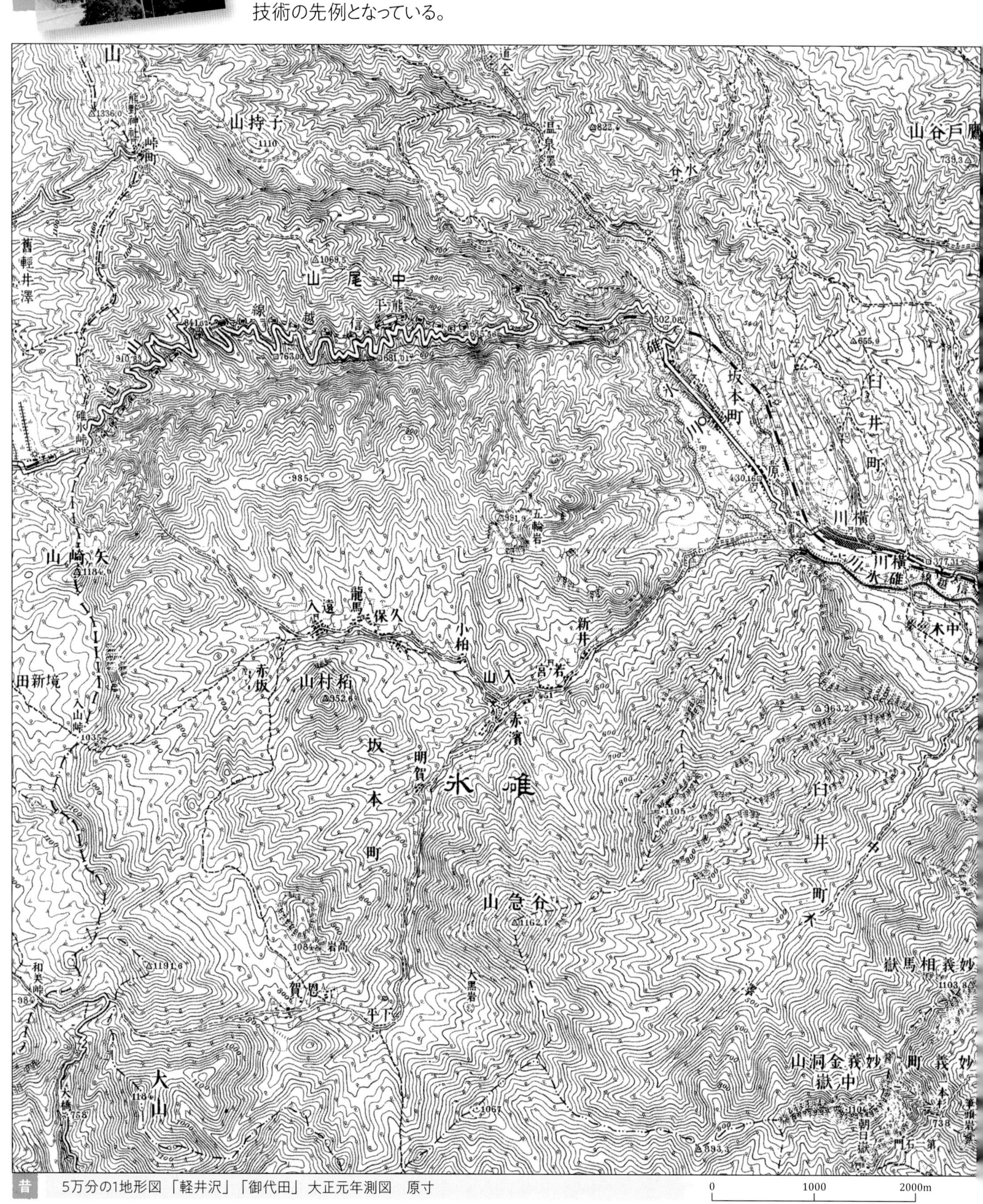

昔　5万分の1地形図「軽井沢」「御代田」大正元年測図　原寸

0　1000　2000m

読図ポイント

［地図記号］ 昔 ○広葉樹林 発電所

1 峠道の変遷を見る

碓氷峠越えの道筋は時代に応じて変わってきました。中山道、碓氷新道（旧国道18）、碓氷バイパス（現国道18）をたどり、勾配やカーブを比べてみましょう。

2 アプト式鉄道を見る

旧地図で信越線が敷かれた険しい地形を確かめましょう。横川駅側から碓氷峠までの等高線が最も密な区間にアプト式鉄道が敷設されました。

3 最新の道と鉄道を見る

新地図で上信越自動車道と新幹線のルートを見てみよう。旧来ルートと大きく違うのは土木技術の進化にもよります。

注：図中「松井田町」は平成18年から安中市

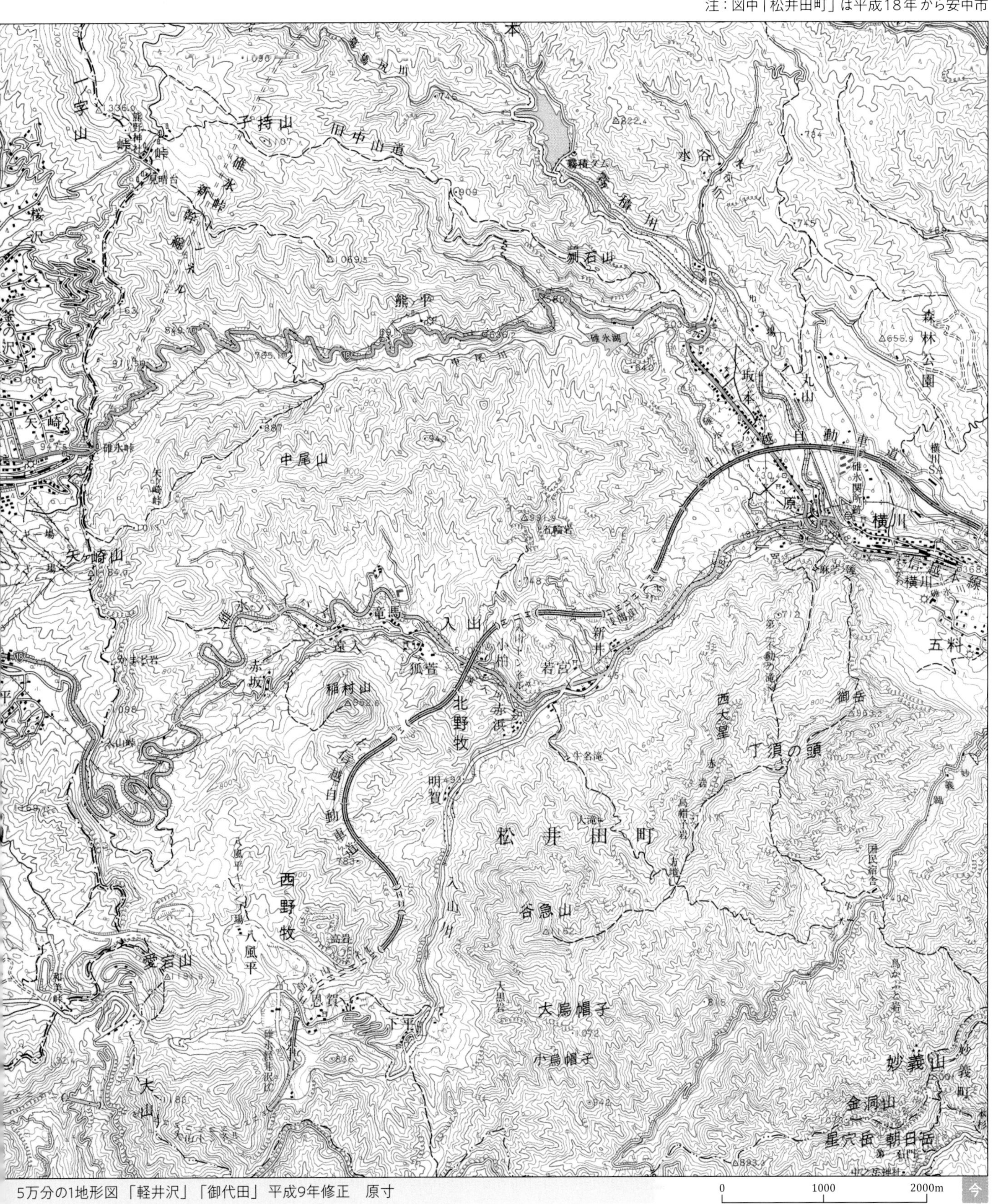

5万分の1地形図「軽井沢」「御代田」平成9年修正　原寸

0　1000　2000m　今

アプト式時代のトンネル（右奥の2本）

旧丸山変電所

1 時代ごとに進化した峠越え

アプト式当時のめがね橋。奥は新線、下は碓氷新道

■中山道旧碓氷峠道　等高線が非常に密な新旧地図を見比べると、新地図には旧地図にない道筋がいくつも描かれ、主要幹線のカーブも緩やかになっている。まず、この峠の道の変遷からたどってみよう。明治時代、官営富岡製糸場に派遣された東北信地方の工女たちは、**旧碓氷峠**（=峠町、1,180 m）を越え、ほぼ尾根づたいに中山道（明治9年から国道）を往来した。松代（現長野市）の和田英が著した『富岡日記』には、朝に追分を出発、峠の名物「力餅」のうまかったことや、初めてはいた草鞋（わらじ）のおかげで、険しく悪しき道も思ったほど難儀でなかったこと、その日は**坂本**に泊まったことなどが記されている。

■碓氷新道　明治17年（1884）、中山道より尾根ひとつ南側に「碓氷新道」（長野県七道開鑿1号線・旧国道18号）が開通。旧地図を見ると、長野県側からだと沓掛宿から離山下を東に進み、新たな**碓氷峠**（956 m=新旧地図の「碓氷峠」）からは**中尾山**腹を多数のカーブで下った。勾配は緩和された分、中山道に比べて3kmほど長くなった。同21年には新道に敷設された馬車鉄道が走り、2時間30分を要した。

■碓氷バイパスの建設　昭和46年、碓氷新道よりさらに尾根ひとつ南側に「**碓氷バイパス**」（新国道18号）が開かれた。新地図を見ると、軽井沢町雨宮新田から**入山峠**（いりやま）（1,035 m）を越え、群馬県松井田町に至る13.1kmで、群馬県側では道路工学の技術を生かしたΩ（オメガ）カーブを多用して急勾配に対応、カーブは旧国道の184から48に減少した。所要時間も半分の15分に短縮された。

2 アプト式鉄道の時代

ラックレールと第三軌条の模型（碓氷峠鉄道文化むら）

■険しい地形に挑む　碓氷峠への鉄道建設の挑戦は明治24年（1891）に始まった。横川―軽井沢間の碓氷線は碓氷新道沿いを走る11.2kmで標高差は550 m、うち8kmは66.7‰（パーミル）という急勾配である。この難工事は碓氷新道を使って鉄道建設の資材運搬し、トンネル26ヵ所（延べ4,460 m）、橋18ヵ所（延べ450 m）を建造する難工事で、落盤、出水、爆発、転落事故などで約500名の人命が失われた。**横川**には招魂碑がある。

■アプト式鉄道と電化

明治26年、**碓氷線**はアプト式鉄道として開業。横川―軽井沢間を軌道中央のアプト式歯軌条（ラックレール）と機関車の歯車をかみ合わせる仕組みで8～9km/hで走行し、75分を要した。低速で26のトンネルを出入りし、蒸気機関車の煤煙で乗客や機関士を苦しめた。同45年、国鉄幹線で初めて電化された。ただ、トンネルが狭く架線を上部に設置できず、走行用レールに平行して給電用レールを敷いて集電した。この電化に伴い横川火力発電所、丸山変電所、矢ケ崎変電所がつくられた。走行時間は30分短縮され45分となった。

■信越線改良工事　戦後、昭和38年（1963）に上野―長野間の電化が完了、アプト式鉄道は70年の歴史に幕を閉じ、ラックレールははずされた。同41年碓氷線を複線化し、横川・軽井沢間はEF63型電気機関車による粘着運転で所要時間が坂の登り（下り列車）17分、坂の降り（上り列車）24分と大幅に短縮され輸送力は高まった。

3 ついに実現、高速道と新幹線

■高速道　平成5年（1993）、高速道の**上信越自動車道**が碓氷の峰に開通した。新地図で横川側からルートをたどると、碓氷バイパスに平行して走り、両道路が交差する遠入川橋からバイパスより尾根ひとつ南を通る。このルートは急峻な山稜にトンネル（上り線12、下り線11）と深い山峡に長大な橋梁を建設した。**碓氷軽井沢IC**は軽井沢高原ではなく群馬県側の標高770 m地点に設置された。長野県側からは、佐久IC（標高739 m）から八風山トンネルで標高932 mまで登り、碓氷軽井沢ICへと下るルートとなった。碓氷の峰の道路勾配は5.9%（道路勾配は%表示・鉄道の59‰に相当）と80km/h高速運転が可能で、峠越えは10分余となった。現代の土木技術により地形を克服し信州と首都圏を結ぶ大物流路に変貌した。

■新幹線　平成9年には現**北陸新幹線**が開通。新地図で長野県側から見ると、ルートは軽井沢駅を出て大きく北へ迂回し安中榛名駅へと向かう。この間23.3kmのうち、碓氷峠（6,092 m）、一ノ瀬（6,165 m）、秋間（8,295 m）の3つのトンネルが20.6kmを占め、所要時間12分で碓氷峠を通過する。最急勾配は30‰に低下した。その陰で苦難の歴史の象徴であった横川―軽井沢間の鉄道は廃線となった。（野澤　敬）

北陸新幹線

Column: 04 長野・群馬県境をまたぐ二つのダム

■県境をまたぐ巨大揚水式発電所

揚水式では世界最大級の巨大地下発電所「東電神流川発電所」。長野県南相木村と群馬県上野村の県境奥地の分水嶺を挟み、東京電力が昼間の電力需要対応のために建造した発電所である。地図中の御巣鷹山に発電所記号が見える。電力の需要は昼間大きく夜間は小さい。この需給のアンバランスに対応する発電システムが揚水式発電である。二基の高低差あるダムを設置し、昼間は上部ダムから下部ダムに向け通常の水力発電を行い、下部ダムで貯水。夜間は東電の余剰電力で発電機を逆回転させ、貯水した水を上部ダムに揚水して循環利用するシステムである。二つのダムの標高差が大きいほど発電量は大きい。

■標高差653mを利用

神流川発電所の上部ダム（南相木ダム）は、長野側の信濃川水系千曲川支流、南相木川の最上流（標高 1,527 m）にある。下部ダム（上野ダム）は群馬側の利根川水系、神流川の最上流部（同 874 m）にあり、両ダムの高低差 653 mを利用する。日本の二大河川の水源にまたがる特異な場所に位置するこの施設では、自然の生態系を崩さないとする国の方針に従い、発電には神流川の水しか使わず、相木川には放流しない。

発電所は地下 500 mに巨大な発電屋をつくり、南相木ダムから導水後、48 度の急傾斜で流下し、発電機 1 機あたり 47 万 kw を得る。平成 17年（2005）に1 号機、24 年に 2 号機が稼動し、合わせて 94 万 kw を発電している。計画では 6 機で最大出力 282 万 kw、揚水式では世界最大発電量となる。総事業費は約 5,000 億円。

■観光資源として期待

南相木ダムは高さ 136 mのロックフィルダム、上野ダムは高さ 120 mの重力式コンクリートダムで、貯水量は両ダムとも 1,917 万㎥と多い。ダム周辺は発電所トンネル掘削で出た石灰岩を使用して公園化。観光資源としての活用が期待されている。

■うるおう村の財政

平成 18 年度から 5 年間、南相木村には東電から多額の固定資産税が入り、国からの地方交付税の不交付団体となった。これを元に村は温泉施設「滝見の湯」を新設して観光化を推進。また子どもたちを海外ホームステイに派遣するなど教育にも力を入れている。

■発電所の上は「御巣鷹の尾根」付近

地下発電所を設けた山は昭和 60 年（1985）8 月に日航機が墜落して 520 名が犠牲となった「御巣鷹の尾根」のひとつ北の尾根筋にあたる。慰霊碑が建立されている現場へは、南相木からの登山は難しいが、上野村からは現在も慰霊登山が行われている。（栗林　正直）

南相木ダム

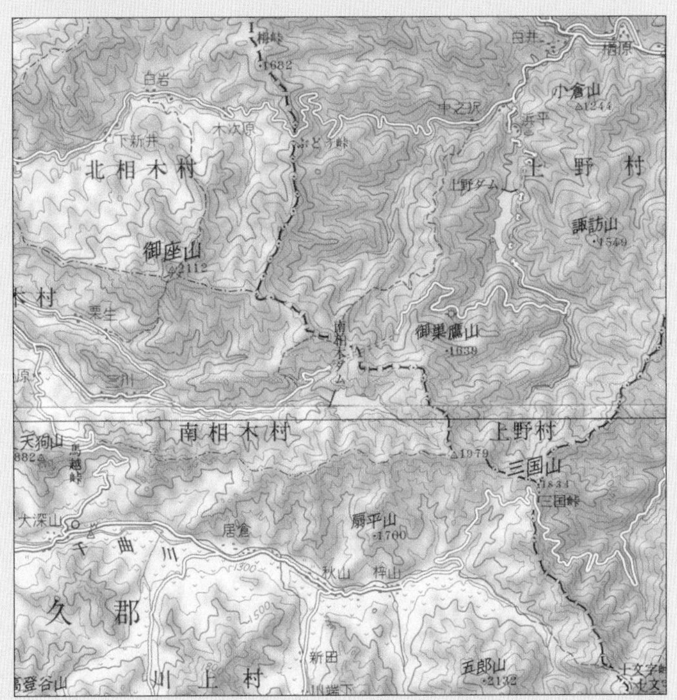

20万分の1地勢図「長野」「甲府」平成23年修正 原寸　0　4km

水路断面図

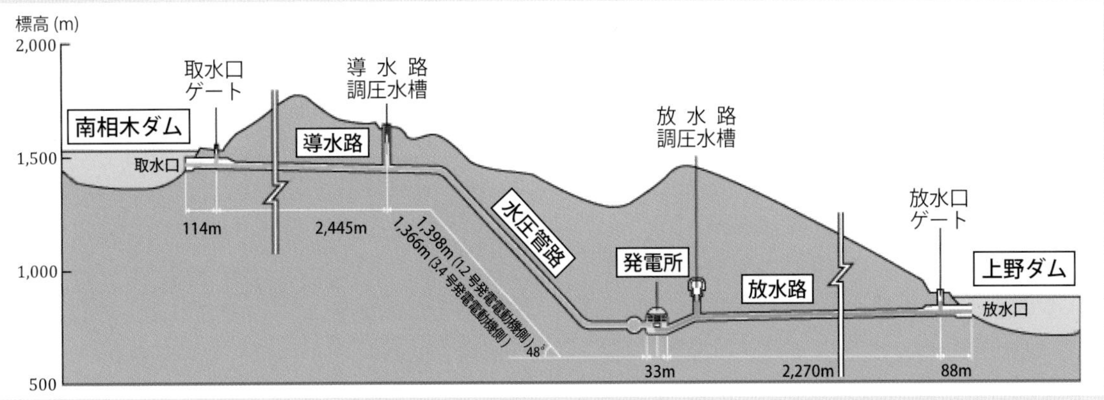

（東京電力資料）

09
長野盆地北部
〈上高井郡小布施町・中野市
須坂市・長野市豊野〉

千曲川の治水で豊かな田園に

川上村に端を発する千曲川は長野盆地で広い中洲をつくり悠々と北流する。しかし、立ヶ花(中野市)の狭隘部が流れを妨げ、盆地北部は流域に大雨があると湛水する常襲水害地であった。人びとは水害とたたかい、治水に力を注ぐ一方、水害に弱い稲作にかわる商品作物を果敢に試みてきた。一帯の丘陵や扇状地、自然堤防は現在、リンゴやブドウ、桃など品質の高い果樹先進地帯として知られるまでになっている。

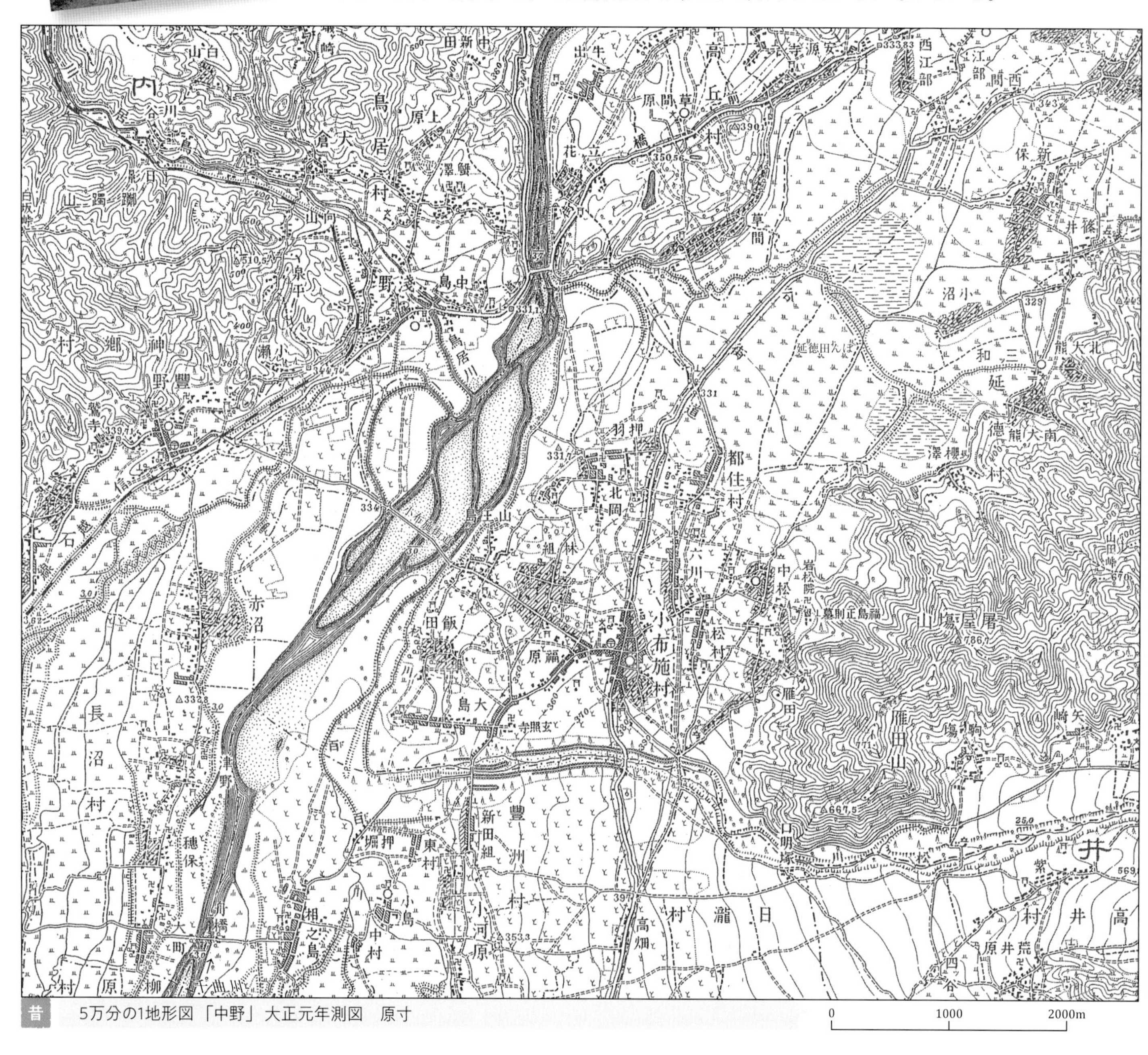

昔　5万分の1地形図「中野」大正元年測図　原寸

1 治水と大洪水を記憶する地図

■明治時代の治水　旧地図で千曲川の堤防をたどってみよう。左岸は**長沼村**の集落を縁どって**堤防**が築かれているが、**小布施街道**で途切れている。右岸は**相之島**から千曲川に向けた堤防と**山王島**に一部築かれているが、旧**百々川**(新地図では八木沢川)や**松川**の流入部に堤防はなく、山王島の下流も無堤である。明治時代の大河の堤防は現代のような連続堤防ではなく、集落と耕地を囲む輪中堤か、堤防の切れ目から洪水を遊水地に逃す霞堤が主対策であった。

■水害地の地形　千曲川は**立ヶ花**の狭隘部から丘陵地を蛇行する流れとなり、川巾は100mに狭まる(80頁地図参照)。そのために上流域に大雨があると湛水し、洪水を引き起こしてきた。洪水は両岸に砂泥を運んで低平な氾濫原をつくった。地形図では水田となっているのでよくわかる。

[地図記号] 昔 桑畑 田 湿地 盛土 果樹園 今 田 堤防 果樹園
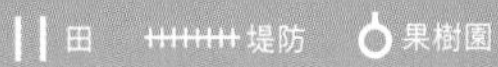

1 治水の変化を見る

旧地図の千曲川堤防が曲がりくねり、切れているのはなぜでしょう。現代の堤防とどんなちがいがありますか。

3 水害地の人びとの知恵を見る

旧地図の広大な桑園から、現代の果樹先進地への変化をたどってみよう。

読図ポイント

2 千曲川の流れを見る

千曲川の流れを上流からたどり、流れをさまたげる地形、洪水があふれてつくる地形を考えましょう。

4 交易の盛衰を見る

新旧地図の千曲川にどんな橋がありますか。長大な小布施橋はこの地の往来交易の変化を秘めています。

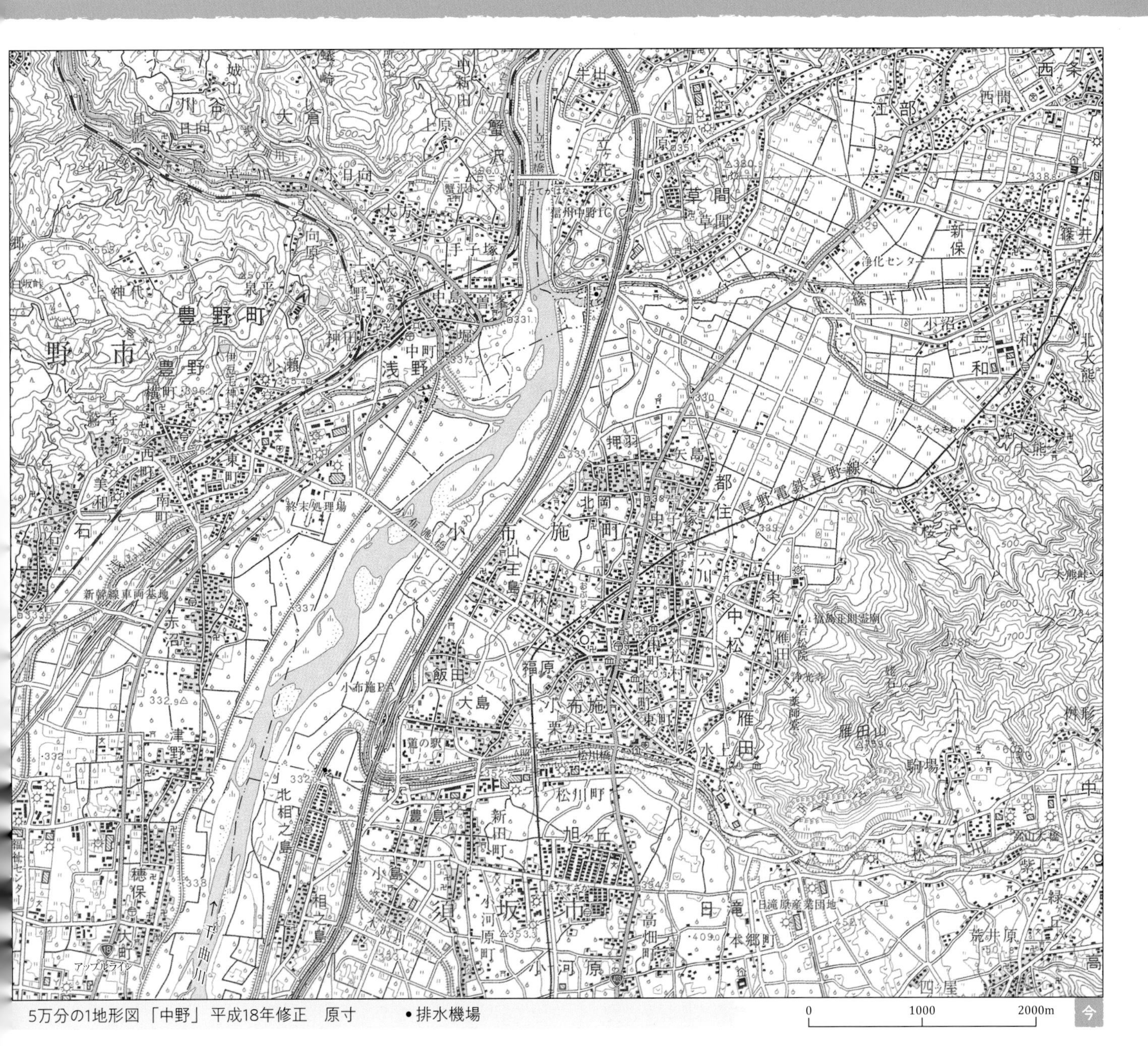

5万分の1地形図「中野」平成18年修正　原寸　•排水機場　0 1000 2000m 今

立ヶ花で湛水が始まると、**篠井川**を逆流して川沿いに広がる**延徳**田んぼの最低部に浸水し、さらに増水すると無堤部の自然堤防からあふれて氾濫した。低湿な延徳田んぼに隣接する**桜沢・南大熊・北大熊**の集落は崖錐にあって人家は密集し、延徳小学校はやや高台にある。

■大洪水の痕跡を探そう　明治時代は29年を最大に大洪水が相次いだ。維新以来の森林乱伐が原因となったという。

延徳田んぼは明治末の2年間に6回も浸水し、44年8月5日には最深5mに達して稲は全滅した。大正元年測図の旧地図は、明治43、44年にあった大洪水の痕跡を記録しているのではないだろうか。地図をよく見よう。旧地図の小沼と桜沢におよそ130町歩もの**湿地**が記されている。古い記録には「**小沼**の西に入会採草地5町歩」とあり、44年8月の浸水により「良田は荒廃して原野となるもの百町歩」とある。湿地とされたのは、実際は浸水が退かずに放置した沼田であろう。ここは今でも大雨の時には道路などが冠水する典型的な

上：篠井川樋門。延徳田んぼを水害から守る
左：明治44年8月5日の洪水で水没した延徳田んぼ（柴本育男氏所蔵）手前に延徳、左は小布施、右は中野、向い立ヶ花。島のような小沼

後背湿地の地形である。

旧地図で、千曲川の河岸や中洲は砂礫の河原で表されている。その中で、左岸の**穂保**や右岸の篠井川合流点近くの河原に**水制**（○記号）が見つかる。水制は河岸から本流に突きだして築いた護岸であるが、何回もの洪水の砂礫を受け止めて河原に埋もれている。**津野**から下流の広大な砂礫河原は、立ヶ花からの湛水でここで急に流速が弱まった川が砂礫を堆積させた真新しい河原と見える。円弧を描く河原は、扇状地から大量の土砂を運んで流れ下った松川洪水流と千曲川の本流洪水流が逆巻いてつくったものと想像できる。

水制（木杭と敷き詰めた石）

■島　左岸の長沼、中島、右岸の相之島、小島は氾濫原より0.5〜2m高い微高地、自然堤防上の集落で、島地名が多い。氾濫原を海と見たてるとまさに島だ。洪水時に土砂を堆積した自然堤防は、肥沃で水はけも良好、畑や桑畑がひろがり、集落も立地している。小布施の**大島**・山王島・**押羽**、**都住**の**矢島**は水害を避けて集落を自然堤防上から扇状地に移転した。矢島の集落跡（北の篠井川下流左岸）に神社が残っている。

一方、長沼、赤沼、沼目も同じ自然堤防の集落だが、一旦浸水すると排水しにくく沼地となる広い後背湿地をもっている。

悲願の千曲川大堤防

上田市から続く大堤防

■堤防への願い　新地図の千曲川には、両岸に連続する**大堤防**が築かれている。どのように建設されたのだろう。

延徳田んぼ周辺の村々は、江戸時代から自費を出してでも山王島下流に築堤したいと藩や、後には県に願い出てきたが、上流の村々は「延徳田んぼはそもそも遊水地」と主張した。下流に堤防ができれば上流に洪水の危険が増すからで、利害の対立から願いは聞き入れられないでいた。

明治29年（1896）に河川法が改正され、デ・レーケ等の外国人技師に学んだ治水技術の進歩もあって、洪水を連続堤防に閉じこめて早く下流に流す治水方針へと変わった。大正3年（1914）、長野県会は千曲川築堤の嘆願を決議し、初めて流域全村が結束した。

■内務省堤防　大正6年、政府は上田一立ヶ花間の56.5㎞と飯山盆地の12.6㎞を内務省直轄による県事業で改修することに決めた。事業は無堤部での新設、有堤部の強化、川幅拡幅、川底掘削、屈曲緩和と多岐にわたった。翌7年に起工したが、関東大震災、日中戦争があって工期は延び、23年後の昭和16年に竣工した。この地の堤防は明治43年洪水水位より3尺高い堤高で昭和10年（1935）に完成、内務省堤防と呼んだ。後にかさ上げしている。

新地図の左岸堤防上に、上流から338、337と二つの**水準点**がある。標高差1mの二点間の距離は約2,500mあり、堤防の勾配は1/2500となり、犀川合流点から下流の河川勾配（1/1000〜1/1500）よりずっと緩やかである。大堤防は洪水を閉じ込めてきたが、河床と河川敷（堤外地）の土砂堆積をより激しくし、天井川化が進んでいる。国は平成26年に河川整備計画を策定し、かさ上げ拡幅、狭隘部の整備など進めているが30年の長期事業となる。

■旧河道は要注意　平成18年（2006）7月18日の梅雨前線豪雨で、千曲川の水位は立ヶ花の氾濫危険水位を超えて10.68m（ゼロ水位標高324.2m）となり、小布施では越堤まで2〜1mの危機となった。水圧の勢いで、押羽の住民が旧河道の田で噴砂を見ている。警戒出動した消防団は旧河道上の堤防で基盤漏水を発見、土のうで防ぎ、後に千曲川工事事務所が矢板とコンクリートで補強した。堤防は漏水を放置すると破堤してしまう。破堤決壊となると、その破壊力はすさまじいため、大堤防の点検整備は常に欠かせない。住民側にもハザードマップの把握など洪水への備えが求められる。支流の篠井川や**浅川**では、内水氾濫を防ぐために逆流を防ぐ樋門と**排水機場**を設置している。松川や**鳥居川**（平成7年水害）の洪水も油断できない。

水害地の知恵の結晶

杞柳田（昭和36年）

■湿田には杞柳　延徳田んぼの村々は水害のたび困窮して小作農がふえた。たび重なる水害に対するために、延徳・小沼・都住・長沼では、明治28年ごろ水害に強い作物として杞柳（こうりやなぎ）を導入した。中野町や**新保**で杞柳細工は地場産業に成長したが、化学製

小布施橋

品と中国製に押され、昭和 60 年代にとだえた。

戦後の農地解放で自作農に戻った延徳周辺の農家は、エノキダケ・アスパラを導入し、いま全国屈指の産地になっている。新地図で小沼の南の水田中に見える建屋群は、エノキなどきのこ類の栽培施設である。

■千曲川利水で美田に　延徳田んぼは、旧地図の土地利用で沼田の記号が多い。かつては田舟を使った。大堤防により稲作は安定したが都住側では硫黄鉱山から流れる強酸性の松川用水をかけていたため、米の反収は 1.54石(230kg)と乏しかった。この改良のために、昭和 24年(1949)、小林三平村長のもと立ヶ花の千曲川から揚水し、同時に暗渠(あんきょ)排水による乾田化と区画整理を進め、反収は 2.5 石にふえた。40 年代には長辺 100m の大圃場(ほじょう)に整備したため、新地図の 330 m等高線は階段のような線を描いている。

■水害を補う換金作物　明治 10 年代の村況をまとめた『長野懸町村誌』によると、この地の各村は麦雑穀、豆・綿・藍(あい)など商品作物を産し、水害で不安定な稲作を補っている。春に収穫するので浸水被害を受けない冬作の菜種は、水車で油を絞って当時の江戸東京へ移出する重要作物であった。小布施対岸の自然堤防は黄金島とよばれた。

洪水で流されやすい耕地では、救済のために共有地を短冊状に分けて数年毎にくじで割替える地割慣行(じわりかんこう)があり、蔬菜や苗を栽培した。ただ、割替えは果樹栽培の普及で長期化し、耕作希望者の減少もあって消滅へと向かっている。

■養蚕から果樹先進地に　右岸の松川がつくる扇状地にも目を向けてみよう。扇状地に広がる**日滝(ひたき)原**に、旧地図では集落も桑畑もない。ここは年降水量 900㎜と少なく、地下水が深い扇央地帯である。定住に向かず、周辺部からの出づくり地となり、麦雑穀が栽培される畑地であった。昭和へかけて須坂の製糸が好況になると、定住が始まり桑畑がひろがった。

日滝のブドウ畑

そんな中、旧地図の**谷街道**沿いに果樹記号が三つ見つかる。**高畑(たかばたけ)**の果樹園は勝山仲兵衛(ちゅうべえ)のブドウ園だ。勝山は明治 19 年(1886)に須坂沼目から入植してブドウ栽培を始め、大正 8 年(1919)には 17 町歩にもなった。今につながる扇状地での果樹栽培のさきがけである。旧地図の自然堤防上や扇状地は桑畑に覆われているが、明治 40 年代には長沼村や小布施村で、水害に強い作物としてリンゴの栽培法の確立や販路開拓に苦労が重ねられていた。昭和恐慌で養蚕が悲惨な打撃を受けると、リンゴ栽培が急速にひろがった。

日滝原の果樹は昭和 46年(1971)、八木沢川から揚水する畑地灌水(かんすい)により飛躍し、リンゴ・ブドウを核に、桃・サクランボ等の果樹複合地帯となっている。千曲川の河川敷では冠水する台風シーズン前に収穫できる桃が卓越する。小布施では栗(117 ページコラム参照)、高山村ではワインブドウが伸びている。

4 両岸を結ぶ交易の盛衰

■小布施橋物語　旧地図に両岸を結ぶ橋が 3 橋ある。いずれも舟を並べた上に板を敷き詰めた舟橋であった。多少の増水には浮いて対応し、耐えない時は板も舟も引き払った。小布施村の耕地は対岸に広く、渡舟や農舟で耕作に通っていた。

山王島舟橋
(明治中ごろ　小布施町文書館所蔵)

明治 21年(1888)、信越線が県下初の鉄道として開通。**豊野**に停車場が開業すると、小布施が河東(かとう)地方の物資集散地になると考えた小布施の有力者は、同年小布施街道を開いて有料の舟橋を架け、山王島の渡舟を廃止させた。当時、明治政府が渡舟に代わる民営舟橋の架橋を奨励していたことも背景にある。

木橋と馬車(大正中期)

小布施街道は豊野から谷街道に出て須坂の製糸場へ石炭石油を輸送し、生糸を横浜へ積み出す主要ルートとなった。小布施の新道に問屋や料亭が軒を連ね、豊野には駅前市街ができた。旧地図はこの地の隆盛も示している。ただその後、大正 10 年には現飯山線、翌年に現長野電鉄河東線の屋代—須坂間が開通、14 年には**蟹沢(かにさわ)**舟橋は立ヶ花鉄橋に、相之島の舟橋は廃され、上流の村山橋が現長野電鉄と併用の鉄橋に生まれ変わり、小布施橋の役割は次第に低下した。都住小の野尻湖遠足や直江津修学旅行は、昭和 30 年代まで徒歩で木橋の小布施橋を渡り、豊野で汽車に乗った。橋が流されていて舟で渡ったこともある。住民が切望した小布施橋永久橋化は着工から 12 年もかかり、960m の長大橋の完成は昭和 43 年ときわめて遅かった。小布施橋は盆地北部と長野市を結ぶ重要な橋であるが現在は老朽化が心配され、長寿命化対策と架け替えが求められている。

新地図の**国道 18 号アップルライン**は果樹地帯の自然堤防西縁に昭和 41 年(1966)開通、長野県の自動車交通時代到来の象徴となった。後背湿地に**新幹線車両基地**、自然堤防に流域下水道の**終末処理場**が設けられた。

■豊かな田園の営みこそ宝　小布施には北斎と町並みと食を愛でる人びとが訪れている。この地域の魅力を支えるのは原風景を見せる豊かな田園であるが、高齢化や荒廃農地の現実もあり、果樹先進の農家の営みをどう持続させていくか、大きな課題に直面している。　(小林　勲)

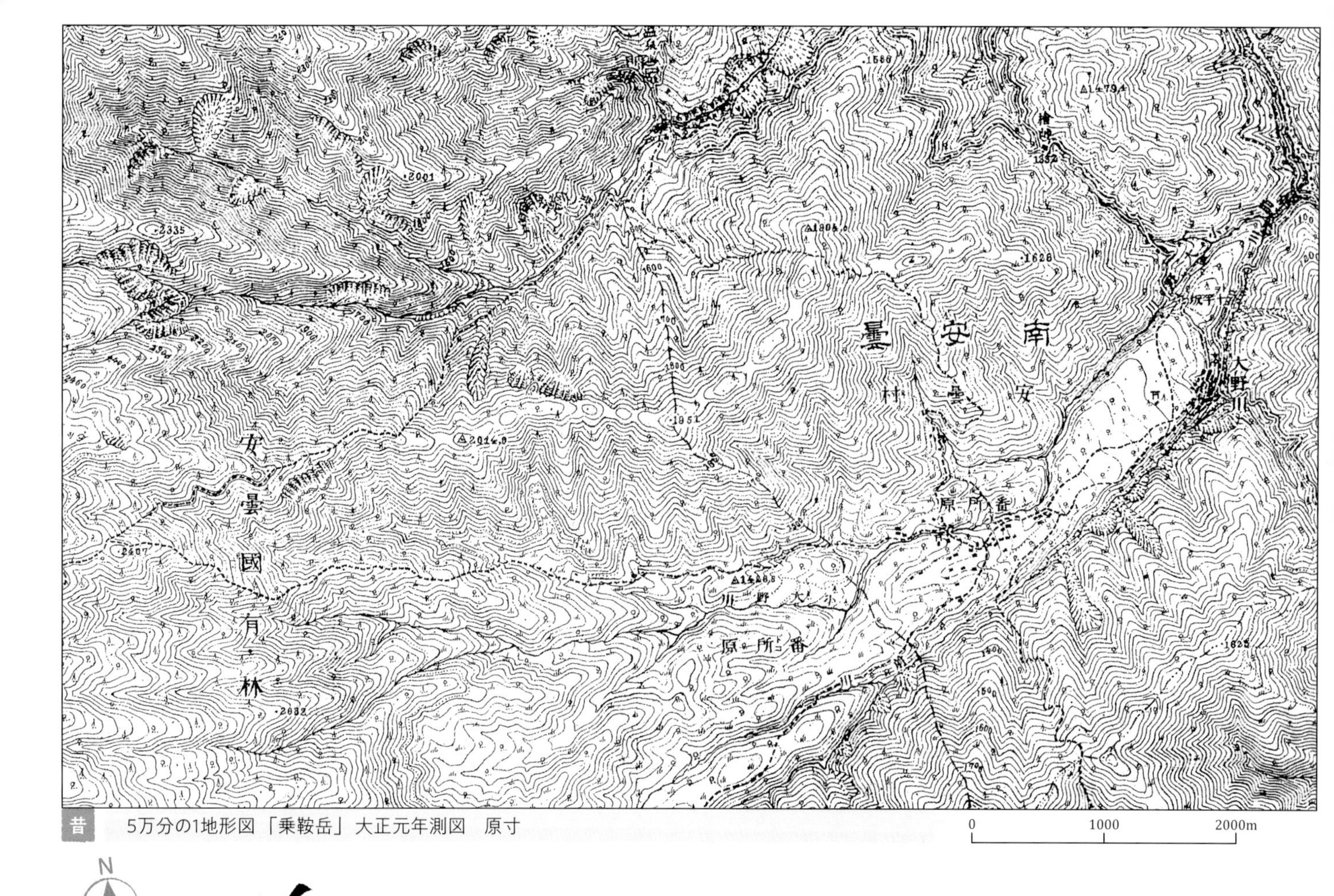

昔　5万分の1地形図「乗鞍岳」大正元年測図　原寸

10
乗鞍高原
〈松本市安曇〉

出作りの村は観光へとシフト

アウトドア型の観光スポットとして知られる乗鞍高原は、かつては信州に数多い高冷地山村の典型だった。畑作と山仕事を生業とし、集落の季節的居住「出作り」が営まれてきた。戦後になって電源開発などに伴う道路整備が進められると、村の暮らしの重点は観光へとシフト。開発や集落移転が進み知名度ある観光地へと姿を変えた。

1 出作り地が生活の場に

番所より(昭和40年代)

■食糧生産のために出作りを　旧図を見ると、南西から北東へ、梓川に向かって流れ出した番所溶岩(ばんどこ)がつくった台地・**番所原**(標高1,100〜1,500m)が見てとれる。その北端に旧安曇村の中心集落・**大野川**がある。集落に近い台地上は針葉樹・広葉樹の混交林で、大野川集落の生活の糧となる薪炭や木材の生産地だった。冬季には梓川を川下りして運んだ。炭の需要が増えると、人の背で古道を下流の稲核(いねこき)まで運び、梓川沿いに新道ができると牛馬を使うようになった。

大野川集落は狭い平地に100戸余の家が建ち並び、ソバ、粟、稗等の食糧を栽培する土地がなかった。そのため標高が高く2、3㎞離れた**番所**や**桧峠**(ひのき)の周辺、沢渡(さわんど)・**白骨**(しらほね)方面に開いた耕地へ晩春から早秋にかけて居住して食糧を生産する「出作り」を営んでいた。

■出作り地が本拠地に　旧地図では、台地の中・上流部は草地である。明治中頃に今の牧場ができ、松本方面からの牛を預かり放牧や肥育を請け負った。また明治・大正期には牧場で採れるワラビの根から澱粉(でんぷん)を抽出し、傘や提灯、機(はた)屋の「のり」として販売することで現金収入を得ていた。ワラビ粉製造の小屋が30数軒並び、集落を形成した時もあった。生活がやや安定してくると、親村の大野川を離れ、出作り地に定住するようになった。炭焼きと養蚕が盛んになった大正末から昭和初期にも、製炭用の原木や桑園地確保のため出作り地へ移転が進んだ。

戦後には麓の旧波田町で育てた苗を移植したところ、稲作も可能とわかり開田が進んだ。水温を上げて田へ引水する「ぬるめ」が考案され、番所より上流部の標高1,375mの楢の木坂まで水田が開かれ、昭和35年には全農家の半数49戸が稲作を行った。ただ、収量は平地の3分の1で冷害にも見舞われやすく、減反政策もあり、やがてソバなどへの転作や、宅地・テニスコートへの非農地化を余儀なくされた。

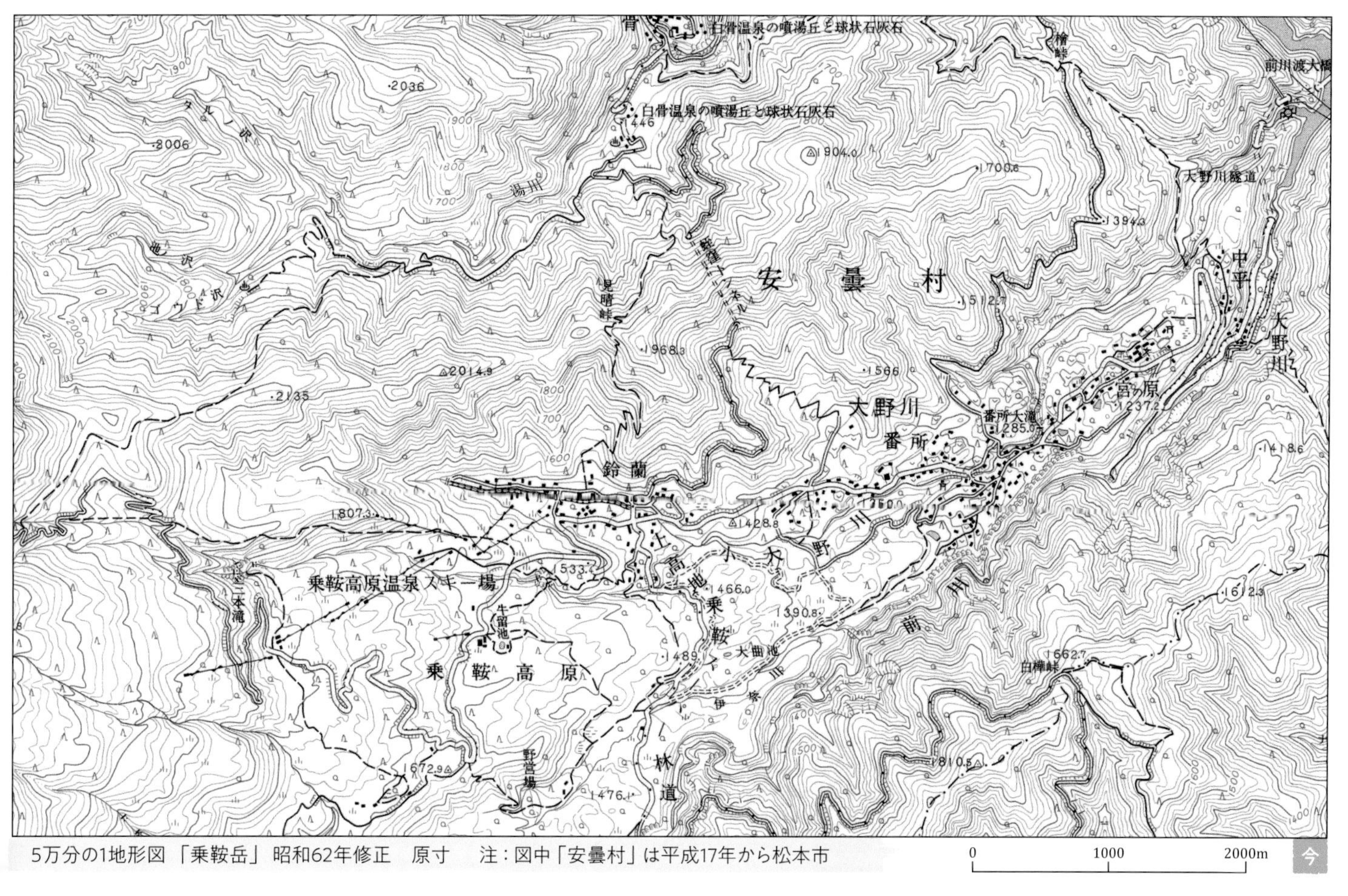

5万分の1地形図「乗鞍岳」昭和62年修正　原寸　注：図中「安曇村」は平成17年から松本市　0　1000　2000m　今

［地図記号］ 昔 荒地 針葉樹林 広葉樹林　今 温泉 リフト

読図ポイント

台地の変化を見る

現在の高原では山間の細長い溶岩台地が生活の中心です。古い地図では何も無い台地が変化したのはなぜでしょう。

道路の広がりを見る

高原は知名度ある観光地となりました。それを支える道路の充実ぶりと沿線の観光施設を確かめましょう。

温泉、自然、アウトドア

■温泉郷としての発展　戦後の開墾開田や、後の観光ブームを予想して親村からの移転はさらに増えていった。新地図の**鈴蘭**(すずらん)地区は昭和30年頃まで原野で、登山とスキー客の中継地となる鈴蘭小屋や、番所に出作り小屋が点在するのみだった。保養所誘致やスキー場整備に合わせ、松本電鉄や名鉄が旅館の経営を始めたころから移転軒数が増加し、昭和51年には**湯川**上流の源泉地からの引湯で温泉郷としても発展した。

梓水(あずさがわ)神社のある**宮の原**地区は終戦直後まで1軒もない採草地・採薪地だったが、昭和30年に小中学校が親村から移転したことにより急激に戸数が増えた。夏に民宿学生村、冬にはスキー客向け民宿経営を行った。番所地区は村で最多の戸数となり、村行政や産業の中心地となった。こうして、かつて住む人もなかった台地上に形成された鈴蘭、楢の木、千石平、番所、宮の原の5地区が乗鞍高原と呼ばれるようになった。親村だった大野川は廃村、出作り地でも桧峠、祠(ほこら)峠は無人となった。

マウンテンサイクリング in 乗鞍

乗鞍高原開山祭

■リゾート地としての発展　昭和26年にバスが乗り入れるとスキー客が増加、リフトが増設された。昭和38年、乗鞍岳直下の鶴ヶ池まで自衛隊により自動車道路が開かれ、中腹に国民休暇村が開設された。同45年には東京電力による奈川(ながわ)渡(ど)・水殿(みどの)・稲核の梓川3ダム建設に伴い道路が改良された。翌47年には森林開発公社によって奈川―乗鞍―白骨―上高地を結ぶ上高地乗鞍**スーパー林道**が開通。山岳観光地へのルートが整い、鈴蘭に自然保護センターが造られて観光拠点となった。自然景観とスキーが楽しめて、さらに温泉保養という新しい魅力が加わった乗鞍高原は、100軒以上の旅館、レストラン、ペンション等が林立するリゾート地へと変わっていった。

平成15年にスキー場上の**三本滝**から先の区間でマイカー規制が始まり、観光客は減少した。夏場まで山スキーができることもあって人気を呼び、最盛期(平成4年)に44万人もの客でにぎわったスキー場も、ブームが去ると客の減少に直面している。近年は自転車道やキャンプ場等を整備してアウトドア型の観光地としてPRしている。　（斎藤　慎一）

11
阿智村
〈下伊那郡〉

地域に風穴開けた恵那山トンネル

長野県南部の山あいにある昼神温泉は、歴史は浅いものの「中京方面の奥座敷」として人気が定着している。温泉のある阿智村は、古代より東山道の沿線にあり栄えた地であったにもかかわらず、近代の開発からは取り残されていた。昭和50年の恵那山トンネル開通をはじめとする道路改良によって、再び光が当たるようになったこの地を地図で見てみよう。

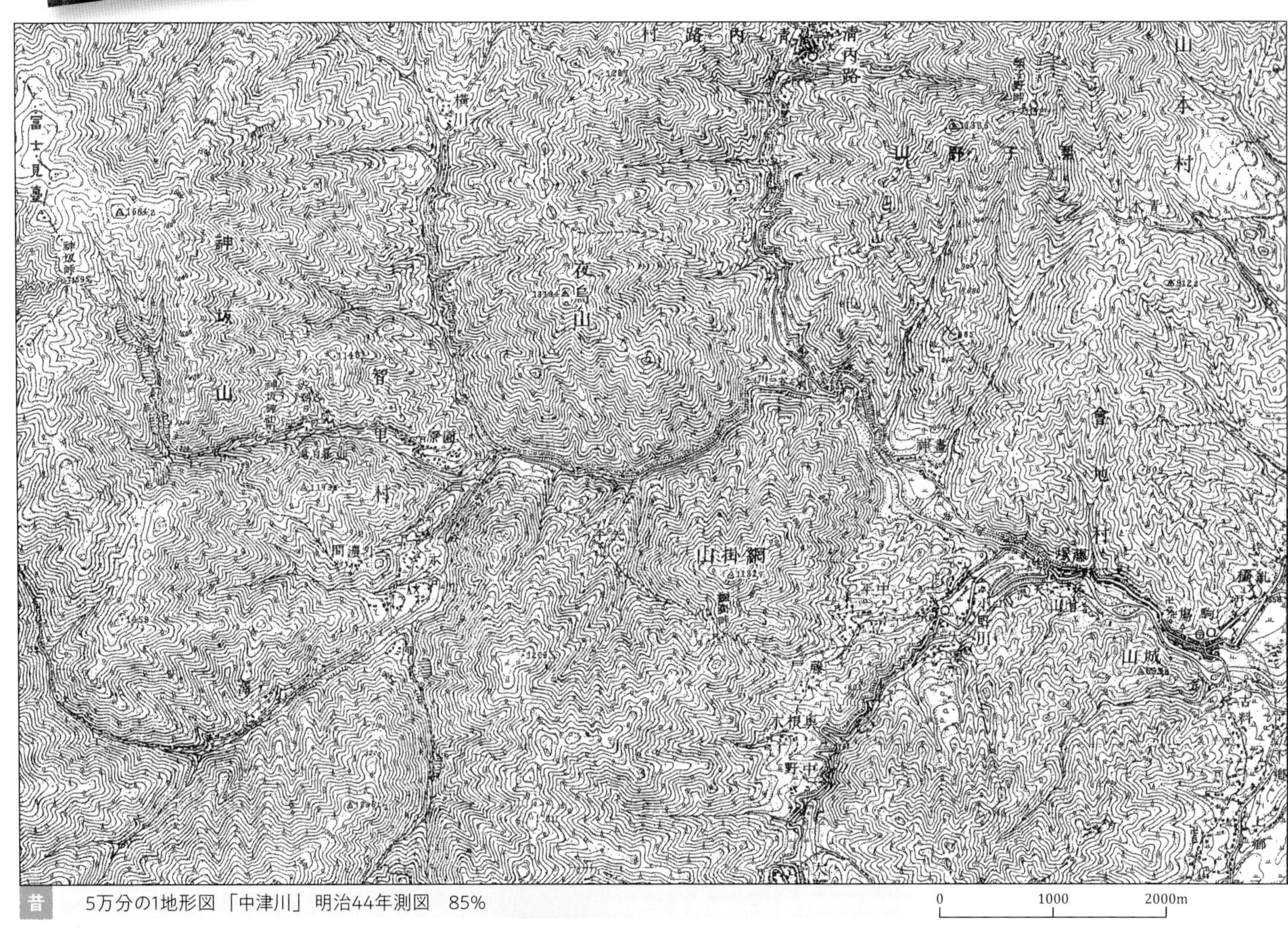

昔　5万分の1地形図「中津川」明治44年測図　85%

1 古代から実は栄えていた

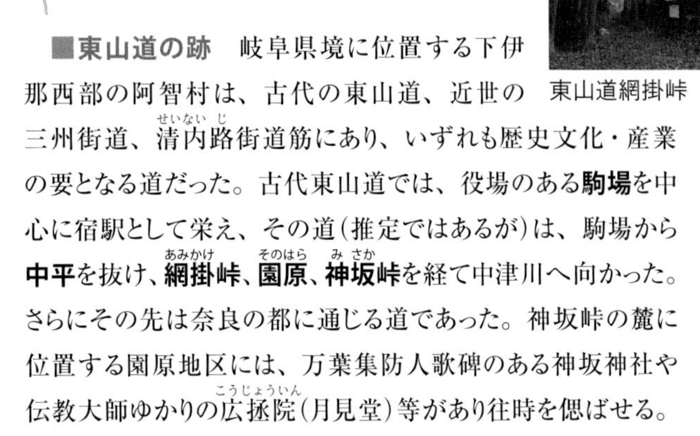
東山道網掛峠

■東山道の跡　岐阜県境に位置する下伊那西部の阿智村は、古代の東山道、近世の三州街道、清内路(せいないじ)街道筋にあり、いずれも歴史文化・産業の要となる道だった。古代東山道では、役場のある**駒場**を中心に宿駅として栄え、その道(推定ではあるが)は、駒場から**中平**を抜け、**網掛峠**(あみかけ)、**園原**(そのはら)、**神坂峠**(みさか)を経て中津川へ向かった。さらにその先は奈良の都に通じる道であった。神坂峠の麓に位置する園原地区には、万葉集防人歌碑のある神坂神社や伝教大師ゆかりの広拯院(こうじょういん)(月見堂)等があり往時を偲ばせる。

■街道で栄えた駒場　近世の駒場も三河へ抜ける三州街道、木曽へ抜ける清内路街道の分岐点にあり、宿場町として栄えた。しかし、今の国道153号にあたる旧三州街道や現国道256号にあたる清内路街道は、旧地図からもわかるように屈曲の多い悪路である。このことが明治以降の近代化を遅らせる要因ともなった。

2 再び灯をもたらした温泉と道

■偶然に湧出した温泉　**昼神温泉**(ひるがみ)は昭和48年(1973)、旧国鉄中津川線建設計画(飯田駅と中津川を結ぶ予定であったがその後建設中止)のトンネル試掘中に偶然出現した。まだ歴史の浅い温泉である。その後、5号井まで次々に掘削される中で、次第にホテルや旅館が増え、中央自動車道開通後に温泉郷となった。泉質は

花桃の里

［地図記号］ 昔 針葉樹林 広葉樹林 今 温泉

読図ポイント

1 交通の要所を見る

ここは古くからの交通の要所でした。旧地図で道筋を確認してみよう。一方で山間の屈曲した道は、明治以降の発展の妨げでもありました。

2 恵那山トンネルを見る

現在、阿智は伊那谷有数の観光地です。それを支える温泉地、高速道路、改良された地域幹線道路が整えられた様子を確かめてみましょう。

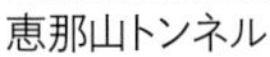

恵那山トンネル

富士見台高原のロープウエー

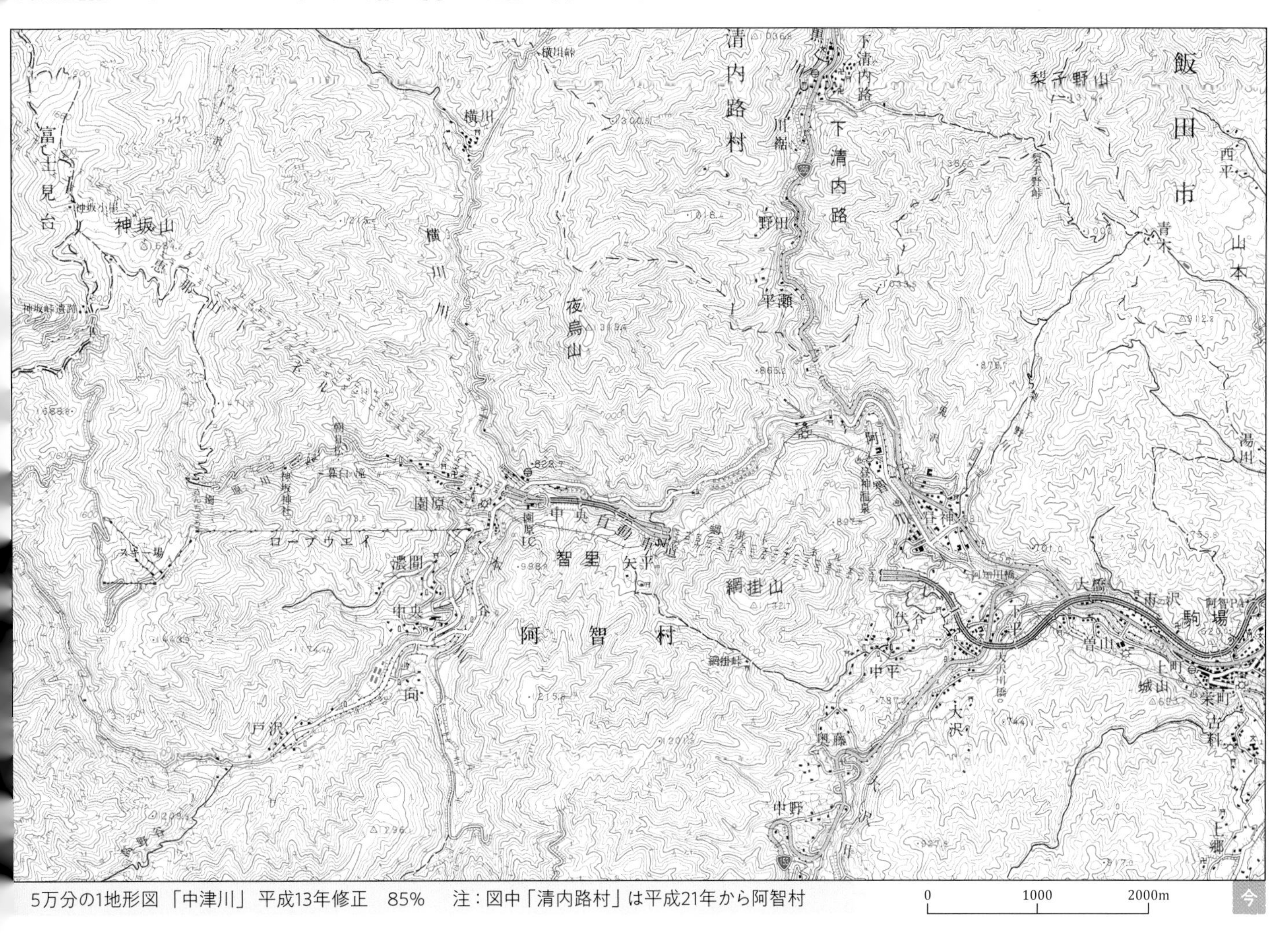

5万分の1地形図「中津川」平成13年修正　85%　注：図中「清内路村」は平成21年から阿智村　0　1000　2000m　今

恵那山トンネル工事（昭和45年）

アルカリ性単純硫黄泉でPH値も高く「美人の湯」としても名高い。ちなみにホテル「阿智の里　ひるがみ」は中津川線昼神駅の予定地であった。

■恵那山トンネル建設と道路改良　昭和50年、**恵那山トンネル**建設を経て中央自動車道が開通したが、同トンネルは当時、約9kmに及ぶ日本最長トンネルであった。この地域の中央道は10年後に4車線化、平成4年（1992）に**園原ハーフIC**（名古屋方面のみの乗降）、同20年には飯田山本ICが開設された。中京方面と結ぶ国道153号も平成2年に道路改良が根羽まで完成。従来の屈曲は大部分なくなり、悪路が解消した。中京方面からは、高速道料金を節約するためにこの道経由のアクセスも相当ある。同じ目的で国道19号から国道256号による木曽経由でのアクセスも目立つ。

■伊那谷有数の観光地に　中京圏と直結するようになった昼神温泉は近年、中京方面の「奥座敷」として年間60万人の利用客を迎えるに至っている。さらに飯田山本IC開設後は東京方面からの利用客も増えている。園原周辺でも**本谷川**沿いに月川温泉が開かれ、春の「花桃の里」、夏の富士見台への山歩きや東山道遺跡めぐり、冬の富士見台高原**ロープウエイ**を利用するスキー場は主に中京からの利用者でにぎわっている。最近は冬だけでなく、星空ツアーやお花畑見学も人気を呼んでいる。満蒙開拓犠牲者の多かった地域のシンボルである駒場の満蒙開拓平和記念館にも、多くの人々が訪れている。　（小木曽　俊彦）

12 秋山郷〈下水内郡栄村〉

豪雪の地は“魅惑の秘境”に

秋山郷は世界有数の豪雪地である。冬は深い雪に閉ざされ、かつては「陸の孤島」にもたとえられた。今では雪への対策も進み、年間を通じてアクセスしやすい環境が整ってきた。孤立したイメージを払しょくし、素朴な山里として根強い人気を集める秘境の今昔を地図で見てみよう。

［地図記号］ 昔 がけ 針葉樹林 広葉樹林 荒地 今 送電線 温泉

読図ポイント

1 川がつくる谷を見る

中津川と川沿いの地形をたどりましょう。なぜ「秘境」と呼ばれるのか、山や谷の様子から読み取ってみましょう。

2 豪雪地の近代化を見る

旧地図と比べ、道路はどう変化しましたか。新しく建設されたものを探し、豪雪地の変化も想像してみましょう。

1 豪雪の谷　秋山郷とは

屋敷の集落

■信・越の「秋山郷」　新旧地図の真ん中を南から北に流れるのが**中津川**。群馬県の野反湖に発し新潟県津南町で信濃川に合流するこの川が刻み込んだ深い谷沿いの里が「秋山郷」である。地図を見てみよう。下流から新潟県の**見倉**・**結東**・**前倉**・**大赤沢**などの集落は「越後秋山郷」と呼ばれ、「信州秋山郷」と呼ばれる**小赤沢**・**屋敷**・**上野原**・**和山**・**切明**の集落が続く。

■陸の孤島　平成17年(2005)末から18年初めにかけての日本列島は全国的に大雪に見舞われた。豪雪地帯の栄村でも家屋倒壊が発生し、死傷者も出た。秋山郷に通じる**国道405号**は1月8日から通行不能となり、5集落の124世帯301人が孤立。ヘリコプターで食糧や燃料等の救援物資・郵便物が運ばれ、医療チーム・除雪支援の自衛隊も空から入った。国道は同15日に一部通行を再開したが、全面解除は3月21日であった。

近年はまれになったが、秋山郷の冬の孤立は常であった。雪に閉ざされ小学校教員がヘリコプターで着任したり、給与の支払いが滞ったりした。冬に亡くなった村人の葬式の本葬は、雪解けの5月になってから隣の津南町の旦那寺で行われた。

自衛隊ヘリコプターによる支援(昭和40年)

診療や郵便など日常生活にも支障をきたした。戦後にラジオが普及するまでは、冬には外からの情報が入らず、全くの「孤島」状態となる時期があった。

■谷沿いの一本道　秋山郷へ通じる道路は、積雪期には新潟県津南町大割野からの国道405号しかない。地図を見ると、中津川の谷に沿って各集落を結ぶこの道は、等高線間隔が密で急斜面にあることがわかる。大雪が降ると雪崩が発生しやすく、その危険がある場所では除雪作業もできなかった。郷の住民は孤立しても困らぬよう食糧などの備えをして冬を迎えた。家屋の雪崩被害を防ぐため、集落は比較的緩斜面に立地していることが等高線の間隔から読み取れる。近年は道路沿いに雪崩防止柵やスノーシェードの設置が進み、除雪体制も整い、「孤島」状態は解消されて雪による孤立は少なくなった。村では雪害対策救助員事業と道踏み支援事業を実施し、雪下ろしや通路確保などの支援も行っている。

雪崩防止

2 秘境を変えた近代化の波

■林業・水力発電所建設による道路　新地図を見ると、幹線は郷の奥まで延び、集落内にも多くの道路が加わっている。戦後、木材の伐採・運搬のために道路が建設された。**送電線**も新設されているが、昭和28年(1953)から30年の**切明発電所**建設工事の際に最奥の切明まで道路が開通した。昭和53年には志賀高原から切明に至る県道(冬期閉鎖)も開かれ、これらにより観光でのアクセスもしやすくなった。

■素朴で美しい山里　かつては焼畑耕作が行われ、ブナやトチなどの落葉広葉樹が広がる秋山郷では、四季折々の自然の美しさや郷土食が味わえ、5集落全てに特色ある温泉がある。豪雪対策と道路改良で通年の観光も可能にまでなった。過疎化という課題は抱えつつも、癒しの里として今後も注目の郷である。

（畔上　不二男）

切明温泉

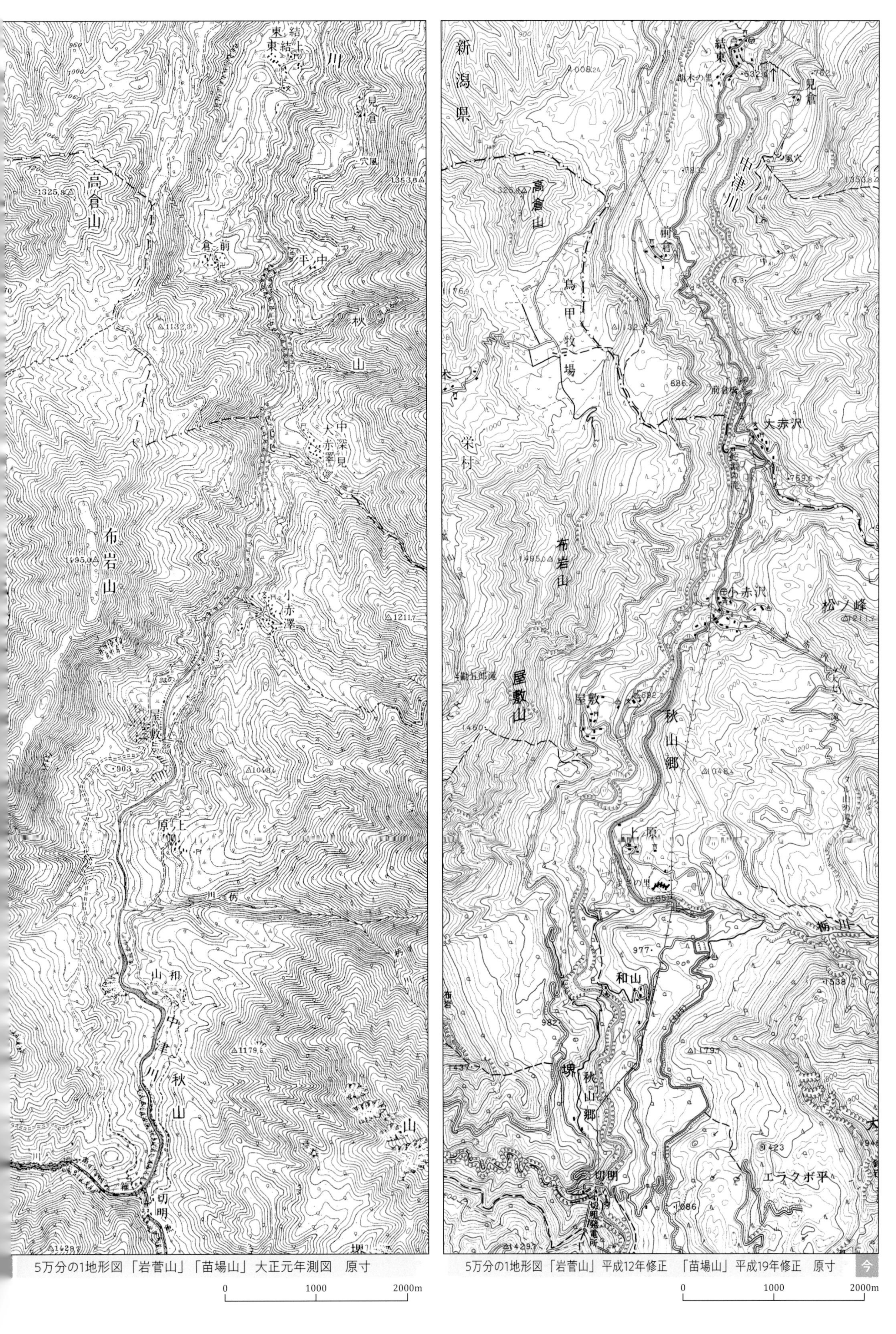

5万分の1地形図「岩菅山」「苗場山」大正元年測図　原寸

5万分の1地形図「岩菅山」平成12年修正　「苗場山」平成19年修正　原寸　今

13
小谷村
〈北安曇郡〉

自然災害と共存している村

小谷村の歩みは災害とともにあった。村の中央を流れる姫川の流域は深雪地域で、糸魚川静岡構造線と重なり、地質は脆くて弱い。両岸に迫る山々から流れ込む支流がつくる峡谷も、地滑りや崩落の常襲地帯だ。しかし、地質的なハンディを乗り越え、姫川沿いを走るJR大糸線を敷設した。村人の防災に対する意識も高い。復旧・対応・予防を繰り返しながら災害との共存を図る村を地図から見てみよう。

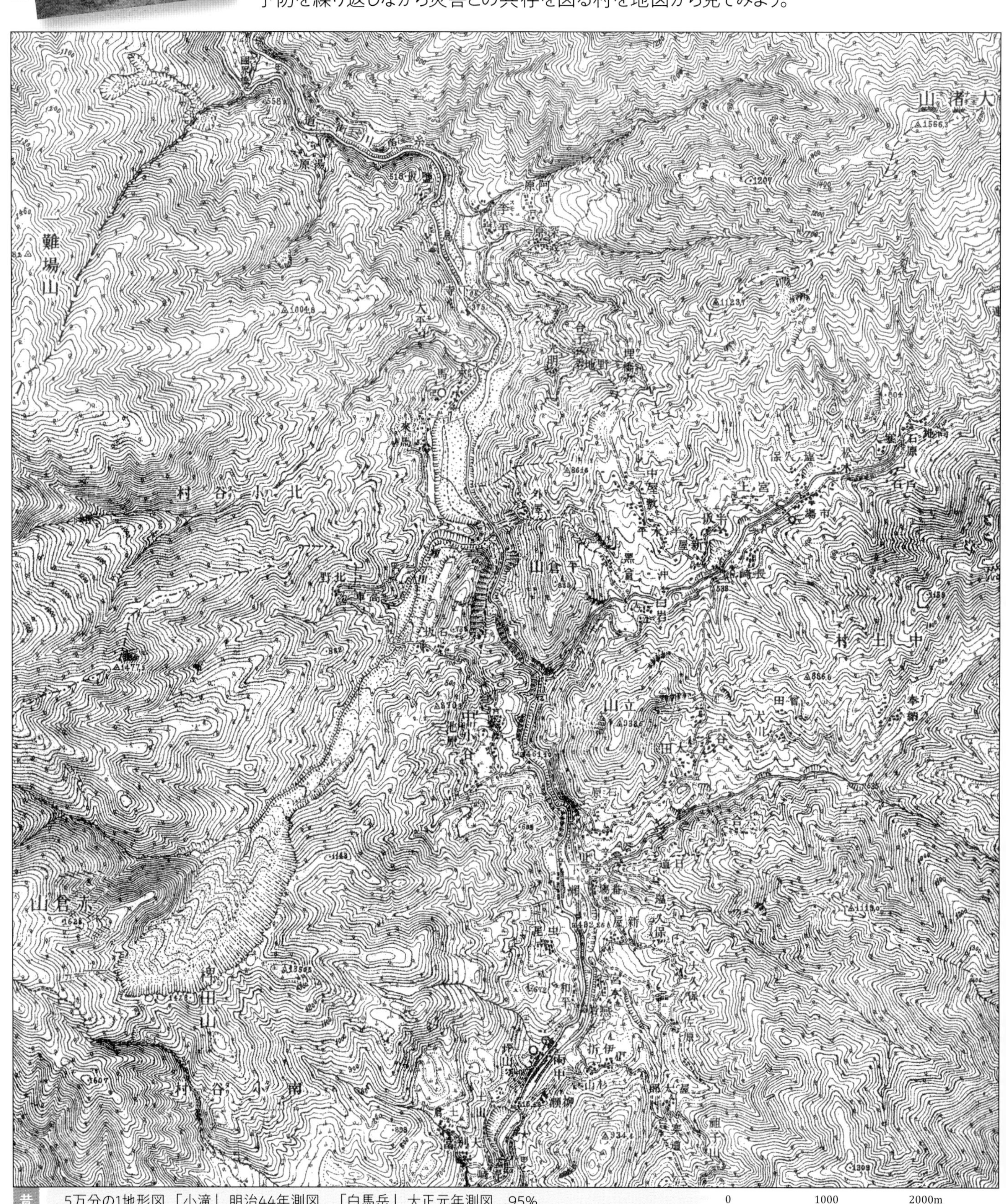

昔 5万分の1地形図「小滝」明治44年測図 「白馬岳」大正元年測図 95%

1 災害の痕跡を見る

稗田山の大崩落地帯を見て被災域の規模を確認しましょう。一帯の各所で等高線が切れて崖になったり、緩急があったりして地表がずれている場所がわかるでしょうか。崩落や地滑りを示しています。

2 災害多発地帯の交通基盤を見る

姫川両岸に注目してみましょう。トンネルや鉄道がつくられています。険しい地形の中に生活基盤を整備し、自然災害と共存しながら生活している様子がわかります。

崩落

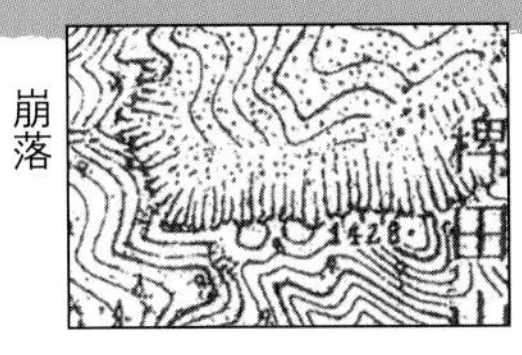

岩崖

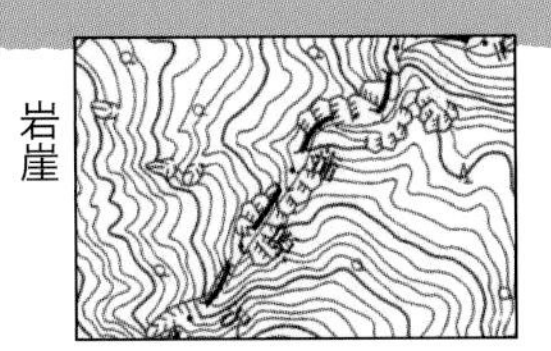

地すベり

砂防堤

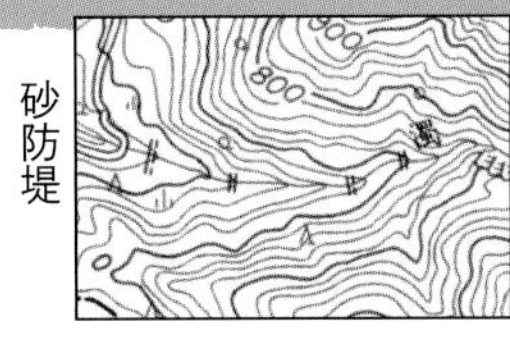

護岸工(擁壁)

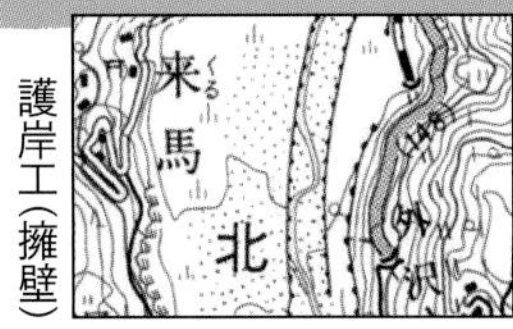

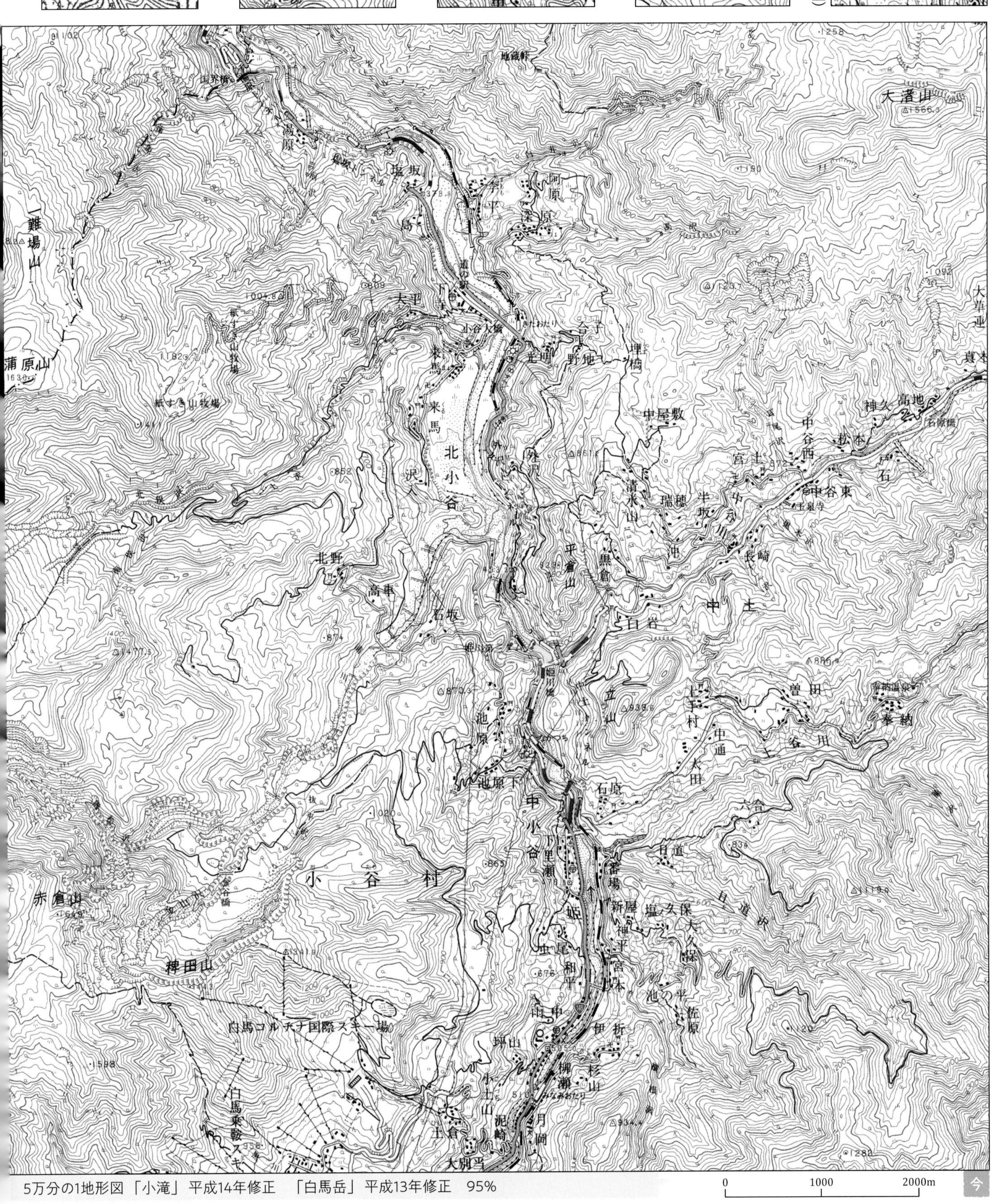

5万分の1地形図「小滝」平成14年修正 「白馬岳」平成13年修正 95%

1 自然災害の多発地帯

稗田山の崩落

■稗田山の大崩落　旧地図に**稗田山**（ひえだやま）から**姫川**に向かって大崩落跡が見られる。この災害跡は、幸田文『崩れ』の題材の舞台となっている。明治44年(1911)、山の北半分が崩壊、土石流が**浦川**を下り姫川を塞き止めた。姫川上流3kmが冠水し、ついには決壊、洪水が**来馬**（くるま）集落の役場や学校、田畑を埋め尽くし23名が犠牲となった。断層による崩落か、地滑りか、諸説あるが原因は不明という。ここからの土石流は昭和まで続き、被害は最下流の新潟県糸魚川市にも及んだ。土木技術・機械が発達し、砂防(砂防堰堤)や治山施設がある程度まで整備され、昭和50年代には沈静化した。

■蒲原沢の決壊・崩落　また姫川左岸の**蒲原沢**（がまはらさわ）支流の沢筋にも崩落がある。時を経て平成7年(1995)7月、2日間で約400㎜の集中豪雨で、この蒲原沢をはじめ多くの河川が増水し、本流の姫川が氾濫、村内各地でも土石流が発生した。交通は寸断し、ライフラインも失われ、多くの地区が孤立状態となった。翌年12月には、集中豪雨で荒廃した蒲原沢の復旧工事で現場にいた作業員が上流で発生した土石流に巻き込まれて犠牲となった。大量の土砂や二次災害の危険性から捜索は難航し、翌年5月に最後の行方不明者が発見されるという惨事となった。復旧工事は遅れ、砂防ダムと**国界橋**（こっかいばし）が完成したのは平成10年であった。

蒲原沢と旧道の国界橋(奥)

■姫川の右岸の地滑り地帯　姫川右岸の支流を見ると、その両岸は緩い傾斜となっているのが目立つ。これは地滑り地形である。姫川の左岸では崩落が多いのに対し、右岸は糸魚川静岡構造線に付随する断層帯で、岩質がもろく下刻作用が激しいため、古くから地滑りが起きている。地滑り地は肥えていて耕作地に利用されるが、これが表流水を集めやすい地形となり、多量の融雪水や梅雨が加わって地滑りを再発させる。そのため移転を余儀なくされる家も多数あった。**清水山**では長年の杭打ち、排水トンネル、集水井等の地滑り対策工事により、昭和63年(1988)に滑動が停止したとされたが、その後も10年ほどおきに地滑りが起きている。

姫川の濁流で流失した大糸線鉄橋(平成7年)

2 度重なる災害から立ち直る村

■大糸線、国道の開通と災害対策　旧地図では、姫川両岸が崖で表されている。これは度々起きる姫川の氾濫によって岸が崩壊していることを示すもので、姫川がいかに荒れ川であるかがわかる。しかし、新地図を見ると、この姫川沿いには**JR大糸線**が開通し、道路が整備されている。地滑り対策としてトンネル化した場所も多く、砂防堰堤が多く築かれている。

大糸線

JR大糸線(旧信濃鉄道)の鉄道敷設は松本—大町間が大正5年(1916)であったのに対し、以北の大町—中土間、糸魚川—小滝間(新潟県)の完成は20年遅れの昭和10年(1935)であった。災害多発地帯の信越県境の工事はさらに難航し、大糸線の全通は戦後の昭和32年である。その後も自然災害にはしばしば悩まされ、平成7年(1995)の水害では復旧まで2年以上もかかっている。その後、護岸工事やトンネル化で、より安全に運行できるよう改善が図られている。かつての千国（ちくに）街道に代わり姫川沿いの谷底部を走る現国道も、水害や雪崩による被害が常にあるため、洞門やトンネル等を新設して安全対策を図っている。

■地震対策と住民意識　平成26年(2014)、隣の白馬村内を走る神城断層による地震が発生し、小谷村でも被害が出た。村は家屋倒壊や土砂崩落に備えて避難勧告を出した。幸いにして死者がでなかったのは、住民間に情報の伝達システムがあり、被害を軽減するための装備も備えるなど、住民の防災活動を支える自治体の適切な援助体制が構築されてきたためとみられる。50を超す集落が山間に散在する村では、年々人口が減り消滅した集落もある。その一方で、道や橋梁などのインフラ整備、防災関連施設の充実を図り、自然災害に強い村づくりが続けられている。（斎藤　慎一）

住民の防災訓練

Column: 05　秘境から山岳観光地へ―上高地

■深い深い谷が埋められてできた別天地

釜トンネルを抜けると、梓川の最上流にもかかわらず、平らな地形が現れる。山地源流域の河谷としては珍しく幅が広い。この地形の形成は、元々は飛騨側に流れていた古梓川が、焼岳火山群の噴火でせき止められて今の信州側に流れるようになってからで、その年代は最近の研究では1万2400年前からといわれている。

河床は洪水により変化を繰り返し、支流から流れ込んだ土砂により谷が埋められた。その堆積量は深さ300m以上という。形成された氾濫原には湧水と網状の水路、そこに生息するイワナ、ケショウヤナギの群落、屏風のようにそそり立つ山々が上高地独特の景観美を作り出している。この景色は観光バス道路が開いた今だからこそのものであって、狭く険しい梓川沿いに分け入ることのできなかった時代には、木こりや猟師が入るだけの秘境であった。

雄大な穂高連峰を水面に映し、水没した木々の先が立ち並ぶ大正池も上高地を象徴する風景の一つである。大正4年（1915）に焼岳が突然大噴火した際に、多量の泥流によって梓川がせき止められてできた池である。土砂の流入は止まず、池は縮小し続けている。湖面積は当初の半分以下となり、立ち枯れの木々も少なくなった。昭和3年（1928）に豊富な水量と大きな落差を利用して下流に霞沢発電所を建設したが、貯水量を保つために浚渫が行われている。

■登山基地から観光地へ　開かれた秘境

明治になって入ってきた外国人は国内各地を歩き回った。明治10年（1877）、英国人ガウランドが槍ヶ岳に登山し、今の北アルプス一帯を「JAPAN ALPS」と名付けて母国の雑誌に発表。22年には英国宣教師ウェストンが上条嘉門次や上條万作らの猟師をガイド役として、槍ヶ岳、穂高連峰に登った。この体験を『日本アルプスの登山と探検』に著し、世界に日本アルプスの魅力を紹介した。槍ヶ岳を主峰とする北アルプスを舞台にした近代登山は外国人によって黎明期を迎え、登山基地として「上高地」が知られるようになっていった。

その後は上高地牧場の開設や上高地温泉の再建と、秘境上高地に少しずつ人の手が加えられた。上高地へは、島々谷南沢から徳本峠を越えて入るしかなかったが、大正13年（1924）に手掘り工事により釜トンネルが開通し現在の入山ルートの基が造られた。やがて霞沢発電所建設のために梓川沿いに大正池までの自動車道路が開かれた。芥川龍之介の小説『河童』の発表や、秩父宮殿下の登山などを通じて一般の注目も集めるようになり、昭和4年に中ノ湯までの乗合バスが運行、8年には上高地（大正池）までバスが運行するようになった。山小屋や温泉宿はまばらだった上高地に、同年には初の山岳リゾートホテル（現「上高地帝国ホテル」）が開業した。

■規制で守られる大自然

昭和40年後半になると山岳ブームが加熱し、観光客も増加の一途をたどり、県道が整備されバスやマイカーが頻繁に入り込むようになった。その反面、自然への悪影響が問題視された。昭和50年、県道上高地線は7、8月のマイカー規制が始まり、平成8年（1996）にはマイカー通年規制、9年に上高地での魚類の全面禁漁、16年に7、8月の観光バス規制と、自然保護策がとられている。それでも観光客は年間120万人が訪れ、近年は外国人観光客の増加も目立つ。地元松本市や県・国は、観光客に自然保護意識を高めてもらおうと、観光センターやインフォメーションセンター、ビジターセンターを設けて上高地に関する様々な情報を提供するとともに、登山マナーを指導している。（斎藤　慎一）

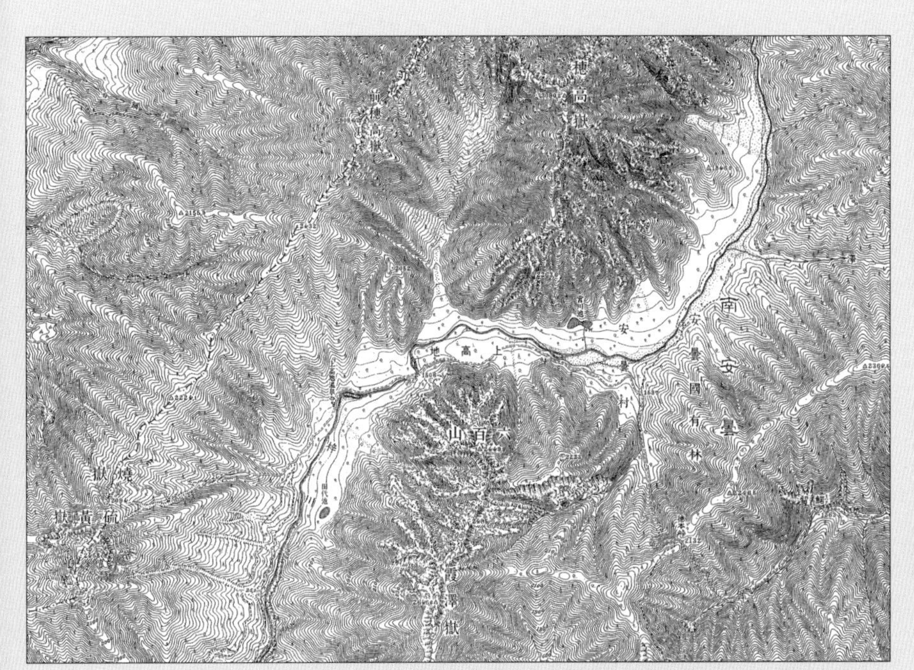

5万分の1地形図「焼嶽」　明治45年測図　50%　0　1000　2000m

焼岳を背後に、湖面に立ち枯れの木々を残す大正池（昭和45年）

穂高連峰を望む上高地の河童橋付近。海外からの観光客も目立つ（平成31年）

14
御嶽山
〈木曽郡王滝村・木曽町〉

恐れと 恵みと 信仰の山

平成26年(2014)、御嶽山が突然に爆発した。戦後最悪の火山災害となり、人々に衝撃を与えた。記録は残っていないが、古来よりたびたび噴火し、山麓に被害をもたらした「恐れの山」は、一方で林業や観光を支え、豊かな水資源は中京方面の用水源、関西方面の電力源となる「恵みの山」であり、御嶽教の霊場として「信仰の山」でもある。畏敬の気持ちを込めて生きる山麓の様子を見てみよう。

昔 5万分の1地形図「御嶽山」「木曽福島」「上松」「加子母」明治42年測図 60%

読図ポイント

[地図記号] 昔 針葉樹林　小径　がけ　今 リフト　送電線

1 火山の山容を見る

等高線が表す緩急の様子や溶岩流の跡から御嶽山の山容を確かめることができます。災害の痕跡も探してみましょう。

2 奥深い森林を見る

山の大部分を針葉樹が覆っているのがわかりますか。「御料林」の名から、この地のヒノキが重要視されてきたことがわかります。ダムを確認し、大量の水がもたらす恩恵についても考えてみよう。

3 信仰や観光利用を見る

御嶽信仰に関連した施設は見つかるでしょうか。スキー場や休暇村などの施設はどのような地形の場所にありますか。

注：図中「開田村」「三岳村」は平成17年から木曽町

5万分の1地形図「御嶽山」平成14年修正　「木曽福島」「上松」昭和63年修正　「加子母」平成3年修正　60%

0　1000　2000m

今

「恐れの山」としての御嶽山

■今も続く火山活動と侵食　旧地図からは御嶽山の異様な山容がわかる。山頂から四方へ、土砂や火山性堆積物が流れ下っているように見える。これは有史以前の活動で形成されたものだ。中腹に火砕流や溶岩流が冷え固まり、その末端が急傾斜となった地形も見られる。地獄谷では噴気活動や火山性微動が今も継続し、噴火警戒レベル1（平成29年8月現在）の活火山である。また、放射状に流れ出す沢は柔らかい堆積物を侵食して深い谷を刻んでいる。侵食は今も続き、崩壊が進んでいる。

噴煙を上げる御嶽山（平成26年）

■犠牲者を出した水蒸気爆発　平成26年（2014）年9月27日、**剣ケ峰**南西側の複数の火口から水蒸気爆発が起き、噴石や火山灰が噴出、南西方面に火砕流が発生した。噴火時、山頂付近には大勢の登山者がいて噴石の直撃で死者58名、行方不明者5名ほか多数の負傷者を出し、山小屋も損壊する大惨事となった。これを契機にさまざまな観測機器の設置や監視態勢強化が図られ、噴火の前兆察知や情報発信の迅速化が図られるようになった。

■長野県西部地震による山体崩壊　御嶽山での近年の災害を振り返ってみると、昭和54年（1979）10月にも約1,000mの高さまで噴煙を上げる水蒸気噴火が起き、火山灰は関東北部にまで達した。平成3年、同19年にも小規模な噴気活動があった。昭和59年9月には、南山麓で起きた長野県西部地震（M6.8）により南斜面で大規模な山体崩壊が発生した。大量の土砂は濁川上流部の支流**伝上川**を駆け下り、8分で**王滝川**まで達した。濁川温泉、住宅、営林署の建物が流され29人が犠牲となった。流下した岩屑流・土石流は王滝川をせき止めて自然湖を形成した。川底を固定する工事を施したため、現在も湖として残っている。災害後、4年がかりで御嶽山麓9カ所に砂防ダムが建設され、荒廃地の緑化や植林が行われた。

長野県西部地震の土石流（昭和59年）

「恵みの山」としての御嶽山

■管理された良質のヒノキ材　新旧両図を見ても御嶽山は針葉樹林の山であるのがわかる。国有林となった現在まで良質の天然ヒノキを産する山として管理されてきた。王滝川流域で良質なヒノキ材が産出するのは、年間平均降水量2,500㎜前後の多雨地域であってヒノキの生育に適しているためだ。王滝川源流域にある**滝越**集落は江戸時代から木曽ヒノキの集散地であった。

牧尾ダム

■中京圏の水源地　新地図には巨大な**御岳湖**が出現している。これは昭和36年に完成した国内初のロックフィルダムの**牧尾ダム**によって王滝川をせき止めたダム湖である。牧尾ダムは愛知用水の水源として計画された多目的ダムで、排水された水は王滝川から木曽川へ流れ下り、岐阜県八百津町から導水路で尾張丘陵や知多半島に送水され、1.5万haの農地と中京工業地帯の工業用水、愛知県民の上水道に供給されている。このダム建設の際に6地区240戸、約235haの土地が湖底に沈んだ。愛知用水下流域の人々も水源地を守ろうと「水と緑のふるさと基金」を供出し、水源の森の間伐・除伐、御嶽山の環境整備等に活用されている。

信仰、登山、観光にも活路

■信仰の道も登山や観光の道に　新旧の地図を見ると、御嶽山登山道には多くの小屋の名が表示されている。これらは御嶽山頂の御嶽神社まで登拝する御嶽教信者の「お助け小屋」として建てられた。御嶽教は江戸時代に**王滝口**、**黒沢口**、**開田口**の3つの参道が開かれたことで中京や関東をはじめ全国に講中が結成されて広まり、御嶽は「信仰の山」として定着。王滝口、黒沢口参道には多くの霊場や修行場があり、登拝者を祀った霊神碑が多数建ち並んでいる。林道黒石線と白崩林道の有料道路、**御岳ロープウェイ**が開業すると、ひのき傘や金剛杖を手にした白装束の信者が行列をなす参道に一般登山者も混じるようになった。御嶽は比較的登りやすく、山頂からの眺望や神秘的なカルデラ湖が人気となり、登山者も増えていった。登山口にあたる**田の原**の天然公園は高山植物が楽しめる名所だ。

■高原リゾート地として開発　昭和60年以降は山腹に4つのスキー場が開業した。**開田高原**はそばと木曽馬の里、別荘地、また名古屋市の保養休養地・御岳休暇村や銀河村キャンプ場といった高原リゾート地として観光開発が進む。キハダ、ゲンノショウコ、センブリなど山の恵みを使った生薬「御岳百草丸」も信者によって全国に広まり、産業の目玉の一つとなっている。林業を生かした地場産品の開発、カヌーツーリング・トライアスロン・モトクロスなどレジャー開発にも力を入れている。（斎藤　慎一）

御嶽講の登拝

Column: 06　地形図に見る松本地域の軍事施設跡

■地図上に示された軍事施設

明治期の図Ⅰには各種の軍事施設が記載されている。市街地北の現在の信州大学本部の位置に歩兵 50 連隊本部1があり、周辺には歩兵営、練兵場、射撃場、司令部（★）、陸軍病院の記号（⛨の上に M）も見られる。サーベル形（〆）の憲兵隊も探してみよう。城山公園の麓には陸軍墓地がある。演習や行軍に必要なため、軍事施設は丁寧に記されていた。

歩兵 50 連隊は明治 41年（1908）に松本兵営へ入営した。松本は町の発展を願って軍施設の誘致運動をしていたので、入営に際しては町民が日の丸や提灯を掲げて歓迎した。駐屯していた和泉町は軍隊の旭日旗にちなんで町名を「旭町」に改称した。38 年間の入営で数万人の兵が出入りしたため、松本は軍都としてにぎわいをみせた。信大構内には今も 50 連隊糧秣庫（りょうまつこ）であった赤レンガ倉庫が残っている。50 連隊は昭和 19年（1944）にマリアナ諸島のテニアンで玉砕した。現存するものとしては、中山・里山辺の半地下航空機工場跡2（終戦当時は半地下遺構がはっきりしていたが、現在は 2、3 のトンネルの出入り口を見るだけ）や、林城山の地下工場跡3がある。松商学園高校の校庭東側にある地下室は戦闘機の燃料庫であり、校庭には噴射実験場があったとのことである。

図Ⅱは戦時中に修正された 2.5 万分の 1 地形図で、軍事機密として施設名や記号は消去されている。ちなみにこのころの地形図は 5 万分の 1 縮尺が一般的であったが、50 連隊の演習などのために、明治 43 年に県内では松本盆地の 15 枚だけ、より詳細な 2.5 万分の 1 地形図が作成されている。

■陸軍「松本飛行場」跡地

図Ⅲは現在の松本空港の辺にあたり、今井村の碁盤目状の道は昭和 19 年に農地を接収して建設された陸軍松本飛行場の跡である。敗戦直前、特攻機の訓練場とされた。神林村にまでまたがる約 1.3㎞の範囲に矩形の道路網が見えるが、戦後、航空隊の撤収後は農道に使われたため、軍事施設としては記載されていない。この道路の基本形は現在も松本空港を含め北側に残っていて、周辺地域の開発にも利用された（165 頁参照）。格納庫や滑走路の一部は昭和 30 年頃まで菅野中学校の西 200m 程の所に残っていて、陸上競技大会の応援に参加した中学生たちはこの格納庫の日陰で昼食をとった。同校のバックネットの基礎は格納庫の土台を利用している。工事中に建物の土台などが見つかることもあるという。格納庫の 1 棟は 27 年の冬、雪で倒壊し立ち入りを禁止された。（藤森　喜雄）

旧松本歩兵第五十連隊の糧秣庫であった赤レンガ倉庫

図Ⅰ
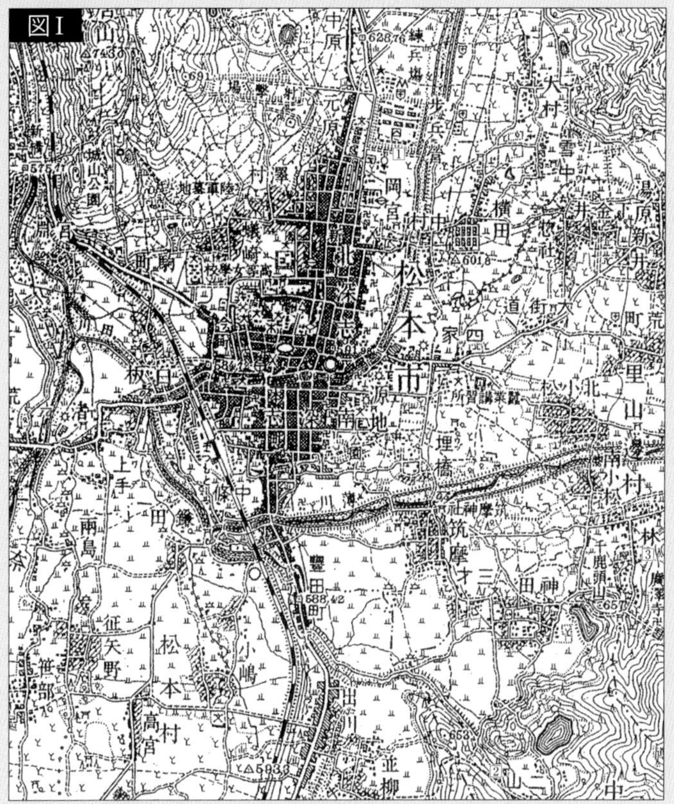
5万分の1地形図「松本」明治43年測図　原寸

図Ⅱ
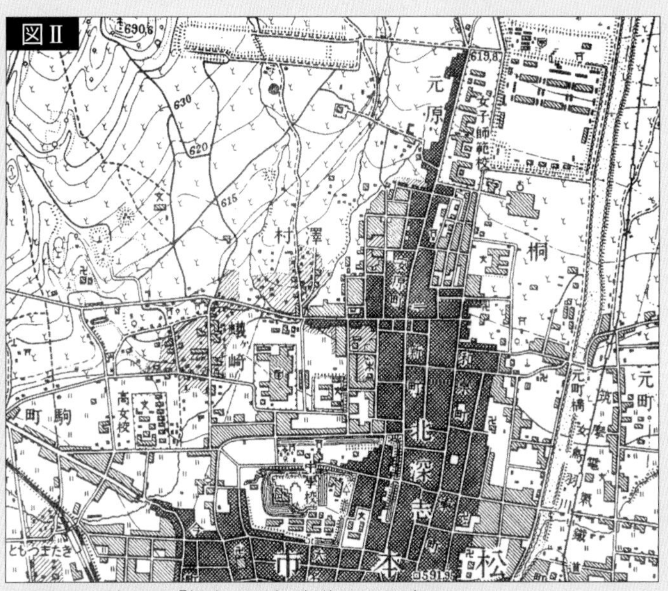
2.5万分の1地形図「松本」昭和6年修正　原寸

図Ⅲ
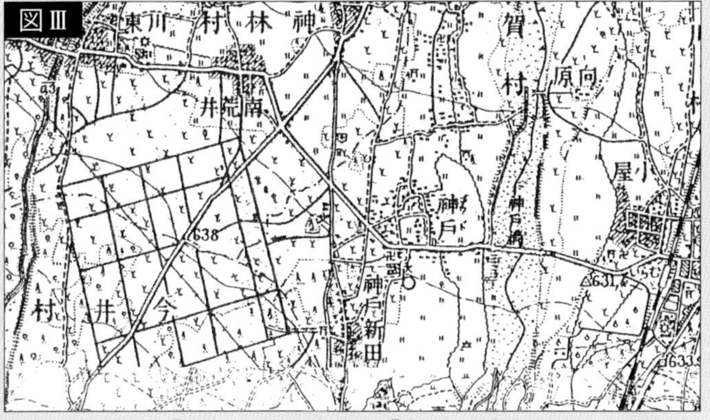
5万分の1地形図「松本」昭和28年修正「塩尻」昭和27年修正　原寸
「塩尻」分（下部分）が不鮮明なのは27年時には飛行場が地図から消されていたためと思われる。

0　1000　2000m

15
川路・中川・大鹿
〈飯田市、上・下伊那郡〉

三六災害の“暴れ天竜”を克服

昭和36年(1961)、伊那谷を襲った「三六災害(さぶろく)」は今なお防災の教訓としてこの地域に語り継がれている。並外れた豪雨で天竜川や山間地の河川が氾濫、山崩れや土石流も発生し、多数の家屋や人命が奪われた。特に甚大な被害を乗り越えて街づくりを進めてきた天竜川沿岸の飯田市川路(かわじ)・龍江(たつえ)・竜丘(たつおか)にまたがる川路氾濫原と、山間地の大鹿村・中川村四徳(しとく)の今昔を見る。

水没した飯田線川路駅付近(昭和36年6月28日)

1 歴史に残る三六災害

■川路氾濫原の災害　昭和36年(1961)6月27日、伊那谷は豪雨に見舞われた。各地で大規模な山崩れや土石流が発生し、膨大な土砂は川底を上昇させ、天竜川や山間地の河川は至る所で氾濫し大水害となった。道路は不通となり、集落は孤立、家々は壊されたり流された。死者行方不明者136名という大惨事であった。

名勝・天竜峡

天竜(龍)峡の手前、飯田市南部の**川路**、**竜丘**、**龍江**にまたがる**川路氾濫原**(三日月状の広い河原)は一面が湖のようになり、沿岸の多くの家・田畑が水没した。同日午後、天竜川の氾濫で川路小学校も2階まで水没した。間もなく川路駅、支所、郵便局など川路地区の中心街も水没。上流側の竜丘、対岸の龍江地区と合わせると全壊・半壊家屋約140戸、床上浸水約70戸と壊滅的な被害となった。整備された現在の大堤防脇に建てられている当時の水位塔を見れば、洪水のすさまじさがわかる。

昔　5万分の1地形図「時又」明治44年測図　200%

天竜川総合学習館「かわらんべ」

三六災害時の水位塔

[地図記号] 昔 桑畑 田 今 盛土 荒地 果樹園 工場 田

1 大水害の痕跡を見る

大規模災害の発生源となった川路氾濫原に注目し、被災地となった川路・龍江・竜丘までの広がりを確認してみよう。

3 復興を見る

現在、川路氾濫原ではどんな災害・復興策がとられていますか。沿岸の治水やまちづくりの様子を見てみよう。

2 災害を招いた地形を見る

なぜ大水害が起こりやすかったのでしょうか。川路氾濫原と天竜川の上流・下流の地形から考えてみよう。

4 被災後の山間地を見る

山間の被災地・大鹿と四徳は復興できたのでしょうか。新旧地図で見比べてそれぞれの違いを読み取ってみよう。

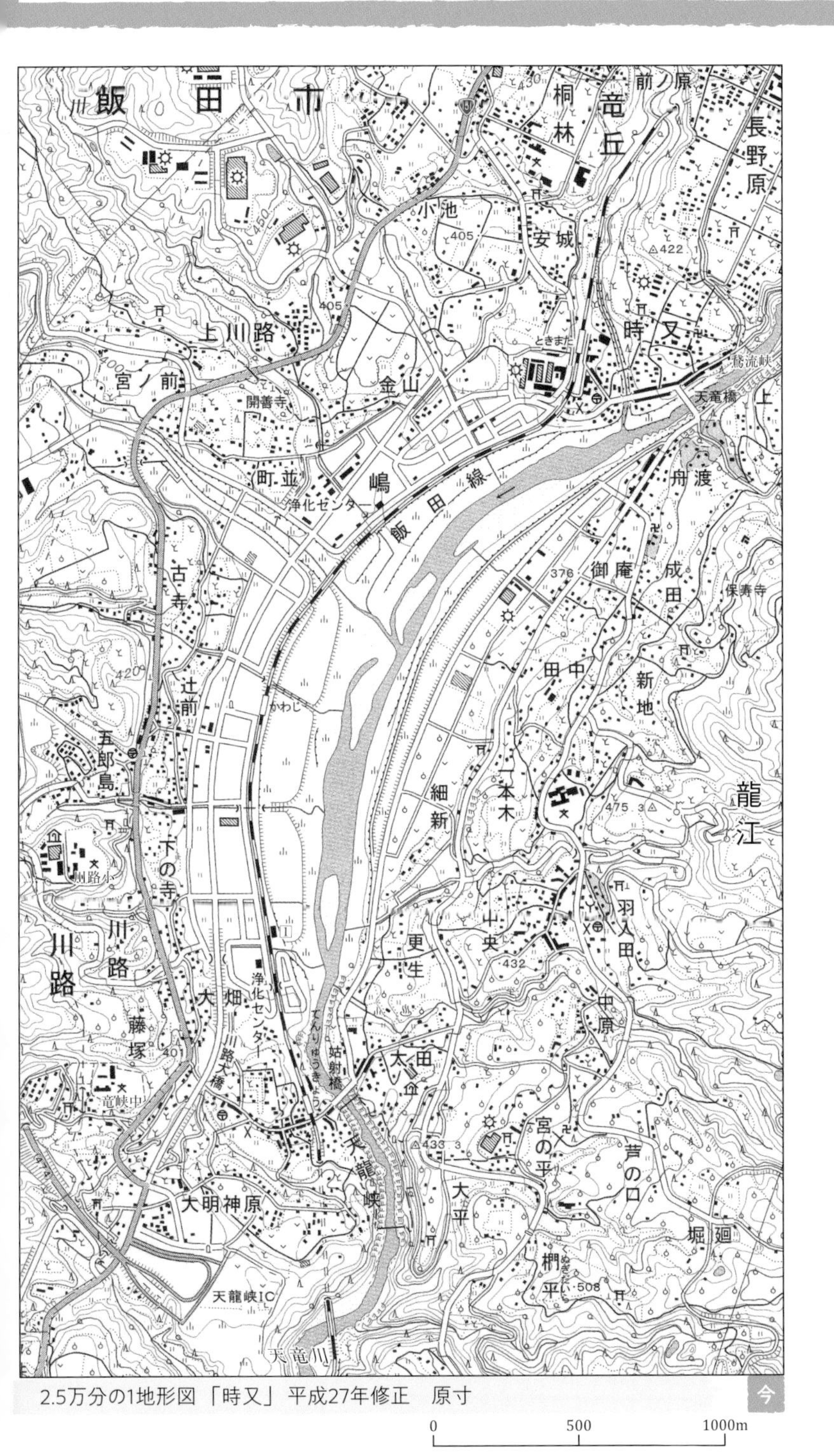

2.5万分の1地形図「時又」平成27年修正 原寸 今

0 500 1000m

川路地区で三日月のような曲線を描く天竜川。大規模な盛り土で水害の心配は薄らいだ

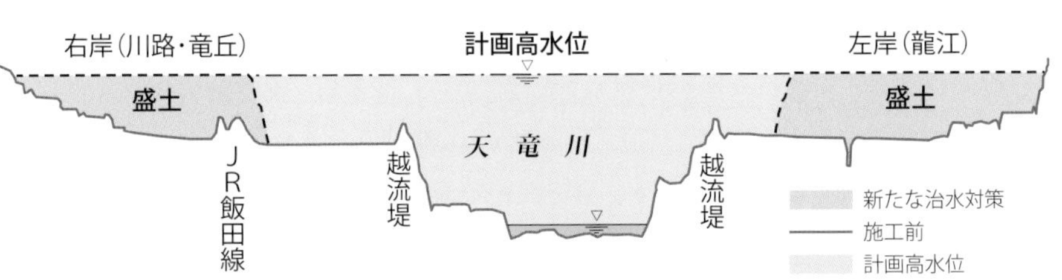

図1 三六災害地域の復興工事断面図（中部地方整備局河川部資料を基に作成）

2 水害の起こりやすい地形

■災害前の川路氾濫原 伊那谷では明治以降に養蚕が飛躍的に発展すると、川路氾濫原には日本三大桑園の一つとも呼ばれるほどの広大な桑畑が広がった。また現伊那市入舟（いりふね）から静岡県掛塚（かけづか）までは天竜通船があった。筏（いかだ）で天竜川を下り、**時又**港はその中心であった。ちなみに現在の天竜下り観

光船は、飯田市弁天～時又と、天竜峡～泰阜村唐笠間で運行している。

川路氾濫原は天竜川がつくる独特の地形により、もともと水害に苦しめられてきた。この地域が川幅の狭い上流(北側)の**鵞流峡**と下流の天竜峡の間に位置するためである。鵞流峡で一旦流速を増した洪水流は、川路氾濫原で勾配が緩やかになり、速度を弱めて川幅も急に広がる。それが今度は天竜峡で堰き止められ、「水かさ」が上がり水害を大きくした。大雨の都度、住民は水害とのたたかいを余儀なくされ、耕地や作物を失う苦しい体験をしてきた。

災害に負けない地域づくり

■川路氾濫原の復興工事　新地図で現在の様子を見てみよう。応急的な復旧工事は昭和 41年(1966)に終了したが、大堤防造成などの大治水工事はその 20 年余り後に始まり、平成 14 年(2002)に完了した。氾濫原では天竜川の川幅を広げ両岸に**新堤防**が建造された。新堤防は山側まで約 90ha の土地を埋め立てて約 4.5 m高くした強固な大堤防である。左岸約 30ha、右岸 60ha に大洪水でも水のつかない盛り土による平地も造成された。この治水事業によって、三六災害を上回る流量を記録した平成 18年(2006)7 月の豪雨の際にも大災害の発生を防げたのである。

度重なる水害の経験を踏まえ、大堤防上には天竜川防災の新拠点「**天竜川総合学習館・かわらんべ**」1が設置された。天竜川上流域の自然・防災をテーマに、体験学習などが行われ、大人から子どもまで多くの利用がある。

■新しい地域づくり　現在、堤防設置に伴う造成地では「飯田市エコタウンプラン・天竜峡エコバレープロジェクト」に基づき、飯伊地域の産業と交流の拠点づくりが進められている。

右岸の川路・竜丘地区では桑園はほぼ姿を消し、住宅地、商業地、工業地、農業地等に区画整理されて新しい街づくりが進められている。**JR 飯田線**は堤防上に移設され、**川路駅**も移転した。**川路小学校**は西側高台へと移り、藤塚の高台に**竜峡中学校**が新設された。埋め立てた平地の中心に国道 151 号の川路バイパスが通り、周辺に住宅や商店、郵便局、ガソリンスタンド、レストランができて新しい街の顔となっている。工場用地には、プロ野球関連グッズ工場等が設立され、飯田市旧市街等から通勤する従業員も多い。

左岸・龍江地区の約 30ha にも台地(今田平)ができた。川路地区と同様に桑園はほとんど消え、果樹園に変わっている。農業法人による新しい営農をめざし、イチゴやブドウ、リンゴ栽培を中心に観光・体験農園が設立された。また段丘上も大きな変化が見られる。特に北部は工場や住宅の進出が目立つ。南部でも三遠南信自動車道は**天竜峡 IC** まで開通し、天竜峡一帯の観光に大きく寄与している。

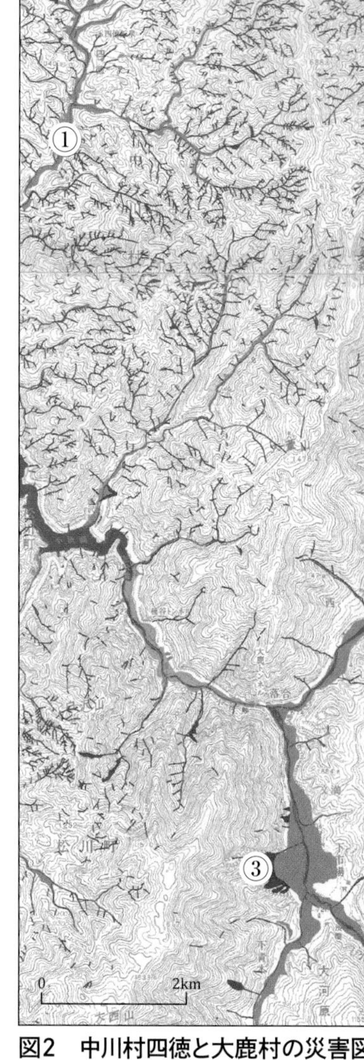

図2　中川村四徳と大鹿村の災害図
①中川村四徳　②大鹿村鹿塩小中学校
③大鹿村大西山くずれ
図版出典:「三六災害洪水はん濫・土砂災害の記録」部分を拡大(国交省天竜川上流河川事務所)
原図は「伊那谷の土石流と満水」(伊那谷自然友の会・飯田市美術博物館)

山間地の災害

■山の崩壊と土地の流失
三六災害は、伊那谷の天竜川左岸の山間地にも甚大な被害をもたらした。6 月 29 日、過去に崩落をくり返した大鹿村の**大西山**山腹が高さ 200m、幅 300m にわたって崩壊し、55 名の村民が犠牲となった。小渋川を挟んで北側の中川村**四徳**も壊滅的な被害を受け、学校や住宅・田畑の大部分が流失した。図 2 の赤の範囲が災害地域で、谷筋や川沿いのほぼ全域が被害を受けたことがわかる。

■災害前の大鹿村と中川村四徳　大鹿村の**鹿塩川**から**下青木**にのびる中央構造線沿いの谷筋では水田、緩やかな傾斜地では畑作を営み、集落が点在する山村であった。「塩」の地名があるように山塩も採れた。**北入**や**桶谷**地籍に分校があり、道路は地質のもろい山沿いの屈曲した道で、河川は自然流路であった。

中川村四徳は、村の中心から山で隔絶された地域であるが、当時は四徳川沿いに約 80 戸 400 人が住み、学校、寺院、神社のあるまとまった経済・文化をもつ地域であった。右ページ旧地図で確認できる。

■山間地の復興と廃村　災害後、大鹿村でも砂防堰堤や堤防の整備による河川改修が進められた。その後、新地図で見るように道路は川沿いに直線的に改良され、新たな道路も造られている。多くの犠牲者を出した大西山の麓は公園として整備されている。いくつかの分校が無くなったが、災害の影響と近年の過疎化によるものである。

一方、中川村四徳の住民は復興困難との判断に至り、国による宅地・耕地の買い上げで全戸集団移住となった。新地図では水田、桑畑、学校、神社、寺院等は全てなくなっている。家屋表示が見られても現地には集落・家屋は残っていない。県下でも珍しい廃村の状態となってしまったが、現在は季節的にキャンプ場や**四徳鉱泉**の活用が見られる。

(坂巻　敏夫・松村　正明)

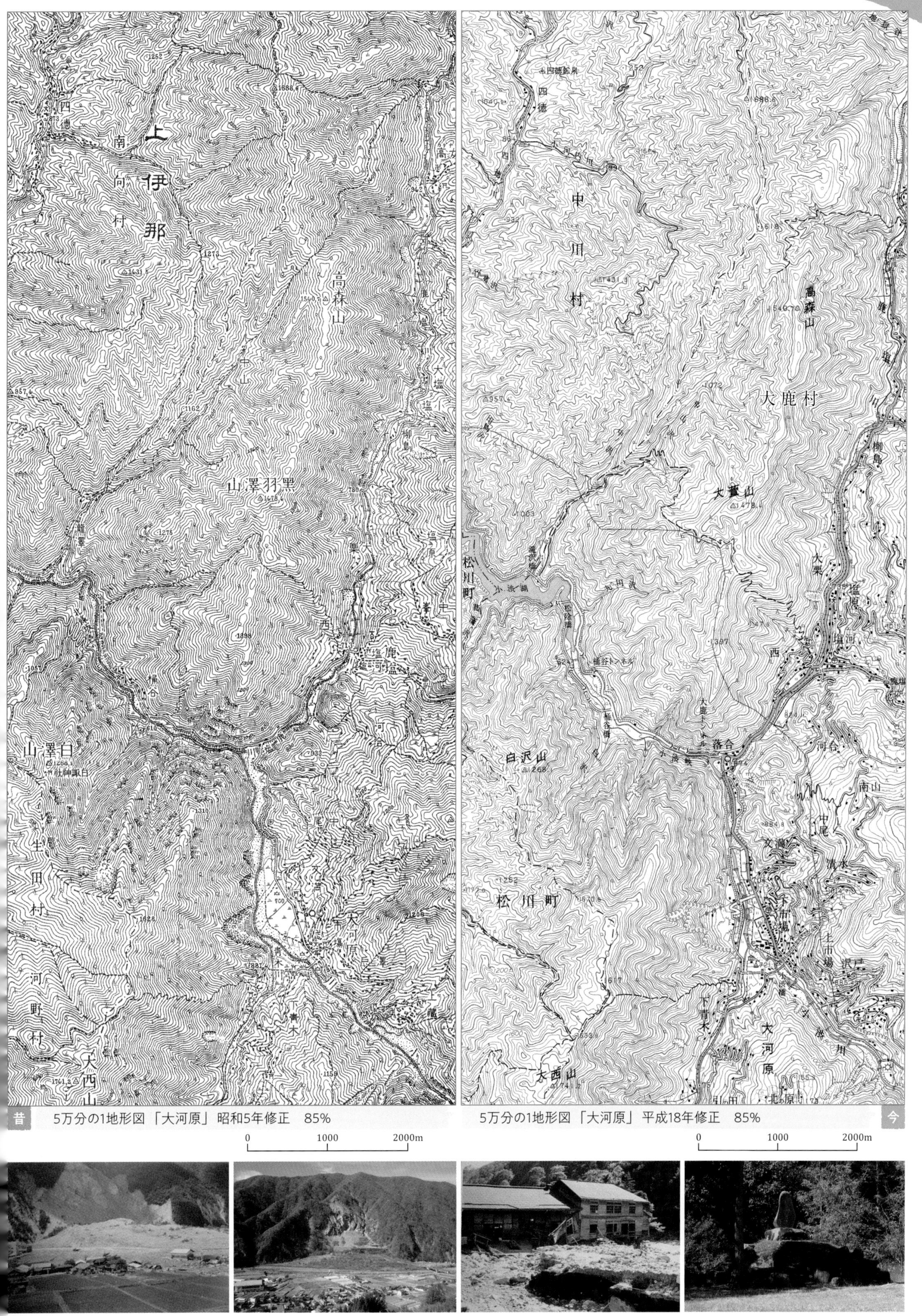

昔　5万分の1地形図「大河原」昭和5年修正　85%

5万分の1地形図「大河原」平成18年修正　85%　今

左から：大西山の大崩落現場（昭和36年）／現在の大西山／埋まった四徳学校／四徳の記念碑

戦前の地形図　主流は５万分の１　軍事的な配慮も

明治維新後の新政府は、お雇い外国人の指導を受けて欧米の先進技術を導入、近代的な測量や地図作成を行い、「地形図」として整備した。当初、地図作成は民部省・内務省・兵部省が取り組んだが、明治17年に測量の一元化で陸軍に移管され、21年からは参謀本部陸地測量部（地図表示は「大日本帝国陸地測量部」）で本格的な三角測量による地図作成が始まり、全国をカバーする５万分の１縮尺の地図を作成した。大都市や軍部拠点の置かれた地（長野県では松本周辺）では、２万５千分の１縮尺の地図も作られた。

初期の地形図の特色は、陸軍・海軍の所管建物、師団・旅団司令部が明瞭に記載され、軍部主導の意図が色濃く見られることである。また、農村部の土地利用では、たとえば水田記号が「乾田」「水田」「沼田」に三区分されていた。「乾田」は冬に水を抜く現在の一般的な田んぼで、場合によっては二毛作も行った。「水田」は冬も水を抜かない田んぼ、「沼田」は足を踏み入れると腰まで浸かる田んぼである。この分類が陸軍にとって重要だったのは、軍隊の行軍や演習時の歩兵や軍用車両の通過が可能かどうかの判断に必要だったためである。「乾田」は通過が可能、「水田」「沼田」は通過不可能な場所を示しており、まさに軍事的配慮からの分類であった。軍事施設の記載は昭和６年からは軍事機密として消された。水田三区分は、戦後も地図によっては昭和30年代まで使われていた。

なお旧版地図を入手するには、国土地理院（HPの「地形図図歴」から必要な地図を指定→申請書）に申請する。謄本と抄本があるが鮮明な「謄本」をおすすめする。

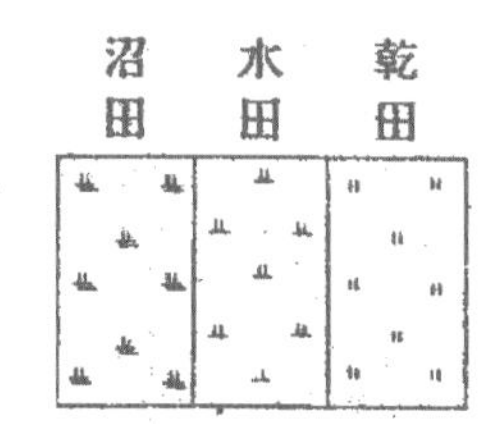

◆この章の参考文献　〈編著者　書名　発行者（編著者と同じ場合は省略）　発行年　の順〉

【東信】小林收『避暑地軽井沢』櫟 平11／真田町教育委員会『菅平高原誌』平２／菅平牧場畜産農業協同組合『菅平牧場百年史』昭58／小林收『碓氷峠の歴史物語』櫟 平９／清水昇『碓氷峠を越えたアプト式鉄道』交通新聞社 平27／広岡友紀『リゾート開発と鉄道財閥秘史』彩流社 平26／小林收『佐久の変貌』櫟 平24／宮原安春『軽井沢物語』講談社　平３

【北信】和合会『和合会の歴史 志賀高原の歩み・上下』昭50／布施谷永太郎・布施谷利治『山ノ内なつかしの記録』北信ローカル 昭60／柴本泰蔵『延徳沖治水三十三年誌 復刻版』建設省北陸地方建設局千曲川工事事務所 平５／市川健夫監修『千曲川の風土と小布施』小布施町 平11／青木廣安『川の風土学』龍鳳書房 平30／千曲川・犀川治水史研究会編『千曲川一世紀の流れ一明治26年測量図と今』信濃毎日新聞社 平15／延徳小学校『延徳学校と地域の沿革』昭61／中沢勇『千曲川への遺言』川辺書林 平25／市川健夫『平家の谷—秘境秋山郷』令文社 昭48／鈴木牧之『秋山記行』平凡社東洋文庫 昭51　口語訳・信州教育出版社 平２

【中信】田中欣一・田中省三『塩の道500景・千国街道』信濃毎日新聞社 平９／長野県文化財保護協会『乗鞍の歴史と民俗』昭56／建設省北陸地方建設局千曲川工事事務所『千曲川・犀川30年のあゆみ』昭55／小谷村教育委員会『小谷の民俗』昭54／沢頭修自『御嶽のふもとで』信州教育出版社 昭60／横山篤美『上高地物語−その歴史と自然』信州の旅社 昭56／市川健夫『日本アルプスと上高地』大巧社 平10／太田陽啓・小松芳郎『図説・松本の歴史 下』郷土出版社 昭61／菊地俊朗『釜トンネル』信濃毎日新聞社 平29／長野県歴史教育者協議会『僕らの街にも戦争があった 長野県の戦争遺跡』銀河書房 昭63

【南信】古谷健司『財産区のガバナンス』日本林業調査会 平25／美精『一万尺索道物語』ほおずき書房 平16／JICA駒ヶ根海外協力隊訓練所『JICA駒ヶ根PROFELE』／松島信幸・村松武、亀田武巳『伊那谷の土石流と満水:三六災害30周年』附・「伊那谷中央部の災害基礎資料図」飯田市美術博物館 平３

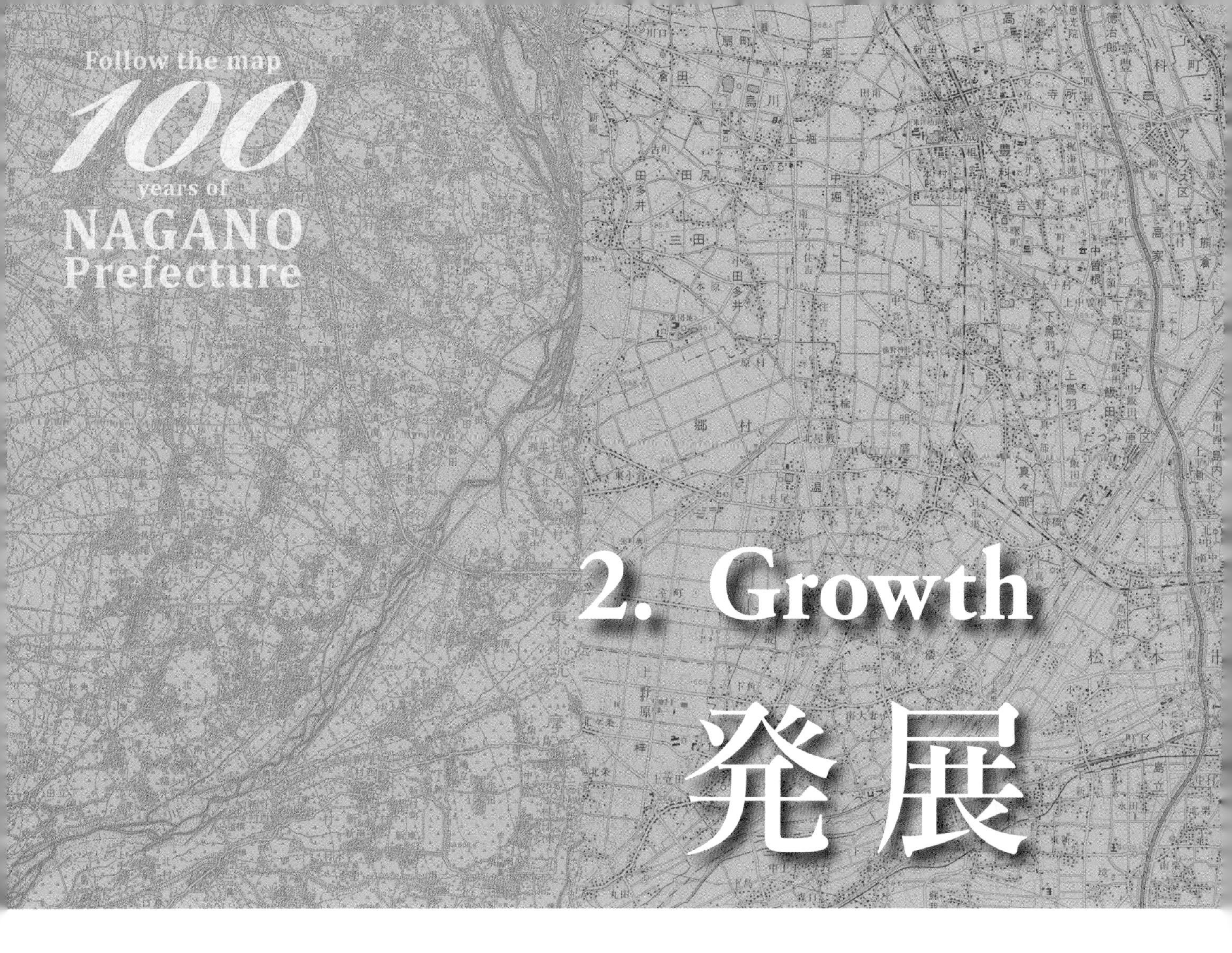

2. Growth 発展

高原野菜やリンゴにブドウ。今では全国トップレベルにある長野県の農業を読み解くキーワードは、扇状地と河岸段丘である。山と川がつくったこの地形は、水を得にくいというハンディがあった。このような土地を昔の人はどう使ってきたのか、そして、どのように使いやすい土地へと変えたのか。それは長野県の農業の歩みと重なる。また、世界をもリードしたかつての製糸業や戦後の精密工業、現在のハイテク産業はどんな場所に発展してきたのだろう。産業の歩みは新旧地図ではっきりと読み取ることができる。

16
東御市

ワイン特区はかつて桑園だった

湯の丸高原の南麓大斜面は今、垣根仕立てのワイン用ブドウ畑が広がる。ワイン人気も追い風に、新たな産地として今後が注目される一帯である。扇状地であるこの地は古くより水田耕作には困難がつきまとい、近代の養蚕全盛期には一大桑園地帯をなした。戦後は果樹への転換が実を結び、巨峰の産地化を実現。近年はワインの地として新たな局面を切り開こうとしている。

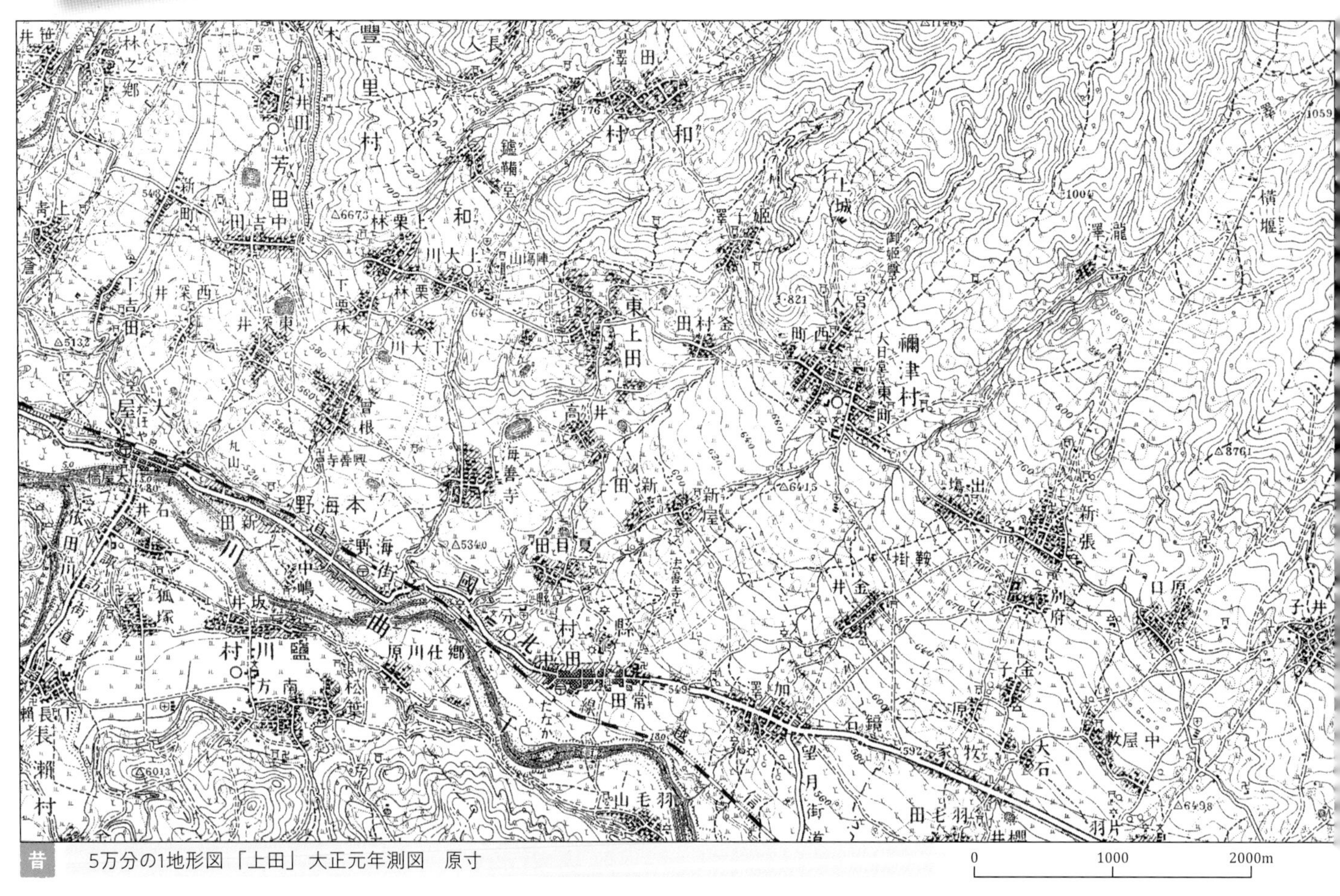

昔　5万分の1地形図「上田」大正元年測図　原寸

0　1000　2000m

1 ヴィンヤードの適地

■ヴィンヤードの適地　現在の地図から見てみよう。**上信越自動車道**から山側のゆるやかな傾斜地には果樹園の記号が点在し、巨峰ブドウ産地となっている。扇状地上部の泥流で運ばれた砂礫質のこの地は水はけが良く、寡雨地で乾燥し、気温の日較差も大きいことから、特性あるブドウを産している。地球温暖化が指摘される近年、ワイン研究家の間では最適なワイン産地とも評価されている。東御市には平成 28 年現在、ヴィンヤード（ワイン用ブドウ畑）26ha、**ワイナリー**（ワイン醸造所）が5ヵ所もある。同 20 年に小規模ワイナリーでの醸造が可能となる特区に指定。ワイン研究・技術指導・普及活動の中心となるワインアカデミーが置かれ、高品質の「NAGANO WINE」醸造の実現に取り組んでいる。27 年には上田市・小諸市・千曲市・立科町・長和町・坂城町・青木村と合わせ 8 市町村が「千曲川ワインバレー（東地区）特区」の国認定を受け、ワイン産地化へと本格始動した。

ワイン用ぶどう垣根栽培

2 火山裾野の扇状地

■用水確保が厳しかった地　烏帽子岳・湯の丸高原の南斜面に広がるこの一帯の火山麓扇状地面（東御市西部地区）は火山の裾野に当たり、川の流量が少なく水に恵まれない地である。旧地図にある**成沢川**や**西川**流域は古くから、ため池灌漑による水稲耕作が行われていた。近代を迎えた養蚕業全盛期には桑園が広がっていた。同じ乏水地域であった東部の**所沢川**とその東の西沢川流域では水争いが繰り返され、用水（堰）の分水をめぐって小諸藩・祢津藩の水争いがあり、

［地図記号］ 昔 桑畑 田 広葉樹林 今 果樹園 畑 田

火山裾野の大扇状地を見る

等高線から一帯が大規模な扇状地である様子がわかります。桑園から果樹へ、土地利用の転換がわかりますか。

読図ポイント

産地のワイナリーを探す

現在、一帯は県内有数のブドウ産地です。新地図でワイナリーの場所や数を確認してみましょう。

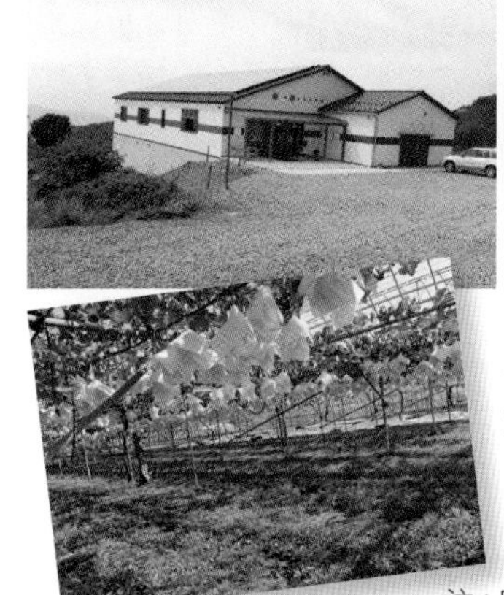

上左：ワイナリー
上右：ワイナリーでの人材養成講座
下：巨峰の棚栽培

注：図中「東部町」は平成16年から東御市

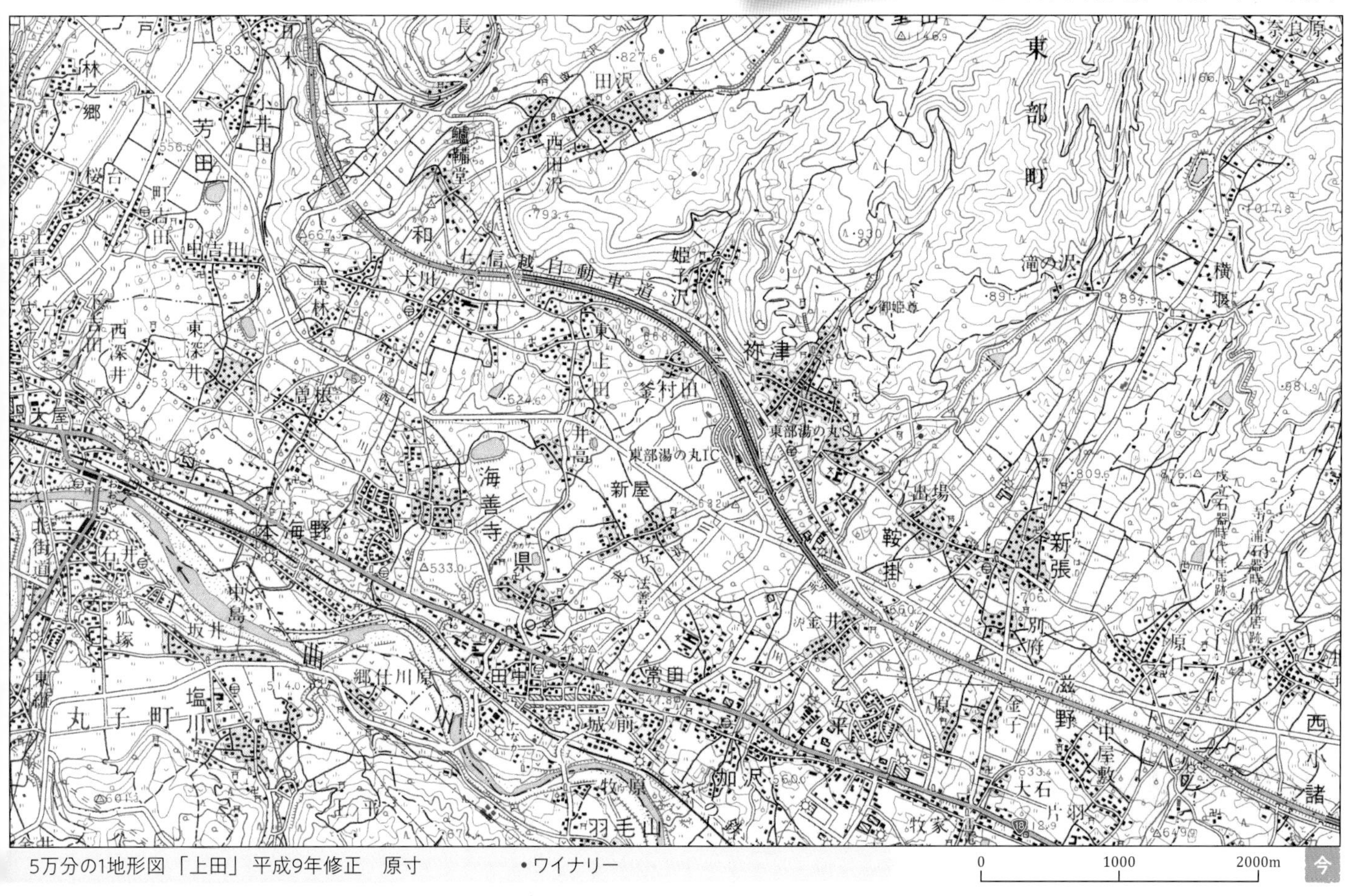

5万分の1地形図「上田」平成9年修正　原寸　・ワイナリー　0　1000　2000m　今

六分水・四分水と呼ばれる和議が成立した地域である。現在もこの分水方式は生かされ、伝えられている。

■果樹栽培への転換　戦後、昭和 30 年代の繊維革命で養蚕業が衰退すると、広大な桑園は転換の必要に迫られた。乏水地域のため水田化は出来ず、リンゴ・ブドウなどの果樹への転換が積極的に進められた。傾斜地で水はけと日当たりがよく、昼夜気温の寒暖差が大きいことが果物栽培の適地となり、県内有数の果樹地帯へと生まれ変わった。

巨峰ブドウ、そしてワインへ

■巨峰ブドウの大産地化　果樹転換の主力となったのが巨峰ブドウである。導入は昭和 31 年の**和**（かのう）地区と同 37 年の**中屋敷**地区から始まった。中でも中屋敷地区では農業構造改善事業の近代化モデル地区として、農地の交換分合、幹線農道の整備を行い、巨大なブドウ団地を造った。気温の日較差が大きいことなどから、巨峰ブドウの色つき・糖度とも高い市場評価を得た。産地形成には、地区を挙げてぶどう組合を結成。集団営農方式を導入し、共同潅水・共同防除・共同出荷で全国初の巨峰の共同販売を実施。規格の統一、荷口の大型化といった点でも市場の高評価を得て、昭和 50 年には朝日農業賞を受賞した。

■巨峰ブドウでは県内第 3 位の産地へ　平成 2 年、東御地域は栽培面積 180ha・生産量 2,040t となり、長野県内では須坂・上高井、中野・下高井に次ぐ第三のブドウ大産地を形成した。近年、生食ブドウは新品種研究が盛んで、多品種の時代になったが、巨峰で市場を獲得した力を生かしブドウ優良産地としての地位を堅持している。ただ、生産者の高齢化による離農や耕作放棄地も課題となってきた。ワイン産地化の動きは市外から移住した若手人材も取り込み、耕作放棄地の活用策としても期待されていて、ヴィンヤードの拡大が進められている。　（佐々木　清司）

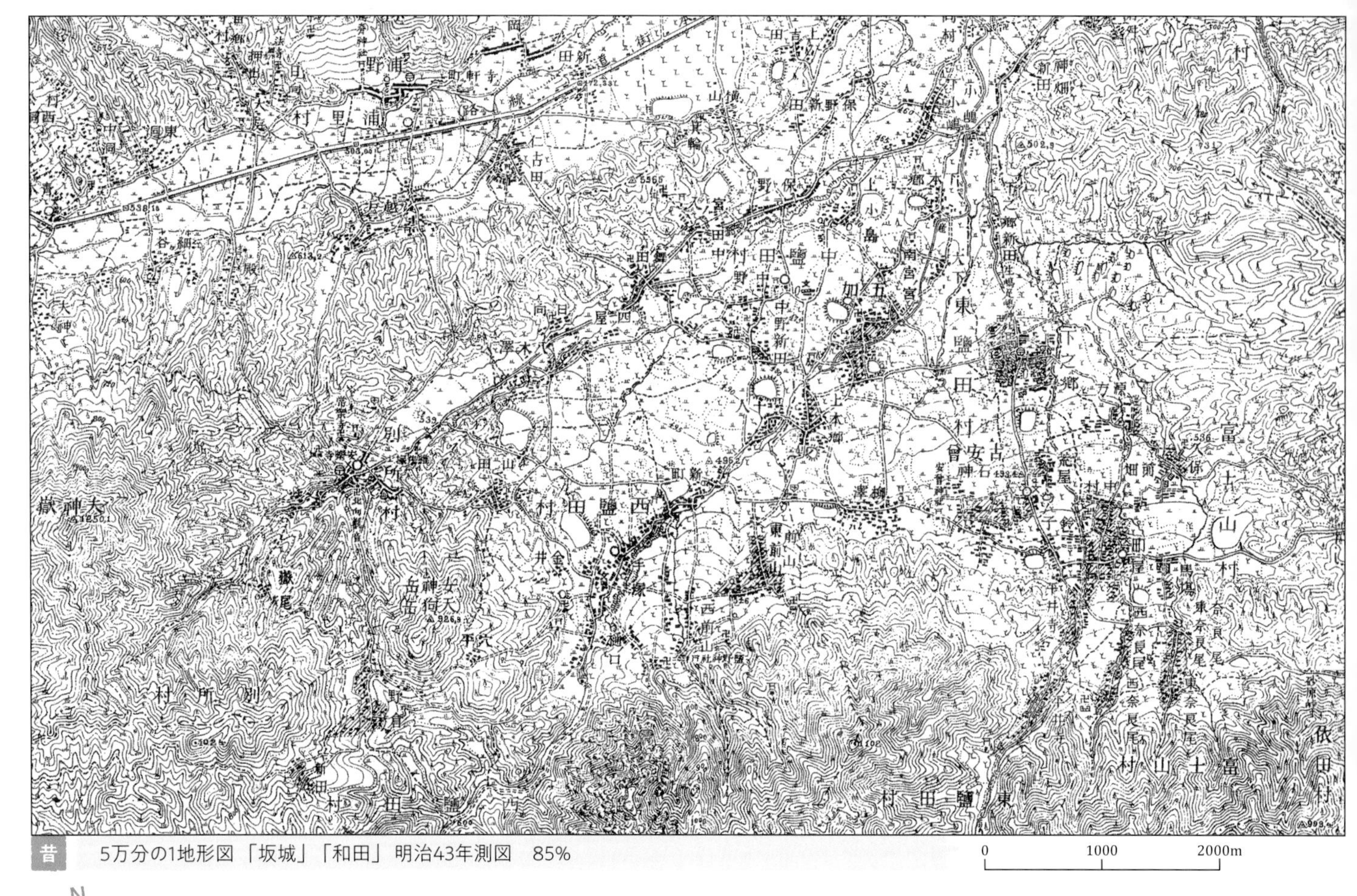

昔　5万分の1地形図「坂城」「和田」明治43年測図　85%

0　1000　2000m

17
塩田平
〈上田市南西部〉

ため池にみる水確保の歩み

塩田平と呼ばれる上田盆地南西部は「ため池」が風物だ。古代より稲作が行われてきたが、江戸期には大きな「ため池」を造ることで水田を広げた。ただ「ため池」灌漑には安定した水源が必要で、先人は努力を重ね、周辺を流れる大河の千曲川や依田川に取水源を求めたことで水不足を克服した。地元では今も「ため池」を活用するとともに、新たな価値を見出そうと模索している。

1 ため池築造は近世以前から

■降雨を願う伝統行事　この地域は500年以上続く雨乞い伝統行事「岳の幟（たけのぼり）」で知られ、平成10年(1998年)の長野冬季オリンピックの閉会式で信州の伝統行事の一つとして世界に紹介された。**夫神岳**（おがみ）(1,250 m)の頂上にある九頭竜神に参拝する盛大な行事が象徴するように、塩田平は年降水量860㎜ほどで全国的にも雨が少ない。懐の浅い周囲の山からの河川は流路が短くて水量が少ないため、水争いが絶えず用水確保をめぐり苦心した地域であった。塩田平には個人用の小さなものも合わせると、今も大小230余面の「ため池」がある。小規模なものは近世以前から造られていたが、近世に入り上田藩が農民を動員して30面ほどの大きな池に新増築し、水田開発を進めた。後期には「上田5万3,000石」のうち「塩田3万石」といわれる米産地になった。

■明治・大正期に桑園が拡大　明治期に入り上田地方は養蚕業が活況を呈し、旧地図には桑畑が見られる。主力の水田にも桑を植え、昭和初期には塩田平の耕地の約60%は桑園となった。

岳の幟

2 水源の開発とため池灌漑

■中央部は産川・沢山池を水源に　ため池灌漑は、昭和期に入って水源の安定確保が本格的に図られた。先ず塩田平中心部を流れ、千曲川へと向かう**産川**（さん）の上流に昭和9年から5年かけ、県事業で大規模ため池の**沢山池**（さやま）を造成。**西塩田**村や**中塩田**村、**東塩田**村のため池へ配水し、この地域の水田灌漑が安定した。

■依田川を水源とする東部　東塩田村・**富士山村**（ふじやま）では昭和16年、**二ツ木峠**の東向こうにある依田村の協力を得て、美ケ原より流下する内村川の水を峠越しに揚水し、主要ため

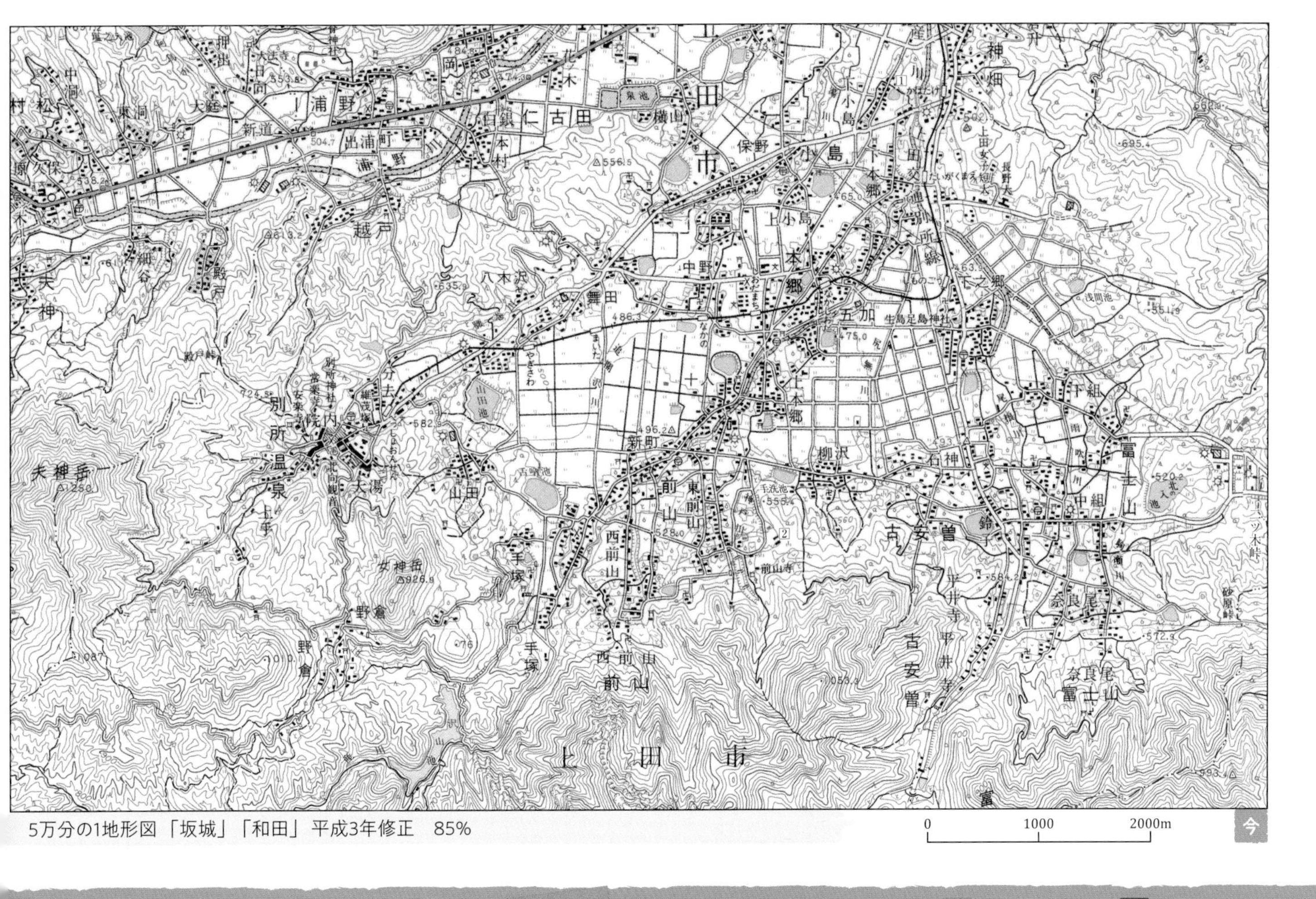

5万分の1地形図「坂城」「和田」平成3年修正　85%

読図ポイント

[地図記号]　昔　桑畑　田　今　田　畑

1 ため池の今昔を見る

新旧地図でため池を数えてみましょう。昔と大きな変化はありますか。ため池周辺の土地利用には変化も見られます。

2 ため池の利用を見る

新地図では全面水田です。各地域で水源となる池を予想してみましょう。水田灌漑以外の利用を図る動きもあります。

池へと配水する水路を整備した。戦後は、丸子地域を流下する依田川から二ツ木峠に掘削した隧道で通水し、昭和30年代に南線（用水路）が**手洗池**、北線が**浅間池**まで送水され、塩田平東部の用水確保が完備した。塩田平最下流の北部地域は近世初期以来、千曲川本流から取水して左岸六ケ村を灌漑する「六ケ村堰」で水を得ていた。

■水問題の解消　塩田平では、昭和53年からの「県営塩田平灌漑排水事業」で用水の安定確保が図られた。この事業は、塩田平全域を対象に平成14年まで46億円をかけて実施された。千曲川からの水を「六ケ村堰」末端1から、手洗池南部山王山2の貯水槽（2,400㎥）へ地下送水管（幹線管水路）で揚水、ここから地下の支線で塩田平の主要ため池22カ所へ送水する施設を完備し、塩田平の水田用水問題は解決した。ただ、同40年代から始まった水田の減反、高齢化による離農、宅地化などで塩田平の水田作付面積は同35年833ha、平成27年には413haと減少。地下送水の施設を使わずとも、従来のため池灌漑で用水は確保され、維持経費の高い新施設はかんばつ時の緊急施設となっている。

新用水路の水管橋

3 ため池を残すために

■日本一を誇った鯉の養殖

鯉の養殖事業（昭和50年代）

ため池は従来、灌漑用に限らない利用もあった。昭和30年代までは水遊び・魚つり・冬のスケートなど子どもにとっても遊び場であった。また戦後昭和期、塩田平は薬用人参の大産地であり、ため池の土手草が肥料として利用された。水量が安定した30〜50年代、多くのため池では鯉の養殖事業が行われ、最盛期には1,000tを超えて全国の1割を占めた。ただ、平成初期には餌代の高騰で廃止となった。

■ため池存続の努力　ため池は自治会や水利組合の所有であり、用水路を含めて管理・運営には相当な労力と経費を費やす。東日本大震災によるため池決壊被害以後、上田市でもため池耐震調査を実施、ハザードマップが作成され、補強事業が進められるとともに、観光・学習・憩いの場等ため池存続への努力と多方面利用は続いている。（関田　芳和）

18
黒姫高原
〈上水内郡信濃町〉

山麓開発と観光の様変わり

俳人・小林一茶の生誕ゆかりの地で知られる信濃町は、旧北国街道の宿場町としての歴史を持つ。その一方で、黒姫山の山麓は戦後の開拓地である。ここでは酪農が行われ、やがて国有林にはスキー場ができ、野尻湖畔の開発とともに高原観光のスポットとなった。上信越自動車道の開通や観光を取り巻く環境の変化の中、新たな課題に直面している高原の今昔をたどってみよう。

1 新田集落と開拓集落

■新田集落と山麓のくらし　百年前の**黒姫山**麓の様子はどうだっただろう。山頂部から東に広がる溶岩流台地の東側、標高680m近辺に**赤渋**(あかしぶ)・**二之倉**(にのくら)・**御料**(ごりょう)などの江戸時代(17世紀中頃)からの新田集落が見られる。旧地図でも水田が見られるが、冷涼なことから明治時代には「反当たり収量は隣接する村(現飯綱町)の約半分」とする記録が残る。各集落の耕地の約半分は稗を中心に粟やソバの畑だった。集落より標高の高い**長原**(ながはら)溶岩流や火砕流の堆積地は水田に向かず、田畑の刈敷や馬の飼料・薪炭などを得る入会地だった。旧地図にその道(小径)がある。このころの草刈り鎌は**古間**(ふるま)で改良され、信州鎌として広く使われた。明治時代に**富士里**地区で木炭生産が始まり、大正時代には国有林の払い下げを受けて生産した。

■開拓地の今　新地図では、旧集落より山に近い**富が原**(とみがはら)・**長水**(ちょうすい)など戦後の開拓集落が加わっている。食糧増産や引揚者の失業対策として進められた開拓地で、地図からは直線的な道路が整備されたことが見て取れる。ここは水利権が得られず、気温も低いことからトウモロコシなどの畑作や畜産が中心となった。昭和30年(1955)ころには県下有数の開拓地となったが、定着できずに離農した者もいた。

2 避暑地野尻湖と黒姫高原のスキー場

■湖畔の避暑地と宣教師がもたらした特産物　明治44年(1911)夏、野尻湖を訪れた中勘助は、琵琶島に逗留し『銀の匙(前編)』を執筆した。大正10年(1921)、避暑地の別荘を求める外国人宣教師の働きかけで**神山国際村**が湖畔に開かれ、現在まで続いている。昭和10年(1935)には古間メソジスト講会所(移転して現日本基督教団信濃村教会)が設けられ、定住した宣教師たちによってトウモロコシの新品種が

野尻湖

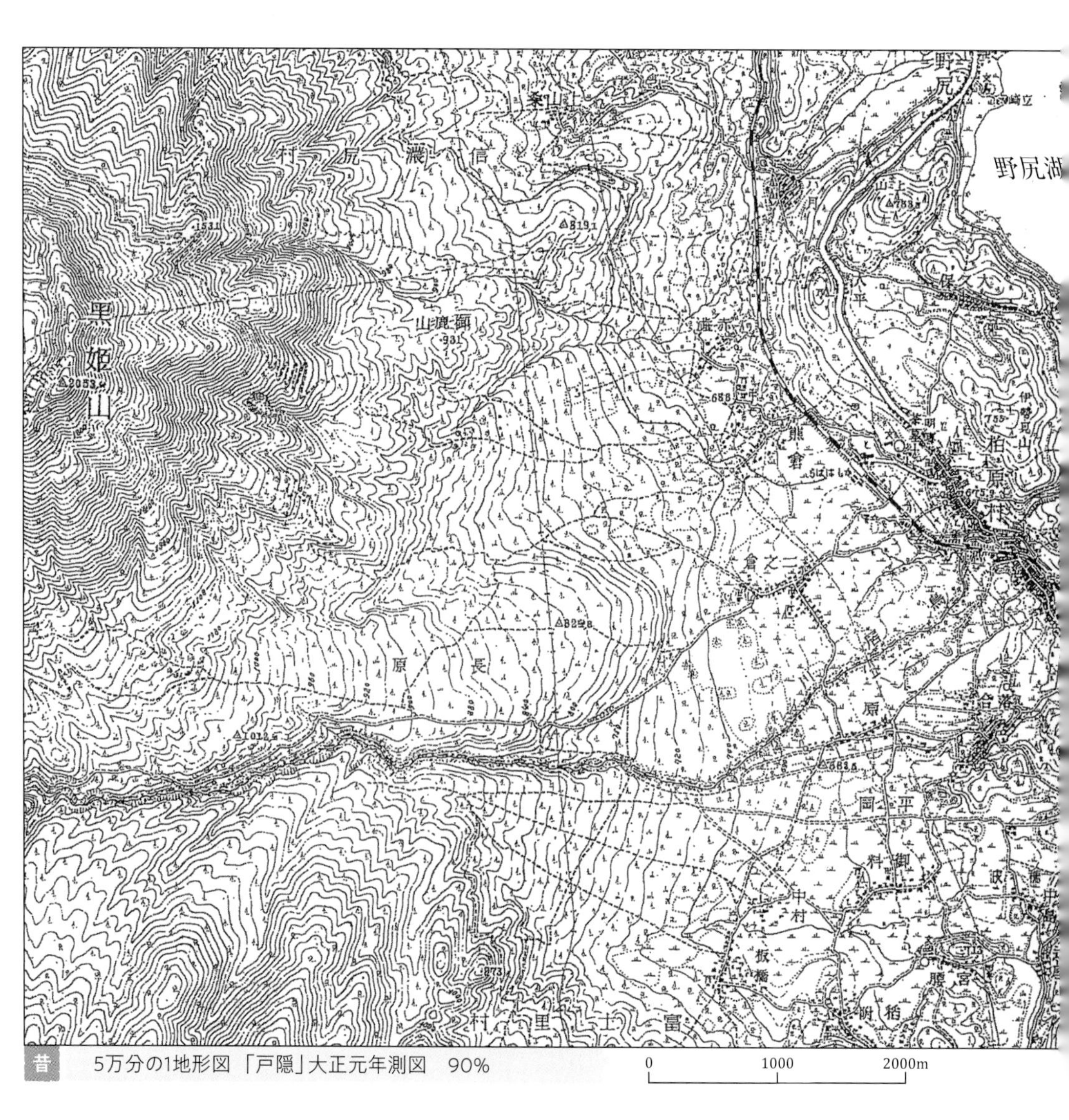

昔　5万分の1地形図「戸隠」大正元年測図　90%

トウモロコシの露店

導入され、鎌製造の近代化も行われた。ブルーベリーやルバーブ栽培など、現在もその名残が見られる。キャンプ場・旅館・別荘もできた。昭和15年(1940)開催が決まった東京オリンピック(昭和13年中止決定)に向け、鉄道省国際観光局が各地に外国人観光客向けの「国策ホテル」建設を働きかけた際、野尻湖畔の樅ヶ崎(もみがさき)には昭和12年(1937)に野尻湖ホテルが建設された(平成9年閉鎖)。

■「黒姫方式」で開発されたスキー場　黒姫山麓では昭和41年(1966)になって、観光の目玉として**国設黒姫スキー場**(黒姫高原スノーパーク)が誕生した。それまでの小規模な柏原スキー場(平成4年廃止)では誘客できないと国鉄長野鉄道管理局が呼びかけ、黒姫観光開発(日本交通公社・長野電鉄・信濃町・長野市)が黒姫山の国有林に建設。これは国有林を利用してスキー場を開発するため、長野営林局《林野庁》・長野鉄道管理局《国鉄》・信濃町《地方自治体》・長野電鉄《バス業者》の四者が旅行業者と手を組んで進めた開発で〝黒姫方式〟とも呼ばれた。当時としては珍しい方法だった。スキー客目当てに、麓の**上山桑**(かみやまくわ)の農家は民宿を営むようになった。ただ、近年はスキー離れや大規模スキー場との競合も重なり、黒姫観光開発はリフトなどの設備を県外の大規模業者に譲渡。他スキー場との共通シーズン券販売など新たな誘客が進められている。

■高速道路の光と影　観光地へ向かう野尻湖近辺の国道18号は道が狭く、1990年代までは渋滞が多かった。観光客向けに、国道沿いには焼きトウモロコシの露店が並ぶ光景があった。平成9年(1997)の上信越道や平成15年の野尻バイパスの開通後は国道の渋滞も解消され、露店の中心は**仁之倉**(旧地図「二之倉」)地区へと移った。平成11年に**信濃町ＩＣ**近くに開かれた**道の駅**は農産物の直売やそばが人気となり、この地域の観光の拠点となりつつある。ここは霧が多い地で〝霧下そば〟として知られる。

■新しい観光の姿　信濃町の黒姫高原、野尻湖・一茶旧跡への観光客は現在、それぞれピーク時の半分、ないし3分の1と減少している。主力だった県内からの観光客が減少し、上信越道開通後も県外からの観光客で穴埋めができていない。黒姫高原ではコスモスのほか、シバザクラやダリア栽培など観光通年化への目玉づくりが進められている。黒姫山は、平成27年に「上信越高原国立公園」から、新たな「妙高戸隠連山国立公園」に組み込まれた。農業体験などを取り入れたグリーンツーリズムにも注目が集まり、こうした気運を振興につなげようとの取り組みも進められている。(岩下　和芳)

読図ポイント

1 黒姫山麓の開発を見る

黒姫山直下の東山麓で開発が進んだ様子がわかりますか。標高の高い新集落はどんな経過でできたのでしょう。

2 観光地の変化を見る

高速道開通などにより、野尻湖を核とする観光地はどう変わったでしょうか。湖畔の開発やスキー場もできています。

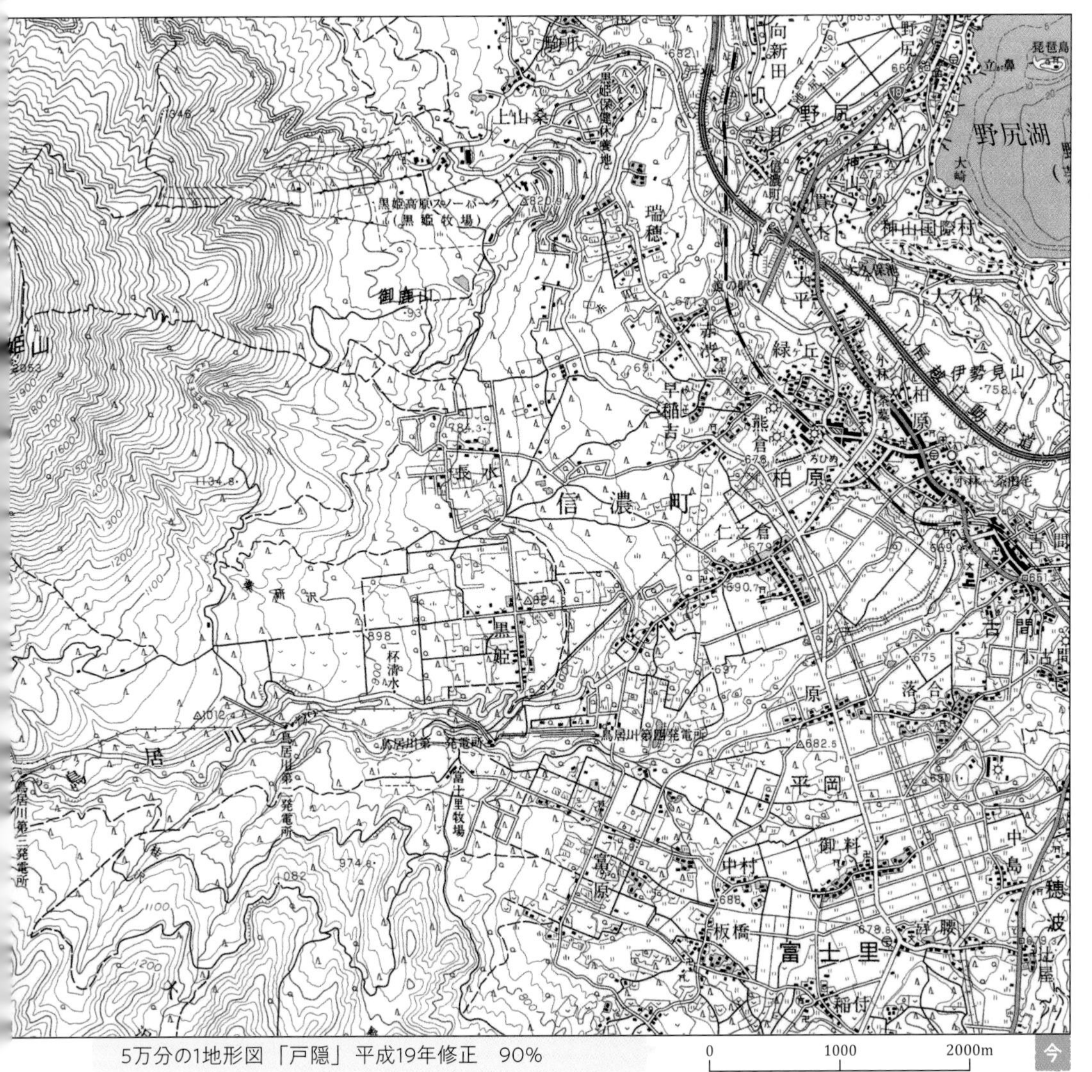

5万分の1地形図「戸隠」平成19年修正　90%

19
安曇野
〈梓川左岸地域〉

扇状地に行きわたった命の水

北アルプスを背景に広がる長野県有数の米どころ「安曇野」は、梓川をはじめとするいくつもの河川の複合扇状地からできている。扇状地の特色として、扇頂部と扇端部は水に恵まれているが、扇央部は水に恵まれない場所だ。そのため古くより堰（用水路）をつくって、用水を供給することで水田化してきた。この地域が県下有数の稲作地帯や果樹栽培地域に変わってきた過程を地図から探ってみよう。

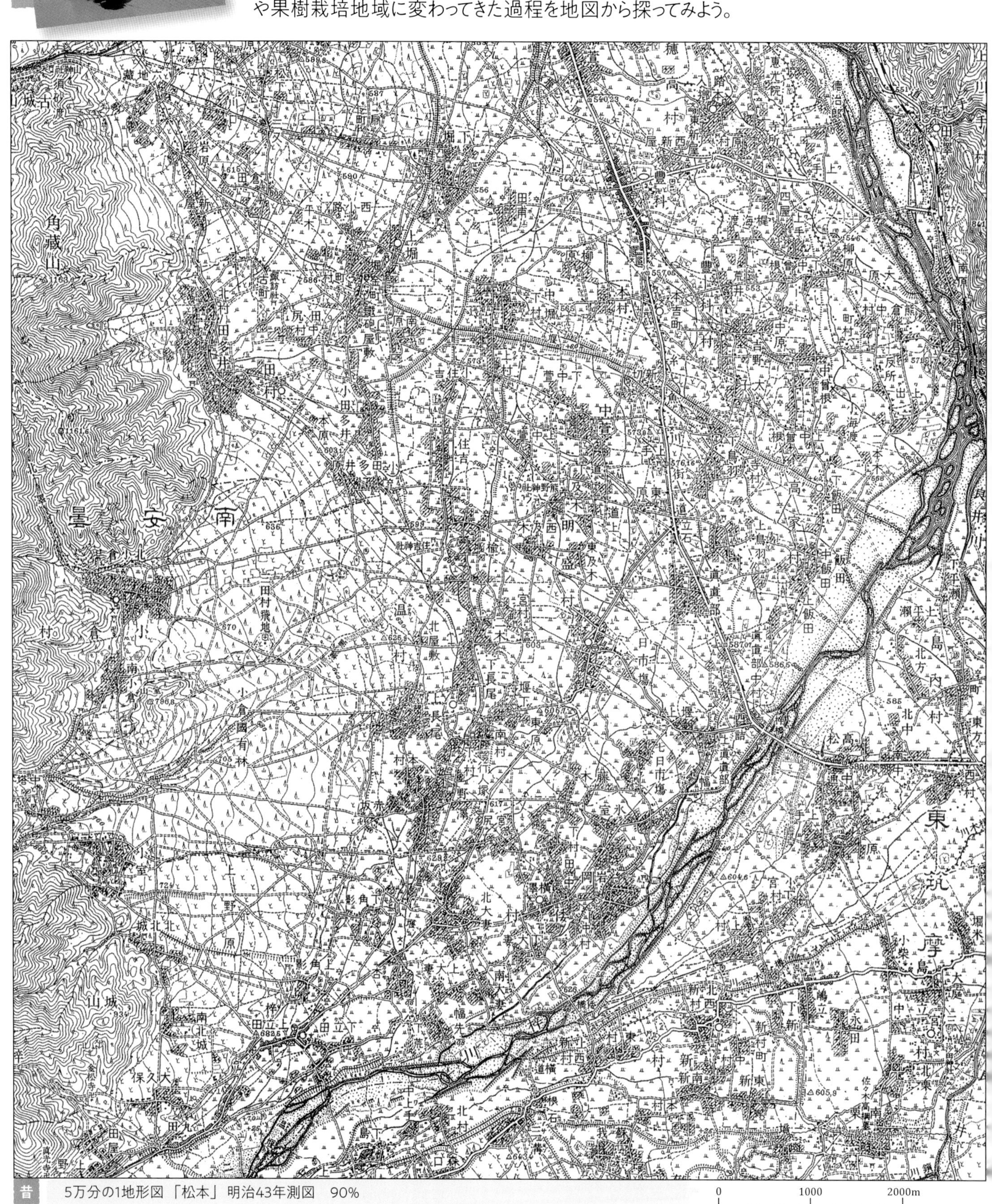

昔　5万分の1地形図「松本」明治43年測図　90%

読図ポイント

［地図記号］ 昔 針葉樹林 田 桑畑 盛土（堰） 今 田 畑 果樹園

1 複合扇状地を見る

梓川と複合扇状地の地形を確かめましょう。安曇野の農村地帯は水の乏しいこの扇状地に広がっているのです。

2 用水路を見る

水が不足する地に水田が広がっているのはなぜでしょう。この地に水を運ぶ大規模な堰の流路をたどってみましょう。

3 農地の変化を見る

新地図で新たな水路を探しましょう。標高の高い場所に水が供給されるようになり、土地利用はどう変わりましたか。

4 農道と道路の変化を見る

昔と今を比べて農道はどう変わっていますか。農地の形状の変化も読み取ってみましょう。

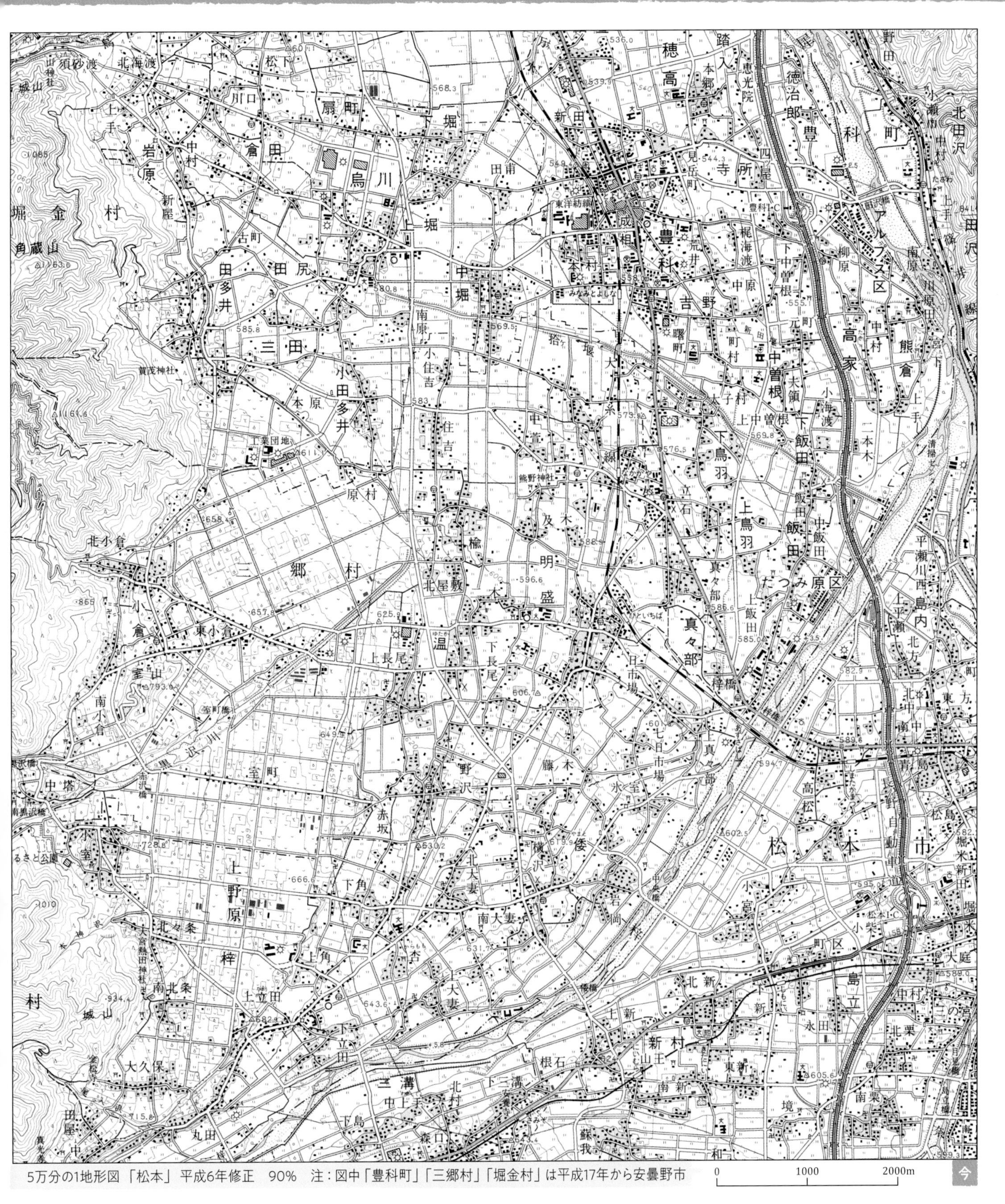

5万分の1地形図「松本」平成6年修正 90% 注：図中「豊科町」「三郷村」「堀金村」は平成17年から安曇野市

0 1000 2000m

今

1 扇状地に網の目のような堰

■困難な扇状地扇央部の開田 安曇野の西側にそびえる北アルプス3,000m級の峰々から流れ出した河川は、松本盆地に出ると傾斜が急に緩やかになり、運んだ土砂を堆積して扇状地を形成する。梓川左岸の安曇野は、**梓川**の扇状地上に**黒沢川**やさらに北の**烏川**(からす)の扇状地が重なり合う複合扇状地となっている(模式図参照)。その扇央部は水が乏しく開発は遅れていた。また梓川の水量も少なく、水面より高い扇状地への引水は困難を極め、昔から集落同士の水をめぐる調整、抗争が繰り返されてきた。

■梓川の水量不足を補う堰 旧地図の中央にある**温村**(ゆたか)、**明盛村**(めいせい)、**豊科村**、いわゆる安曇野主要部では中世以来、梓川から直接取水する長大な用水堰が開削された(模式図参照)。梓川左岸には上流側から**立田堰**(りゅうだ)、**温堰**(ぬる)などの取入口が並んでいた。立田堰は梓川の最上流から水を取り入れ北に向かってのびる。温堰は立田堰に平行し、途中でいくつかの堰を分水して最終的には烏川まで達し、その間の1,000haを灌漑している。集落の成立に合わせ順次延長したり、初期の水路を改修し、小堰を組み込みながら長大な堰となった。

黒沢川扇状地の**上野原**には桑園が広がり、黒沢川流域は**小倉国有林**として針葉樹林となっている。その北から**三田村**の**田多井**にかけては桑園が広がっている。堰を境に、西側の樹林や畑作地に対して、東側は水田と集落が分布していて、明治期の土地利用には明らかな違いが見られる。

安曇野を潤し続ける拾ケ堰

2 堰開削の知恵と工夫

■安曇野最大規模の拾ヶ堰(じっかせぎ)の開削 梓川は流量が十分ではない上、江戸時代、天領である右岸の和田(現松本市)に通水する**和田堰**に優先権があったため、下流部は特に水不足に悩まされた。左岸にあり、梓川からの取水が難しい豊科、堀金、穂高の「保高組」の多くは水が乏しく原野や林・畑となっていた。そのため別の川から取水し、ほぼ等高線沿いに扇状地を横断する堰を開削した。犀川からの**矢原堰**、奈良井川からの**拾ヶ堰**などである。拾ヶ堰の実現には、保高組大庄屋代役・等々力孫一郎らが手作り水準器で精密な測量を行い、見立て図を作って藩を説得した。藩の協力を得て堰は江戸後半の文化13年(1816)、3カ月という驚くべき短期間で開削された。長さ約10.5㎞、幅約9m、深さ約1.2mで、安曇野最大規模の用水路であった。この堰は松本市新橋で奈良井川から取水し梓川を横断した後、ほぼ570mの等高線沿いに西へ延び、**堀金村上堀**で北に曲がり烏川まで通じている。当時の10ヶ村に水を供給し、約600haの未開拓の原野が水田化され、約1,200haの灌漑が可能になった。梓川横断は牛枠(木を組んでつくった構造物:牛水制)を並べて行われていたが、たびたび流失したため、大正9年(1920)には川底を横断するサイフォンが造られた。

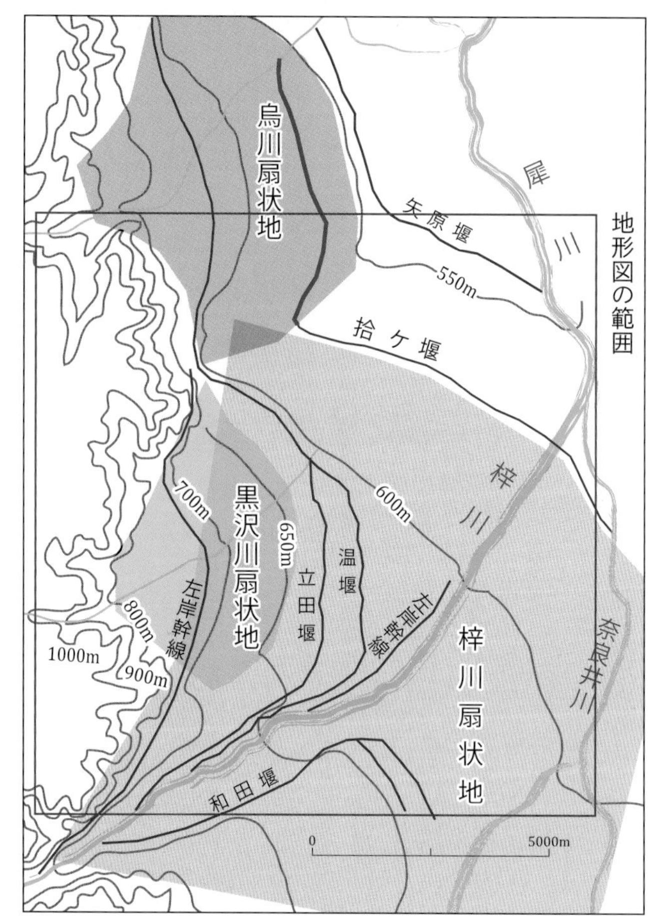

複合扇状地と用水堰の模式図

■激化する水争いを収めた頭首工 堰を整備したものの、梓川の下流地域では渇水期には水不足となり、右岸と左岸の農民が大げんかとなって流血騒ぎが絶えなかった。

昭和6年(1931)、南安曇郡や東筑摩郡の強い要請でスタートした県営梓川農業水利事業により、梓川左・右岸に計14カ所もあった堰取り入れ口が扇状地最上流の赤松(波田)の頭首工に一本化され、水量調整が図られた。しかし、土砂流入のため、戦中から戦後の昭和25年にかけ、さらに上流に梓川頭首工が国営事業で新設された。それでも夏の旱魃(かんばつ)による梓川の水不足は農家を苦しめた。(ミニコラム参照)

梓川頭首工。平成21年に新施設(左)に交代した

3 乏水する扇央部の開拓

■アカマツ林の開拓と電気揚水による開田　堰の恩恵の薄かった黒沢川と烏川扇状地の扇央部を見てみよう。旧地図の黒沢(澤)川は点線で表され、水なし川となっていることからもわかるように、取水は困難で水田化は不可能であった。梓村・倭(やまと)村から三田村に至る関係7村は、食糧増産を図る国の方針を受け開墾組合を結成。アカマツの巨木が生える小倉国有林562町歩の払い下げを受け、大正9年(1919)より昭和7年(1932)まで12年をかけ、畑作地として開墾を成し遂げた。

また、旧図の角蔵山麓の**扇町・倉田・古町**周辺はほとんどが桑園や山林だが、新図では水田化されている。昭和30年代前半から約10年間の開拓開田ブームによるもので、扇央部の920ha余りが開田された。これは昭和25年から32年までの県営による拾ヶ堰護岸護床改修事業で用水が豊富となり、堰西側の上堀・扇町などに揚水して開田することが可能になったことが後押しした。

4 ダムで農業用水の安定確保

奈川渡ダム

■電源開発と水源の確保　昭和32年(1957)、東京電力が梓川上流での奈(な)川渡(がわど)・水殿(みどの)・稲核ダム建設と揚水発電計画を発表した。これに関連し、長野県は34年に中信平地区開発事務所を設置、農林省も36年に中信平農業水利事業として調査を開始した。発電と利水を調整し、40年に国の事業、42年に県の事業が着工。44、45年に3ダムが完成し、発電を開始した。550億円を超える巨費が投入され、着工から22年を費やし、昭和62年に事業は完成。ここに国・県で取り組む発電、治水、農業潅漑の利水を目的とする総合的事業が結集したのである。梓川右左岸の田畑合わせて1万ha以上の地に水が供給され、水源の安定確保という流域住民の悲願が達成された。(右岸は「23 松本盆地南部」参照)

■開田計画から畑地潅漑へ　水利事業に合わせ昭和45年からは**上堀・中堀・住吉**などで、水田一区画を100m×30mの長方形に整地し、幅6mの幹線道路と4mの支援道路を設ける県の事業が始まった。これによりコンバインなど大型農機による作業が能率的に行われるようになった。しかし国の施策の変更により、水田用の**左岸幹線水路**も畑地潅漑用に利用されることになった。長年水不足に悩まされてきた上野原や小倉地区でも畑地灌漑による果樹栽培が急速に普及し、品質に優れた矮化リンゴの産地として「あづみ野ブランド」で全国へ売り出すまでになった。

左岸幹線水路(梓川地区)

広域農道と排水路(三郷地区)

■変わる安曇野の景観　圃場整備により道路も碁盤状に整備されている。また昭和56年、旧穂高町から松本市に至る延長17kmの広域農道が全通した。蛇行していた小さな堰や畦の木々は姿を消し、草の茂った小道も舗装された。広域農道沿いには大型商業施設や公共施設、住宅などが増え優良農地が減少している。また、大糸線や長野自動車道の開通により人の往来も増え、**アルプス区**や**たつみ原区**などの住宅団地や工場団地、工場の進出が見られる。一方、農地も減反政策により豆や麦、そば等の栽培地が増えてまだら模様となるなど、水田が一面に広がっていた安曇野の原風景は姿を変えつつある。

Mini Column

中信平の水利開発の歴史は古く、平安時代の昔にさかのぼる。松本市周辺の大井郷は梓川から取水する大井堰(現在の和田堰)の開削によって開発されたという。また梓川左岸では扇状地末端の湧水を集めた堰や自然流下する河川水を利用して細々と農業が行われていた。中世に入り梓川左岸では大きな荘園が開発されるに伴って、梓川や烏川から取水する立田堰や温堰などの用水堰の開発が進んだ。江戸時代には新田堰や勘左衛門堰など等高線に沿うようにして用水が開削されるようになった。

江戸後半に安曇野一の用水路・拾ヶ堰が完成し、安曇野は水田の多い地域に生まれ変わった。明治時代には梓川右岸の旧波田町上流や山形村などに水が行き渡る用水路が開削され台地上に開田が実現した。新しい村ができると、水田が開発される。開発されればされるほど、水は足りなくなる。扇状地をつくる河川から水を引こうにも、水は潜ってしまって田に引くほどの水はない。堰を引くにも取り入れ口をなるべく上流へつくらないと水は取れない。しかし、そこに水利権の問題が立ちはだかる。先に引いた堰が優先となる。水が豊富な時は良いが渇水期となるとお互い死活問題であるから、取り入れ口を塞ぐ・取り入れ口を守ると、左岸と右岸で、上流と下流で争いが起きる。石を投げあう、農具で叩きあうなど流血の争いになったこともあり、水争いは昭和の終わり頃まで続いた。

(丸山　宇一)

20
上伊那北部
〈辰野町・箕輪町・南箕輪村〉

長大な台地を潤す「西天竜」

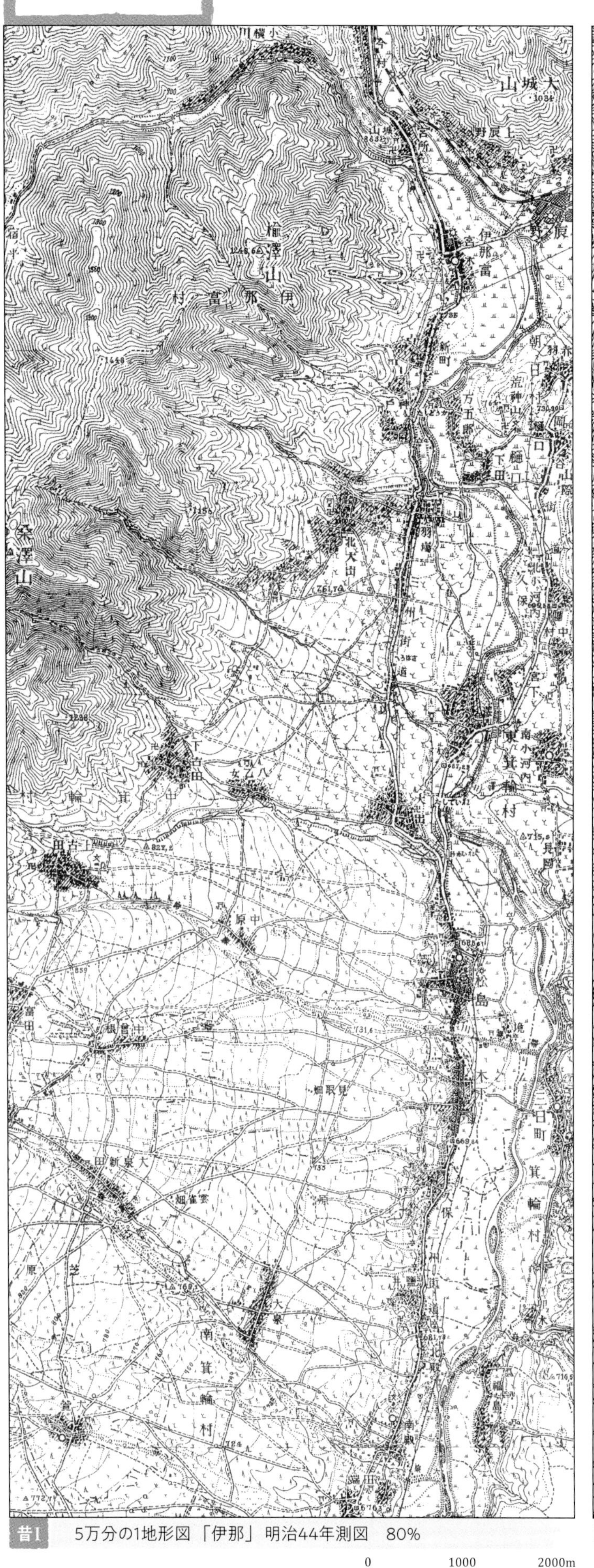

昔I　5万分の1地形図「伊那」明治44年測図　80%

0　1000　2000m

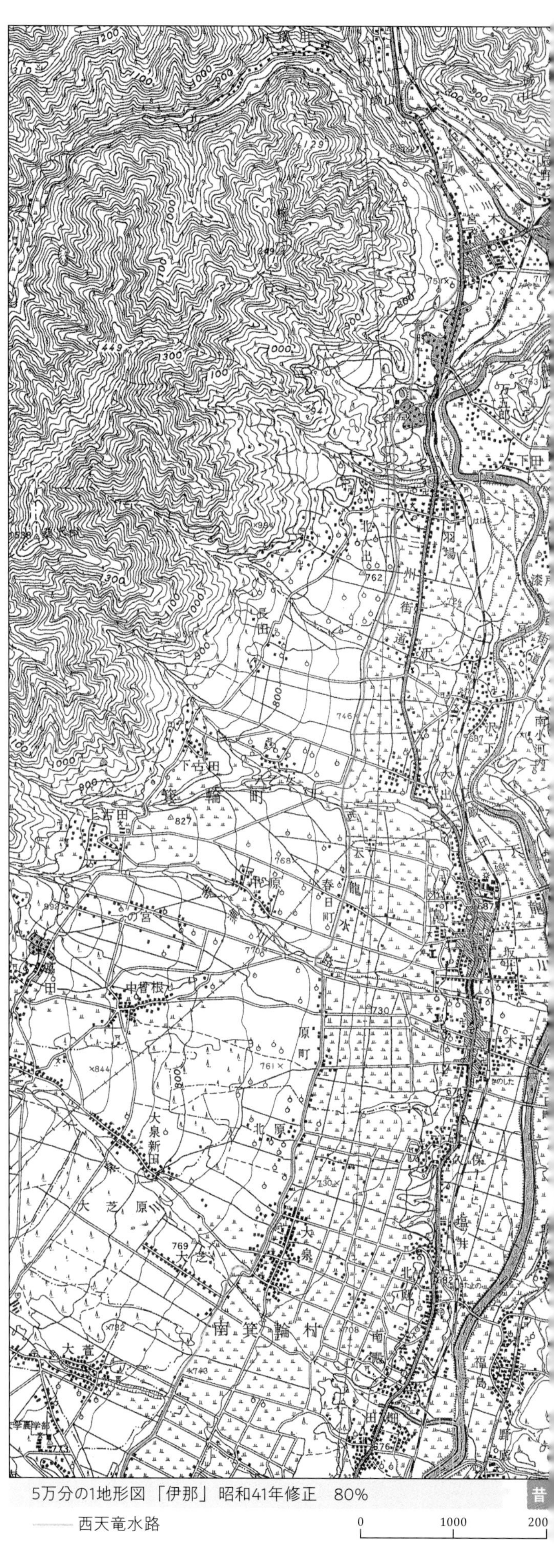

5万分の1地形図「伊那」昭和41年修正　80%

――西天竜水路

0　1000　2000

上伊那北部の天竜川西側（右岸）の地域は、用水開発をキーワードに変化をたどることができる。およそ100年前、土木の英知を集めた長大な「西天竜水路」通称「西天」が引かれ、一帯の台地を大きく変えた。その後も西部地域に畑地灌漑（かんがい）用水ができ、さらに時を経て今度は都市化の水需要に応えるため、「箕輪ダム」を源とする用水幹線が実現した。時代ごとの需要に対応してきた利水の様子を地図で見てみよう。

「西天」下流から　左は畑地、右は水田

5万分の1地形図「伊那」平成14年修正　80%　今

—— 西天竜水路

0　1000　2000m

[地図記号]

昔　桑畑　田　果樹園　畑　針葉樹林

今　工場

長大な用水路を見る

天竜川と西天用水の標高を見比べてみましょう。天竜川で取水した用水はなぜ高い場所（台地）を流れるのでしょう。また、用水建設の前後で土地利用の変化を比べましょう。

土地利用の変化を見る

西天用水からさらに西側にも新たな用水路ができました。この水路は天竜川とは逆に流れます。なぜでしょうか。

生活・工業用水確保を見る

天竜川西岸地域では現在、対岸からも生活・工業用水を引いています。背景となった沿岸部の市街地化の様子を新旧地図で見比べましょう。

読図ポイント

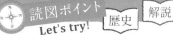

土木の英知を集めた用水

円筒分水槽

■最新技術と揚水の工夫 天竜川の西を並行して流れる西天竜水路(以下西天)は、諏訪湖に近い岡谷市川岸で天竜川から取水、標高750 mの等高線に沿って流れ、伊那市小沢川まで24.8kmに及ぶ。サイフォン工法、円筒分水槽、水路のコンクリート化など、昭和初期の農業土木事業としては最新技術を駆使した。工事は大正11年(1922)、西天竜耕地整理組合によって開始され、6年がかりの昭和3年(1928)に完成した。特に西岸の台地への入口にあたる辰野町**宮所**では**横川川**を横切るため、川の下をくぐらせて再び台地への水を揚げるサイフォン工法を採用し、難工事を経て実現させた。(下図参照)

■水田開発と配水の工夫 用水建設に伴う開田工事は12年かけて昭和14年(1939)に完成。土地利用は大きく変わった。旧地図Iでは、天竜川沿いの台地(段丘)の土地利用は桑畑、平地林である。西天建設後の旧地図IIでは、水路と天竜川に挟まれた一帯は大部分が水田(1,173ha)に変わっている。開田地域には移住耕作者らによる**春日町**、**原町**等の新集落も形成された。

宮所サイフォン。下図a地点からd地点(対岸の突起物)を見る

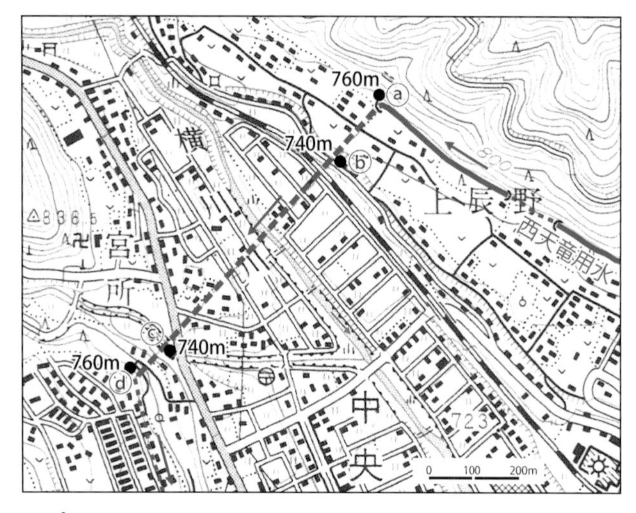

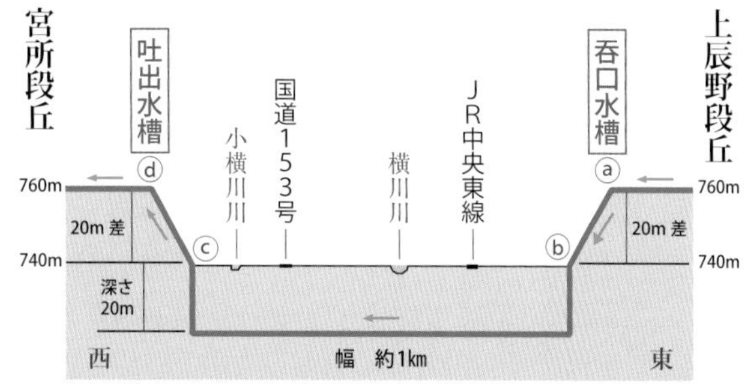

宮所サイフォンは、用水を落とす地点ⓐと水を揚げる地点ⓓの高さが同じため、サイフォンの原理で川の下をくぐらせながら段丘から対岸の段丘へと水を揚げることができる。(関東農政局資料による)

ただ当初は通水不足や水もれが目立ち、水争いが絶えなかった。そこで三代目組合長・穂坂申彦(のぶひこ)が採用したのが円筒分水槽である。面積に応じて公平に配水できる仕組みで全域に普及した。水路全体では全国最大規模の83基あり、円筒分水工群として「土木学会選奨土木遺産」となっている。旧地図Iでわかるように、この地域はもともと米を作っていない養蚕農家が大部分であった。農民は大正7年の米騒動による米価高騰で水田化を求めていたが、繭価の暴落、国と県の事業費補助が付いたことで西天の開発が実現した。しかし開田後しばらくは収穫高も少なく、生産が安定するまで農民の苦労は相当なものであった。

新たな用水路で畑地灌漑

■西天山側の土地利用の変化 開田地帯に対し、西天から山側一帯の土地利用も大きく変わった。旧地図I・IIを見比べると、大きな割合を占めた平地林や原野の大部分が農地となっている。西天開発直後の収穫が不安定だった時期には、開田地帯の農民も山側の農民と協働で森林・原野を開拓した。戦後も引揚者により開拓事業は引き継がれ、**一の宮**、**大芝**のような開拓集落も出現した。これらの農地の作物は小麦・大豆等から野菜・飼料作物に変わり、さらにはリンゴ・ナシ等の果樹栽培も拡大している。

スプリンクラーによる散水

■開田から畑地灌漑へ 西天開発に刺激され、西天山側でも新しい水路を開いて畑作地帯を水田化する事業を求めた。しかし、昭和40年代からコメ過剰により減反政策がはじまると、国・県は畑地灌漑事業への転換をすすめた。地元は反発し事業は暗礁に乗り上げたが、このころ建設が始まった**中央自動車道**が対象地域を通過する事がわかり、地元は用地補償費を事業費にあてることで国・県と合意。昭和47年(1972)から国営伊那西部開発事業として進められ、16年をかけ昭和63年(1988)に灌漑整備が完成した。

■揚水の工夫 西部開発による水路は、段丘崖の湧水や段丘の水田で利用された後の水を集水し、右ページ図の南箕輪村**田畑**(たばた)にある第1揚水機場Aから伊那市**羽広**(はびろ)の第2揚水機場B、さらにC地点まで2段階で揚げ、その水を北の富田や**長田**(ながた)まで地下パイプラインで導水する。西天水路建設と並ぶ大規模な灌漑事業となった。天竜川の流れとは逆に、B地点(825m)から北へ自然流下で導水されているのは意外な感じだが、Bの標高の方が高いから可能なのである。この用水はスプリンクラー等で野菜や果樹栽培に利用されている。

工業・生活用水は箕輪ダムから

■箕輪ダムの建設 新地図を見ると、西天と天竜川に挟

西部開発　箕輪ダム　概略図
(20万分の1地勢図「飯田」「甲府」平成23年修正 175%)

まれた開田地帯は昭和40年以降、転機を迎えた。稲作の生産調整と地域の工業化・都市化の進展である。水田範囲は大きく減り、住宅地域が拡大していった。昭和50年代に入ると、中央自動車道**伊北**及び**伊那IC**の開設もあり、上伊那北部一帯の工業化・都市化は進んだ。これに伴う水需要に対応するため、天竜川対岸の東部の山間部に県営箕輪ダムが着工、平成4年(1992)に完成した。この際に建設地の集落全36戸が箕輪町内に移転した。ダムからの水は地下パイプラインを通り、天竜川を渡る水管橋を経て西岸の長田の箕輪浄水場まで導水され、そこから箕輪町以南の上伊那ほぼ全域の5万戸へ給水される。箕輪ダム底部と箕輪浄水場の標高が同じであるため、ここでもサイフォン原理が活用されている。

天竜川をわたる水管橋

■土地利用のさらなる変化　箕輪浄水場が実現した頃、新地図を見ると西天で開発された水田は大きく減少し、辰野町から南箕輪村まで、国道153号周辺には切れ目なく市街地が拡大。セイコーエプソン、日本ピスコ、ハーモ等の工場進出も顕著となっている。また、西天上部の畑地灌漑地域でも再び土地利用の変化が顕在化していて、**山口**(通称岡谷村)から**八乙女**(やおとめ)の地域と国道153号、バイパス沿線地域の住宅地化が進んでいる。

箕輪ダム

Mini Column　平地林の開発

■ゴルフ場・公園の開発　県下有数のアカマツが茂るこの一帯の平地林は畑地開発で減少をたどっている。平地林の大規模な開発は、昭和48年、南箕輪村大芝高原で**信州伊那国際ゴルフ場**が借地開発したのが始まりで、その北側は平地林を生かした**大芝公園**が設置され、宿泊施設、日帰り温泉、スポーツ施設が一体となってリゾート地化している。大芝公園の造成で平地林はさらに少なくなった。

平地林を活用した大芝高原の遊歩道

■工業団地の造成　昭和58年には、中央自動車道よりさらに西側の箕輪町南原に、平地林を生かした県下初の林間**南原工業団地**が造成された。高速交通化時代を迎え、首都圏また中京圏からもほぼ200kmの好位置にあることから、KOAといった電機関係やベアリングなど郡内外の中心的な企業の工場進出が16件に及ぶ。その南にやはり林間の北原工業団地(南箕輪)が隣接し、ルビコン等が進出している。また昭和61年にゴルフ場西側の元平地林であった伊那市西箕輪地籍に県営伊那インター工業団地(36.9ha)が造成された。地元の電気、食品のハナマルキ、金属、印刷等やはり16社に分譲されている。これらの大規模な工業団地造成は平地林等で分譲価格が安いこともあるが、箕輪ダム建設による上水道が確保されたことも影響している。

工業団地

(矢澤　要輔・小林　辰興)

21

川上村
〈南佐久郡〉

「レタス王国」へと成長した山村

「レタス王国」として知名度のある川上村。千曲川源流部の村は、八ヶ岳、秩父山地に囲まれた標高 1,100m以上の山村だ。もともとは収量の少ない稲作を営み、小海線開通までは交通不便な地 で「川上郷」と呼ばれた。鉄道敷設とともに、夏の冷涼な気候を利用した高原野菜産地へと転換。戦後、米軍へのレタス特需などを経て山間の緩傾斜地に畑を広げ、国内トップの産地へと変貌をとげた。活気あふれる高原の歩みを見てみよう。

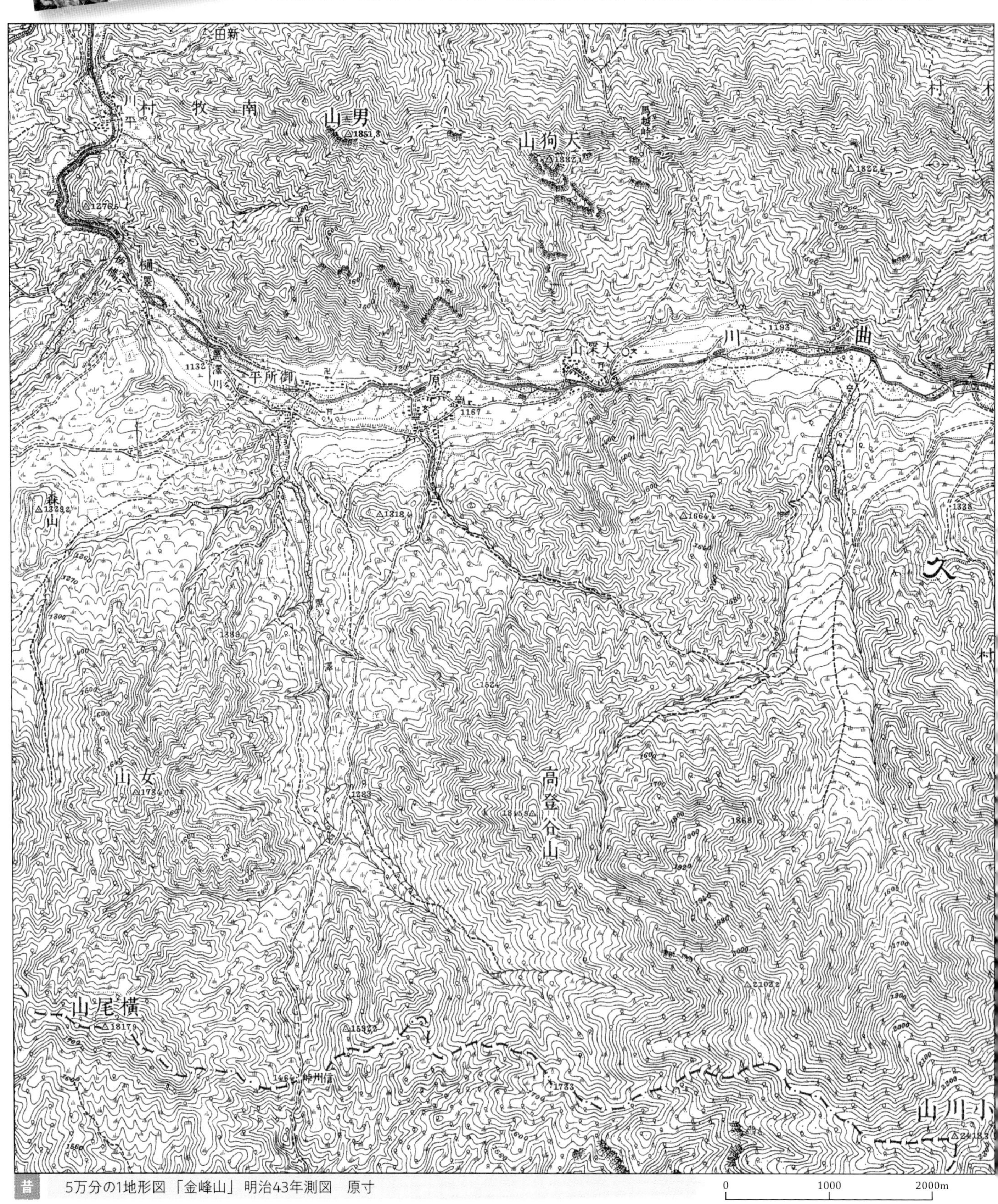

昔　5万分の1地形図「金峰山」明治43年測図　原寸

読図ポイント

[地図記号] 昔 田 荒地 桑畑 針葉樹林 広葉樹林 今 畑

いにしえの川上郷を見る

旧地図で集落はどんな場所にあるでしょう。標高も見てみましょう。鉄道や道路は現在とどう違うでしょうか。

レタス産地の今を見る

村を象徴するレタス畑は、高冷地のどんなところに造られたでしょうか。分布や標高、規模を確かめてみましょう。

鉄道の効果を見る

小海線の鉄道は地域を変える要因となりました。開通後に千曲川沿岸はどう変化したか、見つけてみましょう。

輸送態勢を見る

レタス市場への大量生産・輸送をどう実現しているでしょうか。畑の形状や道路とのつながりも見てみましょう。

5万分の1地形図「金峰山」平成19年修正　原寸

0　1000　2000m　今

野菜畑のまん中にできた貨物列車の臨時停車場(昭和39年)

100年前は山林業中心の村

■千曲川源流部の山村　旧地図から、かつての川上村の姿を再現しておこう。村は、八ケ岳火山東麓の広大な野辺山原と高原性の秩父山地に囲まれた山村である。ここは千曲川源流部に当たり、沿岸のわずかな平地に8集落がある。標高は**樋沢**(ひざわ)1,120m、**御所平**1,132m、**原**1,167m、**大深山**(おおみやま)1,169m、上流の川端下(かわはけ)1,400mなど1,100m以上の高冷地である。北部は馬越峠で南相木村へ、東部は三国峠・十文字峠で埼玉県へ、南部は信州峠・大弛峠(おおだるみ)で山梨県へと通じるが、いずれも狭い山道で交通不便な隔絶山村であった。

■山村の生活　かつては千曲川沿いの谷底部にある田畑で米・大豆・小豆・ムギ・粟・ソバを生産していたが、夏季の冷涼な気候のため収量は少なかった。島崎藤村の『千曲川のスケッチ』にも明治末期の米収量の少ない千曲川上流にある寒村の姿が描かれている。このような農産物のみでは自給困難で、現金収入を得るためには、広大な山林の伐木や製材、薬草の採取、仔馬をとる馬産も重要な生業であった。原には馬の競り市が立った。

村を変えた国鉄小海線の開通

■鉄道の開通　100年後の村の地図を見てみよう。村が大きく変わるきっかけは昭和10年(1935)の現**小海線**の開通であった。信越本線小諸駅と中央本線小淵沢駅を結び、村の入口に「**信濃川上駅**」が誕生した。交通不便な山村に風穴が開くと、村を横断する道路と林用手押軌道がつくられ、山林開発による木材販売が盛んになった。製材工場が村内各地につくられて製材量が増え、川上駅から鉄道輸送されたが、乱伐で山は荒廃した。

村では明治末期、カラマツ苗の育苗事業が始まった。地元山林の天然カラマツから種子を採取し、水田に苗圃をつくって生産した。鉄道開通後は折からの植林ブームにのり、北海道をはじめ全国へ、また朝鮮・中国・ヨーロッパへと出荷された。戦後は全国の荒廃した山林への植樹運動が広がり、昭和27年には苗木1億6,000万本が生産され、30年代まで川上村の主要産業の一つになっていた。

■急増した野菜　さらに鉄道の開通で盛んになったのが、夏季の冷涼な気候を生かした白菜・キャベツ・大根等の野菜栽培である。木箱に詰めて鉄道で大阪方面へ出荷、16年には野菜が穀物生産を上回るようになった。葉物野菜は大都市近郊で栽培されていたが、昭和に入ると鉄道・トラックといった近代的交通機関の発達で、都市から遠くても、有利な条件に恵まれた地域では野菜園芸農業が発展した。暖地では都市近郊より出荷時期を早めた促成栽培を行い、高冷地では冷涼な気候を利用して収穫時期を遅らせた抑制栽培により市場ニーズに対応した。

戦後、米国進駐軍向けレタス特需を契機に野菜生産が急速に広がり、同24年には国の蔬菜生産指定地となった。続く朝鮮戦争時の米軍向けレタス特需、以後も国内での食の洋風化で需要が拡大。レタス栽培が本格化し、25年からは神田市場へ出荷が始まった。野菜専門の三農協(川上蔬菜農協・川上農協・川上物産農協)も順次発足して出荷販売態勢が整い、生産が拡大していった。

レタス大型産地への大変身

■野菜用開畑事業　高冷地産レタスの評価が高まると、昭和40年代から野菜畑は千曲川沿岸から標高の高い支流の**黒沢川**や**小川**の流域、さらに村全域へと広がっていった。旧地図を見ると、この地域は山林や草地だが、傾斜が緩やかな河岸段丘面になっていて、新しく拓かれた農地は平坦な大規模レタス畑となった。この開畑は県営パイロット事業、農業構造改善事業、野菜指定産地事業など、国や県の農業基盤整備事業として取り組まれた。とりわけ、小川支流の**高登谷沢**(たかとやさわ)では1,510m、千曲川上流の川端下では1,530mまで開畑され、村の耕作地の上限となっている。一連の事業でレタス畑は千曲川沿岸の1,100mから最上流1,500mまでに広がり、気温差を利用した生産調整も行われている。

■大規模機械化農業　大開発で耕地面積は昭和40年の752ha(畑587ha、水田165ha)から、50年には1,336ha(畑

1 ハウスでの育苗

2 苗植え付け

3 白マルチ栽培

1,241ha、水田95ha)に、さらに平成27年には1,842ha(畑1,800ha、水田42ha)となった。農道整備や畑地灌漑事業も同時に行い、乾燥時の散水と防除用水施設も完備した。地図からも整然とした道路網の様子が見て取れる。

昭和44年からは国の夏秋レタス野菜指定産地となり水田はすべて野菜畑に切り替わった。農家1戸当たりの耕地面積は3.4haとなり、10ha以上の農家は73戸を数える。また他に先駆けて機械化し、集約的な大規模栽培が容易になった。保有する大型トラクターは1,900台(うち72%は30馬力以上)、1戸平均2台で県内トップ。こうした大型野菜産地を形成した業績が評価され、村は48年に「朝日農業賞」を受賞した。自治体での受賞は初であった。

川上村は平成27年現在、就業者の75%が農業に従事、総農家数536戸中販売農家は510戸(95%)、主業農家(農業所得中心の農家)は429戸で80%を占めるまでになった。

4 コールドチェーンで市場独占

■輸送革命 昭和41年(1966)からレタスの出荷が鉄道からトラック輸送へと切り替わり、荷も木箱からダンボール箱詰めに変わった。同55年以後、中央道など高速道が整備されると、村から東京へ2.5時間、名古屋へ3時間、大阪へは6時間で出荷できるようになった。これを受けて川上レタス産地は大消費地市場に直結した農業経営へと転換していった。出荷を扱う三農協は市場との関係を密にして、市場動向に素早く対応する経営態勢を整えた。市場以外でもスーパーや加工所への直接輸送を強化。より鮮度の高いレタスの商品化に向け、早朝午前1時から収穫、出荷農協の予冷庫で冷蔵し、冷蔵車や保冷車で輸送する「コールドチェーン」を実現した。

大市場と短時間で結ばれた長野県の高冷地レタス産地は競って大量生産を進め、今では京浜市場の36%、東海市場の51%、近畿市場の53%を占める。6〜9月の夏秋レタスは長野県産が各市場を独占し、市場価格を決定しているのが実情である。川上産の出荷量は6万7,000t(平成27年)と県内の36%を占めることから、川上産レタスが市場を動かしているといっても過言ではない。平成18年から、「川上レタス」は台湾・香港・シンガポールへ船便による輸出にも挑戦している。

■大量生産の秘密 平成27年の野菜作付面積はレタス1,642ha、白菜572ha、キャベツ44ha合計2,258haで、畑の面積(1,842ha)を上回っている。これはレタス栽培で二期作を行っているためである。同じ畑で年二回栽培し、大量生産が可能となった。レタス畑は標高差があるため、標高の低い畑から植え付け、順次高度を上げていく。二期作は一期の収穫後マルチをはがさず、そのまま利用して植えつける省エネ栽培で効率化している。

保冷車への積み込み

二期作を維持するため、客土による地力維持、牛糞等の有機肥料の投入、品種改良、ハウスを利用したポット育苗、白マルチ栽培を行っている。収穫時の省力化のため、コンテナ輸送も始まった。

■不足する労働力 大型農業を実現した川上レタス農家の総売上げ額は平均2,500万円とも、中には1億円以上売り上げる農家もあるともいわれる。ただ、野菜の生育シーズンは育苗、植え付け、収穫、出荷作業など手労働も多くなる。かつては全国から学生アルバイトなど季節労働者を募集して労働力を補っていたが、平成15年からは外国人技能実習生を雇用して乗り切っている現実もある。同27年には常雇い400人、臨時雇いで1,400人だったが、労働力の確保は大きな課題となっている。 (佐々木 清司)

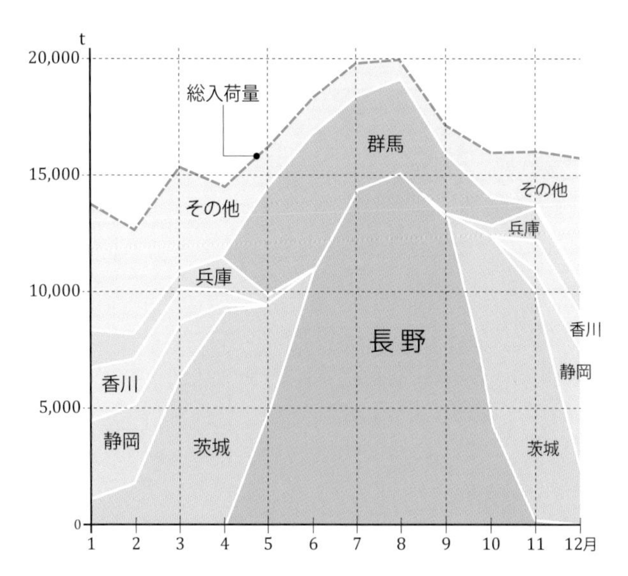

京浜市場におけるレタスの産地・月別入荷量
(平成27年 関東農政局資料より作成)

コールドチェーン

4 早朝に収穫

5 集荷所の予冷庫へ

6 保冷車で輸送

22
中野市

日本有数の果樹産地を実現

高社山（こうしゃさん）の南西側斜面と夜間瀬川（よませ）の扇状地に広がる中野市一帯は、国内有数の果樹産地である。大正期には稲作と養蚕が主で、干し柿やホップ、麦も生産されていたが、普通畑は少なく、傾斜地のほとんどは桑畑であった。現在では高社山の急傾斜地や、千曲川沿いの丘陵上にまで果樹園を広げている。果樹産地がどのように生まれたのか、地図から探ってみよう。

昔　5万分の1地形図「中野」大正元年測図　原寸

0　1000　2000m

[地図記号] 昔 田 桑畑 広葉樹林 針葉樹林 果樹園 今 果樹園 畑 田

扇状地と丘陵を見る

高社山麓と夜間瀬川の扇状地、千曲川東側の長丘丘陵、それらに挟まれた平地を確認し、農業の今昔を見比べましょう。

耕地の変化を見る

水の得にくい扇状地や丘陵の土地利用の変化を見ましょう。耕地拡大や果樹栽培が可能になったのはなぜでしょうか。

読図ポイント

急傾斜地への果樹のひろがりを見る

新地図で高社山麓を見ると、標高の高い場所まで果樹園が拡がっています。農道はどこまで延びているでしょうか。

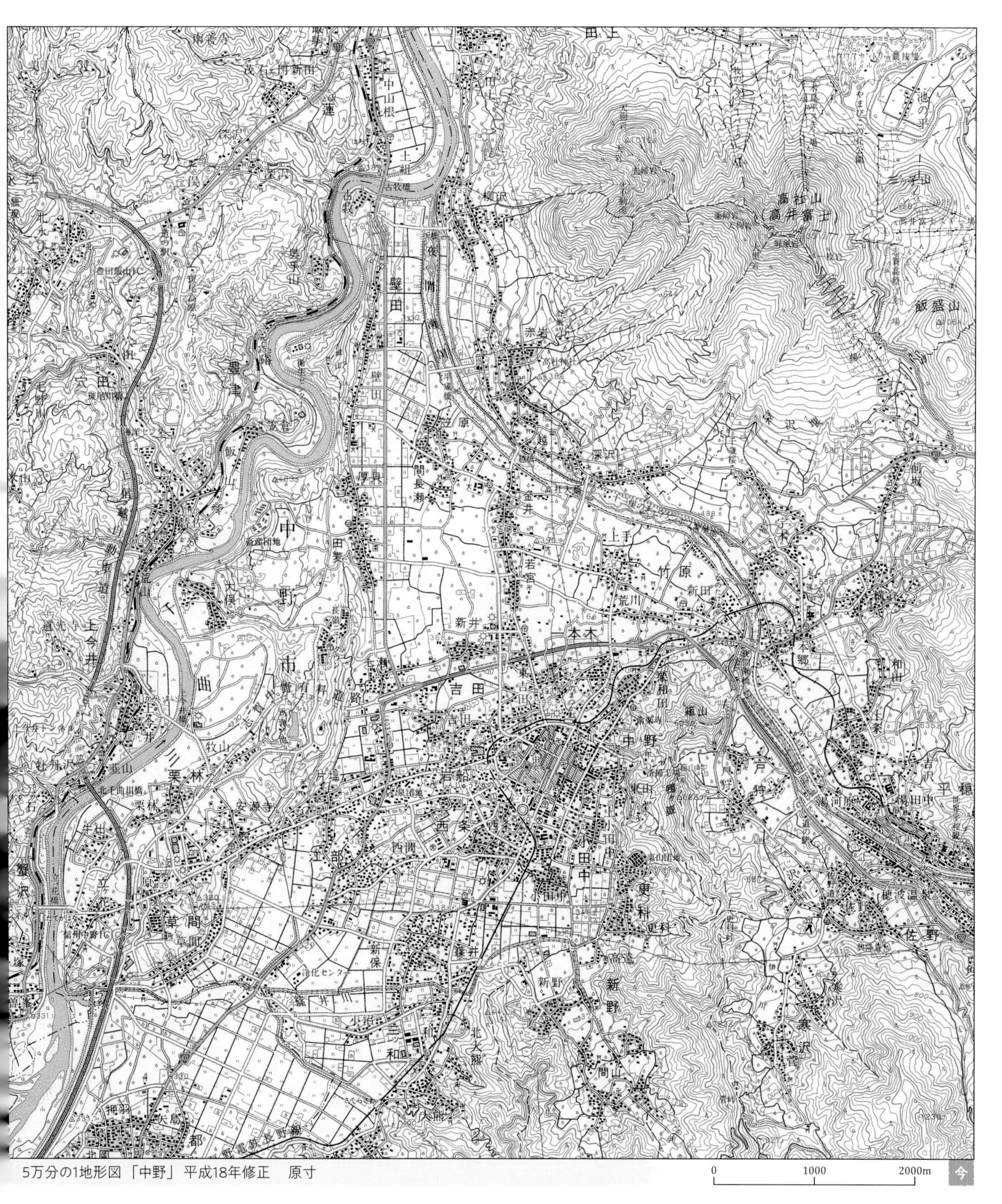

5万分の1地形図「中野」平成18年修正　原寸

0　1000　2000m　今

1 かつて盛んだった地場産業

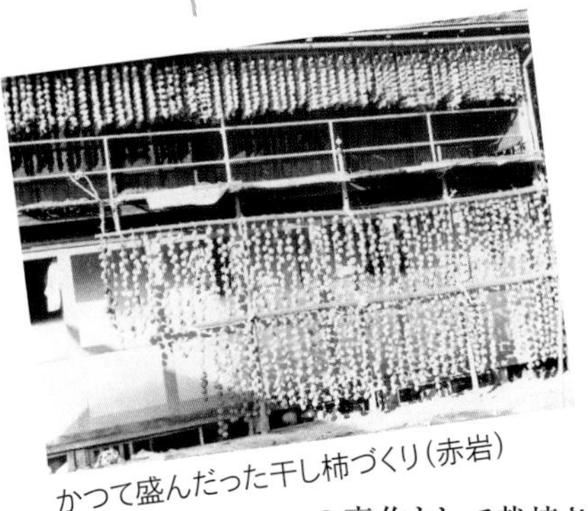
かつて盛んだった干し柿づくり(赤岩)

■製糸業・ホップ・干し柿　旧地図を見ると、平地には水田、傾斜地には桑畑が多く、稲作や養蚕が農業の柱であったことが読み取れる。果樹園の記号はないが、実際には柿やブドウ・リンゴなどが栽培され、小麦も水田の裏作として栽培されていた。**中野町**や**平岡村**、**高社山**麓の**科野**(しなの)**村**では柿の栽培が多く、干し柿作りが盛んであった。科野地区の**赤岩・越**ではホップも栽培され、大正8年(1919)にはホップ組合も誕生した。中野町ではこのころ、組合製糸の高井製糸工場が大正9年から操業を開始。同15年の事業状況は、組合員数1,451名、出資額7万8,100円、販売額34万2,457円、剰余金6,787円と業績がよかった。昭和の大恐慌も乗り切ったが、戦争などの影響もあり昭和17年(1942)には廃業となった。

■果樹園の拡大　戦後間もない昭和20年代は米と養蚕、ホップ、リンゴが基幹作物だった。30年代になり、戦前から果樹栽培を始めていた平岡地区を中心にリンゴ園が急増した。**竹原**では20年代後半には既に耕地の半分がリンゴ園になっていて、30年代前半にさらに拡大、ホップや桑畑は激減した。市内では35年頃から桃や巨峰も導入され、山麓斜面や扇状地一帯に果樹園が拡大していった。

ホップの花つみ(1970年)

2 大かんがい事業で果樹地帯に

■中野市北部の畑地かんがい　この一帯の地質を見ると、**夜間瀬川**右岸の高社火山麓は、土壌は礫・砂・火山灰等のため保水力は低く、夏季の高温時には乾燥しやすい。左岸の平岡地区は典型的な扇状地で、礫・砂の土壌は透水性が大きく保水力が低いため、リンゴやブドウは甘く果樹栽培に適するが夏の干ばつは避けられなかった。

高社山麓の畑地かんがい。背後に水源の千曲川が見える

夏場の安定した水確保に向け、昭和46年(1971)5月に土地改良区畑地かんがい事業が竣工。千曲川を水源に**柳沢**の中野揚水機場で取水・揚水して幹線で送水、受益面積752.8ha、総工費は10億3,782万円の大事業であった。これにより平岡地区竹原ではリンゴの収穫量が1.25倍となり、果実の着色が早まって早期出荷も実現した。

千曲川からの揚水機場(柳沢)

昭和60年代には千曲川の水量が2m減少して安定した取水が困難になり、平成元年から14年まで改修工事が行われた。これにより、末端散水が遅れていた夜間瀬川右岸の高社山麓290haを含む741haの事業域で、取水・配水・散水まで完全自動化が実現した。事業費は約28億4千万円で、受益戸数1,408戸。4～9月は1日13.52時間、7・8月の最盛期は19.2時間の散水をしている。

■中野市西部の畑地かんがい　千曲川右岸に目を転じよう。**高丘**地区および**長丘**地区は、水田域以外は長丘丘陵上にある。丘陵は地下水位が低く、火山礫・凝灰岩・泥岩・礫岩・砂などで構成されるので透水性も大きかった。しかも、中野市の年間平均降水量は890㎜(全国平均1,700㎜)と極めて少なく、この地域も干ばつ対策が不可欠であった。昭和54年(1979)、両地区で中野市西部土地改良区を設立、平成2年に左岸の**上今井**地区も加わり、平成10年に畑地かんがいが竣工した。**大俣**(おおまた)で千曲川水面(約320m)から446mの高台まで揚水し、自然流下で半分ずつ長丘丘陵と高丘へ送水、上今井へは高丘の**安源寺**(あげんじ)で分水し、パイプラインで送水する仕組みができた。受益面積282ha、受益戸数614戸、総工費44億2,490万円であった。

3 果樹園拡大と農道の役割

■急傾斜地に延びる農道　旧地図を見ると、高社火山麓の一段高い**深沢**地区の集落では傾斜地に普通畑が多く、田上(たがみ)、柳沢、赤岩では水田と傾斜地の普通畑が多い。新地図

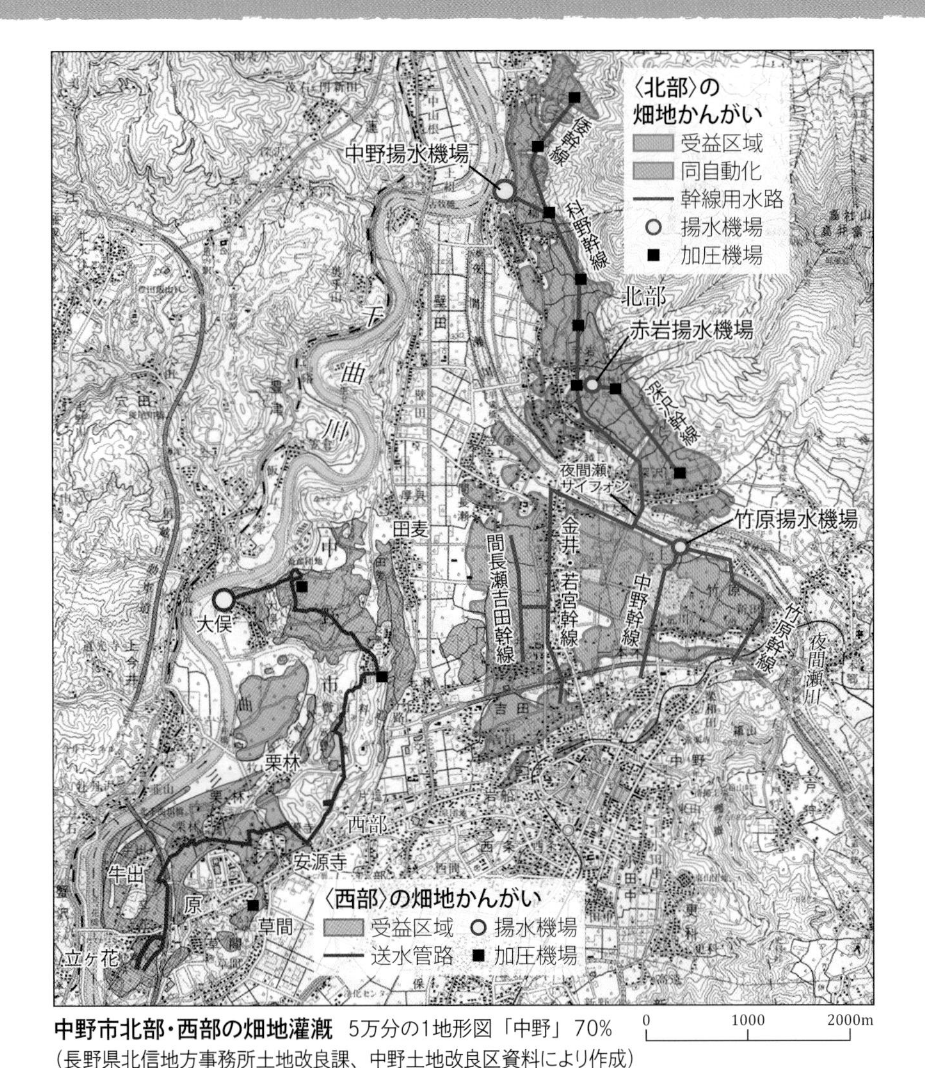

中野市北部・西部の畑地灌漑 5万分の1地形図「中野」70%
(長野県北信地方事務所土地改良課、中野土地改良区資料により作成)

ブドウの出荷

では、より急傾斜地にまで土地利用が進み、傾斜地全体に果樹園が広がっている。これは畑地かんがい設備に加え、農道開発が進んだのが要因として挙げられる。昭和48年(1973)に辺境地農道舗装事業が始まった。新地図から幅員3.9～4.1mの棒道が約10本、高社山腹の急傾斜地まで延びているのが読み取れる。農機具や農作物を運搬する上で欠かせない軽トラックは車幅が約150cm、防除用スピードスプレヤーは約90～100cmであるから、急傾斜地帯の農道であっても充分な幅員で、路面はアスファルトではなく滑りにくい白いコンクリート舗装となっている。

西側の長丘丘陵にある**立ヶ花**(たてがはな)・**栗林**・大俣・**田麦**(たむぎ)にかけても同じ様子が見て取れる。丘陵地の畑は大正期には麦などの穀物が主に栽培されていたが、現在はほとんどが果樹園となった。併せて農道が多く新設され、大俣と田麦間、栗林と**牛出**(うしいで)間、安源寺と立ヶ花・**草間**間等を結ぶ幹線・支線農道が新設、延長された。

このように中野市は農業を産業の中核として基盤整備を進めた。農協は売れる作物の開発と販路の拡大を図り、農家は意欲的に新品種の導入や果樹の複合経営に取り組むなど、三者が一体となって日本有数の果樹地帯を形成した。基幹のリンゴ「ふじ」、川中島白桃、種無し巨峰、シャインマスカットをはじめ、今人気の新品種のほとんどが栽培されている。

深沢地区の農道

Mini Column 地形と気候を熟知した農家

高社山麓部の平岡地区の果樹園はブドウ適地帯とリンゴ・桃・ナシ等の適地帯とにはっきり分かれている。この一帯でのブドウ栽培の高距限界(作れる高さの限界)は700 mであるが、それより低い扇状地末端の新井と笠原までを結ぶ線と西の丘陵の間ではブドウは栽培されていない。これは冬の晴天の夜間に冷気が盆地底にたまり、低い土地の方が低温となる気温の「逆転現象」が起きやすいためである。

高井富士とも呼ばれる高社山

リンゴや桃と違い、柿やブドウなどの一年枝にのみ結実する果樹は酷寒により発芽障害を起こす。4・5月に遅霜にでも遭えば致命的となる。中野市に巨峰ブドウが導入された当時、平岡地区の農家はブドウの特性を熟知していて、ちょうど新井一笠原間を通っていた長野電鉄の旧木島線(平成14年廃線)の線路より西側は栽培に適さないと判断していたという。なお、赤岩以北で果樹園が500 m以下であるのは、上部が急傾斜で栽培できないからである。高社山麓部の果樹園は700 m以下に分布するが、このように地形と気候とを的確に反映した農業が営まれているのである。

(小崎　博)

23

松本盆地南部

〈塩尻市
東筑摩郡朝日村・山形村〉

台地がブドウ、レタス大産地に

松本盆地南部の塩尻市・朝日村・山形村にかけての一帯は、優良農業地帯として知られる。ブドウの桔梗ヶ原(ききょうがはら)、レタスなど高原野菜の岩垂原(いわだれはら)や古見原(こみはら)、山形の長芋が有名である。ここは奈良井川、鎖(くさり)川の河岸段丘面にあり、火山灰に覆われたやせ地で水が得にくかった。そのために桑や大豆、粟といった作物しかなかった地が、どのようにして信州でもトップクラスの果樹・野菜産地へと成長したのか、地図から探ってみよう。

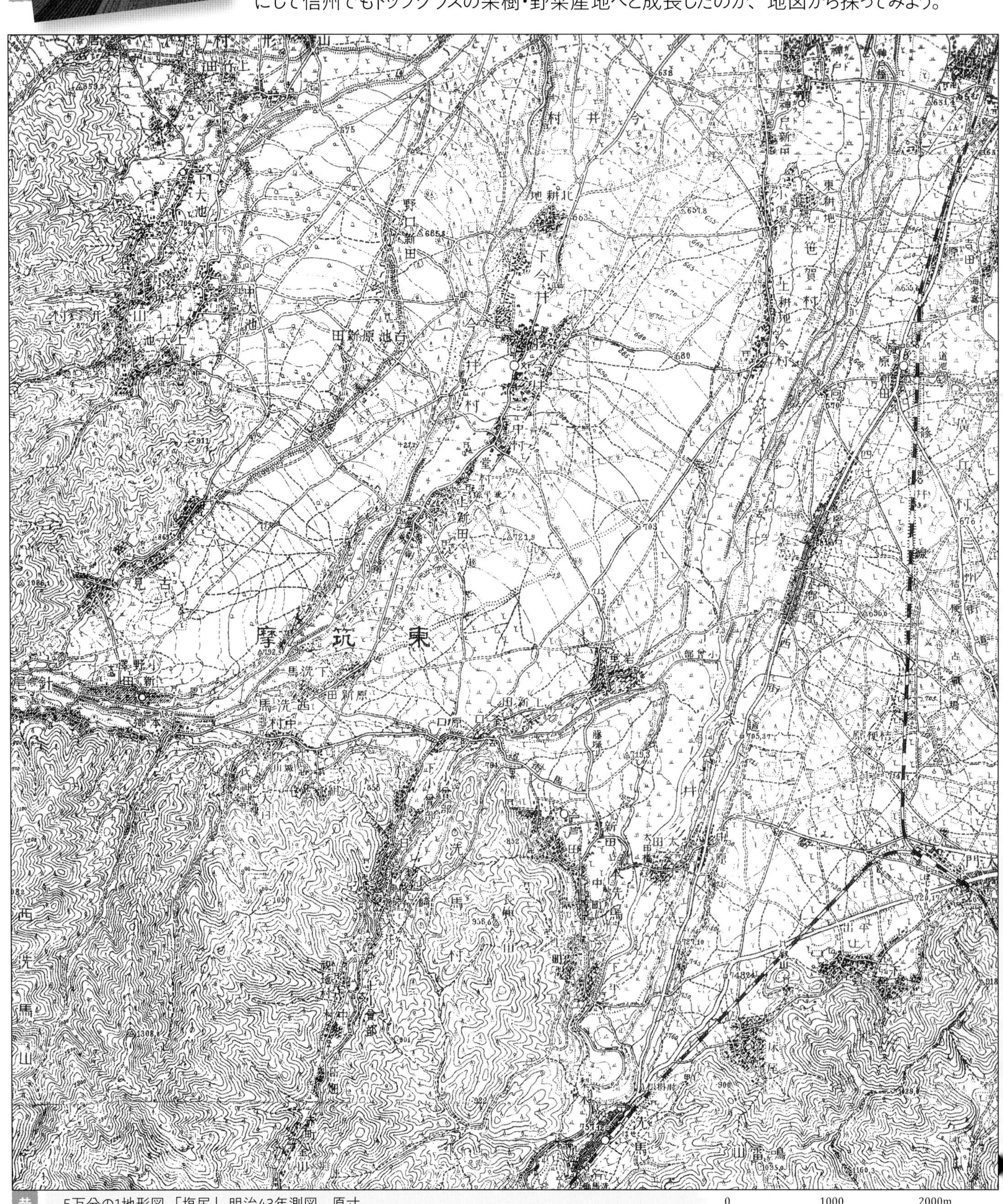

昔　5万分の1地形図「塩尻」明治43年測図　原寸

0　1000　2000m

[地図記号] 昔 桑畑 田 果樹園 広葉樹林 針葉樹林 

読図ポイント

ブドウ産地・桔梗ヶ原を見る

長野県を代表するブドウ産地の今昔を見てみましょう。現在の果樹園地帯は、不毛の台地ともいわれた場所でした。

レタス産地・岩垂原を見る

奈良井川と鎖川に挟まれた台地上にある岩垂原の変化を見比べましょう。土地の形状や利用はどう変わりましたか。

レタス産地・古見原を見る

岩垂原より高地にある古見原の変化も確かめましょう。針葉樹林や桑園を農業地帯へと変えた要因は何でしょうか。

長芋産地・山形村を見る

古見原から続く山形村でも大きな変化が見られます。ただ、ここの作物が高原野菜でないのはなぜでしょう。

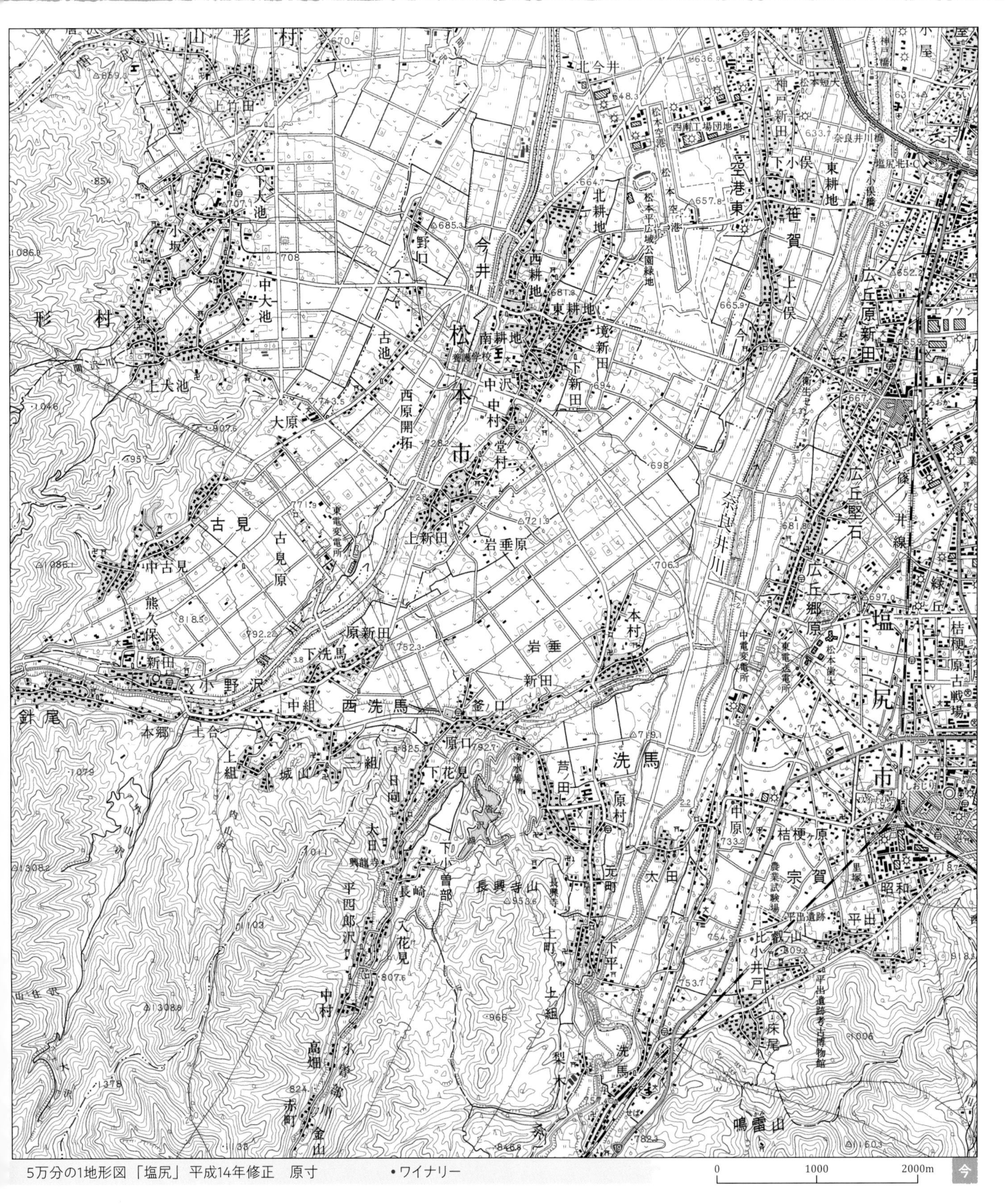

5万分の1地形図「塩尻」平成14年修正　原寸　•ワイナリー

0　1000　2000m　今

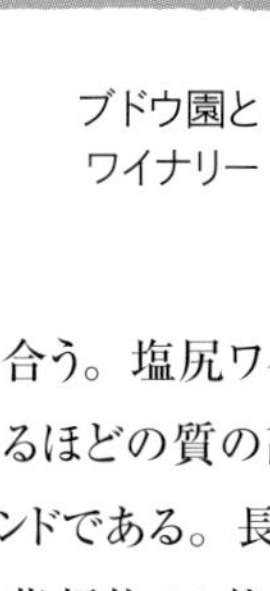

ブドウ畑の広がり

ブドウ園とワイナリー

1 ブドウとワインの桔梗ヶ原

■不毛の桔梗ヶ原台地を開墾　旧地図で見ると**奈良井川**の右岸に広がる**桔梗ヶ原**は扇状地である。その上流部と末端部は開墾されて桑園になっているが、中央部はほとんど樹木に覆われている。ここは砂礫層の上に火山灰が堆積した標高700m前後の台地である。火山灰の影響で土壌は酸性で、水が乏しく地下水も20～30m掘らないと水が出ない。そのため古くは原野のまま放置されていた。それが新地図では果樹地帯(ブドウ)に生まれ変わっている。

ここをブドウ栽培の適地と考えた豊島理喜治は、明治23年(1890)に官有地の払下げを受け、寒さに強く火山灰土でも良く育つコンコード、ナイヤガラなどアメリカ系のブドウを植え、ワイン造りのための会社を設立した(結果は失敗)。また小泉八百蔵は霜害が少なく作業もしやすい「棚かけ法」を採用し効果を上げた。旧地図に果樹記号がある。

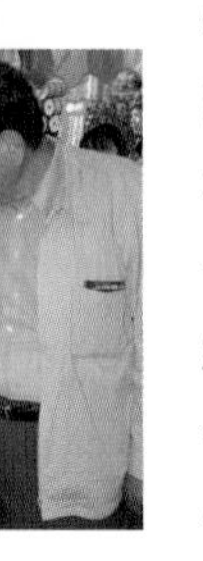

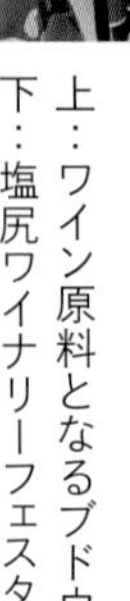

上：ワイン原料となるブドウ　下：塩尻ワイナリーフェスタ

■ブドウ酒から本格ワインへ　大正7年(1918)、ワイン醸造に本格的に取り組んだのが林五一である。五一もブドウ栽培が始まっていた台地に入植し、ブドウをはじめ様々な果樹を作り、試行錯誤の末にコンコードを使ったワイン造りに成功した。そのため加工用のコンコードを作る農家が増えた。ブドウジュースや甘味ブドウ酒を醸造する2工場も誘致した。戦後、昭和30年代初め、ワイン用ブドウをメルロー、ケルナーなどヨーロッパ品種への切り替えが行われた。五一の次男・幹雄は戦前から細々と続けていたメルロー・ワイン造りに徹し、寒さと病害との闘いを克服し、平成18年には530kℓ、瓶換算で年産70万本を生産するに至った。

近年のワインブームや、地球温暖化傾向により特にワイン用ブドウの生産に適した気候となってきたこともあってワイナリーも増えてきた。平成30年時点で市内14カ所と県立塩尻志学館高校(新地図「桔梗ヶ原古戦場」辺)があり、品質を競い合う。塩尻ワインは、国際的コンテストでも優秀な成績を収めるほどの質の高さを誇り、今や「桔梗ヶ原」は世界的なブランドである。長野県産ワインの8割を占め、出荷量3,400kℓ、出荷額約34億円(27年)で塩尻市の重要な産業になっている。

■糖度の高いブドウを生産　現在、生食用は巨峰が多いが、シャインマスカットなどの新品種も伸びている。糖度の高いブドウ作りへの取り組みが続いている。生食用を主とする観光農園も16軒あり、観光客でにぎわっている。収穫量約4,000t、出荷額2.4億円(27年)で、長野県下有数のブドウ産地でもある。

一方で生産者の高齢化により栽培面積は減少気味であったが、国の助成を受け若手後継者の育成に力を入れてきたことで回復傾向にある。また安定した収量を確保するため、ワイン工場が自ら奈良井川の河川敷や、より高所の東山山麓に圃場を開いている。

2 「洗馬のレタス」産地ー岩垂原

■高原野菜生産の本格化　旧地図で桑畑やその他の畑、原野だった**岩垂原**が、新地図では一面の普通畑に変貌している。岩垂原は**鎖川**右岸の河岸段丘上にあり、火山灰が堆積した標高700～720mの準高冷地で、なだらかな北斜面となっている。かつては大麦・小麦・大豆などの穀類とジャガイモ・白菜・大根などの野菜が主要作物であったが、現在は見渡す限りのレタスやキャベツの畑が広がっている。

上：レタスの収穫　下：整然と広がるレタス畑

キャベツが栽培され始めたのは大正末で、県下で最も早いとも言われる。当初は外人向けの洋食素材として出荷していたが、戦後の朝鮮戦争でアメリカ兵向けに西洋野菜の生産が急増した。需要の高まりの中、若手後継者づくりも功を奏し野菜栽培は軌道にのった。

■農協が後押し　農協も大きく貢献した。栽培や販売体制を農協に一本化、また安定出荷をめざし経済連とも連携を図った。低温流通システム(コールドチェーン）の導入による大型予冷庫、真空冷却装置などが設置され、トラック輸送の充実で販路は拡大。中京・阪神を中心に「洗馬のレタス」の知名度が上がり、販売額が60億円に達した年もあった。作付面積840ha、出荷量は県下3位、全国6位の2万tで全国トップクラスのレタス産地となった。ただ近年は高齢化、後継者難も深刻化し、規模拡大が図れず、連作障害もあり販売額は落ちている。病気に強い品種の導入や輪作によって乗り切ろうとしている。

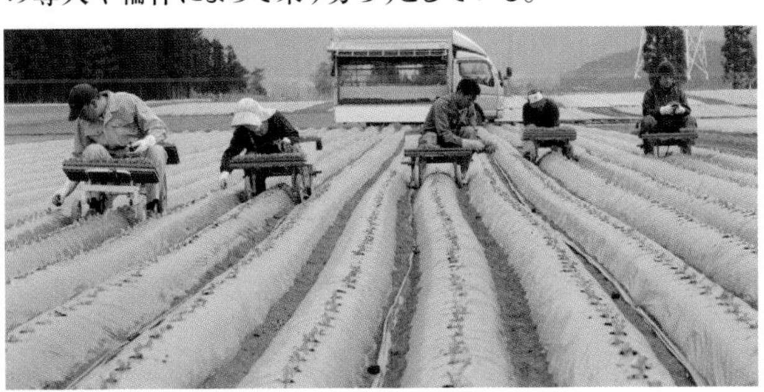
レタスの苗植え

3 レタス新産地の古見原

■雑穀が主体の畑作地帯　鎖川左岸の朝日村**古見原**も河岸段丘上の標高750～820mの準高冷地で、北向きの斜面が広がる。旧地図を見ると、山際と鎖川沿いの狭い範囲に水田があるのみで、そのほかは桑園、中央の空白部分はゴボウ、大根、ニンジンなどの根菜類や麦・粟・稗・大豆などの畑地である。新地図では水田も見られるが、普通畑が大きく広がっているのがわかる。水利に乏しい古見原は畑作に頼らざるを得なかったのである。その後、価格が保障されていた加工用トマトの一大産地ともなったが、収益性では高原野菜にかなわなかったため作付け面積は減少した。

■レタスの産地化　昭和40年ころ、塩尻市洗馬に隣接する朝日村の**西洗馬**地区で高原野菜の生産が始まった。当初は鎖川より用水路を引いて水田化が図られたが、国の政策転換や梓川右岸の灌漑施設が整備されたことにより、地質も気候も似た岩垂原で作られていたレタス、白菜、キャベツなど高原野菜を作るようになった。現在ではトラック輸送により関西を中心に出荷され、年間30億円近くを売り上げ、販売額で岩垂原に迫っている。岩垂原より標高が100m程高く、出荷時期が長いという利点もある。ここも生産者の高齢化や連作障害などの問題を抱えているが、主に輪作を取り入れたり、多様な野菜や病気に強い品種を導入したりして乗り切ろうとしている。農地の有効活用を目指した農地ホスピタルは、若手の農業者の育成にも力を入れている。法人化で規模拡大を目指す農家も現れている。

4 赤土土壌に長芋―山形村

■火山灰の赤土活用　古見原の北に続く**山形村**では、旧地図を見るとわかるように山際の水田以外は苗木や雑穀、根菜類などの畑作地が広がっている。新地図では普通畑や果樹園となっているのがわかる。古見原より標高が100mほど低く、高原野菜の栽培は広がらなかった。代わりに深い火山灰の赤土土壌を活かした長芋栽培や苗木の栽培が盛んになった。長芋栽培では平成27年、栽培面積約70ha、収穫量22.5万ケースで、長野市松代を抜いて県下一の生産地となった。土壌消毒により3年程の連作も可能となった。山形村産の長芋は甘味があって、特に粘り気が強い特徴があるという。収穫は冬と春先に機械掘りされ、昔に比べて省力化されている。

長芋の収穫

山形村では長芋だけでなく、リンゴ・スイカ・長ネギなどの生産もさかんである。近年、ブルーベリーの観光農園が増えてきており、平成27年では17戸が経営している。また、サクランボ狩りなどの体験ツアーも実施されている。ここでも高齢化や後継者問題を抱えているが、大規模農家では若手の後継者も育っており、法人化する農家も増えている。労働力不足を外国人労働者で補おうという動きもある。

5 干ばつに強い優良農業地帯に

■中信平総合開発の進展　この地域は年間降水量が1,100㎜と少なく、河川は水量が安定しないうえに地形的にも引水が困難であった。畑作の中心だった大豆・麦なども生産量は不安定で、生産性は低かった。さらに繭の価格下落で養蚕が下火になると桑の栽培も少なくなった。果樹では比較的乾燥に強いリンゴ、ブドウが栽培されていたが、稲作となると、水不足による水争いが絶えなかった。

この一帯を含む中信地区では、昭和40～52年にかけての国や県の中信平総合開発による農地の構造改善、給水・排水施設整備が進み、レタス・白菜・キャベツの飛躍的な増産がみられた。昭和40年（1965）に国営中信平土地改良事業がスタート（71頁参照）。42年には県営潅漑排水事業で梓川からの潅漑施設整備が始まった。当初は開田を優先する計画であったが、45年の開田抑制措置により畑地潅漑へと変更され、平成2年（1990）度に完成した。同時期に進められた土地改良事業も、昭和の末頃までには農業基盤整備が概ね完了した。

ここで完成した梓川右岸上段幹線水路は、山形村から朝日村、塩尻市洗馬岩垂原を経て桔梗ヶ原のぶどう地帯まで延びている。梓川右岸幹線は山形村から**今井原**を通り、**笹賀**地区の奈良井川まで達する。用水路実現で末端まで水が行き渡ると、一帯は干ばつに強い農業地帯へと生まれ変わった。今ではレタス、スイカ、長芋、ブドウ、桃など県下有数の野菜・果樹産地となっている。（上條　利春）

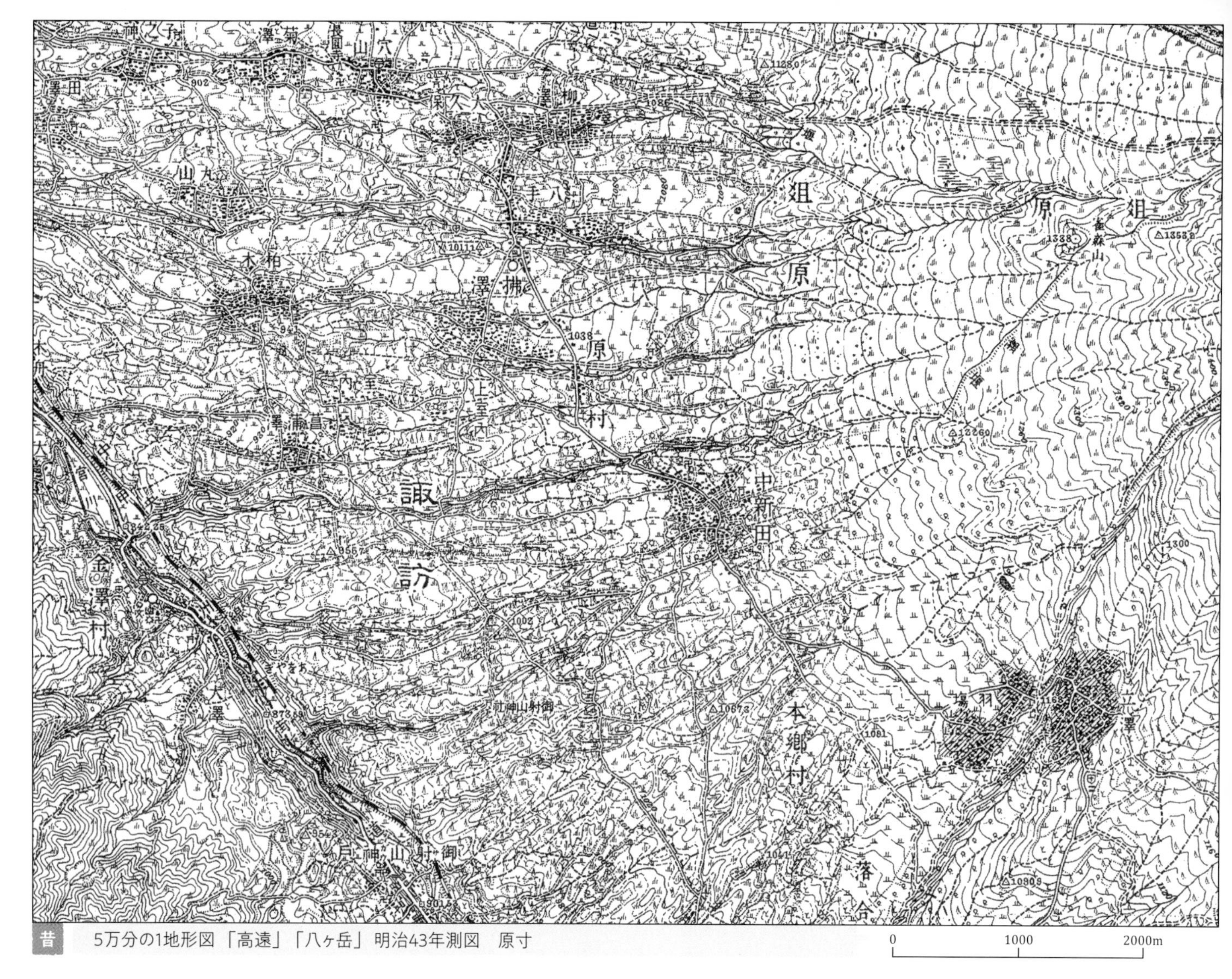

昔　5万分の1地形図「高遠」「八ヶ岳」明治43年測図　原寸

24
八ヶ岳西南麓
〈茅野市
諏訪郡原村・富士見町〉

標高1,000m 高冷地農業地帯

八ヶ岳西南麓の火山麓扇状地に広がる茅野市・原村・富士見町は、標高1,000m以上でも稲作や畑作が成り立つ全国有数の高冷地耕作地域である。江戸時代以降、「ぬるめ」の活用やビニールトンネルによる育苗・品種改良といった工夫で低温を克服してきた。戦後は冷涼な気候を利用したセロリやカーネーションをメーンに、高原野菜・花卉産地としての名を確立した。その土地利用の変化を見てみよう。

1 高冷地稲作の工夫

■広がる高冷地の稲作　地図は東にある八ヶ岳連峰から続く西南山麓を取り上げている。北部(**茅野**)、中部(**原**)、南部(**富士見**)とも緩やかな山裾が広がっている。標高は最低でも840mあり、1,000m前後までが生活域となっている。旧地図の土地利用を見ると、茅野地域の標高1,000m以下では森林を切り開いた水田・桑畑が分布するが、あまり広がりはない。一方、原・富士見地域では1,000m～1,100m辺りや、それをやや超えた辺りまで水田がかなり分布する。高冷地の稲作限界地域でこれほど広い範囲に水田が広がっている例は全国的にもあまりない。**中新田**、**立沢**(たつざわ)(**澤**)など高距集落(標高1,000m以上の定住集落)がいくつも立地している。

標高1,000m付近に広がる田畑とビニールハウス

■堰や「ぬるめ」の活用　ここはもともと火山性土壌のため乏水地帯であるが、江戸時代に坂本養川(29ページ参照)により農業用水を引く堰が開削された。旧地図の東側中央

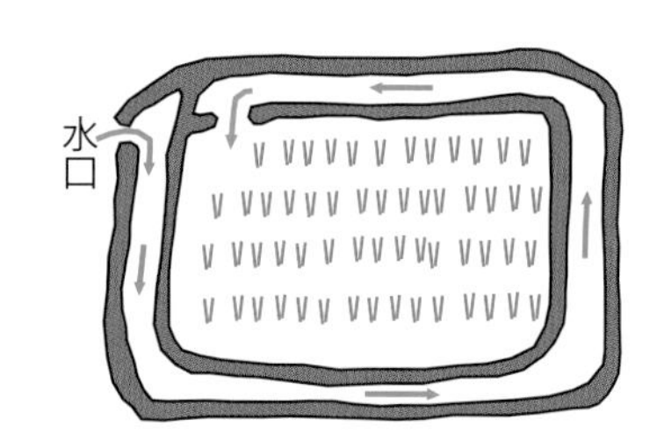

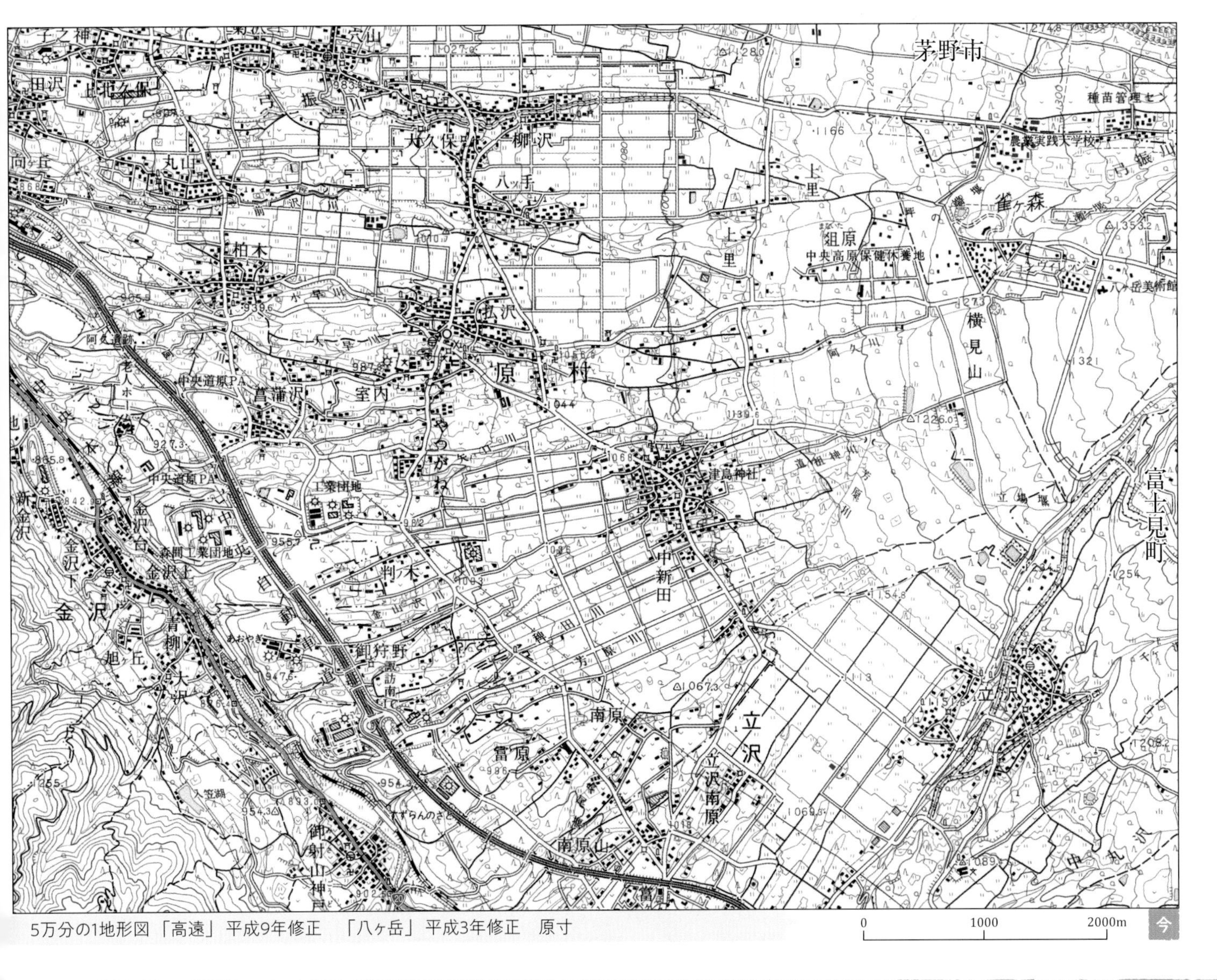

5万分の1地形図「高遠」平成9年修正　「八ヶ岳」平成3年修正　原寸

0　1000　2000m　今

読図ポイント

[地図記号]　昔　田　針葉樹林　広葉樹林　荒地　今　田　畑　温室

1 高冷地の稲作を見る

高冷地に水田が広がっています。標高を確かめてみましょう。それを可能にした工夫とは何だったのでしょう。

2 作物の変化を見る

1,000 m等高線を境に土地利用が違っています。稲作中心から高原野菜、花卉産地へと変わった様子を確認しましょう。

辺に見える「一ノ瀬堰」のほか、西に向かって5本の堰が開削され現在も利用されている。さらに高冷地のため、用水からの水を田の外側に一周させて水温を上げる引水の仕組み「ぬるめ」(模式図参照)などの工夫を古くから取り入れ、高冷地稲作を維持してきた。ビニールトンネルによる育苗や品種改良で低温を克服してきた。

高原野菜・花卉栽培へ

■高原野菜栽培の産地に　新地図を見ると現在、標高1,000m以下では森林地帯の大部分が開発され、旧地図のころより飛躍的に耕地が拡大しているが、ただ畑地はそれほどでもない。標高1,000 m以上では水田分布はあまり変わらず、畑地が大幅に拡大している。

昭和40年以降は稲作が衰退、縦横の道路の直交からわかるように圃場整備が進む中で、茅野・原地域の畑地はセロリを中心とした高原野菜栽培へと転換した。夏の冷涼な気候を利用した露地栽培が盛んだが、中新田、**菊沢、大久保、柏木**の周辺では年に2～3回栽培できるよう、出荷期を長くするためのビニールハウス(温室)栽培が目立つ。柔らかい高冷地のセロリは需要が高く、大消費地に近い有利性もあって中央自動車道**諏訪南IC**を通して東京方面への出荷などで全国有数の産地となっている。

■花卉栽培の広がり　新地図の立沢の集落南西に展開している温室は、カーネーションやキクを主とした花卉の温室である。紫外線の強さや気温日較差の大きさといった高地の環境下で色が鮮やかになり、品質も統一されているため市場でも評判が良く、平成末期時点の夏季出荷量は県下一である。ハウス・露地栽培のトルコギキョウやアルストロメリア、またシクラメンなどの鉢物も盛んに栽培されている。やはり首都圏との近さが有利となっている。　(関　雅一)

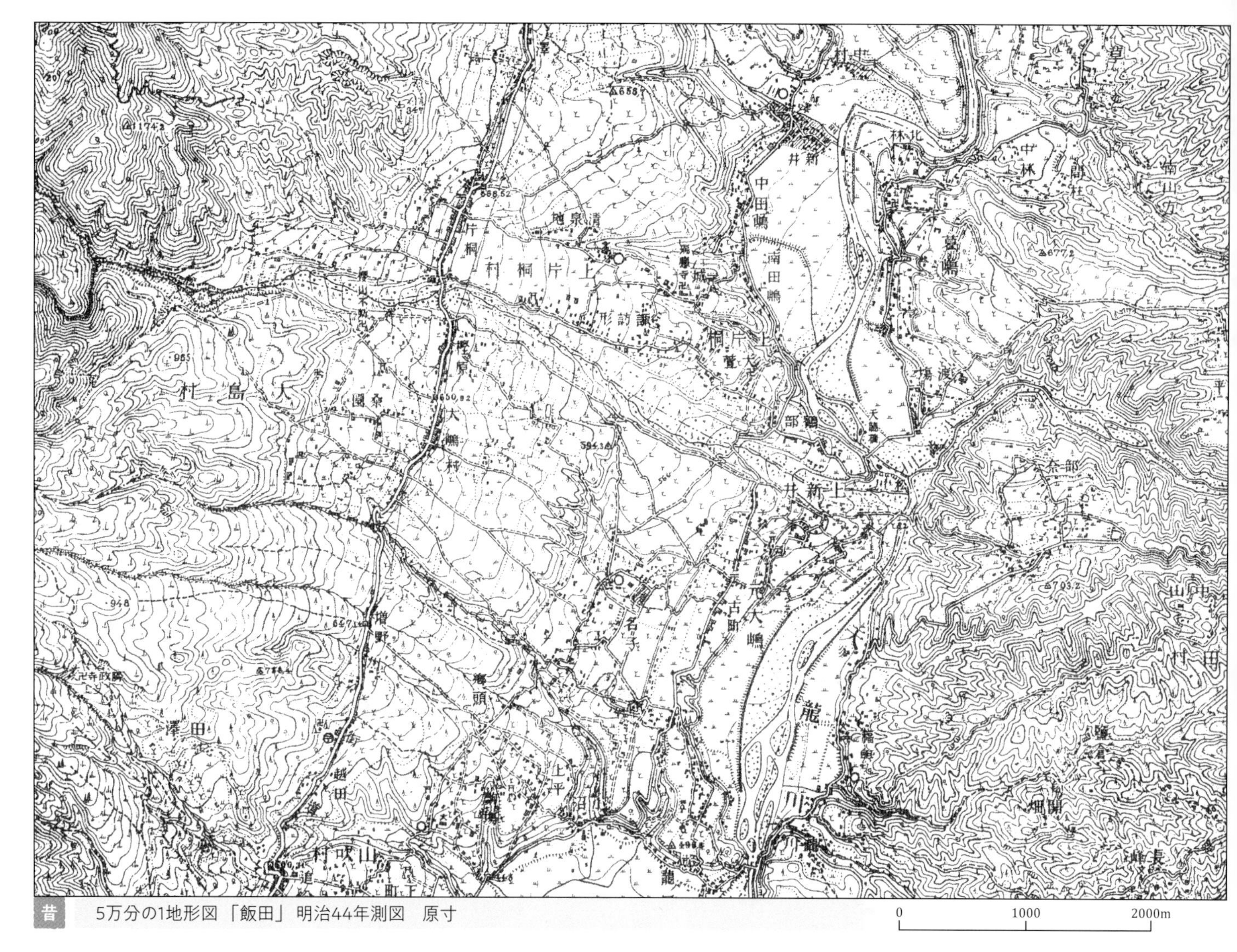

昔　5万分の1地形図「飯田」明治44年測図　原寸

0　1000　2000m

25
松川町 中川村
〈下伊那郡〉〈上伊那郡〉

先駆者が導いた「くだものの里」

ナシ、ブドウ、桃、リンゴと、松川町・中川村は南信州の中でも「くだものの里」として実り豊かな地域である。養蚕が隆盛だった時代に、あえて果樹栽培に挑んだ先駆者がその礎を築き、地域を支える産業へとつなげた。桑園から果樹へと、信州各地で見られる転換を先取りしたこの地域の今昔を地図から見てみよう。

1 養蚕最盛期に二十世紀ナシ導入

■桑園の広がり　旧地図を見ると、**天竜川**右岸の氾濫原に水田があるが、それより高い段丘上のほとんどは桑園と荒地であった。しかし、昭和恐慌は繭価を下落させ、主産業であった養蚕に大きな打撃を与えた。昭和4年(1929)の**大島村**(現松川町)の耕地面積の3分の2が桑園であったから、農家への打撃がいかに大きかったかがわかる。

■源三郎によるナシ栽培の始まり　もともとこの段丘上は水はけの良い平坦地や緩やかな傾斜地の地形であり、また温暖多雨な気候はナシ栽培の適地となる自然条件を備えていた。そこに先人の献身的な努力によって果樹栽培の基礎が築かれることになる。

昭和3年頃の堤原

旧大島村の鈴木源三郎は養蚕の隆盛期にもかかわらず、大正4年(1915)、同村**堤原**(つつみはら)のススキが生い茂る荒地2haを開墾し、塩尻から取り寄せたブドウの苗を植樹。2年後には二十世紀ナシ、桃、柿を加え、4年後の大正8年に初収穫した。

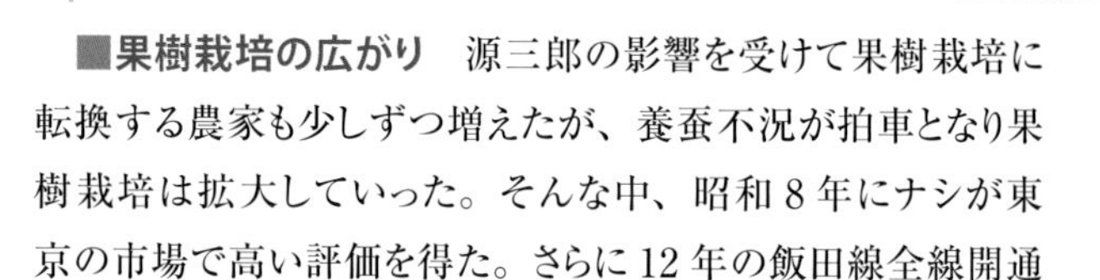

2 高い意識で果樹栽培が盛んに

■果樹栽培の広がり　源三郎の影響を受けて果樹栽培に転換する農家も少しずつ増えたが、養蚕不況が拍車となり果樹栽培は拡大していった。そんな中、昭和8年にナシが東京の市場で高い評価を得た。さらに12年の飯田線全線開通

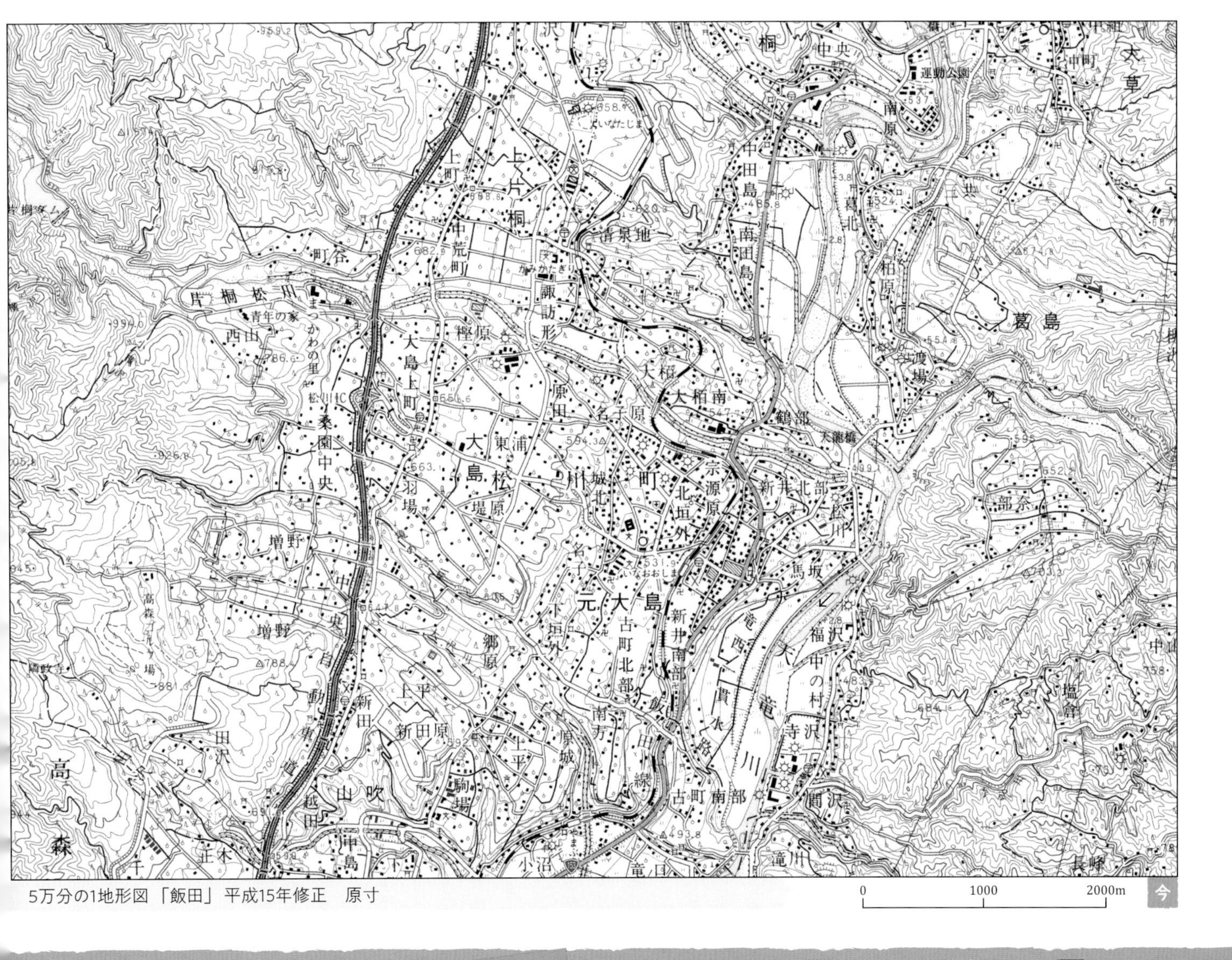

5万分の1地形図「飯田」平成15年修正　原寸

読図ポイント

［地図記号］ 昔 桑畑　田　針葉樹林　今 果樹園

1 段丘の土地利用を見る

この一帯は他地域に先駆けて果樹栽培を始めました。旧地図では、天竜川西側の段丘はどう利用されていたでしょう。

2 果樹栽培の拡大を見る

果樹園はどんな範囲まで広がっていますか。ここにできた高速ＩＣは果樹産地にどんな役目を果たしているでしょう。

で出荷量が伸びていった。果樹栽培者数は大正年間の８人から昭和15年に200人超、戦後の昭和30年には累計464人となり、松川は南信有数の果樹産地となった。

■地域一丸の取り組み　産地化できた要因は、先駆者らが実績をあげて見通しが明るかったことや、村も経済再生策として果樹栽培を奨励したこと、各地にできた耕地整理組合が果樹向けの耕地造成に取り組んだことなど、地域一丸の高い意識が背景にあった。また、水田が減り、その分の水を果樹の消毒用にまわすこともできた。養蚕の盛んな時代には源三郎の取り組みに反対や批判、冷笑も多かったが、昭和13年には源三郎の功績をたたえ、堤原神社境内に碑が建てられた。

■果樹栽培のさらなる広がり　昭和31年、下伊那郡大島村と**片桐松川**左岸の上伊那郡**上片桐村**が合併し、松川町となった。旧上片桐村も鈴木源三郎の指導を受けていて、果樹栽培が両村を結びつける要因にもなった。大島と気象条件が類似していることから村内他地区へも果樹栽培は広がった。昭和40年には町の総耕地面積の約４割が果樹園となり水田面積を上回った。その後、リンゴ栽培も広がって果樹園の割合はさらに増え、平成22年(2010)には総耕地面積の７割強を占めるまでになった。近隣の中川村も地形や気候条件が類似し、全村的に果樹園が広がった。農業生産額に占める果樹の割合も１位となり、ナシ・リンゴがその80%を占める。新地図を見ると段丘上では、かつて水田や荒地であった土地の多くが果樹園へと変わっている。

■松川IC周辺地域の観光とのつながり　昭和50年の中央自動車道開通後、**松川IC**周辺には観光農園や直売店が並び、ワインづくりを手がける工場も現れ、秋の収穫期には観光客で賑わうようになった。リンゴ狩りやオーナー制度の取り組みのほか、周辺のゴルフ場や温泉施設とも絡めた誘客を主体とした観光振興が進んでいる。中川村では最近の消費動向の変化で、多品種化やブドウ団地の造成など新しい動きも見られる。（橋都　洋治・松村　正明）

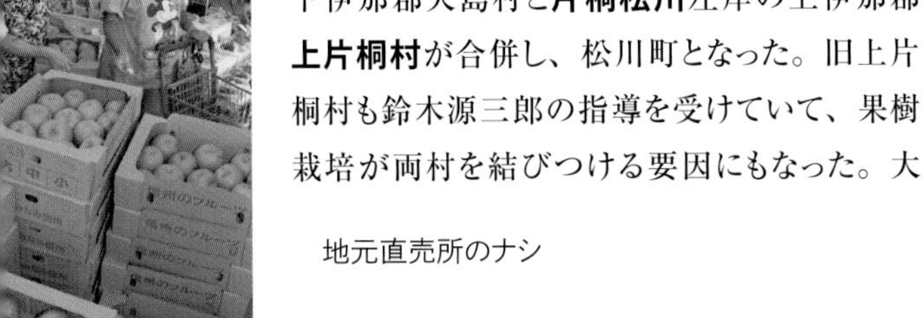
地元直売所のナシ

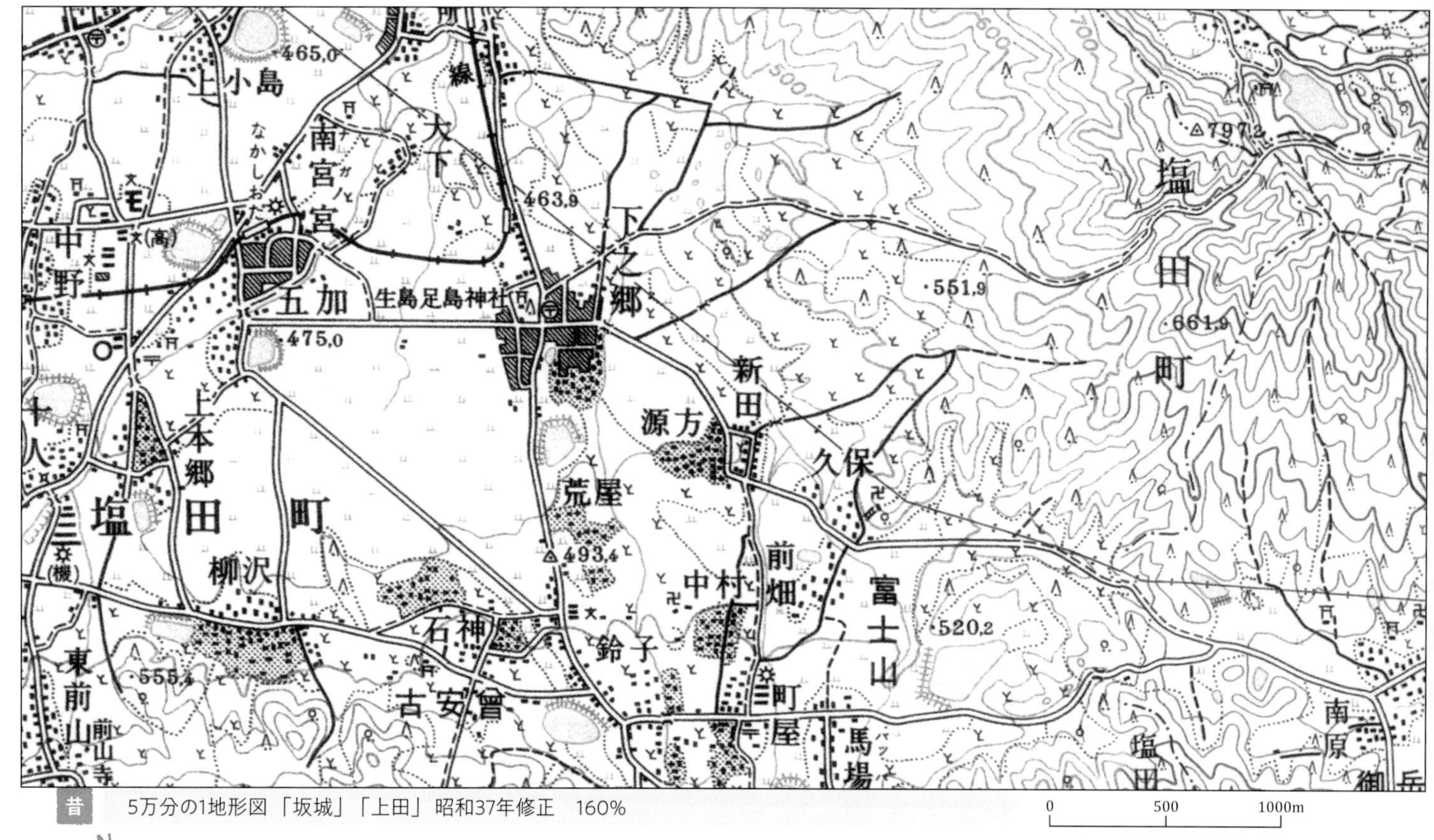

昔　5万分の1地形図「坂城」「上田」昭和37年修正　160%

26

上田リサーチパーク

〈上田市塩田・丸子〉

丘陵地に立地する新工業団地

工場はどこに立地したら地域発展につながるだろうか。上田市は戦中の企業疎開の流れをくみ、戦後も積極的な誘致で県内第3位の工業都市となった。住宅の一部を工場に利用してきた職住混在の状態から、戦後はまず郊外の農地に工業団地を造成。やがて郊外の宅地化が進む中、里山ともいえる丘陵地に造られたのが「上田リサーチパーク」だ。地図から上田の工業立地がたどった変容を見てみよう。

1 上田市の工業化と塩田平

■製糸業から電機・機械・輸送機械工業へ　まず近代以降の歩みを振り返ろう。「蚕都上田」で知られるように上田は古くから蚕糸業の町であった。中でも丸子地区は、下村亀三郎創業の製糸工場「依田社」が全国的に知られ、県内では岡谷、須坂に次ぐ町であった。昭和恐慌で上田の蚕糸業は崩壊。そこで昭和10年(1930)、上田橋下流右岸に33万㎡、従業員1,000人の鐘淵紡績を誘致した。戦時下には京浜工業地帯から航空機関連の疎開企業を受け入れた。

戦後、鐘紡跡地には専売公社が入り、この他に残った疎開企業の一部が機械・電機・輸送機械工業の核となり、高度経済成長期には長野、松本に次ぐ県内第3位の工業都市に発展した。市は工場誘致を積極的に進めるとともに、市街地郊外の神川・秋和などに相次ぎ工業団地を造成した。用地には農業地域、とりわけ水田地帯が当てられた。

■塩田平で拡大したオルガン針　終戦前年の昭和19年、東京から塩田平の農村部に疎開し工場を置いて根付いた企業が増島製針所(後のオルガン針)である。乾燥した気候で製品のミシン針が錆びにくいという、この地の利点を生かした。戦後の衣料品ブームと縫製作業の機械化でミシンがブームとなり、針生産は拡大の一途をたどった。塩田町前山の本社工場と西塩田、東塩田、上田、中央の農村部5工場で、昭和48年には従業員1,550名、国内のミシン針の80%を生産し、製品の70%を輸出するという世界的企業に発展した。旧地図の「**東前山**」北に本社、**五加**(ごか)、**富士山**に同社の各**工場**(☼)が読み取れる。同50年代に入ると、縫製部門の企業化により家庭でのミシン需要が急減。同60年以後は国内服飾メーカーの海外進出が増え、ミシン針の国内需要も減った。平成7年以降、ミシン針製造拠点がベトナム・中国へ移転し、現在上田にある本社は電子機器を製造している。

2 丘陵地につくられた工業団地

■上田リサーチパーク　高度経済成長期が去った後の昭和55年、地方のハイテク産業化や活性化をうたう通産省

上田リサーチパーク

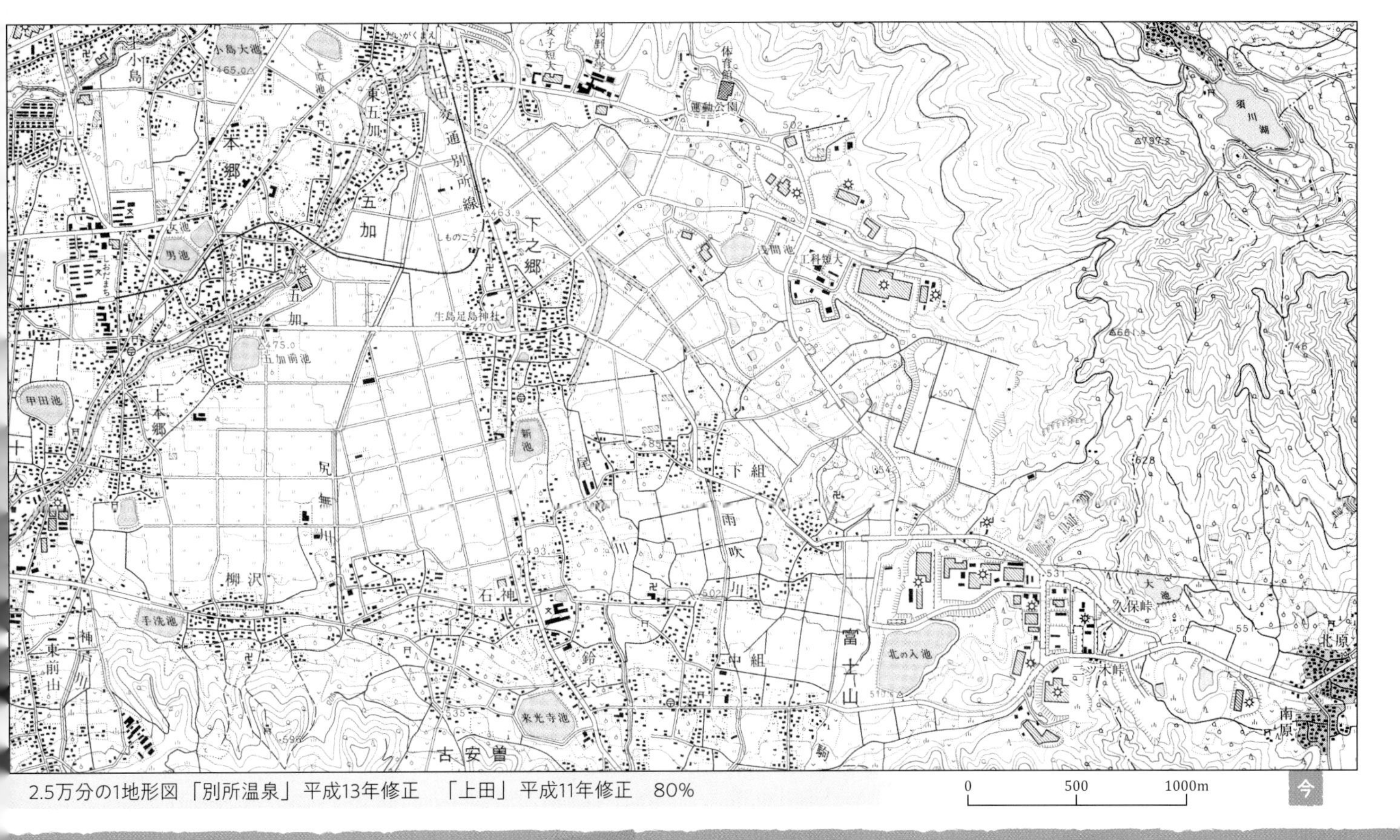

2.5万分の1地形図「別所温泉」平成13年修正　「上田」平成11年修正　80%

読図ポイント

［地図記号］ 昔 桑畑 針葉樹林 工場 今 切取部 独立建物

1 農村の工場を見る

旧地図は高度経済成長期の塩田平です。農業地帯に工場があるのはなぜでしょう。農村の変化を反映しています。

2 丘陵地の工業団地を見る

新地図で、工場はどんな場所に進出していますか。山の丘陵地に注目しましょう。どのような背景があるのでしょう。

県工科短期大学校

の「テクノポリス構想」に基づき、長野県は東信地区（上田・佐久）に「浅間テクノポリス構想」を打ち立て、同62年に承認された。拠点として上田・佐久にリサーチパークと称する工業団地を造成した。高度メカトロニクス、高機能部品産業、バイオ産業と既存産業とが調和した高度技術産業地区の形成をねらい、地元の大学・各種試験場との産学官連携で推進されている。

ここで特徴的なのは上田リサーチパークの立地である。塩田平の農業地帯を避け、**下之郷**（しものごう）東方の東山丘陵山腹に53.5haの工業団地を造成した。新地図の等高線で500～590 mの地点は、旧地図では松林や桑園の丘陵性山地である。交通の便が確保でき、丘陵地での造成技術向上もあって13区画が生まれた。地価も安く総事業費は74億円であった。入居企業は輸送機械のアート金属工業、電機の山洋電機、電子機器のオルガン針をはじめ、電子工業・ソフト開発・金型といった製造業者、県工科短期大学校、上田市マルチメディアセンターなど13企業・機関である。いずれも丘陵地の自然環境を活かした製品の研究開発や製造、業務に取り組める林間工業団地となっている。

■東塩田林間工業団地　周辺でも市街地域を避けた郊外に工業拠点を設ける動きが相次いだ。塩田平・丸子間の分水嶺となっている**二ツ木峠**、**久保峠**は緩い丘陵地で、新地図では、上田市が造成した東塩田林間工業団地がある。上田市街地に工場を持つ企業が生産拡大のために広い工場用地を要望していたもので、昭和60年に完成。敷地26haに電機・プラスティック工業等27社が入った。事業費23.6億円だが、旧地図では桑畑や松林だったため、農地に比べ安価であった。**北の入池**北側の丘陵地にも平成6年、市が敷地14ha、事業費22.5億円の「北の入工業団地」を造成した。

■丸子工業団地　東塩田林間工業団地と同時期、二ツ木峠の東側でも旧丸子町が通産省農村工業導入地域の適地指定を受けて工業団地造成を進めた。丘陵地のため農地に影響を与えることなく造成され、南原西側に昭和60年完成の原山工業団地、翌年完成の**南原**工業団地がある。

ところで、新工業団地を市街地から離れた丘陵地に造成する立地転換は、生産環境の向上や物流の効率化というメリットをもたらした一方で、通勤には自家用車が欠かせなくなり、郊外に朝夕のラッシュが発生するといった課題も生まれている。　（北澤　文明）

東塩田林間工業団地

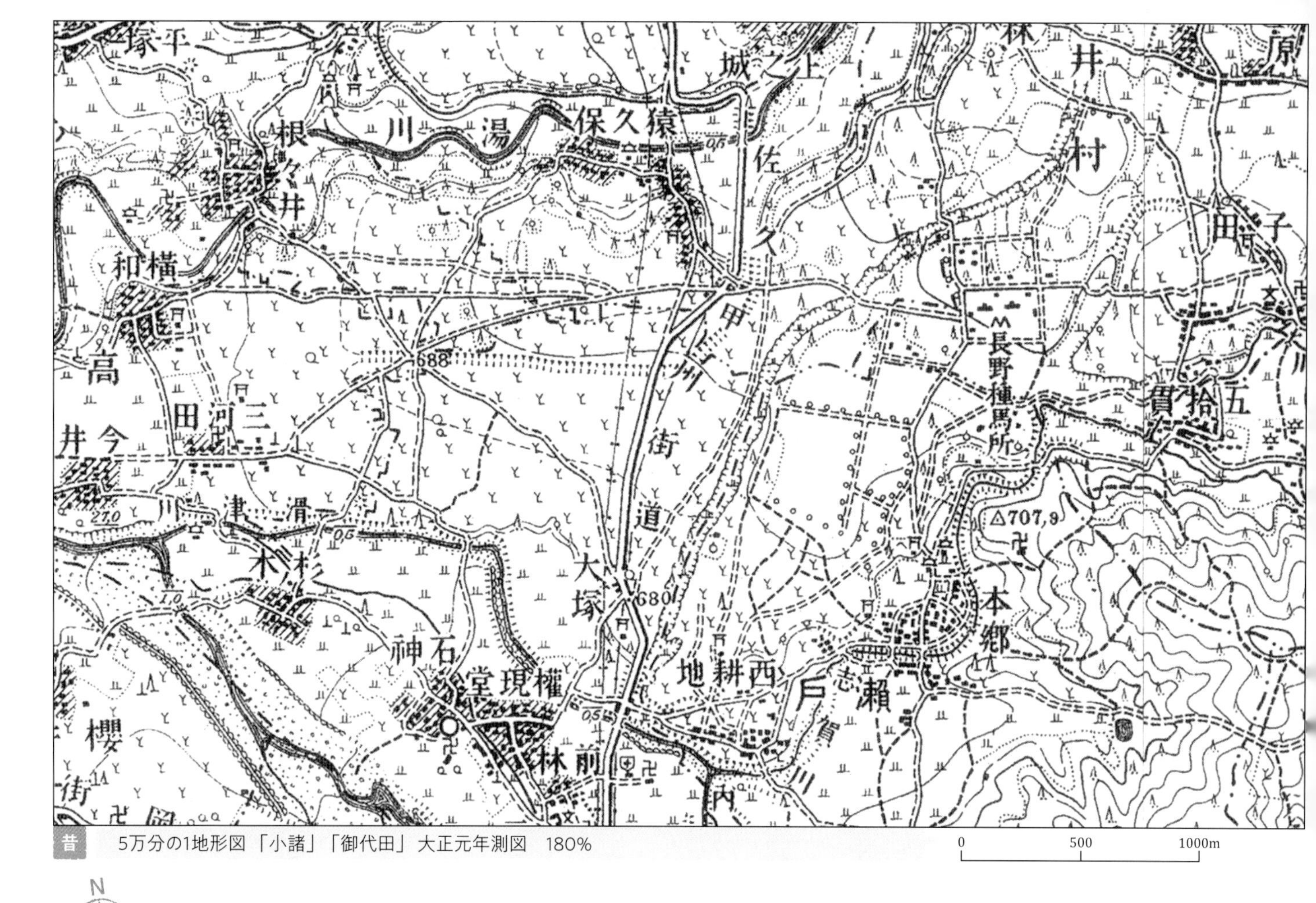

昔　5万分の1地形図「小諸」「御代田」大正元年測図　180%

0　500　1000m

N

27

三河田工業団地

〈佐久市〉

変化しながら地域をリード

長野県各地で造成された数多くの工業団地は明暗が分かれる例も多い。佐久市では新旧2つの工業団地が地域経済をリードする。時代の波を受け企業の入れ替わりがあるものの、跡地利用も進み、工業集積地として効率よく機能している。昭和40年代に造成された市最大の三河田工業団地と、平成6年誕生の佐久リサーチパークの果たす役割を見てみよう。

1 佐久で最大の三河田工業団地

■工業団地の造成と工場誘致　佐久市は昭和 40 年(1965)より、小海線**北中込駅**の西側、**根々井・三河田・猿久保・中込**に三河田工業団地(34.4ha)を造成した。浅間山火山噴出物の軽石層が堆積する湯川沿岸の乏水地で、平坦な桑園だった場所である。ツガミ・樫山工業・TDK・東芝電池・双信電機など 72 社が「佐久市工場誘致条例」(昭和 36 年制定)の適用を受けて次々と移転新設し、佐久地方最大の工業集積地となった。これにより佐久市の工業出荷額は増大、工業への雇用増加は地域を大きく変えた。

■主力企業の動向　三河田工業団地形成の先駆けは昭和 42 年設立の**樫山工業**(新地図[1])だった。海水ポンプ・真空ポンプなど各種ポンプを主力製品とし、同 53 年には初の国産スノーマシンを完成させ、人工雪によるゲレンデスキー場造成の先鞭をつけた。同社は上信越自動車道と直結する佐久スキーガーデンパラダ運営にも関わっている。

2 工場跡地に先進医療の拠点病院

■ツガミ跡地に佐久医療センター　この工業団地の主力の一つ、ツガミ(旧津上製作所)は飛行機部品製造機械の軍需工場として中込原に戦時中の昭和 17 年に設立した。戦後は工作機械の専門メーカーとしての地位を確立し、平成 15 年以降に中国・韓国・インド・シンガポールなど海外に工場を移転。国内製造は縮小し、同 17 年にそれまでの**ツガミ信州工場**を敷地東側に移転すると、約 13ha の広大な跡地が残った。この跡地には佐久総合病院医療センターが新設され、同 26 年に開院。高度専門医療と緊急救命医療に特化した近代的な大病院で、花びら模

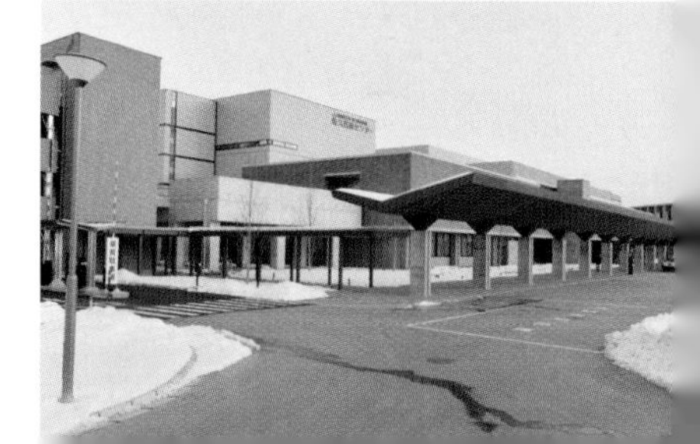

佐久総合病院佐久医療センター

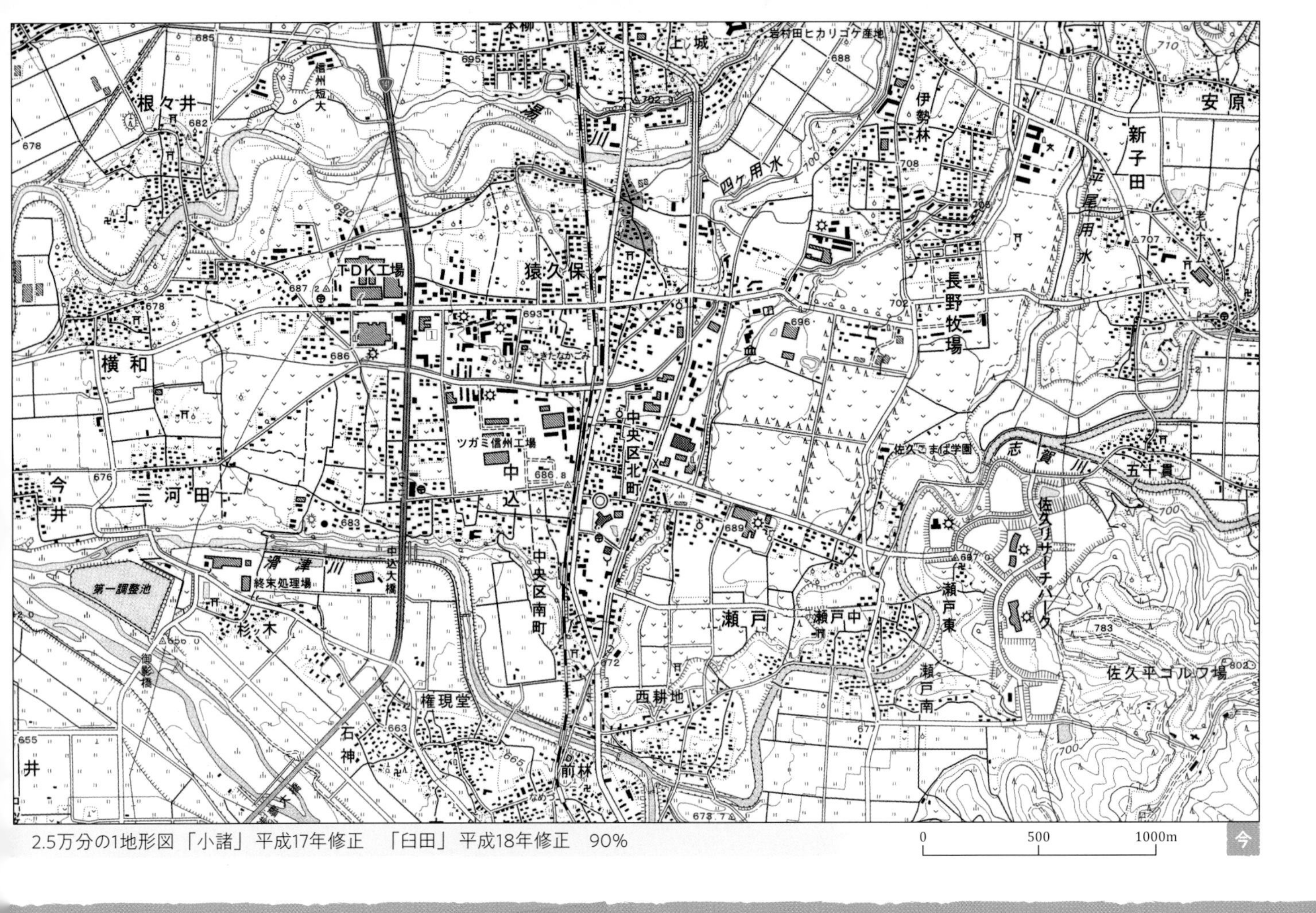

2.5万分の1地形図「小諸」平成17年修正　「臼田」平成18年修正　90%

読図ポイント

[地図記号] 昔 桑畑　田　今 切取部　盛土　独立建物

1 工業団地を見る

佐久市の工業を担う三河田工業団地の広がりを確かめ、どんな場所に拓かれたのか今昔を見比べてみよう。

2 新工業団地を見る

新地図で佐久リサーチパークの立地場所を見てみましょう。前項目の上田塩田平との共通点がわかります。

様に6つの方向に広がる三階建ての病棟・診療棟からなる。病床数450床、医師156人を擁する東信地方の先進医療拠点病院として新たな期待を担っている。

■TDK跡地にシチズン時計　TDKは、佐久の乾燥した風土が磁気テープ（カセットテープ）の生産に最適と判断し、昭和44年三河田工業団地に**千曲川工場**を設立、同60年頃には従業員1,200人を擁する大工場に成長した。カセットテープの需要減少後はCDやDVDなどの製造に移行したが、著しい記憶メディアの技術革新で市場価格も急落。平成18年に千曲川工場を閉鎖。工場は解体され、東京ドーム1.7倍という広大な更地が売りに出された。

TDK跡地の開発

この跡地を御代田町で操業するシチズン時計マニュファクチャリングが買収。同社のミヨタ工場（前身は昭和35年設立の御代田精密）は老朽化が進み、近くに土地を求めていた。TDK跡地にミヨタ佐久工場として平成28年より移転操業し、時計の駆動装置であるムーブメントの製造主力工場となっている。

3 丘陵地に佐久リサーチパーク

■佐久リサーチパーク　三河田工業団地東側にある佐久市**瀬戸**の丘陵地に平成5年（1993）、**佐久リサーチパーク**約44.1haが完成した。通産省が昭和55年に提唱したテクノポリス構想に基づき、長野県が上田地区と合わせて進める「浅間テクノポリス構想」の一環で実現した新たな工業拠点である。リサーチパークに選定された土地は上田と同じく緩傾斜の丘陵地で、かつての桑園や山林が工業団地に造成された。工場の立地には自然環境が生かされ、キノコ生産のトップ企業ホクトが同23年に佐久きのこセンターを設立し、ブナシメジの種菌製造と生産を行っている。高速道佐久ICに近い利点を生かし、関東が市場となっている。ほかにも化粧品製造、菓子の研究製造、半導体研究製造など8社が操業している。（野澤　敬）

佐久リサーチパーク

28
坂城町
〈埴科郡〉

「ものづくりのまち」は世界へ

「ものづくりのまち」として知られる坂城町。町の真ん中を流れる千曲川の両岸には百年前、米麦二毛作と養蚕の穀桑農業地帯が広がっていた。やがて、この地に機械金属、輸送・工作機械の完成品企業が集積し、世界につながる裾野の広い工業の地として認知されるまでになった。その経過を新旧地図から探ってみよう。

1 穀桑農業が広まった坂城盆地

■一大桑園地帯から果樹・花卉へ　旧地図の時代、生業の中心は養蚕であった。幕末から始まった千曲川右岸地域の扇状地や崖錐に広がっていた林野の開発は、大正初期までにほぼ終わり、旧地図に見るように一大桑園地帯を形成した。一方、千曲川両岸の沖積地に広がる水田地帯は、左岸の六ケ郷用水(**網掛**・**上五明**・**上平**・**力石**・**新山**・**上山田**)、右岸の**中之条**用水による米麦の二毛作田であった。今、麦作はほとんど見られないが、六ケ郷用水地域はかつてビール麦(二条麦)の特産地として知られ、養蚕と組み合わせた典型的な穀桑農業地域であった。戦後、右岸の養蚕地帯はリンゴ・ブドウの果樹栽培へ、左岸の二毛作地帯は五明や**力石**(千曲市)の花卉栽培(菊・バラ・トルコギキョウなど)に転換した。新地図では現在、上五明には花卉団地があり、バラ栽培のガラスハウスが建ち並ぶ。千曲川に流入する左岸の中小河川沿いの所々に棚田の水田を見ることができるだろうか。

■洪水対策と交通　百年前、千曲川の堤防は部分的にしかない。人びとは水害の心配の少ない右岸の扇状地扇端部、左岸の自然堤防と山麓の押し出し地形などに集落を営んだ。内務省堤防といわれる連続堤が大正末から昭和前期にかけて両岸に整備されると、左岸の**胡桃沢**と**小網**は堤内地の沖積地へ全戸が移転し、開田も進んだ。

両岸を結ぶ交通は、古くは木橋の鼠橋(後に吊り橋)、坂城と上五明を結ぶ渡船、笄渡(後に木橋)が旧地図にかろうじて見え、現在は5橋を数える。

2 「ものづくりのまち」の今

■スタートは農村不況対策　現在、機械金属工業が卓越する坂城の工業は、昭和15年(1940)の**現アルプスツール**[1]誘致に始まる。昭和恐慌で養蚕農家が苦境に陥った農村の不況対策として誘致した。16年の太平洋戦争開戦以後は、

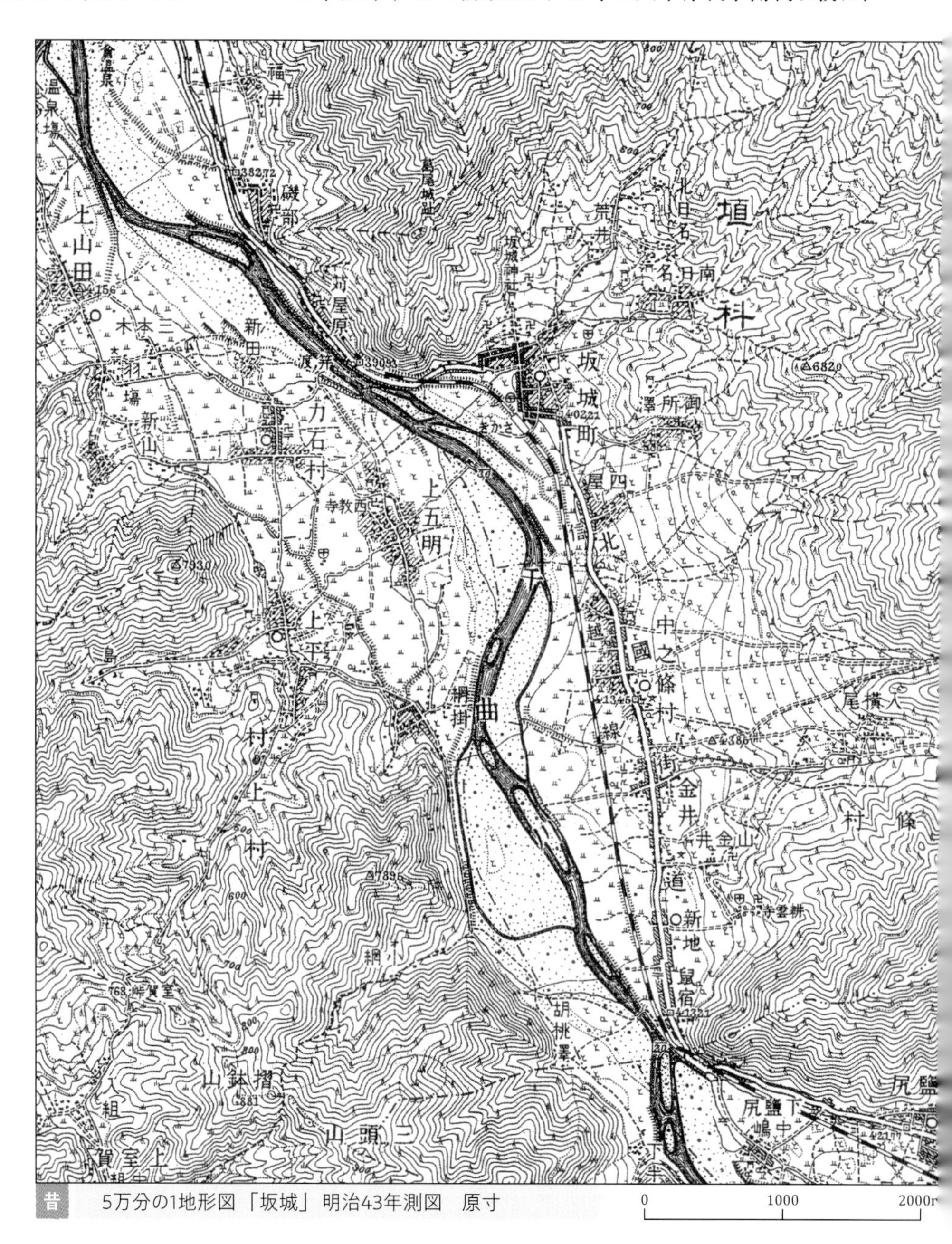

昔　5万分の1地形図「坂城」明治43年測図　原寸
0　1000　2000m

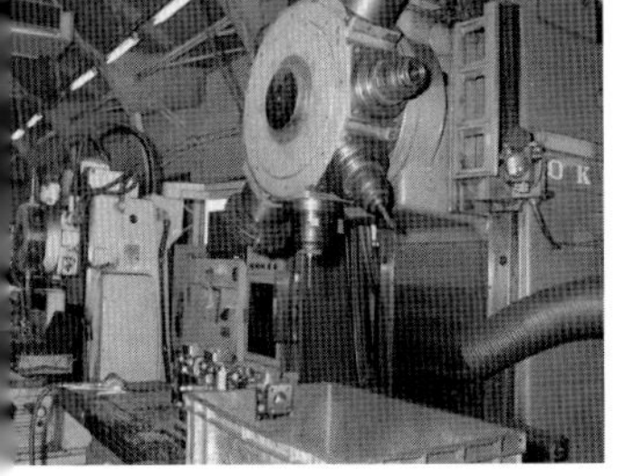
町の工業の核となった疎開工場

町出身者の機械金属工場が縁故疎開で加わり、工業化の基礎が確立した。疎開工場は戦後も坂城に根付き、その工場で働いた地元の技術者の中から、独立して工場を起こそうとする人が出てきた。

[地図記号] 昔 桑畑 田 今 工場 独立建物 温室

読図ポイント

1 千曲川両岸の変化を見る

旧地図で千曲川の東西沿岸の土地利用を見比べましょう。現在はどうでしょう。東部の桑園の変容ぶりがわかります。

2 工場分布を見る

新地図で市街地の工場が住宅や畑と混在しているのはなぜでしょう。「ものづくりのまち」の成り立ちと関係します。

■畑と家と工場のモザイク　新地図を見てみよう。扇状地の市街や住宅地、果樹園の中に工場が混在している様子がわかるだろうか。戦後の高度経済成長期を迎えると、特に自動車産業の発展とともに坂城でも中小企業が次々と生まれた。かつての桑畑は工業地帯へと転換したが、これらはよくみられる企業誘致によるものではない。技術を習得して独立した経営者たちが自宅の畑や納屋を工場に変え、中堅企業として育っていった。住宅地の中に工場が点在するモザイク状の工場立地はそのためである。バブル経済崩壊前の平成3年(1991)の約370社を最高に、今も約240社が操業する。

■坂城に本拠をおき世界へ　東証一部に上場するプラスチック射出成形機の**日精樹脂工業**[2]、輸出に特化したミニパワーショベルの**竹内製作所**[3]の2社は、今や世界のトップメーカーである。2社をはじめ、10社を超える企業が工場や販売現地法人を海外に設立している。タイや中国・インドネシア・アメリカをはじめ10数か国に30社超で、大半の企業は複数国に進出している(「長野県海外進出企業名簿」による)。

昭和60年代から平成にかけて、右岸の**中之条**から**南条**の水田地帯に**テクノさかき工業団地**[4]が造成され、工業支援機関として平成5年(1993)には「さかきテクノセンター」[5]がオープンした。センター前には、しなの鉄道新駅**テクノさかき駅**が平成11年開設され、「ものづくりのまち」継承に向けた取り組みが進められている。

(大橋　幸文)

5万分の1地形図「坂城」平成9年修正　原寸

0　1000　2000m

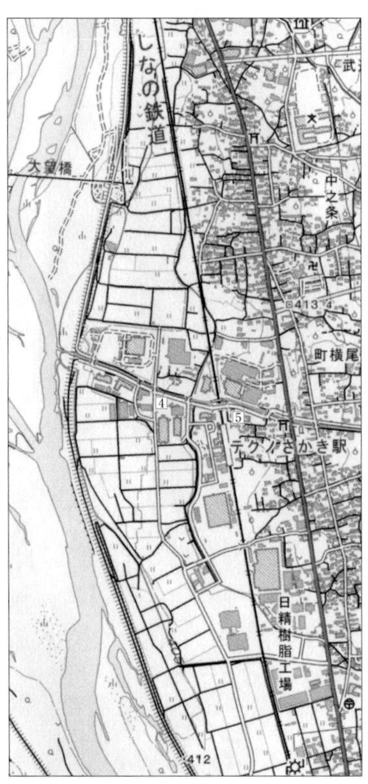

2.5万分の1地形図「坂城」原寸

0　500m

29
豊科
〈安曇野市〉

“工業の安曇野”をけん引

安曇野は古くから自然豊かな地、県下有数の穀倉地帯としてのイメージが強い。一方で戦後からの企業誘致がベースになり、近年は工業発展がめざましい。安曇野市の製造品出荷額は平成22年(2010)には約7,600億円と県下第1位を記録、25年には約4,000億円で県下4位に位置している。豊科地区を軸とした立地環境の整備が進み、核となる企業がけん引する安曇野市の工業を見てみよう。

1 豊科町の工場誘致条例

■工場誘致により多くの工場が進出　旧地図には工場の記号が見られないが、このころ多くの村に小規模で生産量も多くない製糸工場が操業していた。地図上の**拾ヶ堰**(じっかせぎ)の西側、標高570m以上では桑畑が広がっている。この桑で蚕を飼い、収穫した繭を原料にして製糸業が営まれていた。**梓橋**下流の梓川左岸はかつての氾濫原で、利用されずに砂礫(されき)地が広がっている。

図1は昭和30年代後半に豊科町で操業していた工場を示している。これらの工場は戦後の昭和20年代から30年代にかけて、合併前の豊科町が他に先がけて制定した工場誘致条例により進出した工場である。誘致条例の内容は減税や土地の斡旋・分譲、上下水道完備、道路の整備等であった。誘致工場に対して町当局は、輸送や通勤に便利な国道147号沿いの用地を提供したり、梓橋下流の梓川左岸、**飯田たつみ原**[1]に工場用地を造成したりして工場を誘致した。

■豊富な労働力と広い用地を求めて　新地図の[2]は戦前の昭和12年(1937)に誘致した呉羽紡績豊科工場(現東洋紡豊科工場)で、進出条件として20haの広大な用地を提供、原料や製品輸送のために豊科駅からの引き込み線などの環境整備を行った。ちなみに当時進出した工場の多くは会社の都合や工場拡張のために広大な用地を求めて他に移転し、同じ場所で操業しているのは数社となっている。

戦後、進出工場の増加とともに大量の労働力が必要とされた。ちょうど同時期に農業構造改善事業で農業が機械化され、余剰となった労働力がこれに回った。旧豊科町の工場従業員数は昭和35年(1960)の1,800人から、40年には約4,300人と5年間で2倍以上に増加した。昭和60年代に入ると、進出した工場の中には用地不足から他地域に移転する工場が現れた。旧豊科町では平成10～12年にかけて、国道147号高家バイパス沿いに**あづみ野産業団地**[3]を造成した。現在27社が操業している。安曇野市内では、堀金地区の**烏川工業団地**[4]のほか5カ所の産業団地が造成され、あわせて32社が操業している。

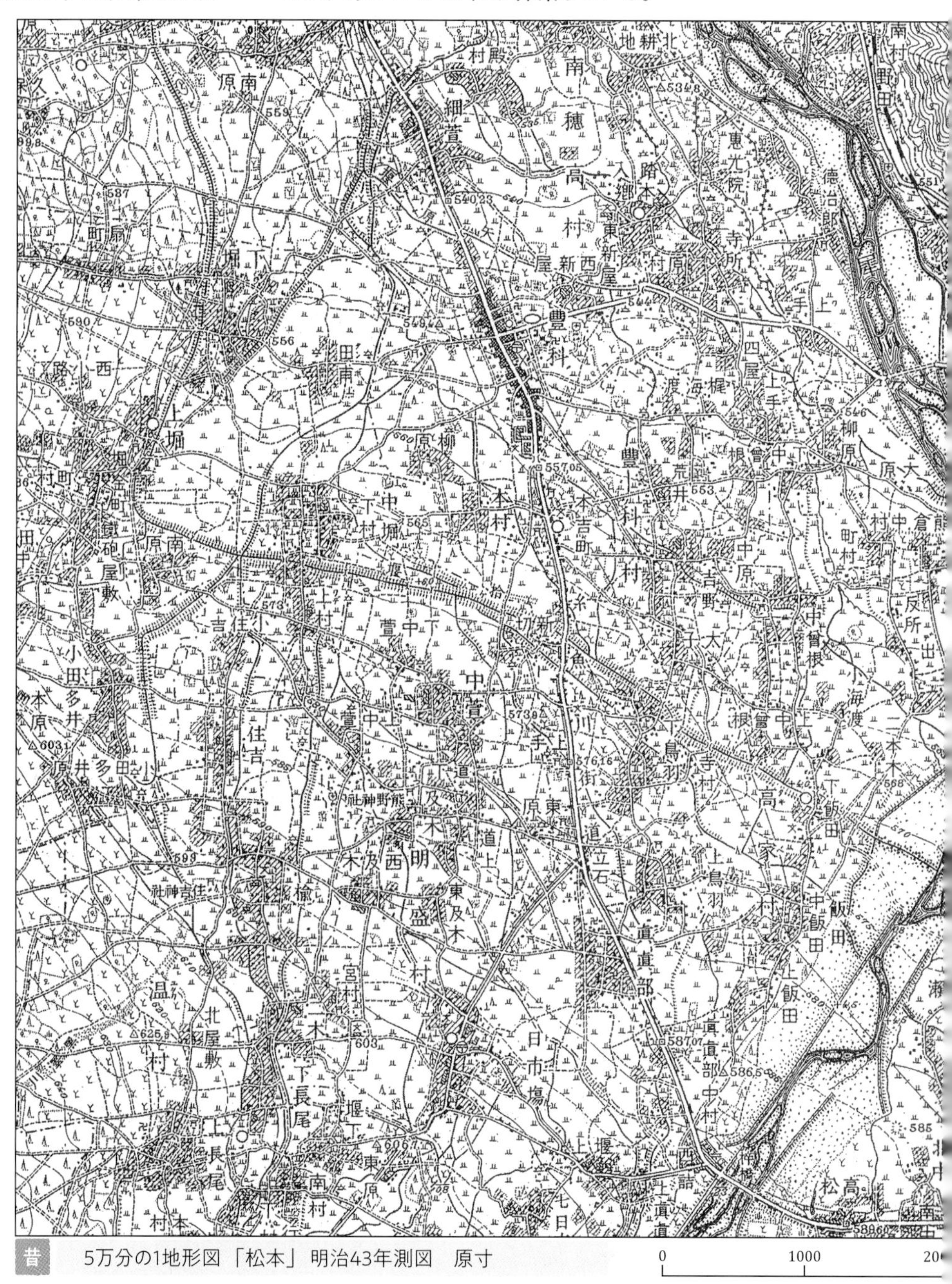

昔　5万分の1地形図「松本」明治43年測図　原寸

■「安曇野から海外へ」、ソニー安曇野工場　進出企業の中には、犬型ロボットの「AIBO」やパソコン「VAIO」など話題製品を製造したソニー安曇野工場、正式名称ソニーEMCS長野テック5もある。豊科町の誘致条例で進出した工場を昭和49年(1974)にソニーが子会社化して操業を始めた。平成9年からパソコンのVAIO生産を開始し、一時は500万台以上を海外に輸出、“安曇野から海外へ”とのキャッチフレーズまで作られた。その後のソニー不振のあおりを受け、平成26年にパソコン部門を切り離した別会社「VAIO」となり操業している。かつてのブランド力復権に向け、新商品の開発や新規分野の開拓に取り組んでいる。

[地図記号]　昔　桑畑　田

読図ポイント

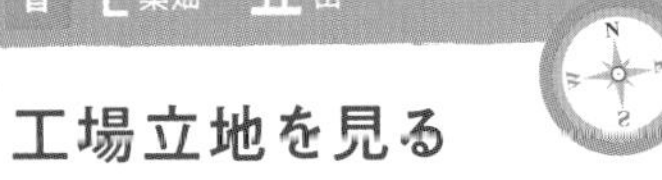

1 工場立地を見る

新地図で工場や工業団地を探し、かつての様子と比べましょう。背景に高度経済成長期の誘致活動があります。

2 道路の整備をみる

工業発展には高速道路整備もありました。高速道や新設道路と企業立地の関係を読み取ってみましょう。

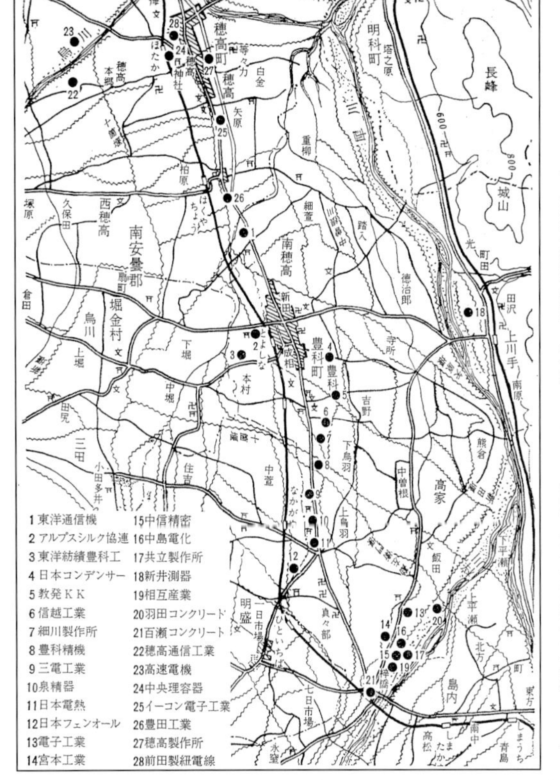

図1：昭和30年代末の企業分布（『南安曇郡誌』「戦後における南安地方の近代工場」より）

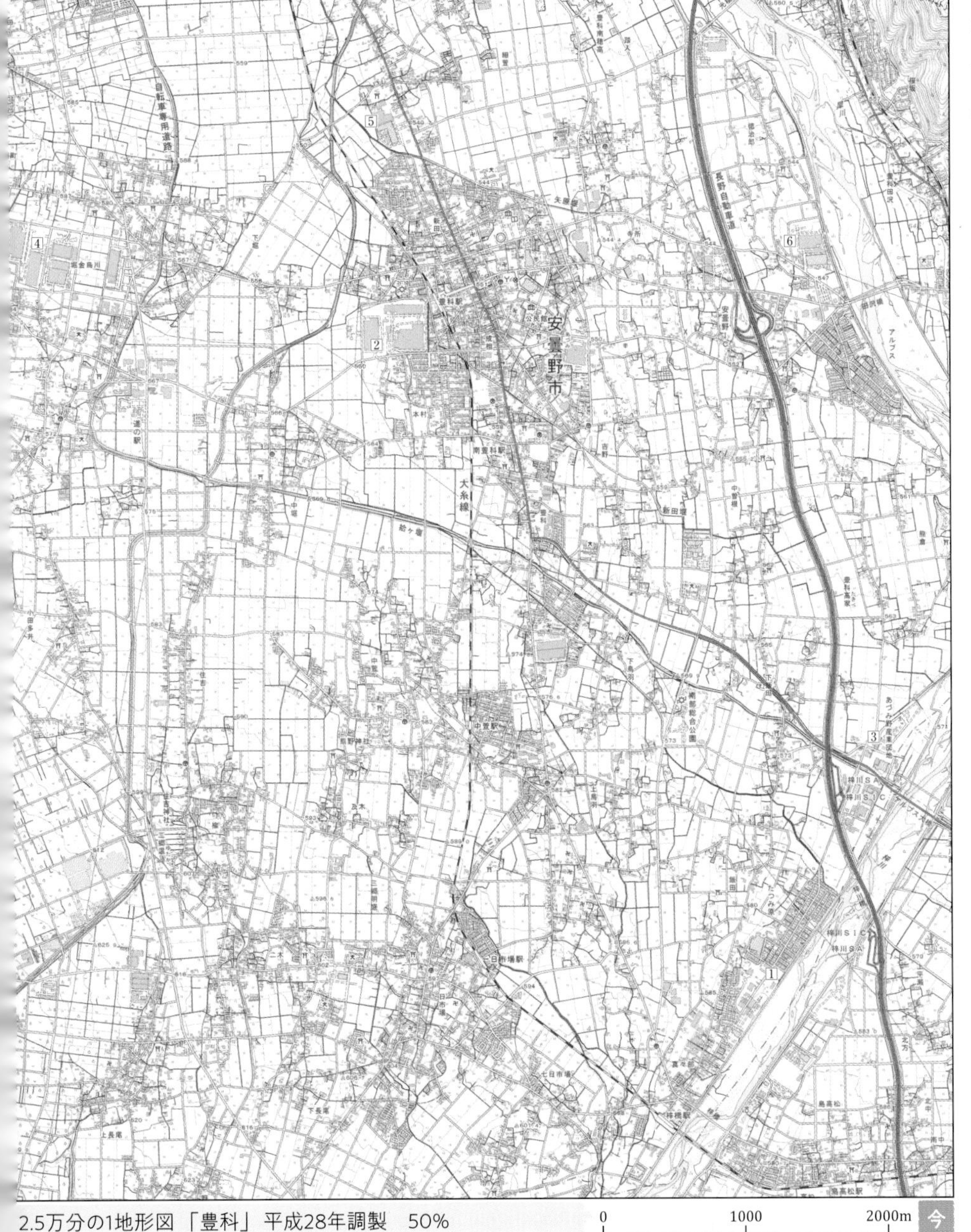

2.5万分の1地形図「豊科」平成28年調製　50%　0　1000　2000m　今

2 道路網と豊かな地下水

■高速道路IC近くに立地する企業　昭和63(1988)年に長野自動車道の**豊科**(現**安曇野**)**IC**、平成22年(2010)には梓川スマートICが開通したのをはじめ、安曇野主要部を南北に結ぶ国道147号や広域農道からICへの接続道路も整備され、これらも工業化の進展を後押しした。進出した企業にセイコーエプソン豊科事業所6がある。エプソンは「短時間で東京と結ぶ」ことを事業戦略とし、豊科事業所も安曇野IC近くに立地している。

■豊かな地下水　恵まれた水資源も利点となった。セイコーエプソン豊科事業所では操業当初、液晶パネルの生産で大量の水を利用したからである。ただ近年は地下水の利用をめぐっては、製造過程での使用にとどまらず、飲料水として製品化する工場も進出。大量の地下水が使われるようになり、水資源利用の今後の在り方にも関心が集まっている。（内川　淳）

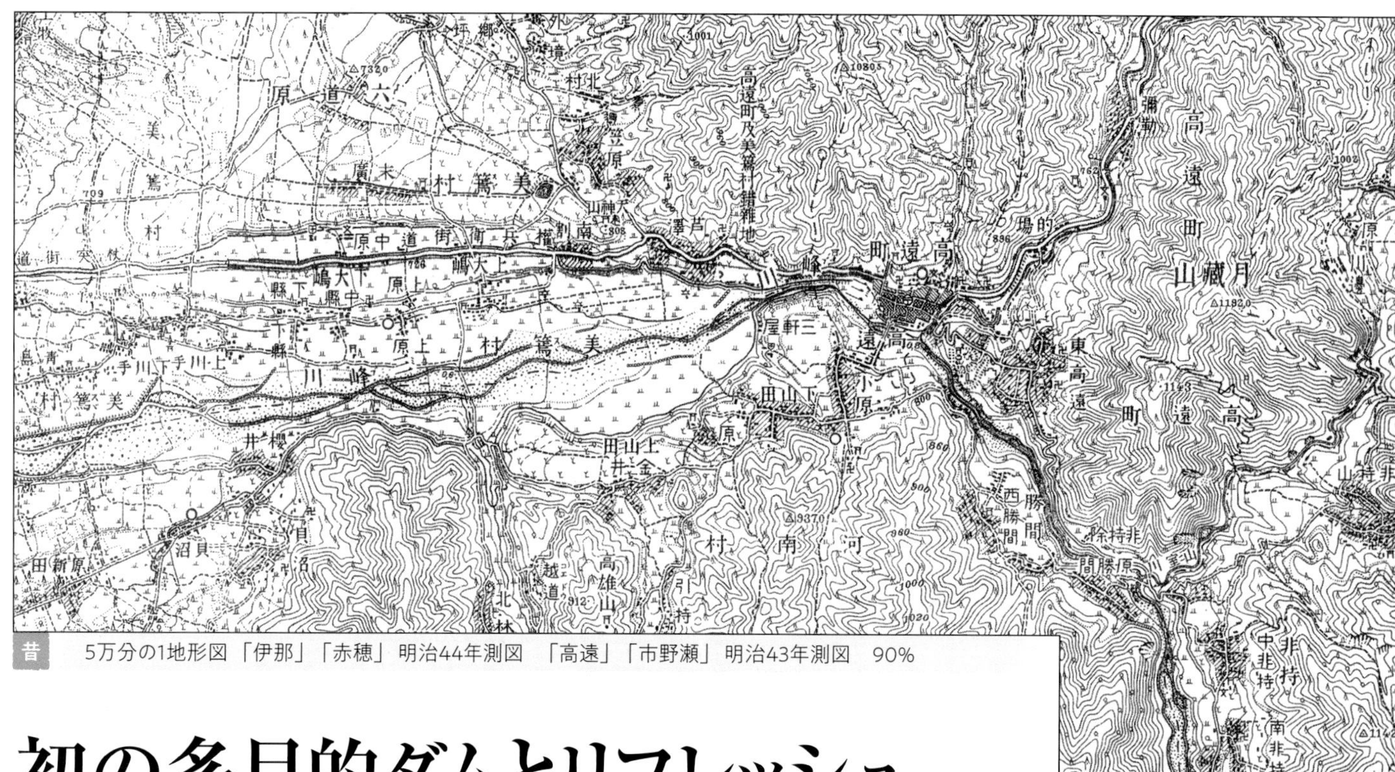

昔　5万分の1地形図「伊那」「赤穂」明治44年測図　「高遠」「市野瀬」明治43年測図　90%

0　1000　2000m

初の多目的ダムとリフレッシュ

30 三峰川流域 〈伊那市東部〉

伊那市を東西に分けるのが天竜川、その東部の盆地を南北に分けるのが三峰川だ。南アルプス仙丈ヶ岳に源を発し、旧長谷村・高遠町の山間部を経て盆地へと下る急流である。大雨のたびに洪水を起こし、沿岸住民を悩ませてきた。それを変えたのが美和ダムや高遠ダム、すなわち治水・利水・発電をセットにした日本初の総合開発事業であった。この事業の効果とその後の流域の変化を見てみよう。

1 ダムで治水・利水の進化

■霞堤による治水　江戸時代ころ、**三峰川**下流域の治水方法として「霞堤」が造られた。旧地図からは4ヵ所残されているのがわかる。新地図でもその跡を2ヵ所確認できる。「霞堤」は堤防の一部に開口部を設け、下流側の堤防を斜め上流の水田や集落のある方へ延長し、一定の長さにわたり上流の堤防と並行させる形状である。洪水の一部を逆流するように遊水地へ導き、堤防の決壊を防いで洪水を調節する効果があった。

霞堤（赤矢印）

■ダムによる治水から灌漑、発電へ　常襲的な水害への抜本対策とした国直轄の三峰川総合開発事業により、昭和33年（1958）に灌漑・発電を目的とする高遠ダム（**高遠湖**）、翌年に治水機能を加えた日本初の特定多目的ダムの**美和ダム**（美和湖）が完成した。これにより三峰川沿いの治水は飛躍的に向上し、灌漑用水の安定的な供給も可能になった。発電は美和ダムの美和発電所と、高遠ダムから地下水路で通じた春近発電所の県営2施設合わせて最大出力3.5万kwの電力を供給している。

2 六道原の開発と湖に沈んだ村

■六道原の水田開発　ダムの灌漑で耕地面積は約1,200haから2,512haへと倍増した。三峰川右岸の**六道原**では、高

天竜川の東岸地域

5万分の1地形図「赤穂」平成元年修正「高遠」平成9年修正「市野瀬」平成3年修正「伊那」平成14年修正 90% 今

注：図中「高遠町」は平成18年から伊那市

[地図記号] 昔 田 桑畑 今 発電所 送電線

読図ポイント

1 三峰川の地形を見る

急な山間から低地へと流れ、水害を起こしやすい三峰川の流路がわかります。古い時代の堤防の形態にも注目を。

2 美和湖の役割を見る

美和ダムの建造前後を新旧地図で見比べましょう。水没した集落がわかります。美和湖は今、土砂の堆積が課題です。

ダム建設前の流域（提供：天竜川ダム統合管理事務所）

遠ダムから河岸の絶壁部を**水路橋**で引かれた灌漑用水が約1,140haの農地を潤すに至った。新旧地図を見比べよう。六道原のかつての桑園・畑・原野・平地林は水田化され住宅団地も形成されている。ダムから取水された灌漑水路(----)は他地域へも伸び、流域に恩恵をもたらしている。

■水没地域と集落の消滅　ダム建設の際、旧長谷村美和地区では全村の水田約150haのうち半分の67.7ha、畑地は34.5haが水没し、住民の暮らしに深刻な影響を及ぼした。農家は**黒河内**(くろこうち)46戸、**溝口**45戸、**非持**(ひじ)14戸の計105戸が水没し、伊那市のほか松本市や長野市、県外にまで移住を余儀なくされ、水没地の**平**(たいら)集落は集落丸ごと消滅した。大規模開発は住民の財産の犠牲の上に成り立っていることも忘れてはならない。

3 初のダムリフレッシュ事業

■流入土砂の増加　治水とともに地域開発でも効果を発揮したダムではあるが、すべて順調とはいかない面もあった。三峰川上流は、もろい地質構造と急峻な地形のために流入土砂量が多い。その上、度重なる洪水で美和湖には想定以上の大量の土砂が流入し、建設10年足らずで深刻な堆砂をもたらした。昭和41年(1966)から砂利採取により応急的な対応がとられてきたが、大量の土砂には対応できず抜本的な堆砂対策が求められた。

■土砂を減らす事業　そこで平成12年(2000)に着手したのが日本の多目的ダムとしては初のダムリフレッシュ事業である。ダム湖南端に貯砂ダムを設けて粗い土砂をせき止め、細粒な土砂は分派堰から全長4,308 mのバイパストンネルに誘導してダム直下の下流に吐き出すという大がかりなものであった。平成17年にバイパストンネル(----)・分派堰1が完成し、平成29年までに16回の試験運用を行い、堆砂を抑制している。また、ダム湖内の細かい土砂をすくって貯めておくストックヤードの建設が進んでいる。　（藤沢　誠）

上　水没する水田（旧長谷村刊行「藍深き湖に映え」より）
三峰川をまたぐ水路橋、分派堰

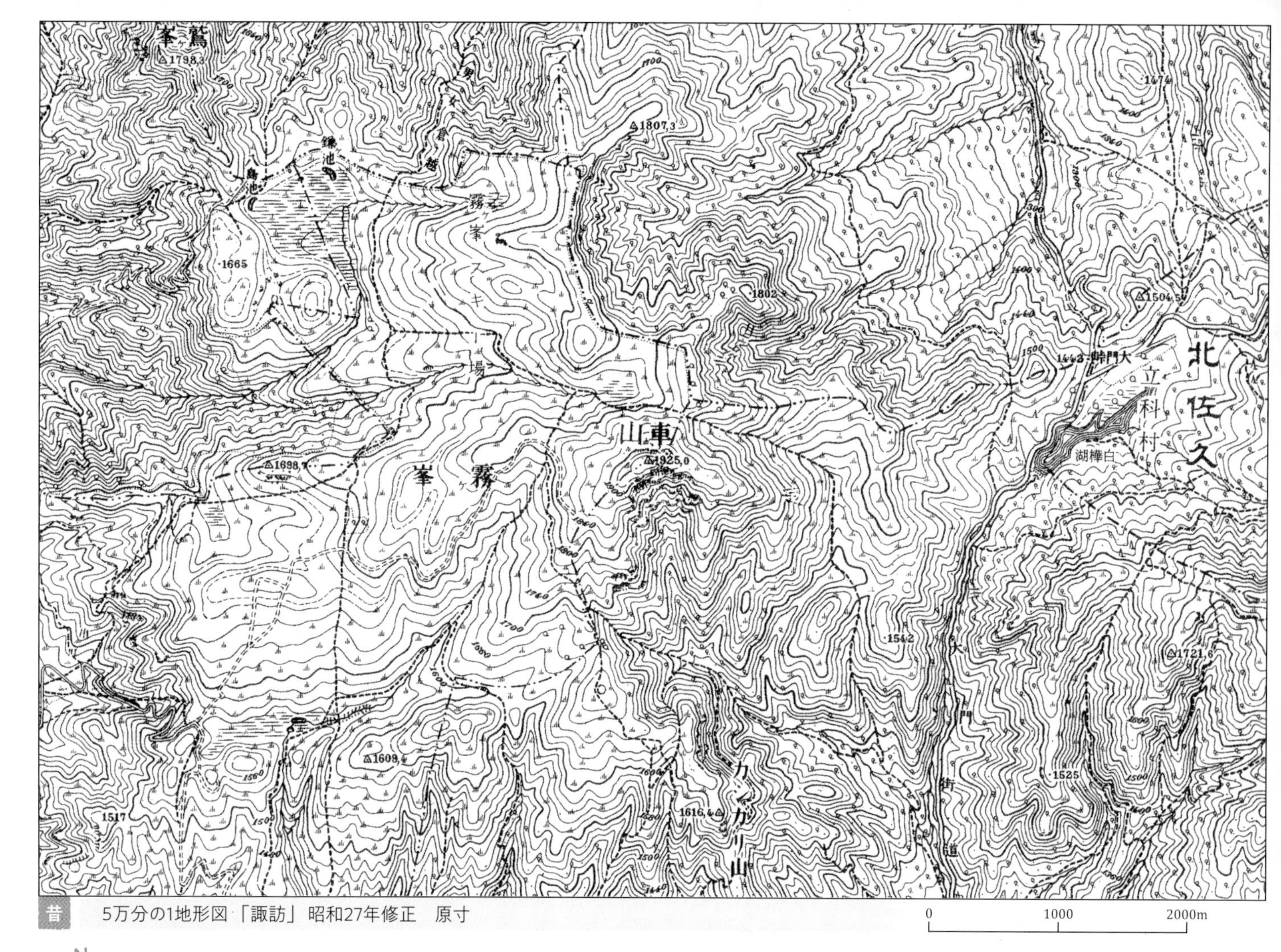

昔　5万分の1地形図「諏訪」昭和27年修正　原寸

0　1000　2000m

31
霧ヶ峰
〈茅野市・諏訪市
諏訪郡下諏訪町〉

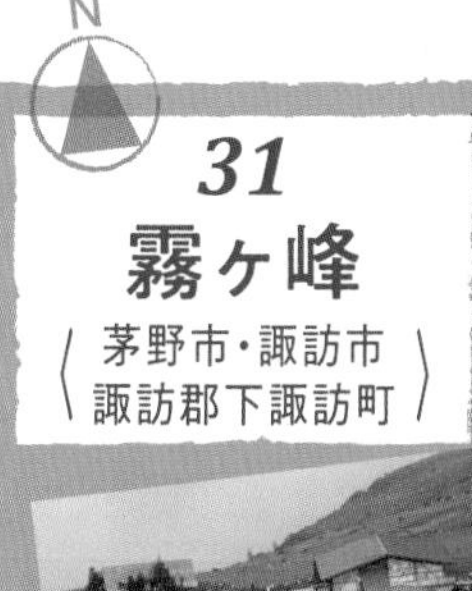

開発と保護　ビーナスラインの今

霧ヶ峰高原に広がる草原を縫うように走る一筋の道「ビーナスライン」。高度経済成長期における長野県の高原観光開発を象徴する道路である。豊かな自然を舞台に巨大観光地化への期待と自然保護運動とがぶつかり合って全国的な論議を呼び、注目を集めた観光道路の開通半世紀をみる。

自然と文化を育む霧ヶ峰高原

■なだらかな山稜と草原の霧ヶ峰　開発前の霧ヶ峰一帯はどのような姿だったのだろう。**霧ケ峰**は約160万年前の火山活動によりフォッサマグナ（大地溝帯）に生じたアスピーテ型火山で、その特徴として山容はなだらかな高原である。高原には**八島ケ原湿原**、**池のくるみ**、**車山**湿原などがある。八島ケ原湿原には本州では珍しい、植物が泥炭化してドーム状に盛り上がる高層湿原が見られる。

ビーナスライン霧ヶ峰線

旧御射山神社

■霧ケ峰の遺跡と文化　火山活動で生じた黒曜石は霧ケ峰高原一帯で産出し、旧石器時代から縄文時代のおよそ3万年の間、この地で加工されて日本列島全土に広まった。現在、この地の黒曜石は日本遺産に認定されている。鎌倉時代には諏訪神社の神事が行われ、各地から武士が集まった**旧御射山**（もとみさやま）**遺跡**（諏訪神社境内）もここにある。また、高原一帯の約3,000haの草原は、牛馬の放牧や家畜の飼育、採草地として、諏訪地方の12の牧野組合が所有していた。

自然保護運動に揺れて

■ビーナスラインの建設　昭和35年（1960）、長野県は観光立県をめざし、この高原開発に着手した。翌36年設立の県企業局が観光道路（ビーナスライン＝全長75.3㎞）を建設

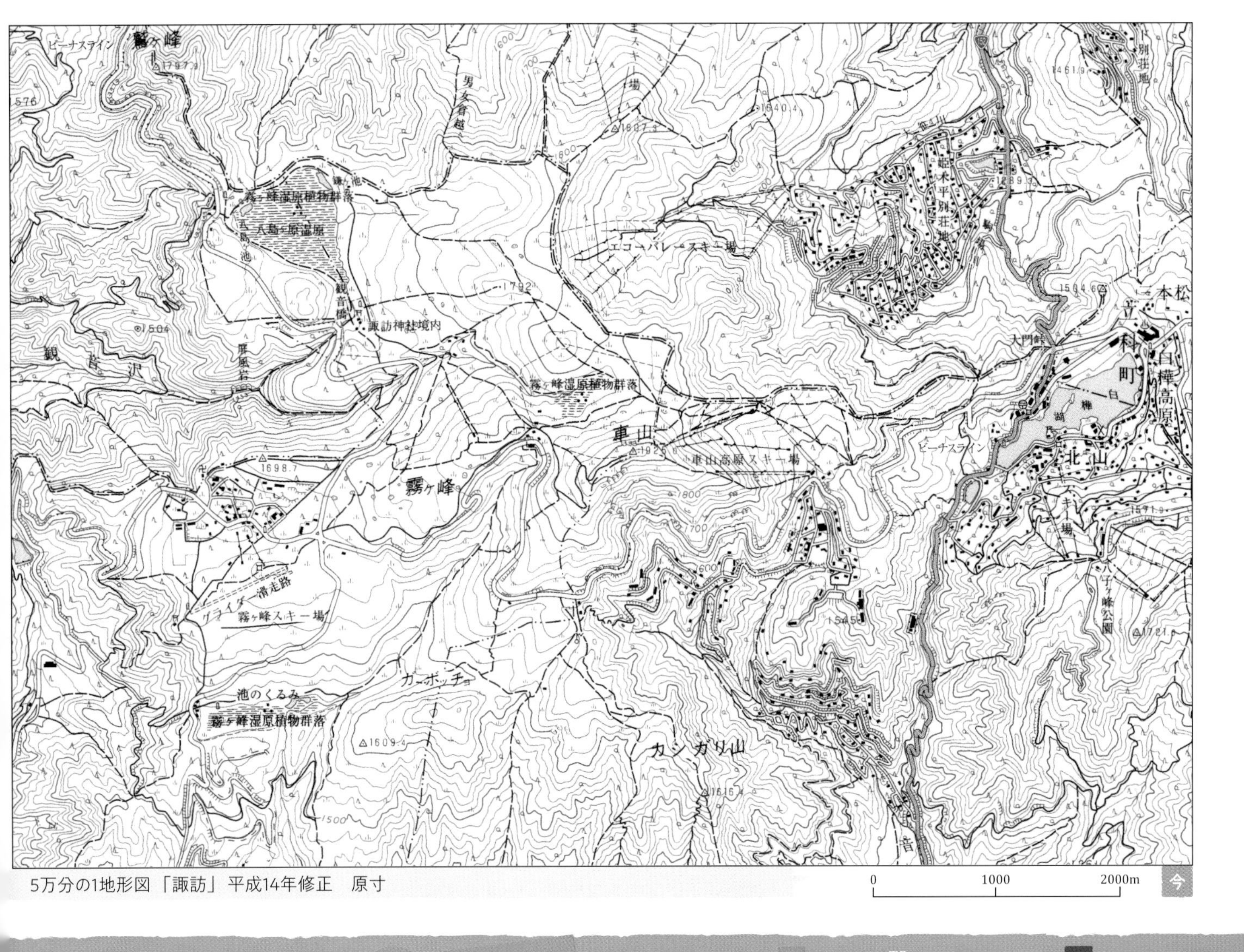

5万分の1地形図「諏訪」平成14年修正　原寸

0　1000　2000m　今

読図ポイント

[地図記号]　昔　荒地　湿地　広葉樹林　今　リフト

1 いにしえの高原を見る

旧地図でかつての霧ヶ峰の様子を見てみましょう。草原の中に車山や八島ケ原湿原が点在する静かな様子が伺えます。

2 開発ルートを見る

自然保護運動も受けて決定したルートをたどり、湿原や遺跡との関係を見ましょう。周辺の観光開発も広がりました。

し、それを受けて民間企業が観光開発を進めた。ビーナスライン建設は蓼科線(茅野市街―白樺湖=工期昭和36～38年)、霧ケ峰線(白樺湖―強清水=同41～43年)、八島線(強清水―和田峠=同41～45年)、美ヶ原Ⅰ(和田峠―扉峠=同45～50年)、美ヶ原Ⅱ(扉峠―美ヶ原=同52～55年)の5期に分け、建設費127億円を投じる大事業であった。

■自然保護運動の高まり　霧ケ峰線建設では、予定地にある湿原の貴重な植物群落を破壊するとの声が高まり、ルート変更された。八島線でも、旧御射山遺跡や八島ヶ原高層湿原近くを通るルートに対して地元から起こった自然保護運動が全国的な高まりを見せ、現ルートへと変更。美ヶ原線建設では開発自体の是非を問う運動に発展したが、大幅なルート変更を経て美ヶ原台上まで建設された。

3 殺到した車―進む観光開発

■高原観光道路　ビーナスラインは開通直後からドライブの名所として自動車が押しよせた。蓼科線の開通後、高原では民間による巨大な別荘地開発が進められた(28頁参照)。霧ケ峰高原はそれまでも年間100万人が訪れる観光地となっていたが、開通後は200万～250万人と倍増した。平成14年、県はビーナスライン通行料を無料化。15年には350万人を超える観光客が訪れ、車で大渋滞となった。30年には230万人が訪れている。

無料化初シーズンの渋滞

八島ケ原高層湿原

■観光開発　新地図からは開通後に観光地化が進んだ様子が読み取れる。ビーナスライン沿線には、**白樺湖**周辺や**車山**、霧ケ峰、長和町側に多くの**スキー場**が出来てリフトが完備した。また、白樺湖やカシガリ山の周辺、**姫木平**には別荘やペンションが、車山と霧ケ峰高原にはホテル・ペンションが進出している。　(佐々木　清司)

32
松代
〈長野市〉

真田の城下町 復活にかける

真田十万石の城下町として全国区の知名度を持つ松代町。江戸時代からのたたずまいがほとんど変化せずに続いているという稀な地域である。城下町遺産をはじめ温泉や自然・戦争遺構など、狭いながらも多様な顔をもち、多くの観光客を引きつける町の秘密を地形図から探ってみよう。

城下町の骨格がそのまま残る

二枚の地図から気づくことは何だろう。中心街の道筋にほとんど変化がないことではないだろうか。明治19年(1886)、鉄道の信越線ルートが松代を経由しない屋代—篠ノ井コースに決定。千曲川の洪水被害を避けるためだったが、近代の開発からは取り残された。それが幸いと言うべきか、度重なる大火に遭ったものの、城趾から南と東に広がる城下町特有の景観はほぼそのまま残ることになった。中心部を通る上代からの幹線道路、谷街道を見てみよう。敵の侵入を防ぐために道を曲げた枡(ます)形がある。新図にも**新馬喰(ばくろう)町・同心町・馬場町・文武(ぶんぶ)学校・新御殿跡・藩主真田家墓所**など、城下町特有の地名や建物が現存する。寺院が多いのも特徴である。新御殿真田邸は藩主の母の隠居所。藩校だった文武学校は現在も剣道場として使われている。代官町など至る所に古い街並みや武家屋敷が見られる。**松代城**は戦国時代、武田信玄が上杉謙信に対抗して築造。江戸期の元和8年(1622)、真田信之が上田から移封されて以来、明治維新まで十代にわたり真田氏が治めた。三方に山、もう一方を**千曲川**に囲まれ、千曲川旧流路や南方からの**神田川**を堀として巧みに利用している。武家屋敷の庭池に引き込んだ堰水(泉水路)も堀に導かれている。当時の貴重な資料は真田宝物館に保存展示されている。

城下町の面影が残る街並み

歴史遺産でまちおこし

■城下町復活へ 平成11年(1999)、上信越自動車道が全線開通し**長野IC**が開設された。これに合わせ、長野市では文化財を核とした町おこしの気運が高まり、同16年に松代城太鼓門が復元された。市街地の幹線道路拡張工事で大型バスの乗り入れが可能となり、全国からの観光客でにぎわうようになった。現在、「信州松代まるごと博物館構想」や「エコール・ド・まつしろ運動」といった市民活動が活発である。『松代まち歩きセンター』がその拠点となり、多彩なイベントや体験学習・資料出版などが展開され、町全体が異次元空間の趣をなしている。平成28年の大河ドラマ『真田丸』の放映で観光客も増えた。河東線として大正11年(1922)屋代(千曲市)—須坂間の24.4㎞が開通した屋代線は、平成24年(2012)に廃止となった。昭和56年(1981)に国史跡指定となった松代城一帯は、平成7年(1995)より整備工事が開始され、櫓門・木橋・石垣・堀・土塁などが復元された。現在は二の丸土塁・馬出し・外堀などの発掘が行われている。

■温泉と大本営地下壕遺跡 昭和40～47年(1965～1972)頃にかけ、有感地震6万回を超える松代群発地震が起こった。随所で温泉が湧出し、今や長野市きっての温泉地となった。**尼厳山(あまかざりやま)**西麓の**国民宿舎**(松代荘)の温泉は含鉄ナトリウム・カルシウム・塩化物泉を泉質とし、成分は全国屈指の濃厚さで人気を呼んでいる。

市街地のすぐ背後に控える**皆神山(みなかみ)**は、30万年前にできた安山岩の溶岩ドームである。第二次世界大戦末期の本土決戦に備える地下壕にと計画され、山名の縁起の良さから当初は皇居・大本営となるはずだった。しかし、岩盤のもろさから食糧倉庫とされ、皇居・大本営計画は**舞鶴山**に変更された。**象山(ぞうざん)**には政府機関・日本放送協会・中央電話局が構想された。これら地下壕は総延長10㎞にものぼる。突貫工事には学生や朝鮮半島の人々も動員された。現在、象山地下壕の一部が整備され、ガイド付きの内部見学もできる。ひずみ地震計等で知られる舞鶴山の**地震観測所**は大本営予定地を利用した施設で、平成28年(2016)4月に無人化され、常時見学はできなくなった。

松代大本営象山地下壕

■かつての製糸関連施設 明治初期、殖産興業として進められた製糸はここでも盛んで、いくつかの**製糸工場**(旧地図の☼)が操業した。六工(ろっこう)社・六文銭・松城館・窪田館・白鳥館などである。官営富岡製糸場で研修し技術を身につけた士族の娘、横田(和田)英らが工女を指導した。工場跡地は松代病院の駐車場や農協・市松代支所・公園となっている。旧図の桑園は、千曲川氾濫原では砂地を利用した特産物の長芋や野菜畑に転換。尼厳山麓などでは杏の果樹園等と変わり、春の花見スポットにもなっている。 （北原　譲二）

昔　5万分の1地形図「長野」大正元年測図　160%

0　500　1000m

今　2.5万分の1地形図「信濃松代」平成13年修正　80%

0　500　1000m

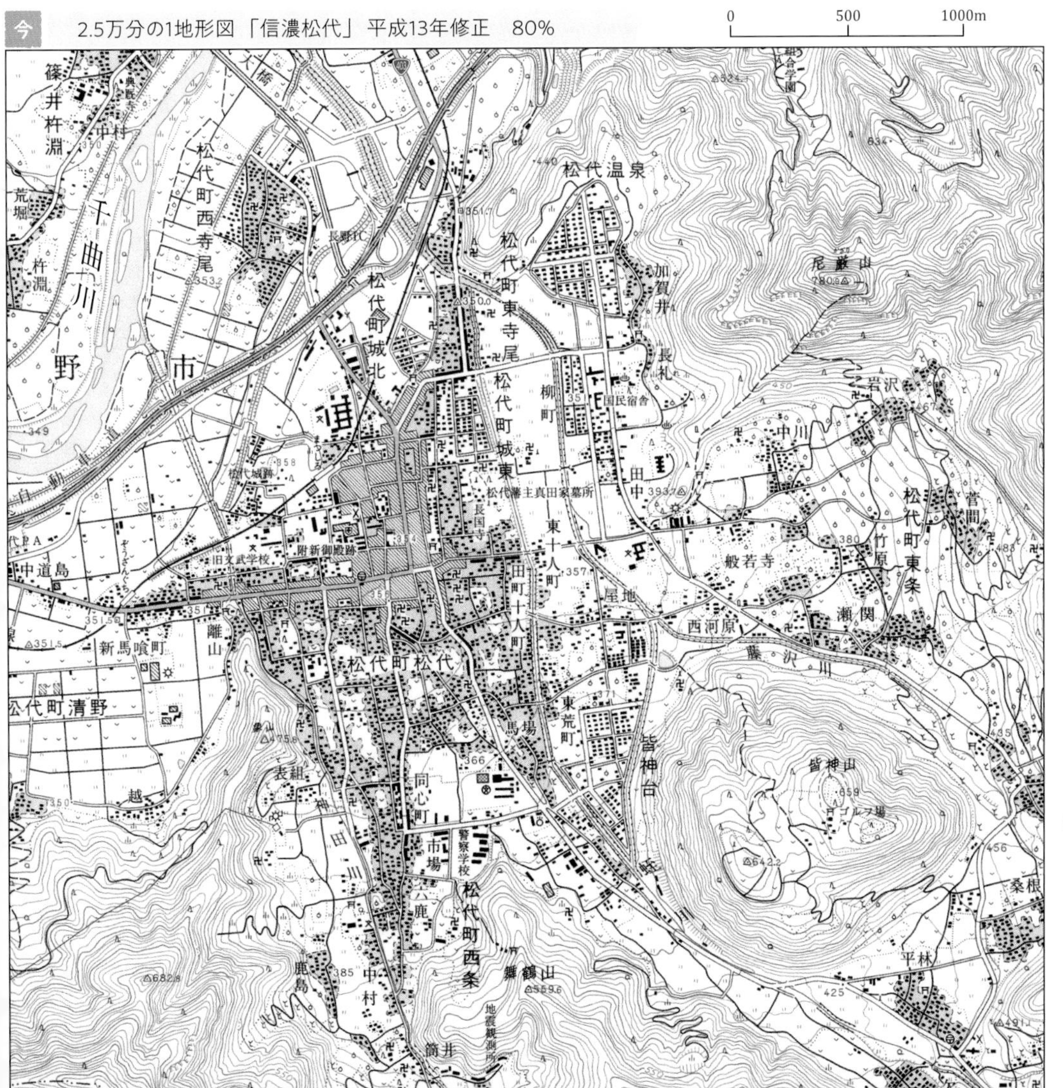

[地図記号]　昔　工場　城跡　桑畑

今　畑　果樹園　温泉

読図ポイント

1 城下町の骨格を見る

道路など、市街地の骨格に変化はありますか。直角の枡形道路など、真田十万石城下町の面影を今なおお残しています。

2 新たな魅力を探る

城下町に加わった新しい要素を探してみましょう。温泉や歴史遺産、高速道など、にぎわい復活への期待があります。

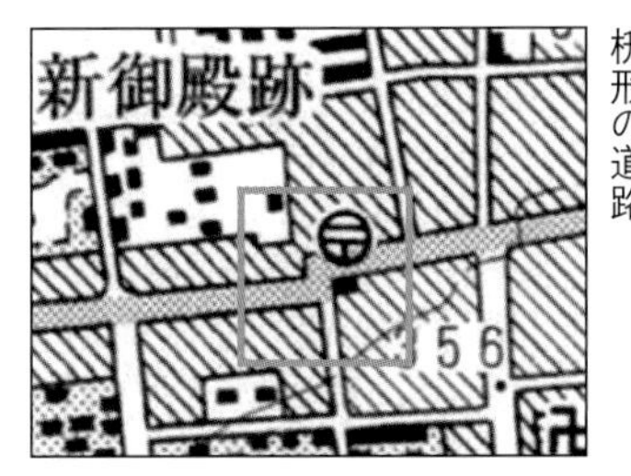

枡形の道路

上：復元された松代城の太鼓門
中：文武学校の板張りの剣術所
下左：的を目がけて扇を投げる「投扇興」
下右：温泉（松代荘）

33
穂高
〈安曇野市〉

悲願の温泉引湯でリゾート化

北アルプスの山懐、森の中に新しく生まれた観光リゾート地が、安曇野市穂高の山麓部一帯だ。燕(つばくろ)岳山麓の中房渓谷からの引湯で誕生した穂高温泉郷、全国16番目の国営公園アルプスあづみの公園（堀金・穂高地区）が加わり、新たな観光地へと着実に姿を変えてきた里山地帯の歩みを振り返ってみよう。

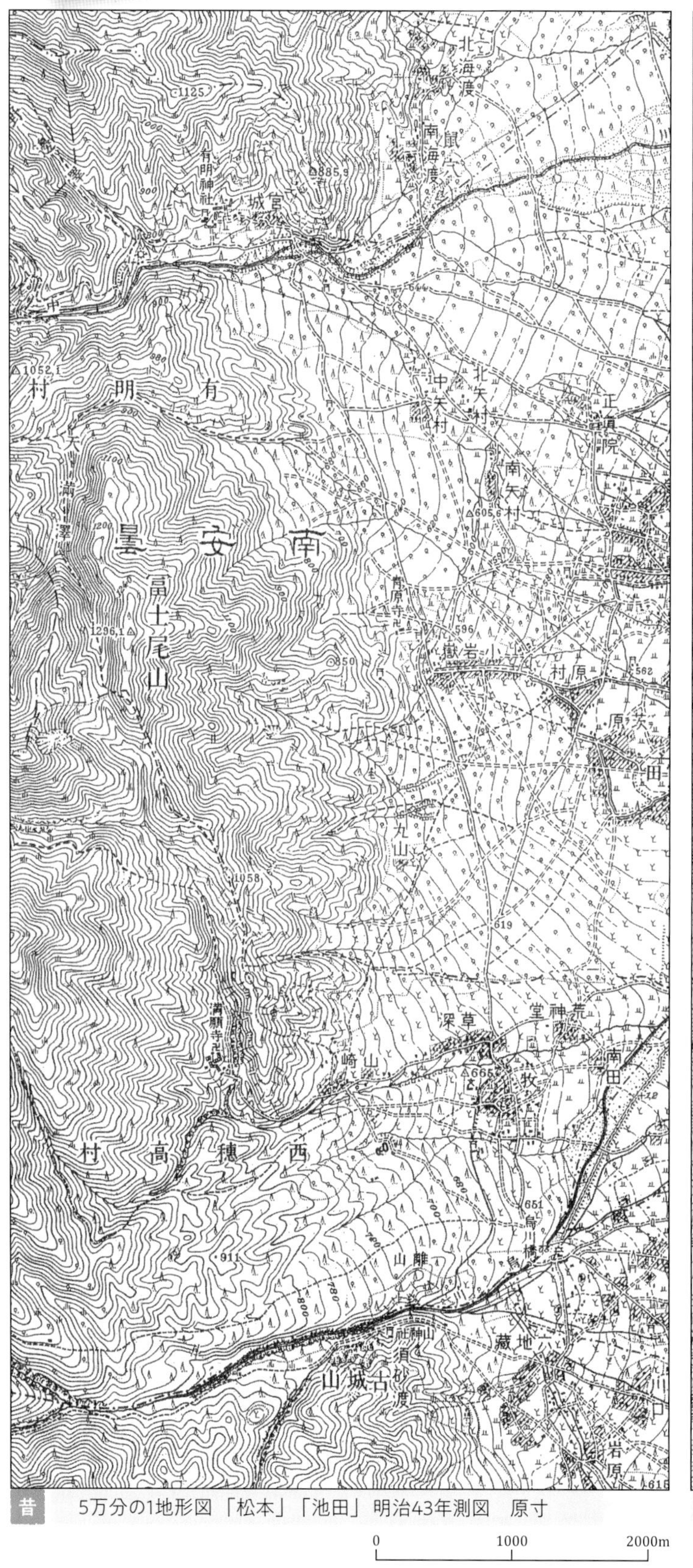

昔　5万分の1地形図「松本」「池田」明治43年測図　原寸

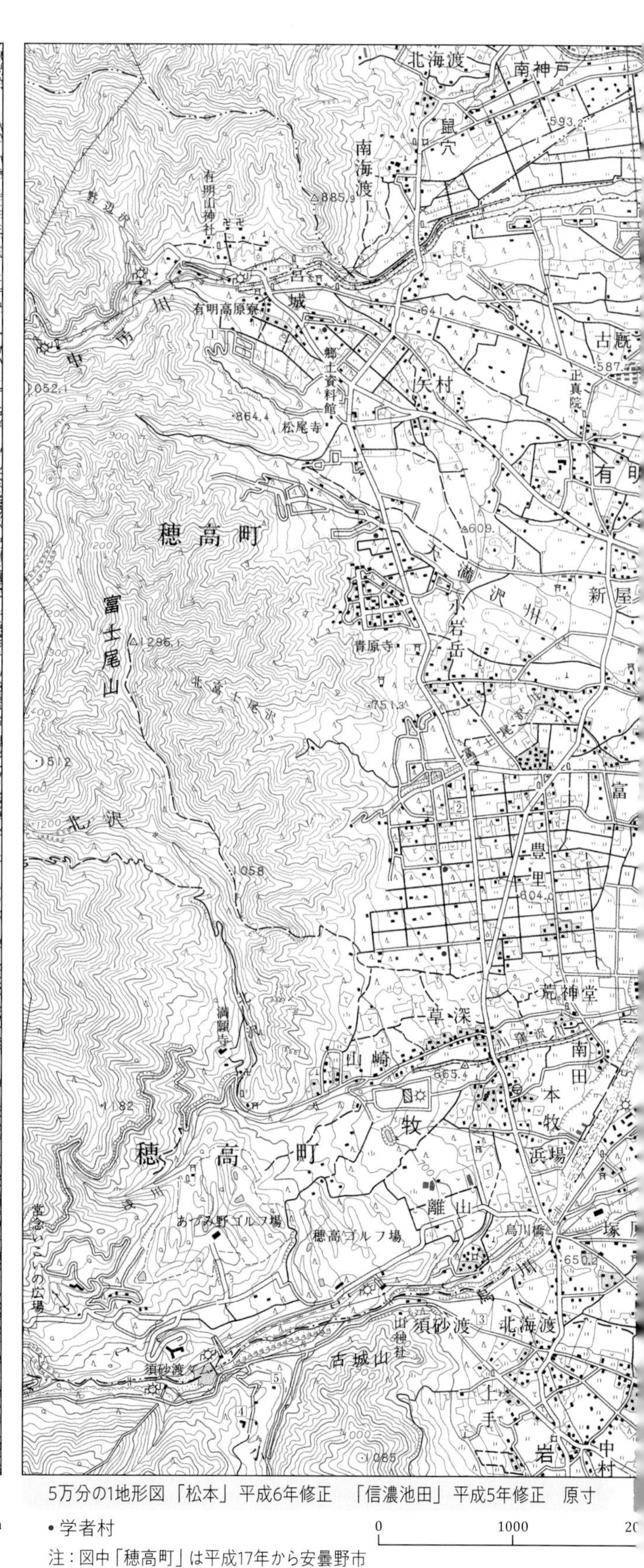

5万分の1地形図「松本」平成6年修正　「信濃池田」平成5年修正　原寸

•学者村

注：図中「穂高町」は平成17年から安曇野市

読図ポイント

［地図記号］ 昔 広葉樹林 針葉樹林 桑畑 田

1 引湯の効果を見る

ここは山間からの温泉引湯が実現し、開発が進みました。広葉樹林帯に別荘地や集落ができた様子を確認しましょう。

2 新たな観光拠点を見る

温泉郷に近年、観光拠点も加わりました。烏川沿いの須佐渡や国営あづみの公園の開発ぶりも見てみましょう。

1 中房谷の湯を「誰でも気軽に」

温泉スタンド（昭和55年）

■難航した中房の谷の温泉からの引湯　穂高温泉郷は**矢村**や**小岩嶽**などの集落を含む広大な平地林の中に造られた。中房の源泉からは17km余も離れている。昔から中房の谷の温泉は人気のある湯治場であったが、冬場は積雪が深く休業となった。「だれもが気軽に楽しめる」という地元・**有明村**民の夢の実現に向け、何度か引き湯が試みられた。明治10年（1877）、竹筒での引湯に成功したものの保温に失敗し事業は中止。大正10年（1921）、木管を使ったが加温しないと湯温が保てないなどの理由で立ち消えとなった。

■穂高温泉郷の実現　引湯事業の継続は昭和29年（1954）に有明村が穂高町と合併する際の条件にも含まれた。45年、穂高温泉開発公社（現在の穂高温泉供給株式会社）が設立され、当時最新の強化プラスチックパイプを使用することで、2年後に14億円をかけた引湯事業が完成した。温度は源泉83℃、山麓75℃と高温なアルカリ性単純温泉で、湯量は毎分1700～1800kℓと豊富であった。**中房川**下流に設置した**長峰貯水槽**①から別荘、旅館、保養施設への給湯が開始され、長い間の町民の念願がかなえられた。中核となる町民福祉保養センター「しゃくなげ荘」が昭和48年（1973）に完成。平成28年10月には「**安曇野しゃくなげの湯**」②として新設オープンした。同年時点で、別荘（学者村と泉郷）、個人住宅、福利厚生施設、市営施設、ホテル、旅館、ペンション、ゴルフ場など約1,500軒に温泉が供給されている。宿泊施設も年々整備が進み、昭和63年に34戸となったが、平成28年には25戸に減っている。

引湯が実現し喜ぶ関係者（融雪沢の分湯そう 昭和45年）

別荘開発のために引かれた引湯パイプ（昭和46年）

2 別荘地開発とその後

■山蚕林が別荘地に　旧地図のように、一帯は中房川扇状地と烏川扇状地上にあり、ほとんどが広葉樹に覆われていた。この林は山蚕（やまこ）林と言われ、昭和の初め頃まで天蚕（てんさん）・柞蚕（さくさん）を放し飼いにし、できた山繭を出荷して収入を得ていた。この平地林では昭和40年代から開発が始まった。標高700m、夏季平均気温20～25℃、湿度が低く爽やかな気候と深い緑、豊富な流水が注目された。あわせて町は、歴史と文化を誇る「学者村」（500ha）と名づけた別荘地を開発。地図の北から鈴玲ヶ丘・つつじヶ丘・天満沢・忍ケ丘・鎧塚・猪鹿の牧を造成した。引湯後は温泉付き別荘地として売り出され、1,400余りの区画は昭和63年度には完売。新図では新たに**豊里**地区が造成されたのがわかる。

■常念憩いの広場とゴルフ場、テニス場の開発　烏川沿いでは昭和47年、別荘地開発とセットで**穂高カントリークラブ**（穂高ゴルフ場）がオープン、現在もにぎわっている。隣接地に昭和50年に造られたサンダーバードローンテニスクラブは平成25年運営会社の破綻により閉鎖された。昭和57年、「**常念いこいの広場**」が雇用促進事業団の事業として完成。スポーツや施設が整備されて賑わったが次第に利用者は減少し、平成10年にセンターハウスを残して他の施設は解体された。

3 自然体験型の観光開発

人気の足湯

■国営アルプスあづみの公園の開園　平成2年（1990）、都市公園法に基づき環境省が主管する自然公園「国営アルプスあづみの公園　堀金・穂高地区」「同　大町・松川地区」計356haの計画が決定された。16年にまず「**堀金・穂高地区**」③27haが開園し、28年6月の里山文化ゾーン開園まで順次整備が進められた。総面積は94ha、田園文化ゾーンには安曇野学校や展望テラスなど14の施設が設置され、里山文化ゾーンには里山文化再生エリアなどが設けられている。開園5年で年間利用者は約25万人に達し人気が定着しつつある。自然体験型の観光施設として、一層の発展が期待される。

■烏川渓谷の観光開発　あづみの公園より山側、烏川扇状地の扇頂部にあたる**須砂渡**（すさど）のダム下流にもキャンプ場、彫刻の森、ウェストン記念館などがある。「**喃鳥山荘**（ていちょう）」④は大正末期のアルプス倶楽部の山小屋が発展したもので、昭和46年に新設された。広場やスポーツ施設が整備され、小学生の宿泊学習などに活用されている。平成7年には温泉施設「**ほりでーゆ～四季の郷**」⑤がオープンし集客に一役かっている。（丸山　宇一）

アルプスあづみの公園（堀金・穂高地区）

34
諏訪湖沿岸
〈諏訪市・諏訪郡下諏訪町〉

地形的ハンディ 乗り越え発展

断層盆地である諏訪盆地は、昔から湿地・軟弱地盤・土地の狭さといった地形地質的な課題と向き合い、それを乗り越えて発展してきた。諏訪湖畔では、明治初期から製糸業が栄え、第二次世界大戦後は精密機械工業で発展、温泉を核とした観光地化も相まって「東洋のスイス」といわれてきた。中央自動車道諏訪 IC の開設をきっかけに、湖畔から盆地平坦部へと商業地化・住宅地化が進み、市街地の拡大が進んでいる。

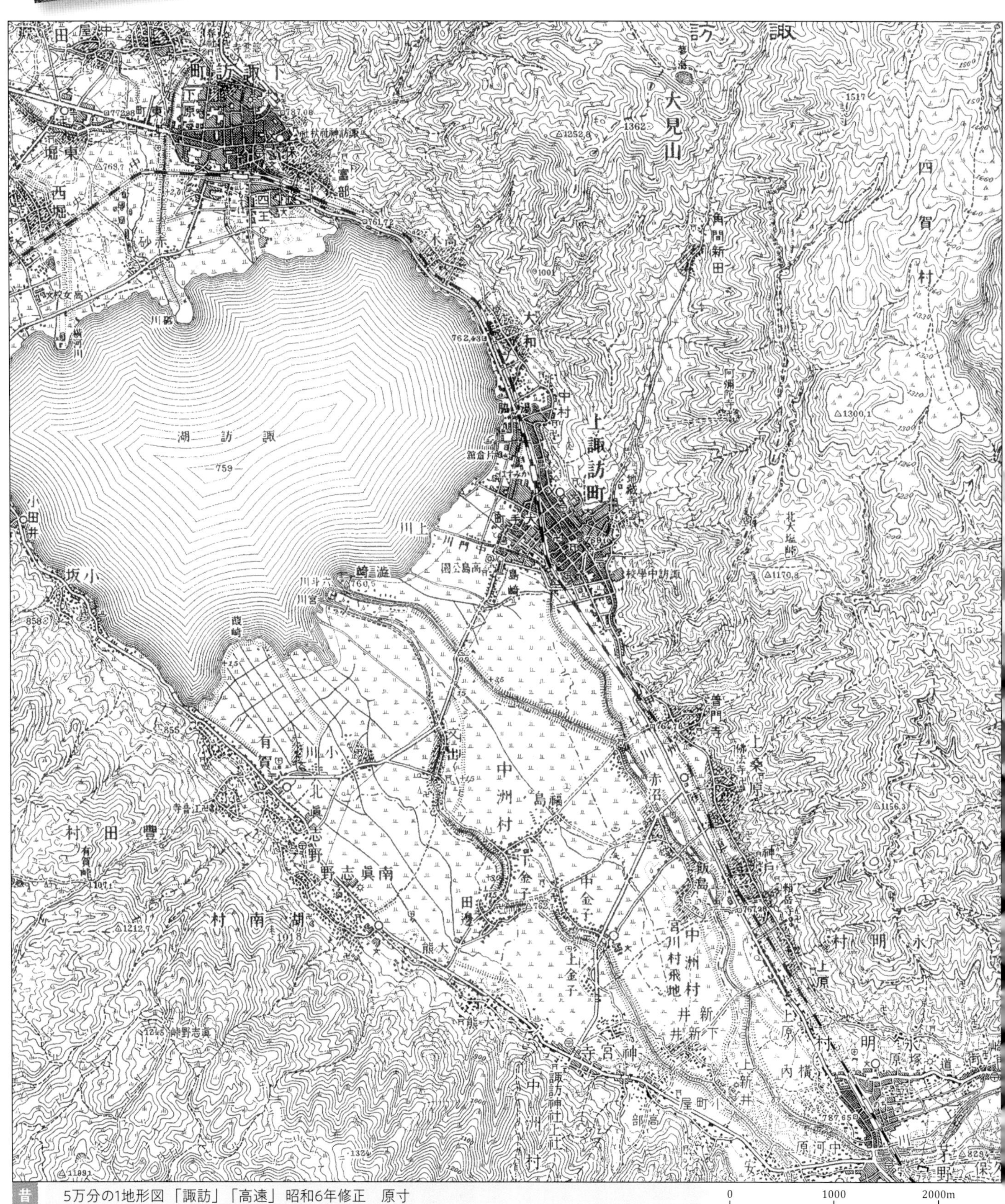

昔　5万分の1地形図「諏訪」「高遠」昭和6年修正　原寸

1 低湿地の集落を見る

諏訪湖南東に広がる湿地の集落は旧地図では河川両側の自然堤防に沿った細長い帯状ですが、新地図では面的に広がっています。どのような変化があったのでしょうか。

2 市街地の広がりを見る

工場、商業地域、住宅はどんな場所に広がりましたか。新旧地図で平坦地のほか、急傾斜地にも注目してみよう。

3 温泉と観光の変化を見る

旧地図で古くからの温泉を探してみましょう。埋め立てによる諏訪湖畔の形状の変化は観光にも関係しています。

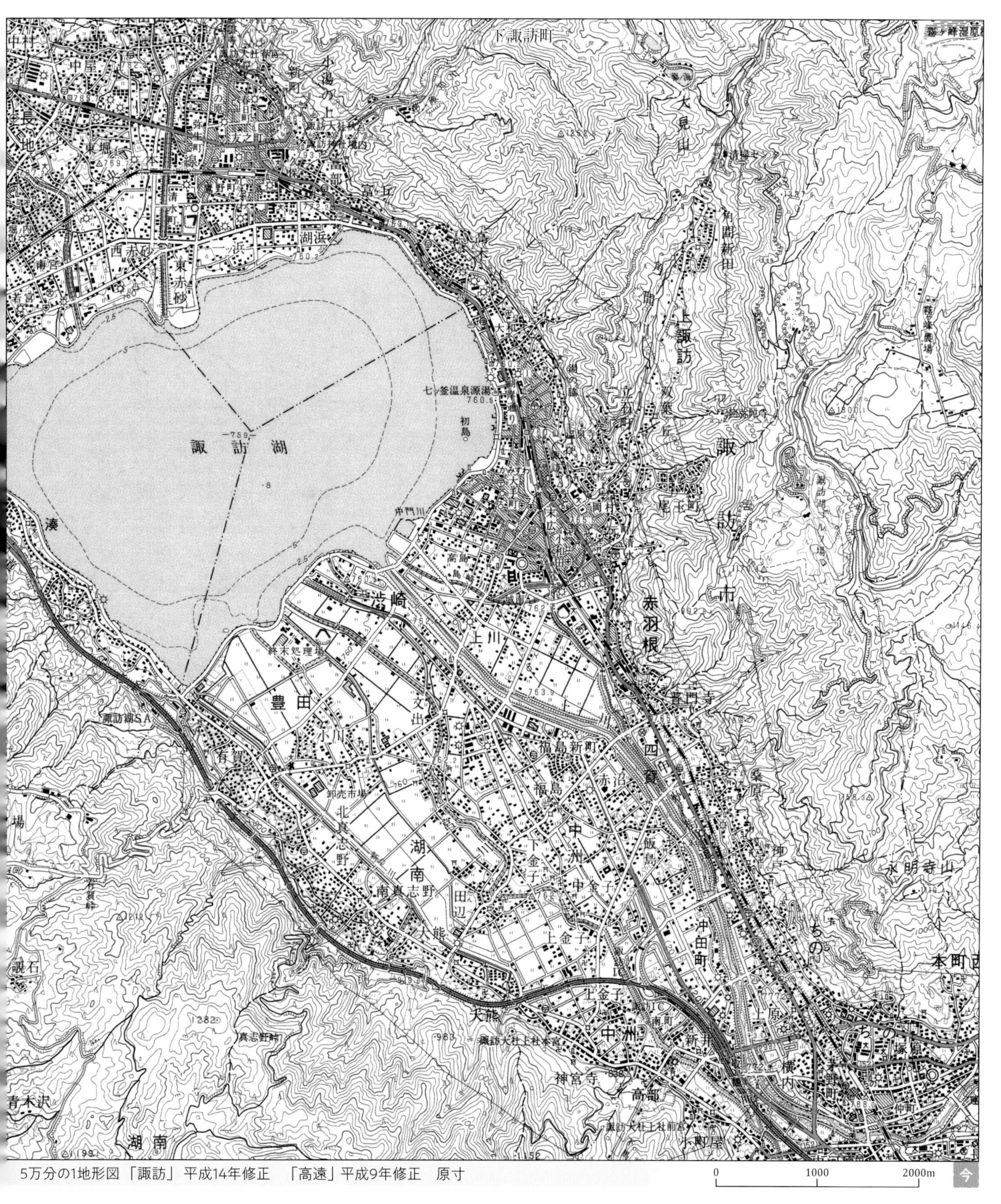

5万分の1地形図「諏訪」平成14年修正　「高遠」平成9年修正　原寸

今

セイコーエプソン本社

1 諏訪湖に注ぐ川とかつての集落

豊田、中洲地区一帯

■自然堤防上の集落 旧地図を見よう。諏訪盆地平坦部の中央を流れる**宮川**沿いには、南北に細長く形成された自然堤防上に集落が立地している様子が見て取れる。**文出**(ふみで)は最も顕著な例である。諏訪盆地の平坦部は昔から大雨の際に洪水が起こりやすく、住民は水害に苦しめられてきた。**諏訪湖**へ流入する小河川が多く川幅が狭いうえに、諏訪湖から流れ出るのは天竜川のみ。湖の水があふれ、また地盤も軟弱であった。

■水害を防いだ工夫 新地図を見ると平坦部では、諏訪湖に流入する河川は改良により水路が増えている上、**上川**などで川幅が広くなった。自然の流れではなく人工的な水路となっていて、この地域が排水に苦労してきたことが伺える。また盆地の地形的特徴として、周囲の山地から流れ下る小河川には多くの押し出し地形が形成されており、ここには古くから集落が立地していた。

2 精密工業のまちの拡大

■「東洋のスイス」と呼ばれた地域 諏訪湖畔は、明治期から製糸業が、第二次世界大戦中には疎開してきた軍需産業が、戦後は精密機械工業が発展した。工場の記号を探してみよう。この中には当初は時計で名を馳せた大和(おおわ)の**諏訪精工舎**(現セイコーエプソン)[1]、**下諏訪駅**すぐ北側の**三協精機**(現日本電産サンキョー)などの中核企業の下で下請け企業が数多く生まれた。一方で、水害が多く軟弱地盤である平坦地への企業進出はあまり見られなかった。

■低湿地への企業・住宅進出 戦後は先にみたような河川改修と共に地盤を改良する工事も次第に進められた。昭和37年(1962)、松本・諏訪地区が内陸で唯一の新産業都市に指定され、低湿地を改良した諏訪市**中洲**(なかす)に諏訪精密工業団地が造られた。ここでは先端技術を自社開発した企業も多く、海外と取引する企業も少なくない。やがて住宅も数多く進出するようになり、旧地図で見られた帯状の集落は新地図では目立たなくなっている。低湿地への企業・住宅進出は下諏訪でも見られる。

■商業中心地の移動と急傾斜地域の市街地化 もともと諏訪・下諏訪・茅野の各市町は駅を中心に市街地が形成されてきた。昭和45年以降の車社会の到来に伴い、諏訪地方も市街地の拡大が進んだ。新旧地図を比較すると、かつて水田だった低湿地の市街地化は目を見張るものがある。昭和56年に設置された中央自動車道諏訪ICを中心に新たな商業地域が形成されて拡大し、茅野市街地とも繋がった。限られた土地が飽和状態になると、急傾斜地の**立石**、**尾玉**等にまで住宅が進出し、さらに標高1,000 m以上の高冷地である**角間新田**などへも住宅進出が目立つ。地図外(東)の茅野市中大塩には、県下最大の高冷地住宅団地がある。

3 伝統の温泉地から総合観光地へ

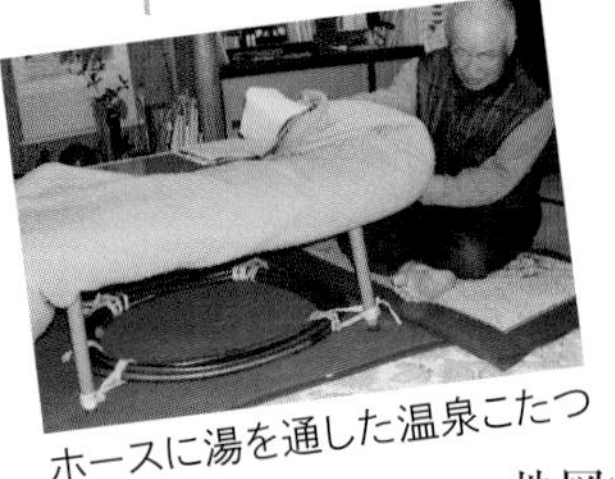
ホースに湯を通した温泉こたつ

■古くからの温泉地 諏訪には古くから温泉が湧出していて、旧地図から**下諏訪秋宮**西、**湯の脇**ほか多くの温泉の地図記号が記され、広範囲に分布している。新地図では温泉記号は上諏訪湖岸の限られた場所のみだが、これは温泉統合を進めて温泉井の数を減らし、**七ツ釜温泉源湯**から送湯管で各宿泊施設・家庭(冬はコタツにも利用)に配湯している結果である。

諏訪湖畔の足湯

■総合観光地への発展 戦後の高度経済成長と共に上諏訪の湖岸は埋め立てにより拡張され、5階建て以上のホテルが立ち並ぶようになった。拡張された湖岸は遊覧船・ボート・ヨットなどのマリンレジャー基地となり、美術館、博物館、**諏訪大社上社前宮・本宮**、花火と温泉を結び付けた総合的な観光地に発展している。下諏訪は温泉と**諏訪大社下社春宮・秋宮**、宿場町等と結び付けた観光地となっている。

Mini Column 諏訪と御柱祭

八劔神社御柱祭

全国に1万社もあるといわれる諏訪神社の総本山である諏訪大社は、諏訪湖の南北に上社と下社があり、上社は本宮と前宮、下社は秋宮と春宮にそれぞれ分かれて鎮座している。寅・申の年に行われる御柱祭が全国的に有名で、1,200年前からの歴史を持つ。御柱の年には諏訪大社を皮切りに、秋に行われる八劔(やつるぎ)神社はじめ各地域の小宮御柱祭まで続く。地域を挙げてのこの祭は、平成6年(1994)に長野県無形文化財に指定された。

(伊藤　文夫・関　雅一)

Column: 07 高架橋により田切地形を克服した飯島地区

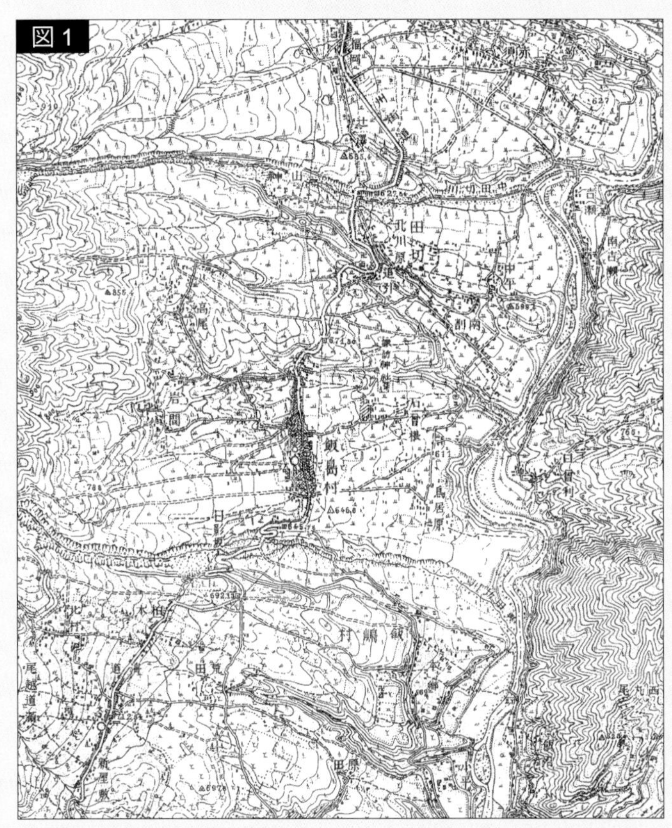

5万分の1地形図「赤穂」「飯田」明治44年測図　90%

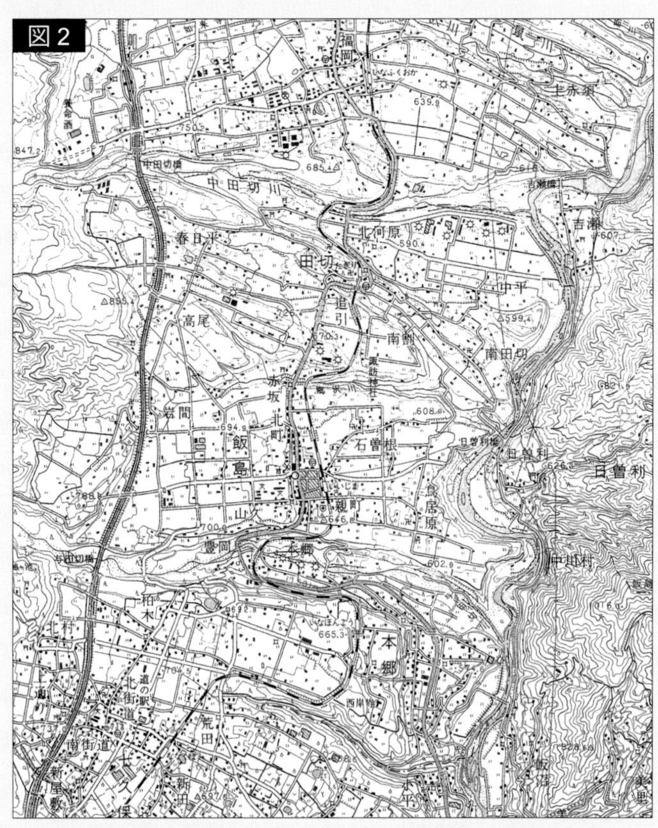

5万分の1地形図「赤穂」「飯田」平成15年要部修正　90%

0　1000　2000m

■田切地形の典型地帯

飯島地区とその周辺は典型的な田切地形が多く見られる。田切地形は、中央アルプスの麓に広がる扇状地面を、天竜川へと流れ込む与田切川や中田切川が侵食してつくった侵食谷の地形である。そこは垂直に近い高い崖や10m以上の深い谷となっていて、昔から交通の難所であった。旧地図の三州街道の日影坂や、新地図の飯田線のように、道や鉄道は難所を避けて大きく曲りくねっている。田切地形の克服は、この地域の課題であった。

■高速化できないJR飯田線

大正7年（1918）2月に飯島駅まで開通した伊那電車軌道（現JR飯田線）は、田切地形にさしかかる場所では、谷の幅が狭い川の上流側へとルートを大きく迂回させた。ここは「Ω（オメガ）カーブ」と呼ばれ、高速化のネックとなっている。一方で、中央アルプスを背景にこのカーブをゆっくり走る列車の光景は鉄道ファンには人気である。

■橋梁工法の進歩と交通障壁の克服

新地図を見ると、ここを通る中央自動車道はほぼ直線である。これは「やじろべえ工法」と呼ばれる土木技術により実現した。谷幅が狭い渓谷部に高さ40m余の橋脚を建て、その頂点に移動作業車を組み付け、やじろべえのようにバランスを取りながら左右へと橋梁を張り出していく工法である。地図ではわからないが、その後開通した広域農道の中田切川ふれあい橋もこの技術を使った。

この地域では、田切の広く深い谷を高架橋で渡る道路の直線化工事が進められてきた。天竜川右岸を走る国道153号伊南バイパス工事でも、平成24年（2012）に与田切大橋（L＝658m、H＝46m）が開通、同30年には中田切川の広い谷を16基の橋脚を連ねて一気にまたぐ県下最長の中央アルプス大橋（L＝990m、H＝39m）が開通している。（武田　明）

田切地形の崖と与田切大橋

段丘間に架けられた中央アルプス大橋

やじろべえ工法

35
御牧ケ原
〈佐久市望月・浅科〉

五郎兵衛用水は今も息づく

「五郎兵衛新田」として教科書でも取り上げられるのは、佐久平の矢島原での新田開発である。江戸時代、上州（群馬県）の市川五郎兵衛によって開かれた「五郎兵衛用水」は、380年余を経た現代に至るまで脈々と受け継がれている。この用水で作るブランド米「五郎兵衛米」は広く知られる。世界遺産級との評価が高い用水路遺構の今昔を見てみよう。

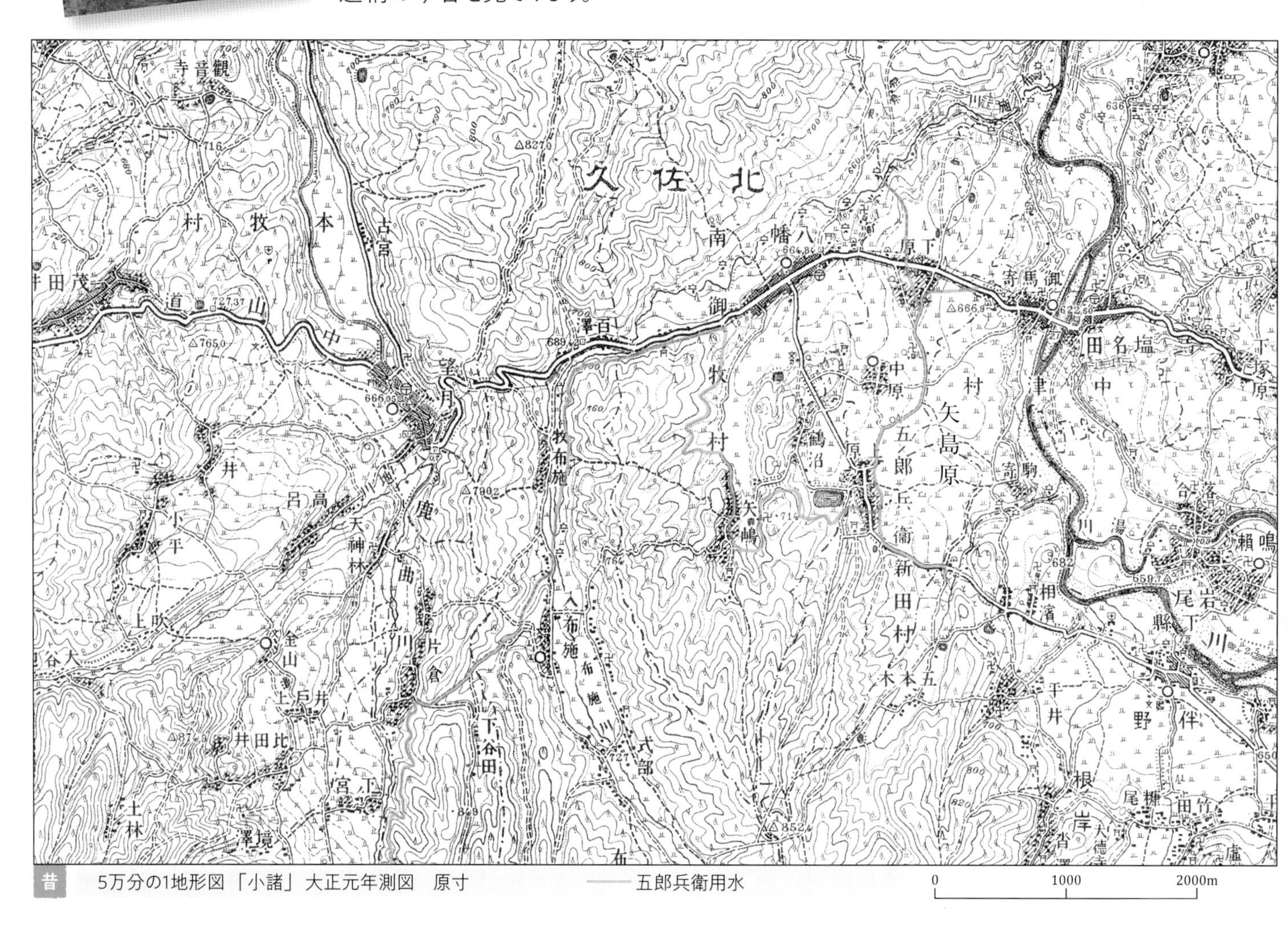

昔　5万分の1地形図「小諸」大正元年測図　原寸　——五郎兵衛用水　0　1000　2000m

台地へ水を─市川五郎兵衛の挑戦

■水のない御牧ケ原台地　小諸市、佐久市、東御市にまたがる御牧ケ原台地の東端、**矢島原**は古くは官牧「望月の牧」として馬が飼育された地で、現在も上原・中原・下原と当時の草原地名が残っている。この台地は、地図より南にある蓼科山からのびる裾野が千曲川に至る場所にあり、川面より40mも高い。高燥で水の供給源の無い地であった。

■市川五郎兵衛の開発　江戸初期の寛永3年（1626）、小諸藩は信玄時代から佐久地方に深い関わりのあった上州羽沢村（現群馬県南牧村）の市川五郎兵衛真親に、矢島原の開発許可を与えた。五郎兵衛は水源として蓼科山で標高1,900mの「五斗水」を発見。**鹿曲**川上流に落とし、春日（現佐久市望月）から取水する延長18kmの五郎兵衛用水を着工した。多大な私財を投入し5年をかけて開鑿した結果、矢島原には70ha余の水田が生まれ、寛永8年（1631）には439石余の生産を上げた。

市川五郎兵衛の記念碑

■用水堰の開鑿　**五郎兵衛用水**（補助線）は高い台地へ水を引き入れるため、高度な土木技術を駆使している。上春日の取水口から、ほぼ等高線に沿って下り、山腹が急崖となる**片倉**では手掘りによる堀貫（水路トンネル）324mや、矢島原では低い土地に築堰と呼ばれる土を積み上げた土樋を1kmにわたって造成している。開発された新田は「五郎兵衛新田」と呼ばれるようになった。

五郎兵衛用水の近代化

■進む用水路の改修　五郎兵衛用水は掘貫の場所が軟

［地図記号］ 昔 田 桑畑 針葉樹林 広葉樹林 今 田

五郎兵衛新田を見る

五郎兵衛新田のある矢島原は、千曲川より高い台地です。水の確保が困難な地形を等高線から読み取ろう。

用水流路の進化を知る

読図ポイント

用水を補助線で示しました。屈曲の多い水路から直線的で近代的な流路へと進化した様子を見てみましょう。

上2枚：手掘りの水路トンネル「掘貫」
下：五郎兵衛米の収穫体験をする地元小学生

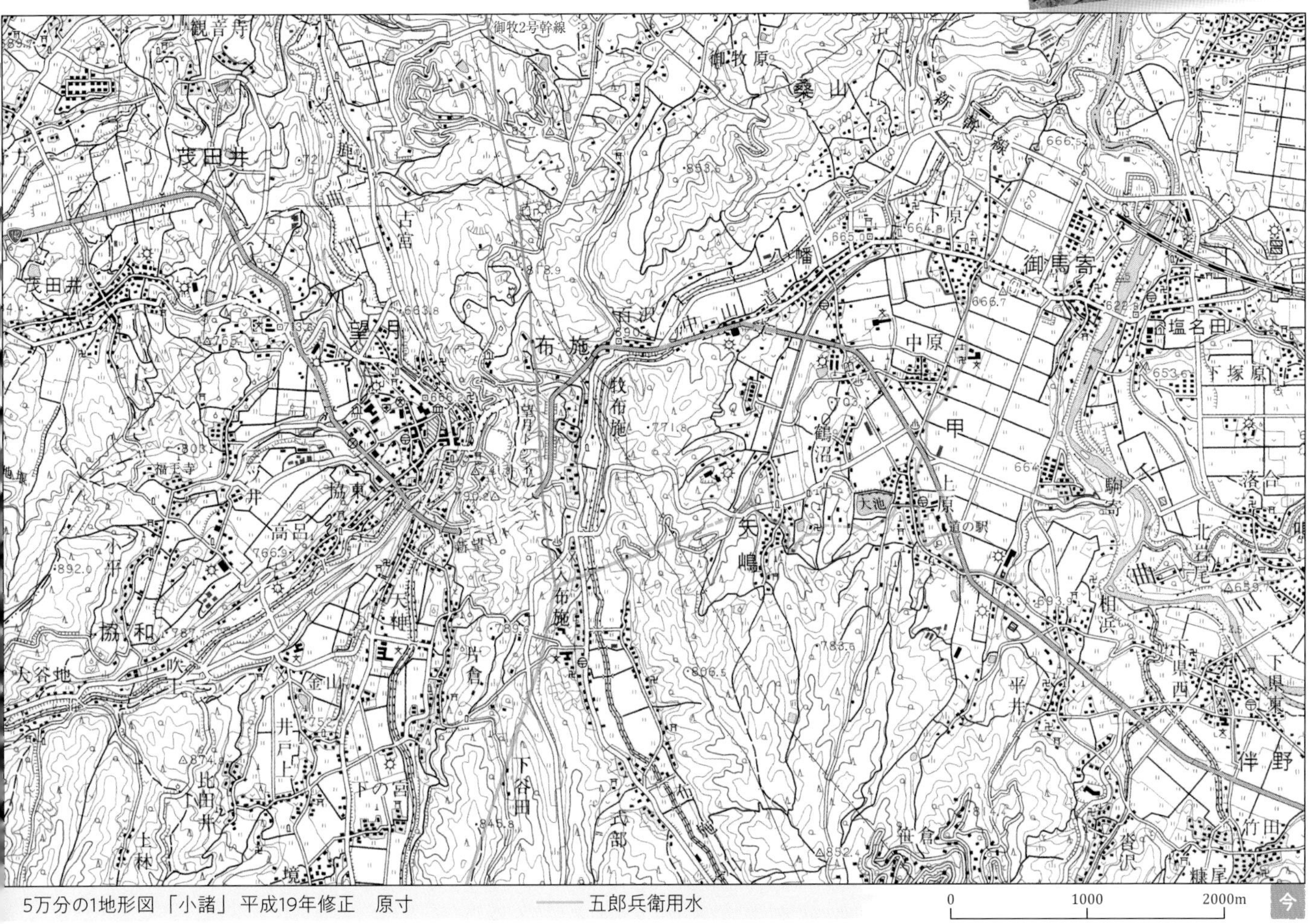

5万分の1地形図「小諸」平成19年修正　原寸　　——五郎兵衛用水　　0　1000　2000m　今

らかな岩盤であったり、土の構造物のため崩落が起き、その都度多額の修繕維持費を要した。近代的用水路に生まれ変わったのは、戦後の昭和30年代半ばから約10年がかりで行われた大改修工事によってである。護岸擁壁（ようへき）により用水路の漏水を防止する工法をとった。併せて水利の乏しい御牧ケ原台地への分水（**御牧2号幹線**＝補助線）も施行し、広い地域に恩恵をもたらすこととなった。現在、**新五郎兵衛用水路**（補助線）の大部分は地下トンネルとサイフォン（直径60cm流速毎秒0.6㎥）になり、地表部はコンクリートで固められている。等高線に沿った用水路はショートカットされ直線的になった。水路の改修は今でも続けられている。

■ブランド「五郎兵衛米」　昭和30年代からは長野県の圃（ほ）場整備事業による基盤整備（416ha）も進んだ。機械化による効率よい農業経営が可能となり、一部では委託栽培も行われている。現在、稲作農家は品質の高い米を生産している。蓼科山の良質な水と強粘土質の土壌により、粘りと甘みのある上質ブランド米が「五郎兵衛米」として市場の高い評価を得ている。この米の販路は自主流通米（庭先渡しの米）として個人向けの出荷や、大手スーパーとの契約販売など多岐にわたっている。

■新しい用水路管理は人づくりから　地元の五郎兵衛用水土地改良区（受益面積416ha・組合員1,046名）は「次の五郎兵衛用水を守る世代を育てよ」と活動を展開している。水源涵養林を育てようと4,500haの植林など、上原の**道の駅**西側の丘にある五郎兵衛記念館を拠点に、子どもや市民への啓発運動を盛んに行っている。平成23年には「21世紀土地改良区創造運動」の全国大賞を受賞した。高度な土木技術と380年に及ぶ管理、環境への取り組みなどをPRし、30年には「世界かんがい施設遺産」に登録された。　（栗林　正直）

36
須坂市

製糸の街、蔵の街が迎えた転機

須坂市は長野盆地東部・河東地方の中心都市である。江戸時代は北国街道・谷街道・大笹街道を結ぶ物資の集散地であった。市街地は百々川（どどかわ）扇状地の扇端部に形成された。扇状地の傾斜を利用した水車により、明治時代から器械製糸業が発達し、長野県下では指折りの製糸の町であった。戦後は電子工業に転換したが、主力工場の撤退などで新たな活路を求めて模索が続いている。

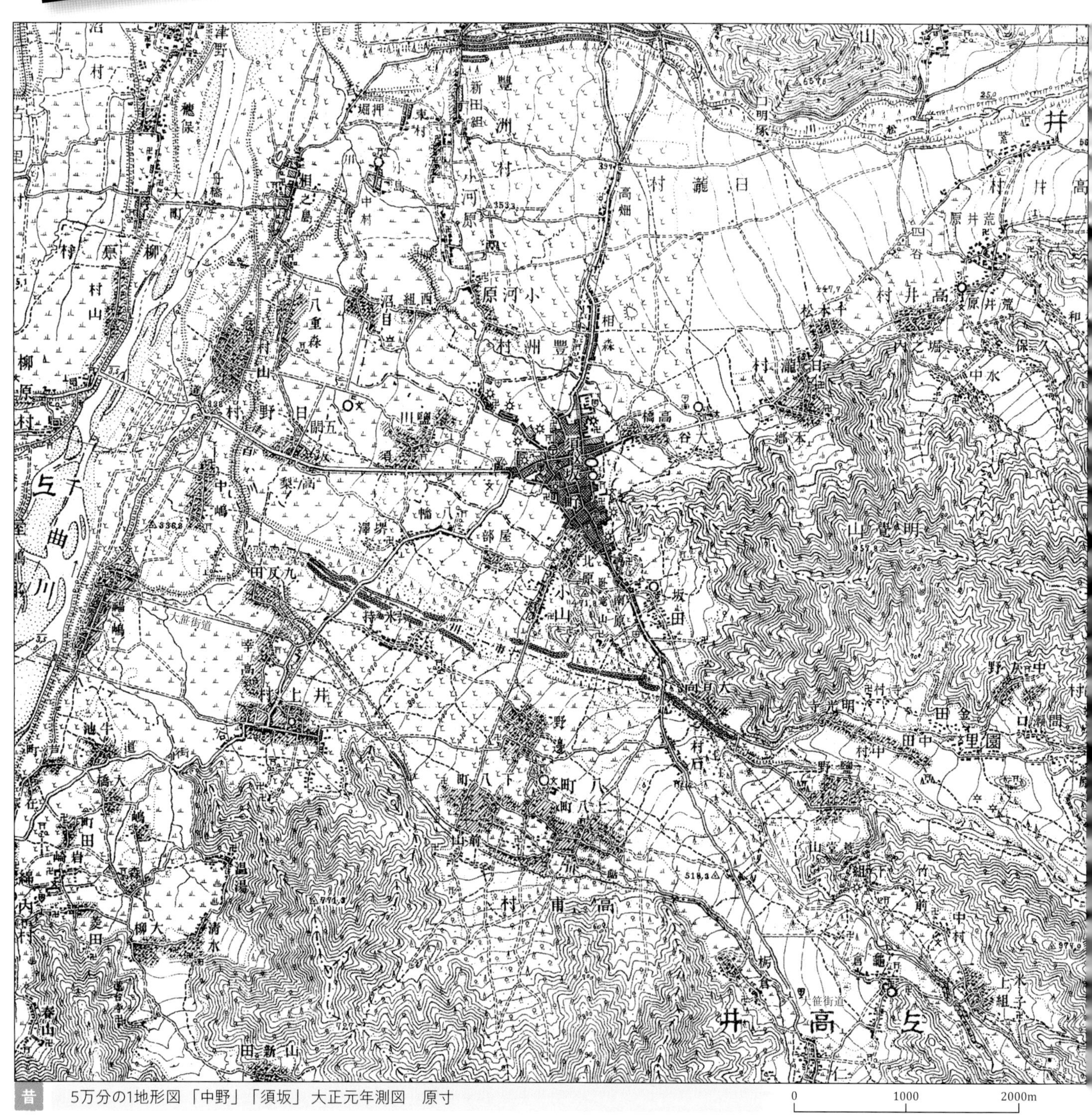

昔　5万分の1地形図「中野」「須坂」大正元年測図　原寸

1 製糸の町—須坂の全盛期

■物資の集散地　江戸時代、江戸を中心として菜種油（なたねあぶら）や綿の需要が増加し、千曲川右岸河東（かとう）地域の商業と流通の拠点である須坂に物資が集まった。北国街道の屋代（千曲市）から千曲川右岸の松代やこの地を通る**谷街道**は、北へは小布施、中野、飯山市といった北信地方の主要都市を結んで

読図ポイント

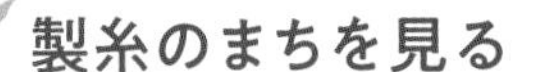

1 製糸のまちを見る

旧地図の工場記号を探してみましょう。主に製糸工場を表し、工場の並びに特徴があります。なぜでしょう。

2 土地利用の変化を見る

かつての桑園は今はどうなったでしょうか。扇状地上の日滝や千曲川沿岸の氾濫原で違いを見つけてみましょう。

3 街の変化を見る

新地図では街が広がり、住宅団地が各地に見られます。旧市街地では旧地図時代の「蔵の街」再生に取り組んでいます。

5万分の1地形図「中野」平成18年修正　「須坂」平成6年修正　原寸

越後に通じたほか、千曲川沿岸の**福島**（ふくじま）宿を起点に南東へ**井上**、仁礼（にれ）、菅平、鳥居峠を経て上州へとつながる**大笹街道**（仁礼道）は、江戸に至る最短路として物資が盛んに運ばれた。

■須坂の製糸は座繰り時代から　須坂では18世紀中ごろから養蚕が行われ自家用に生糸を得ていたが、幕末から明治初期には蚕種（さんしゅ）や繭を売る養蚕が盛んになり製糸業が興った。開国によって多くの蚕種や生糸が輸出された

からである。当初は手作業主体の座繰製糸であったが、器械製糸が外国から導入されると製糸業が一気に拡大した。自然堤防では良質な桑が採れ、扇状地を下る河川水や用水が豊富にあったことも要因であった。

生糸の輸出拡大にともない、品質の向上と統一が求められ、明治8年(1875)須坂の零細な製糸業者は東行社という共同組織を結成した。明治17年には製糸結社俊明社が組織された。旧地図の市街地沿いにある工場記号は**製糸工場**である。製糸業の発展とともに桑園が自然堤防や扇状地に急激に拡がった。

■動力源の変化　扇状地では水を得るため、街路の裏に江戸時代から用水(裏川用水と呼ぶ)を引いていた。その用水で水車を回し、器械製糸の工場が操業した。そのため、旧地図の製糸工場は裏川用水の流れに沿って街路の裏側に分布している。

工場では石炭でボイラーを焚き、蒸気で繭を煮沸した。大量の石炭が谷街道を運ばれた。明治37年(1904)、蓑堂山の南に信濃電気米子発電所が建設され、製糸工場のランプは電灯になった。その後、電力は水車に代わる動力源となっていった。

■製糸業と鉄道交通　明治時代後期、須坂の製糸業にとって、原料繭の移入、生糸の移出、燃料の石炭の輸送に鉄道の敷設が急務であった。そこで河東地区に鉄道を敷いたのが、佐久の神津藤平と地元の有志による河東鉄道株式会社(後の長野電鉄)である。大正11年(1922)、屋代—須坂間の営業を開始、生糸の移出と石炭の移入に活躍し、さらに須坂から米子鉱山の硫黄が屋代駅に搬出された。鉄道と道路併用の**村山橋**が完成して、大正15年(1926)に須坂—権堂間が開通、須坂は鉄道輸送の拠点となり、旧地図の市街から**須坂駅**周辺に新しい市街地が形成されていった。同年の製糸工場は33、工女数は5,676人、生糸生産高が19万貫と須坂の全盛期を迎えた。

2 製糸衰退と産業の転換

臥龍公園竜ケ池

■製糸衰退と製糸遺産　「生死業」ともいわれる製糸は、世界の糸価に浮き沈みし、昭和4年(1929)の世界恐慌では須坂でも糸価暴落で越寿三郎の山丸組が倒産し、失業者が増大した。旧地図には見えない臥龍公園(**臥竜山**)竜ケ池は、日比谷公園を手掛けた林学者の本多静六が女工の行楽地を兼ねて設計し、昭和6年、製糸不況の失業対策事業で築造されている。

■かつては富士通城下町　富士通須坂工場①は、昭和17年(1942)、軍需工場の富士通信機が片倉製糸須坂工場の従業員を引き受けた疎開工場として操業を始めた。当初は

富士通須坂工場(昭和44年)

電話機を製造していたが、後にコンピューターなどの電気機械・電子機器に移行し、周辺部には下請・関連企業を有し、須坂市を代表する企業であった。しかし、平成3年(1991)、円高等で業績が悪化して生産規模を縮小、27年に閉鎖した後、他社に工場を売却している。

市内の主な工場には、スピードスプレヤーの昭信、プレス加工の鈴木、酪農機器や電気機械のオリオンなどがある。

■フルーツの町　昭和恐慌による製糸衰退とともに、桑園は果樹園に転換していった。須坂の扇状地は砂礫が大きく、スプリンクラー灌水が必須であった。

須坂でリンゴが本格的に栽培されたのは第二次世界大戦後で、昭和55年(1980)の800haが最高の栽培面積である。ブドウは巨峰を中心に昭54年から増加して平成17年には400haを超えた。モモはリンゴの価格低迷を機に45年から増加したが、100ha前後で推移している。近年価格の良いシャインマスカットやプルーン、サクランボの栽培が**日滝**を中心に増加しているが、後継者難で放棄地も見られる。

3 活路を探る「蔵の街」

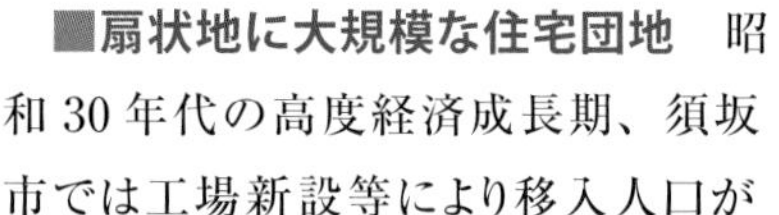

須坂クラシック美術館

■扇状地に大規模な住宅団地　昭和30年代の高度経済成長期、須坂市では工場新設等により移入人口が増加し、住宅不足が生じた。そこで乏水地である扇状地に上水道を整備して昭和35年に**旭ヶ丘町**、同41年には北旭ヶ丘町が造成され、1,100戸と県内最大規模の住宅団地となった。さらに**望岳台**500戸、**明徳**200戸、**夏端**100戸、**北相之島**500戸と相次ぎ造成された。現在では住宅団地の老朽化や住民の高齢化、さらに富士通須坂工場の撤退から人口減少が起きている。平成24年、屋代線は乗降客の減少から廃線となった。

■I.Cと流通産業団地　平成5年(1993)、上信越道**須坂長野東インター**が開通。インター北側に16haの流通産業団地が平成11年に竣工し、トラックターミナルや大型店、飲料メーカーなどが進出している。大型モール開発計画もある。

■蔵の町　須坂　須坂市は長野市の商圏・通勤圏に取り込まれており、市街地の商店は低迷している。そこで製糸全盛時代の蔵造りの商家や町家を再生利用して、「蔵の街」として発信している。「信州須坂町並みの会」は平成5年から20年まで、蔵造りの町並みの保存を目的にイベントを実施して観光客の誘客に努めた。現在、製糸家の越家旧宅と小田切家、豪商の旧家田中本家などが博物館として開放されている。　(市川　正夫)

蔵の町並みが残る通り

Column: 08 栗の里─小布施

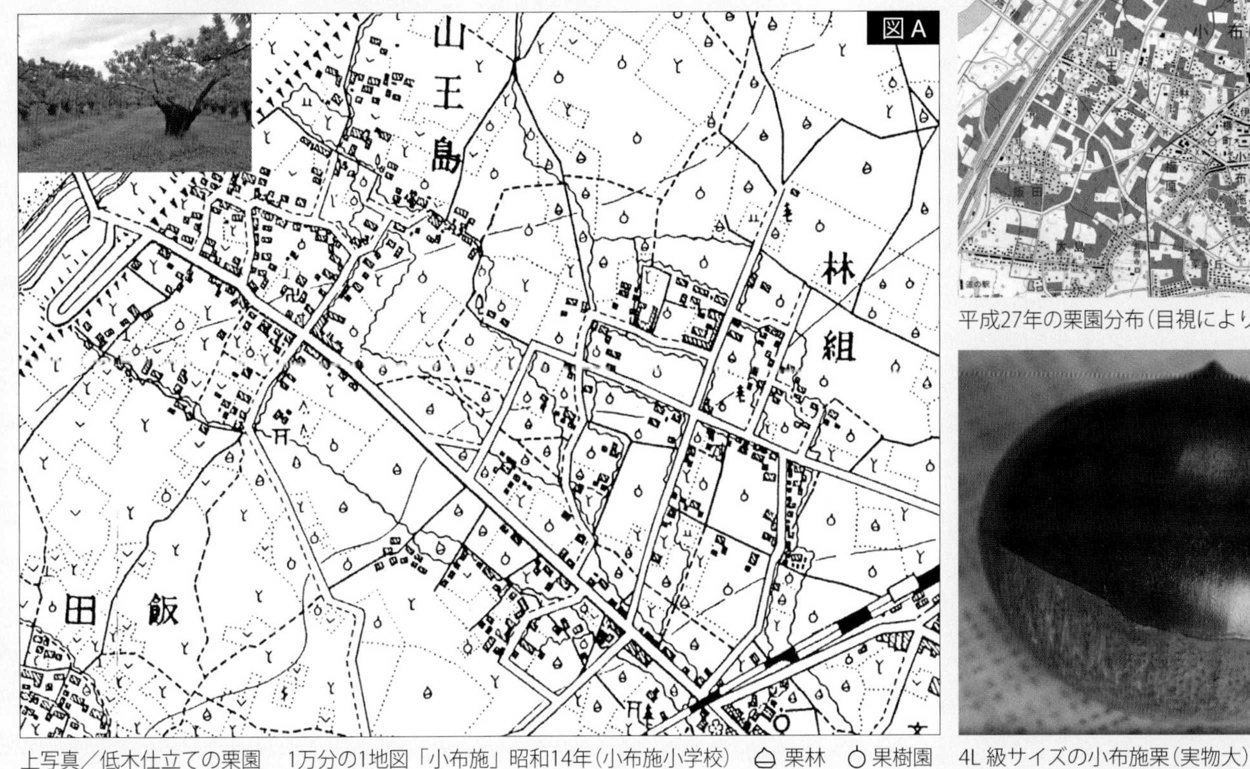

上写真／低木仕立ての栗園　1万分の1地図「小布施」昭和14年（小布施小学校）　⌂栗林　○果樹園

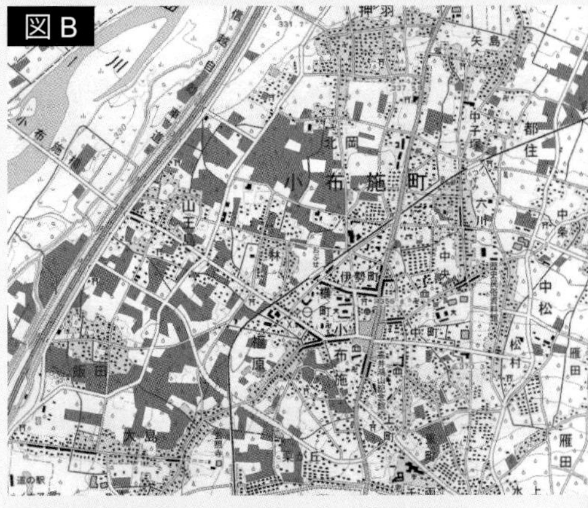

平成27年の栗園分布（目視により筆者作成）

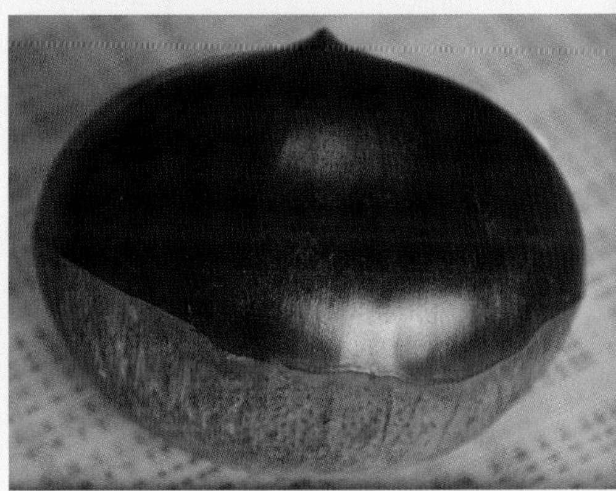

4L級サイズの小布施栗（実物大）

■栗は果樹？ 地図でわかる？

栗はかつては手をかけずに栽培されたので、軍用が主目的だった初期地形図では広葉樹林の扱いでした。昭和27年図式からは果樹園記号になりますが、どちらも「栗」の特定はできません。図Aは昭和14年（1939）に小布施小学校で教材に使われていた、先生方が作成した地図です。栗林が「栗の実」記号で記され、小布施栗発祥の林地区や飯田地区に広く分布している様子がわかります。小布施の風土が読みとれ、「これぞ信州教育！」といえましょう。

風土地理学の先達・三澤勝衛（1885－1937）は、昭和初期に小布施の栗林を臨地調査した際、各所で最大の礫の直径を測り「等径礫線」を作成して対比したところ、栗林の分布が「ここの扇状地のもつその礫の大きさと関係をもって決定されている」としました。

PH4.0という強酸性の松川がつくった扇状地は30～80㎝もの礫を含んでいます。他の作物からすると環境のよくない酸性のやせ地なのですが、栗はこれを好み、排水や日当たりも良好な最適な生育環境を得て甘くて風味ある大粒の小布施栗を実らせてきたのです。

■拾はれぬ栗の見事よ大きさよ ― 一茶

室町時代、小布施に丹波栗がもたらされたと伝えられます。栗林は100町歩（約100ha）を超えたこともあるといいます。小布施で栗林の多い村々は江戸時代に松代藩領となり、藩は御林守を置いて厳しく管理し、栗年貢を課して幕府に献上しました。村人は勝手には拾えなかったのです。二百年前の文化文政期には純栗菓子が創始され、小布施栗は名声を得ていきます。

しかし明治・大正期には桑園に転作されて20町歩、第二次大戦中は食料増産による作物統制で5町歩に減り、昭和18年には良質な砂糖が入手できず栗菓子店は休業に追いこまれます。本物にこだわる老舗が再開したのは戦後の昭和24年になってでした。

■栗スイーツ―最盛期に迫る小布施栗

高度経済成長期、“うまいなー”のテレビCMや栗の木三本の店、大都市出店など老舗が競い合って繁盛し、昭和48年には栗園面積が30haに回復。51年に北斎館が開館すると来町者が飛躍的に増え、贈答のみやげ栗菓子が売上げを伸ばしました。

小布施栗の9割は栗菓子に使われます。まろやかな風味と深い色合いの純栗菓子には小布施栗が最低3割は必要です。栗菓子店は契約栽培を進めるほか、地元農家が搬入する栗をどんどん受け入れています（「M級」以上）。最近では、省力作物として高齢化する農家に好まれてリンゴからの転作も進み、栽培は83.6ha（2015年農林業センサス確定値・販売目的）にもなり、B図のように広がっています。ある老舗では調達する小布施栗が5割に達し、残りは茨城・熊本の栗でまかなっているといいます。

町も一本千円ほどの苗木に半額補助して栽培を奨励しています。低木に仕立て、最低5回の消毒など手のよく入った栗園は小布施の新しい田園風景です。また、かつての樹高の高い栗林もなつかしい景観です。人気の観光スポットとなった小布施では、新作の栗菓子も次々登場し、和洋栗スイーツの食べ歩きが人気です。収穫の秋には焼き栗の出店が各所に開店し、新栗やリンゴ、ブドウを求める人たちでにぎわいます。（小林　勲）

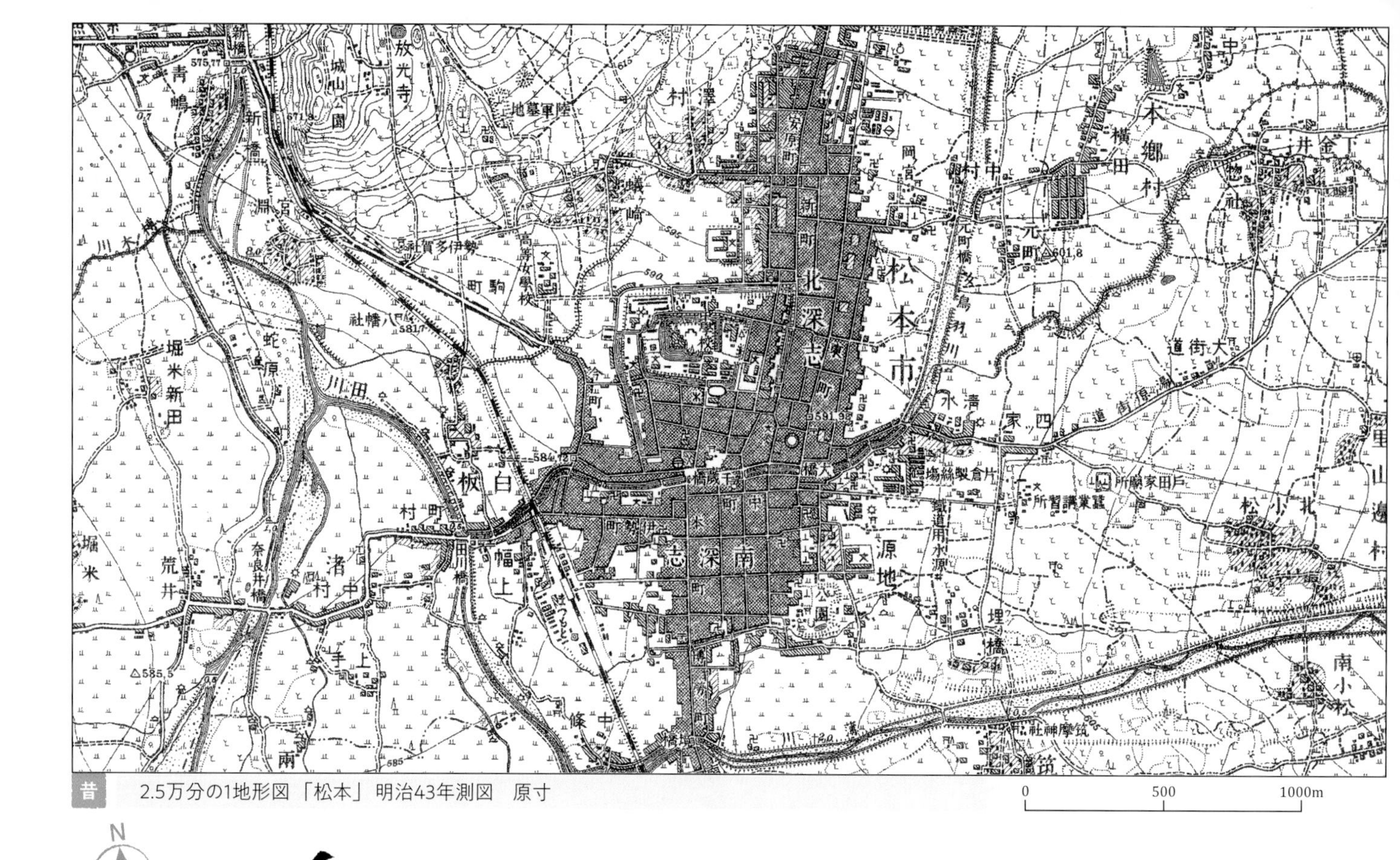

昔　2.5万分の1地形図「松本」明治43年測図　原寸

0　500　1000m

37
松本市

城下町から商都、文化都市へ

松本市では近年、岳都・学都・楽都をキャッチフレーズに文化施設を核とした街並み整備が進む。城下町の商いから、ものづくりや地場産業が発展、商都としての基盤を築いた一方で、教育・文化尊重の気風が新たなまちづくりへの原動力にもなっている。音楽の祭典「サイトウ・キネン・フェスティバル松本」の創設と定着など、話題には事欠かない街の変化を地図で見てみよう。

1 変わらぬ国宝松本城の存在感

■城下町を生かしたまちづくり　旧地図で城下町とほぼ重なる中心市街地を概観してみよう。国宝**松本城**は戦国時代末期、**女鳥羽川**(めとば)扇状地の扇端に築かれ、現存する5層6階の天守閣は国内最古だ。城は内堀・外堀・総堀に囲まれていたが、地図でわかるように明治末までには総堀の大半は埋め立てられた。大正中期以降、外堀の南・西部も商業地や宅地となった。

松本駅前から東に延びる直線道路から北側に、城下町時代からの**本町**、**中町**、**東町**さらに善光寺西街道沿いの町並みが続く。道路網もほとんど変わらず残存しているため、一方通行の道路や幅員が狭いなど通行難の道路が存在する。地図に載らない路地や小路が今も生活道路として利用されている。

■松本城は現在も市の中心　松本市は蔵のあるまち、露店の並ぶまち、また、数多く残る井戸の整備など、城下町の遺産を元にした歴史的な都市空間を目指している。また旧地図では松本城の周りに役場、税務署、裁判所、日本銀行、学校等があり都市機能が集中していたが、現在もその役割は変わらない。

2 商工業都市へと発達したまち

■片倉製糸から発達した町　旧地図では、**薄川**(すすき)、女鳥羽川の扇央部は全て桑園で、市街地を取り囲むように広がっている。このころの松本は製糸業で栄え、明治23年(1890)、湧水の豊富な**清水町**に松本**片倉清水製糸場**が建設された。初代場長は岡谷の「製糸王」片倉兼太郎の実弟・今井五介である。彼は蚕の品種改良に努め優秀な生糸の生産を推進した。最盛期には30数社の製糸工場が操業していた。また旧図の**蚕業講習所**は明治42年に設立され、蚕糸科学と技術に関して多くの業績を上げた研究所である。平成21年に閉鎖されるまで蚕の品種改良や養蚕の生産性向上に大きく貢献した。現蚕糸公園の一角には「蚕業革新発祥記念碑」が建てられている。製糸業が衰退すると、製糸工場跡地は公共施設や機械・食品工場、高校などに利

カフラス旧事務所棟(平成28年解体)

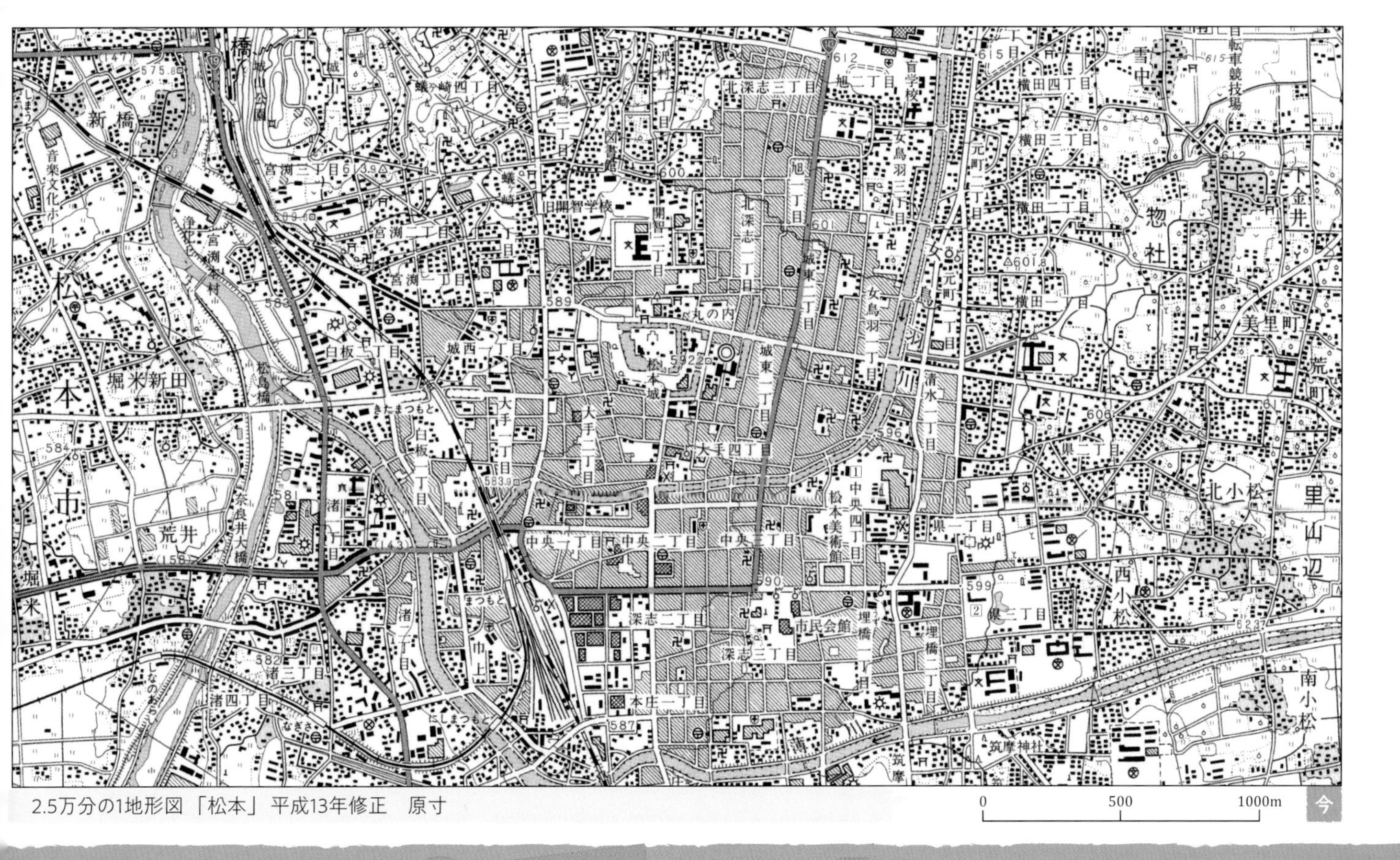

2.5万分の1地形図「松本」平成13年修正　原寸

読図ポイント

[地図記号] 昔　城跡　田　桑畑　学校　裁判所　銀行

1 城下町の今昔を見る

中心市街地が城下町の骨格を残している様子を、道路網や区画から確かめましょう。同時にまちの広がりも見られます。女鳥羽川の東や南側はどう変わりましたか。

2 文化都市への歩みを探る

「文化都市 松本」としてのシンボルとなる施設や拠点を新地図で探してみましょう。旧地図からは、その基礎となった古くからの学校を確認してみてください。

用された。片倉製糸場跡地は片倉工業の子会社カフラス、生物科学研究所、**カタクラモール東松本店**1に、そして平成 29 年に大型ショッピングモールに生まれ変わっている。

■松本の近代化に向けて　今井五介翁は松本商業会議所（後の商工会議所）の初代会頭に就任、松本発展への貢献は大きかった。松本電灯の社長として電力インフラ整備を進め、信濃鉄道（現 JR **大糸線**）松本―大町間を開通、また**松本電鉄上高地線**や浅間線（ちんちん電車と呼ばれていた＝昭和 39年（1964）廃線）も実現させた。中南信地方で唯一、路面電車が走る中心商業地「商都松本」の礎を築きあげ、日本銀行松本支店や旧制松本高等学校を誘致、松本商業学校（松商学園）や松本女子実業学校（松南高を経て松本秀峰中等教育学校）を開校するなど金融や教育にも力を注いだ。

3 文化都市として発信

■学都のシンボル、開智学校と信州大学　松本では学制発布間もない明治9 年に**開智学校**が（令和元年・国宝指定）開校。伝統的に教育を尊重する気風が強く、旧制松本高等学校も誘致した。旧制松本高等学校跡は現在、記念館・文化会館となって市民活動の場に活用されている。周辺を含め、**あがたの森公園**2として整備され、一角は高校や小中学校が集中する文教地区を形成している。信州大学本部、人文・理・経法・医学部が置かれ、まちには学生が多く活気があふれる。産業や教育をめぐるこうした土地柄が、文化都市として定着していく下地となった。

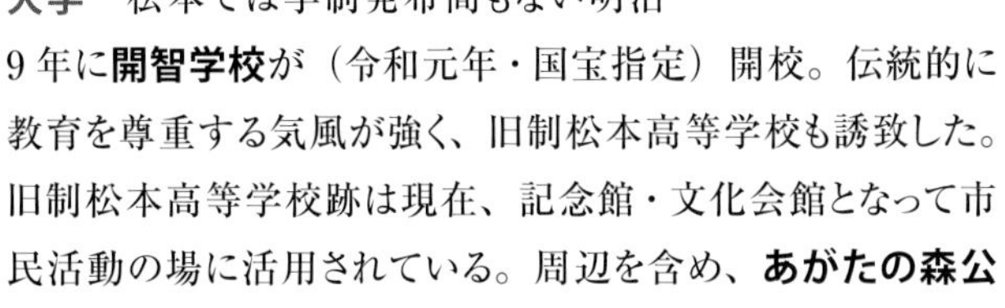
国宝旧開智学校

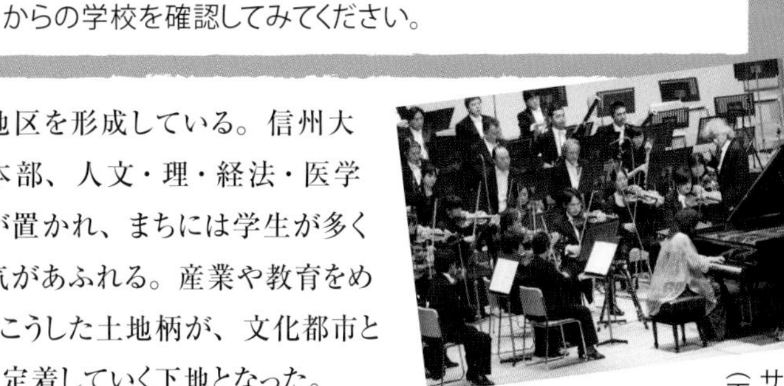
サイトウ・キネン・フェスティバル松本（平成18年）

■芸術文化の花開く町に　「楽都」としての松本の知名度を高めたのが、平成 4年（1992）に始まったサイトウ・キネン・フェスティバル松本だ。桐朋学園の創設者のひとりで、教育者の故齋藤秀雄が育てた演奏家たちが創り上げ、現在は小澤征爾を監督に「セイジ・オザワ・松本フェスティバル」と改称し、オーケストラとオペラの 2 本立ての公演を毎年開催している。**市民会館**を「まつもと市民芸術館」に改築し、オペラ公演ができるように整備した。通りをはさんだ北向いには、市出身の前衛芸術家草間弥生のモニュメントが迎える**松本市美術館**（松本美術館）もあり、文化都市を象徴するエリアとなっている。

芸術・文化の拠点となる施設を有機的に結びつけ、市民の生涯学習と地域の振興に寄与することを目的とする「まるごと博物館」構想が策定されている。松本はバイオリン教育の「スズキメソッド」や「花いっぱい運動」の発祥地でもあり、まちぐるみで芸術文化の花開く町を創出している。

（小林　秀行）

まつもと市民芸術館

38
岡谷市

製糸時代の栄光に活路を探る

「シルク岡谷」を称する岡谷は、明治初期からの製糸業で急成長し全国に名をはせた。製糸工場の煙突が立ち並び、その煙で「岡谷のスズメは黒かった」といわれたほどだ。製糸業は昭和恐慌で衰退するが、この工場が太平洋戦争期に軍需工場となり、さらには戦後の精密機械工業の基盤となった。近年の工業低迷の中、製糸業の産業遺産に再び目を向けて新たな活路を探っている。

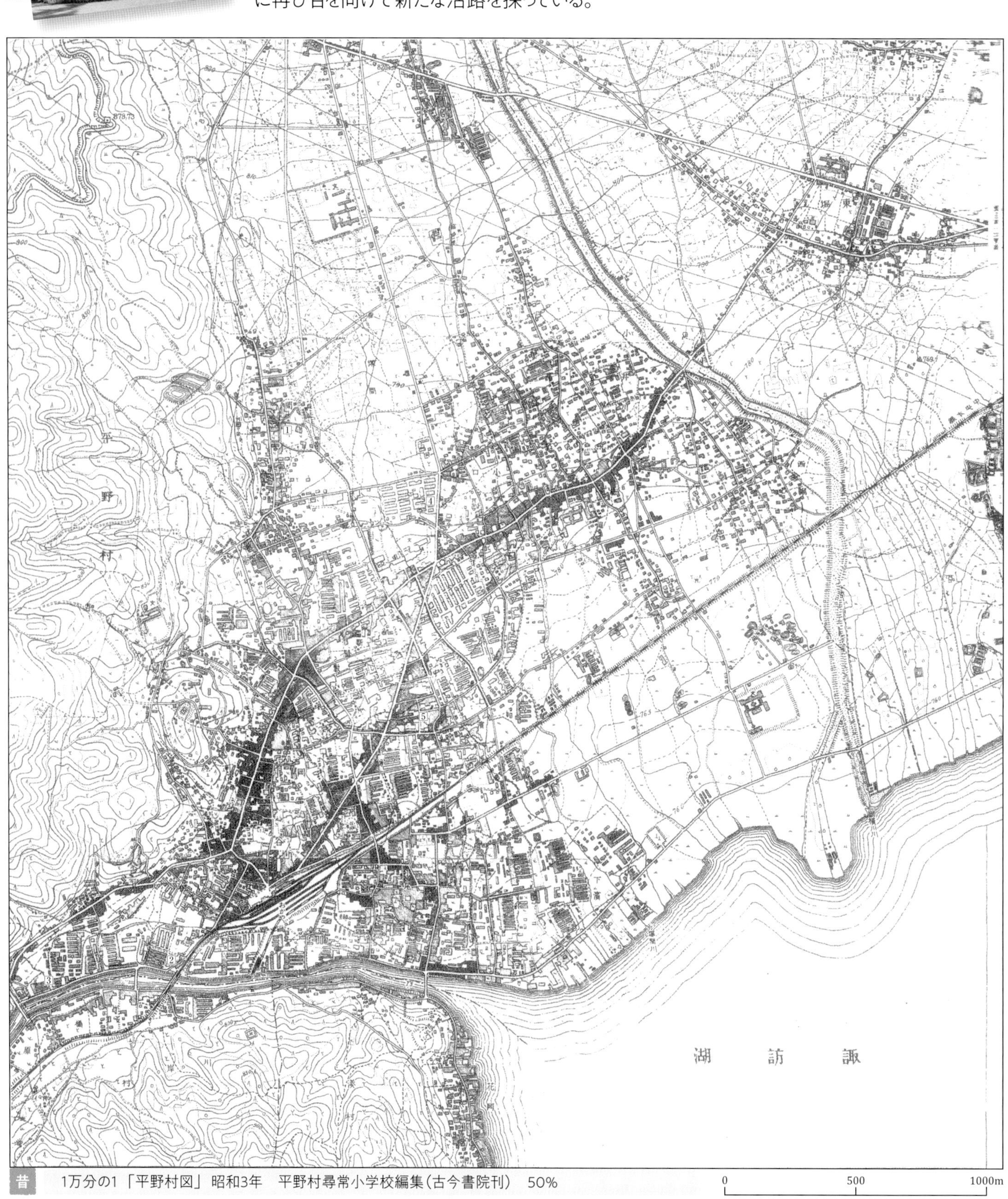

昔　1万分の1「平野村図」昭和3年　平野村尋常小学校編集（古今書院刊）　50%

0　500　1000m

読図ポイント

[地図記号] 昔 Y桑畑 山田 今 ☼工場

1 製糸工場の広がりを見る

初期の中山社、発展の礎となった開明社、片倉製糸の場所を探そう。天竜川や岡谷駅との立地関係も見てみましょう。

2 製糸工場の転換を見る

製糸工場は大不況後も敷地は存続し、現在につながっています。現在はどんな工場に変わったでしょうか。また、なぜでしょう。

3 産業遺産群を見る

製糸工場時代の遺産が街の活性化に向け再び注目されています。新地図ではどんな建造物が残されているでしょうか。

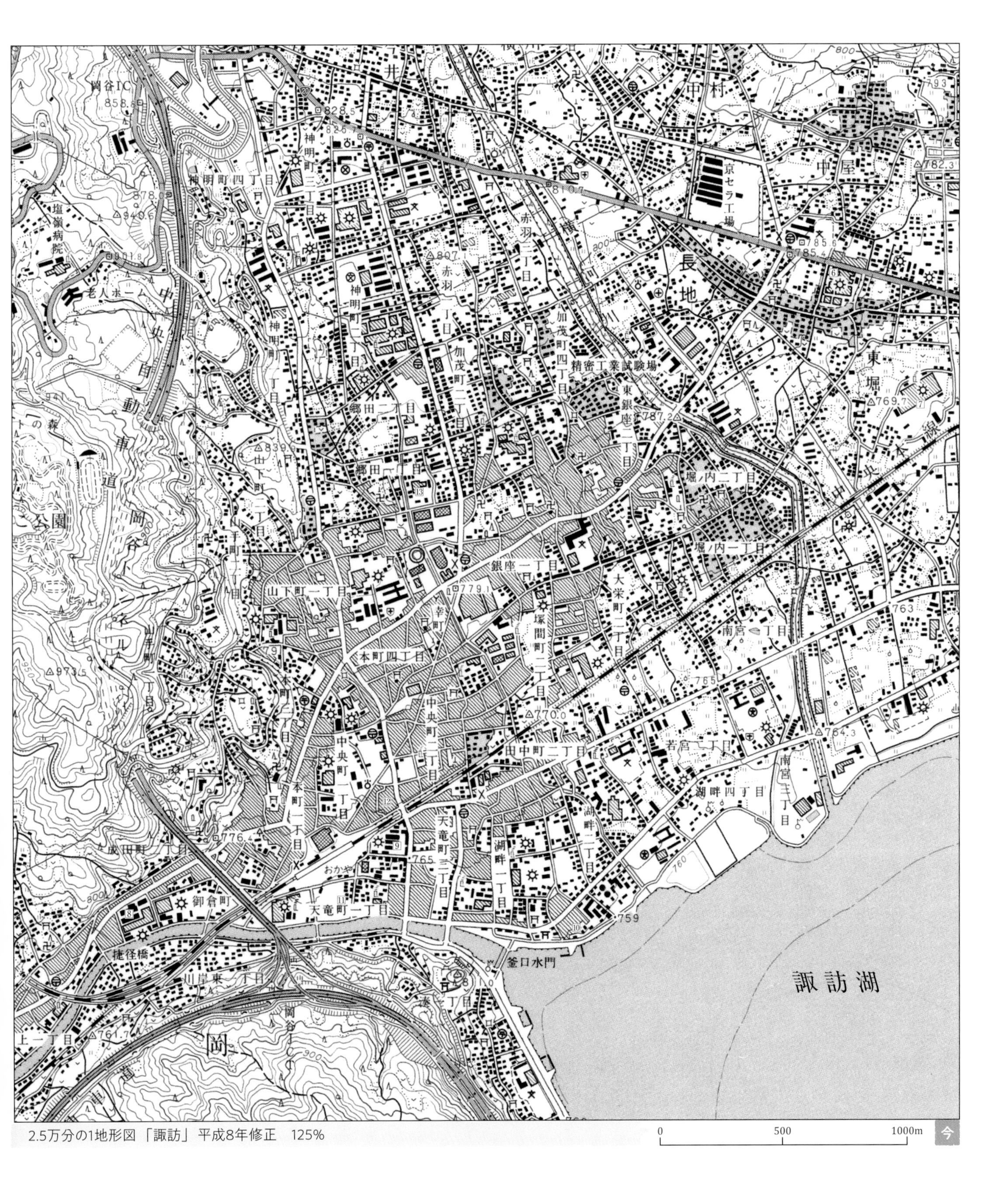

2.5万分の1地形図「諏訪」平成8年修正　125%

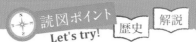

左：昭和初期の諏訪郡平野村（現岡谷市）の製糸工場群と千本煙突　中：昭和初期の製糸工場
右：昭和初期の岡谷駅。「鉄砲かご」と呼ばれた竹かごで繭が続々と運ばれてきた=いずれも市立岡谷蚕糸博物館所蔵

1 世界をリードした製糸業王国

■明治初期から中期の製糸業　岡谷の製糸業は明治初期には、農家の副業としての性格をもち、中山道沿いに立地する小規模の工場が多かった。動力源は小河川の水力や薪などに依存していた。しかし、明治8年（1875）に創業の**中山社**[1]が導入した諏訪式繰糸機をきっかけに器械製糸が広がり始めた。

明治中期になると、工場は**平野村**（現岡谷市）南部や天竜川沿いへと広がりを見せた。規模も拡大していき動力源として天竜川に大型水車が設けられた。この頃になるといくつかの工場同士で結社を組織し、品質の統一と共同出荷を進めるようになった。特に**開明社**[2]は全国一の出荷量を誇った。繭と労働力の供給は地元の平野、長地（おさち）だけでは足りず南信一帯に拡大した。働き手は多くの若い工女によって成り立っていた。

■全盛期の製糸業　明治38年（1905）、製糸業者の請願により中央線が岡谷駅まで開通し、原料の繭や製品の輸送が容易になると、**岡谷駅**周辺に多くの工場が立地するようになった。動力源も水力から蒸気が主流となり、石炭は常磐（茨城県）などから輸送された。同駅周辺の大工場ではトロッコ線を使って大量の原料・製品を運搬していた。特に目立つのは**片倉製糸**[3]（後の片倉紡績）である。社長の今井五介は蚕の品種改良により高品質の繭づくりに成功。アメリカでの生糸占有率を高め全国各地に工場をつくり世界を代表する会社に発展した。このほか、**宮坂製糸所**[4]など多数操業し、岡谷は全国有数の製糸業王国となったのである。

横浜生糸入荷梱数順位（明治44年）

社名	地域	入荷梱数
片倉製糸	長野（岡谷）	15,284
小口組		8,471
山十組		8,420
碓氷社	群馬	6,558
依田社	長野（丸子）	4,840
岡谷製糸	長野（岡谷）	6,334
俊明社	長野（須坂）	6,240
甘楽社	群馬	4,840

単位は梱（こうり）数（1梱=34kg）
林組事務所掲示資料「製糸王国　長野県」（新津新生）を基に作成

2 製糸から精密、味噌へ

■製糸業の衰退と軍需工場への転換　明治から大正にかけ、国内をリードして隆盛を極めた岡谷の製糸業であったが、昭和初期になると世界的な不況の影響を受け衰退を余儀なくされる。昭和2年（1927）には**山一林組**[5]で最大規模の労

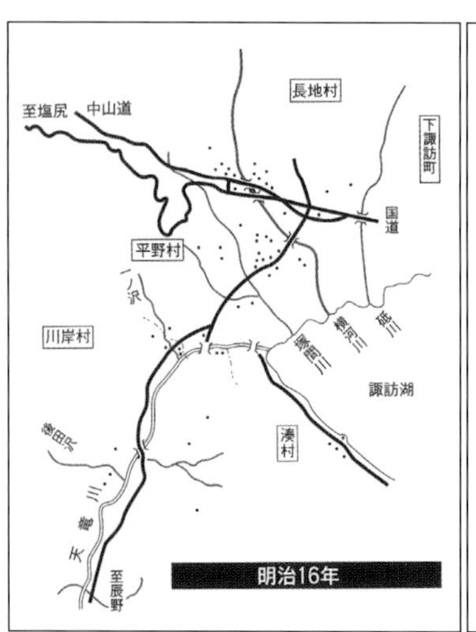

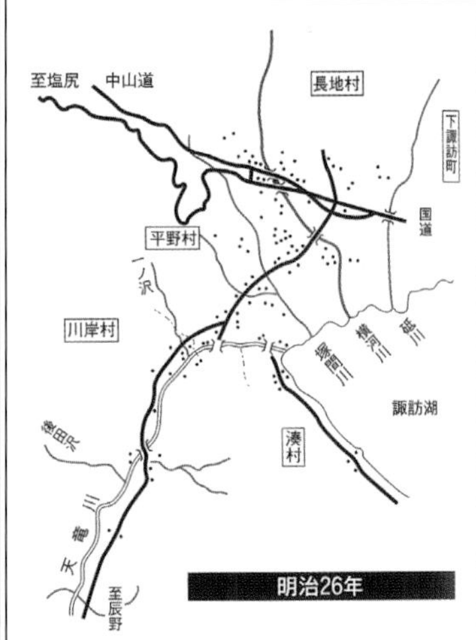

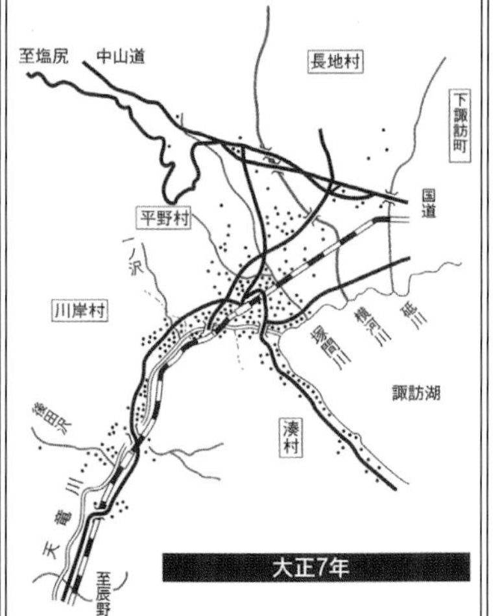

製糸工場の分布の変遷（市立岡谷蚕糸博物館による）

工場疎開第1号の
帝国ピストンリング長野工場

働争議が起こり、その後多くの製糸工場の倒産が続いた。そこで岡谷が活路を求めたのが製糸工場跡の軍需工場への転換であった。昭和15年頃から岡谷市は積極的に工場の誘致を促進。片倉紡績などが資金を援助したため、首都圏の軍需工場が戦火を避けて、製糸工場の跡地を求めて次々と疎開してきた。

■軍需工場から精密機械工場への転換

戦争が終わると、岡谷では再び次の活路を求めた。今度は軍需工場や疎開工場の精密機械工場への転換である。また、休眠状態だった製糸工場跡や関連工場跡も新しい展開を見せた。例えば、高千穂光学は光学兵器製造の技術を生かし、製糸工場跡地に**オリンパス**[6]としてカメラなどの生産で再生した(現在、辰野町移転)。地図でいくつかの工場を見てみよう。

沖電線岡谷工場[7]は、東京で創業した工場が昭和19年に塚間町の製糸工場跡地に移転した疎開工場であるが、戦後、広い敷地を得るため現在の場所へ移転した。**マルヤス機械川岸工場**[8]は、明治末から満留安として製糸機械等を製造し、東京へ進出後、戦時中に再び岡谷へ疎開移転した。**山二発條岡谷工場**[9]は明治11年に平野村で製糸業の山二組を創業。その後、笠原工業株式会社として金属機械工業を開始、戦時中に現在の岡谷駅南へと移転した。**カクホン電機工業**[10]は、亜鉛メッキ等の金属表面処理を行っている。湖畔の生産工場はやはり製糸工場からの転用である。

岡谷蚕糸博物館のフランス式繰糸機

■味噌醸造業への転換　岡谷の味噌生産は戦前の製糸工場の工女の食事用に各工場で味噌を製造してきたことに由来し、製糸業の減退による工場閉鎖の際に醸造業へと転業したケースが多い。サスキチ味噌の敷地は、明治時代には製糸工場だった。現在の醸造所は製糸工場の醸造部門が起源と考えられる。**喜多屋醸造**[11]の創業は昭和7年で、山吉製糸工場の醸造部を買い取ったのが始まりである。一方、跡地を利用しなかったヤシカ(現**京セラ**)、スーパーに変わった丸興などの例もある。

3 近代化産業遺産群を起爆剤に

■岡谷工業の伸び悩みとその対応　経済成長期以降の岡谷の産業動向を見てみると、昭和61年(1986)に**岡谷IC**が開設されたものの、地形の制約で周辺に工場適地がなく、市では新たな企業誘致といった産業振興策を図ることができなかった。また、市内の敷地も飽和状態のために、むしろ用地拡大を望む企業が近隣の上伊那地区などへ移転する例も目立つ。また、昭和58年に中央線の塩嶺トンネルが開通したことで、それまでは諏訪地方や上伊那地方からも人が集まる中心的な商圏だった地位を松本に奪われ、商業の地盤沈下もみられるようになった。

岡谷蚕糸博物館

丸山タンク

新たな活性化へ向け、様々な試みを始めたが、平成13年(2001)からは展示商談会「諏訪圏工業メッセ」に市内の企業も参加して活路を開こうとしている。このイベントは岡谷を含む諏訪地方と周辺の企業400社が出展し、それぞれの技術や製品をアピールし県内外のみならず海外との取引開拓に成果を挙げている。

■近代化産業遺産群の保存　平成19年、岡谷市内の製糸にかかわる15件の産業遺産が経済産業省より『「上州から信州そして全国へ」近代製糸業発展の歩みを物語る富岡製糸場などの近代化産業遺産群』として認定された。岡谷はこれにも活路を見出そうとしている。その一部を見てみよう。明治時代に造られた片倉紡績の旧片倉組本部事務所は、製糸工場施設としては数少ないレンガ造りの建築として貴重である。現在は片倉組の印刷部門から発展した中央印刷の事務所として使用されている。大争議のあった山一林組は事務所と守衛所が残る。これらは共に国登録有形文化財となっている。**丸山タンク**[12]は大正3年(1914)に市内塚間川の西方一帯の製糸工場への給水のために建設された施設で、天竜川にポンプを設置し導管により水を揚げた。現在は丘の上に三重円筒型の巨大なレンガ積が残されている。市立**岡谷蚕糸博物館**[13]は、国内に唯一現存するフランス式繰糸機や、製糸業発展のきっかけとなった明治初期の諏訪式繰糸機などを展示している。平成26年、旧蚕糸試験場岡谷製糸試験所跡地に宮坂製糸所を併設、「シルクファクトおかや」の愛称でリニューアルオープンした。

諏訪圏工業メッセ

(小林　博・村瀬　敏行・相良　誠)

戦後の地図　2万5千分の1地形図から電子地図へ

戦後、それまで主流だった5万分の1地形図から、精度の高い写真測量方式による実測図で縮尺が大きい2万5千分の1地形図への転換が図られた。この地形図は国土の実態把握のみならず開発や保全、さらには教育、レクリエーションなど幅広い利用を想定した地図の基本（国土基本図）となった。5万分の1地形図や20万分の1地勢図は、2万5千分の1地形図から編集して作成する編集図となり、一定年数ごとに随時改訂しながら発行されてきた。

近年は、地形図も大きく様変わりしている。国土地理院では平成25年（2013）までに、様々な地理情報を合せてデジタルデータ化した「電子国土基本図」（地図情報／オルソ画像＝空中写真／地名情報）を整備。閲覧だけならインターネット上の「地理院地図（電子国土Web）」で可能で、いつでも最新の様子を見ることができる。また、この地図情報データは「電子地形図」「数値地図」として、インターネットによるダウンロードやCDで市販提供している。

地図のデジタルデータ提供と合わせ、地図情報の電子化利用は多方面に広がっている。カーナビゲーションやスマートホンの地図アプリなどが一般に普及しているほか、地図データを加工処理するパソコンソフトも多様化し、任意の地図作成が容易になっている。国土地理院が提供する空間データをこのように加工・管理し、視覚化したり分析する技術は、GIS（地理情報システム）と呼ばれ、今後もビジネスや行政など幅広い分野で活用が進んでいくであろう。

従前からの紙地図は、2万5千分の1のものは電子国土基本図を元データに、更新されながら販売が続いている。一方で、5万分の1の紙地形図は既に更新されなくなっていて、現在店頭にあるものが「最後の5万分の1地形図」となるかもしれない貴重な地図といえる。

◆この章の参考文献　〈編著者　書名　発行者（編著者と同じ場合は省略）　発行年　の順〉

【東信】玉村豊男『千曲川ワインバレー 新しい農業への視点』集英社 平25／長野県土地改良史編集委員会『長野県土地改良史』長野県土地改良事業団連合会 平11／小林收『佐久の変貌』櫟 平24／信濃史学会『長野県民の戦後六〇年史』信毎書籍 平20／山岡利七『郷土と自然破壊』三一書房 昭53／伊藤一明『五郎兵衛と用水』信州農村開発史研究所 平20／五郎兵衛記念館『五郎兵衛用水を歩く』浅科村教育委員会 平7

【北信】中野市『中野市政50年史』平16／湯本軍一監修『水とむら』北信ローカル 昭62／大平喜間多『松代町史』臨川書店 昭6／須坂市製糸研究委員会『須坂の製糸業 生糸の歴史･技術･遺産』須坂市教育委員会 平13／信州須坂町並みの会『よっとくらい蔵の町 信州須坂』龍鳳書房 平成9／市川健夫・青木廣安・金田功子『小布施栗の文化誌』銀河書房 昭61／桜井甘精堂『小布施 栗と栗菓子の話』／千曲川工事事務所監修『千曲川の今昔』北陸建設弘済会 平13

【中信】豊科町教育委員会『命の水 安曇平の水利史 豊科篇』昭58／長野県土地改良史編集委員会『長野県土地改良史　Ⅱ巻』長野県土地改良事業団連合会 平11／信州社会科教育研究会『信州から世界を見よう』信州教育出版社 平11／平11

【南信】木村和弘他『伊那西部農業開発事業に関する事例研究Ⅱ』信大農学部紀要第17巻 昭55／久保田賀津男『特集 伊那谷の産業遺産』／酒井幸則『松川町果樹園芸のあゆみ』松川町資料館 平27／塩澤仁治『果樹園芸史』塩澤仁治 昭57／天竜川上流工事事務所『三十年の歩み』中部建設協会 昭55／諏訪市教育委員会『諏訪市文化財ガイドブック』平29／伊藤正和他『ふるさとの歴史 製糸業―岡谷製糸業の展開―』岡谷市教育委員会 平6／岡谷市立蚕糸博物館『シルク岡谷 製糸業の歴史』平29／諏訪の自然を学ぶ会『霧ヶ峰の自然』星雲社 平23／伊南バイパス通信『伊南バイパスPC工事』伊南バイパス工事連絡会 平23

Follow the map
100
years of
NAGANO
Prefecture

3. Transformation

変容

古くから人が住んできた街や集落も、この100余年で大きな変化を遂げた。戦後に入ってからの高度経済成長、モータリゼーション（車社会化）、高速交通網の発達といった大きな波を受け、信州の都市も村も在り様を変えた。時代を追うごとに人口を増し、少しずつ田畑や山林へと集落域を広げた街もあれば、新幹線開通により新たに出現した街、リニア新幹線駅計画という転機をつかんだ街もある。他方で、若者の流出や高齢化でかつての活気を失った山村もある。その光と影は新旧の地図にも見ることができる。

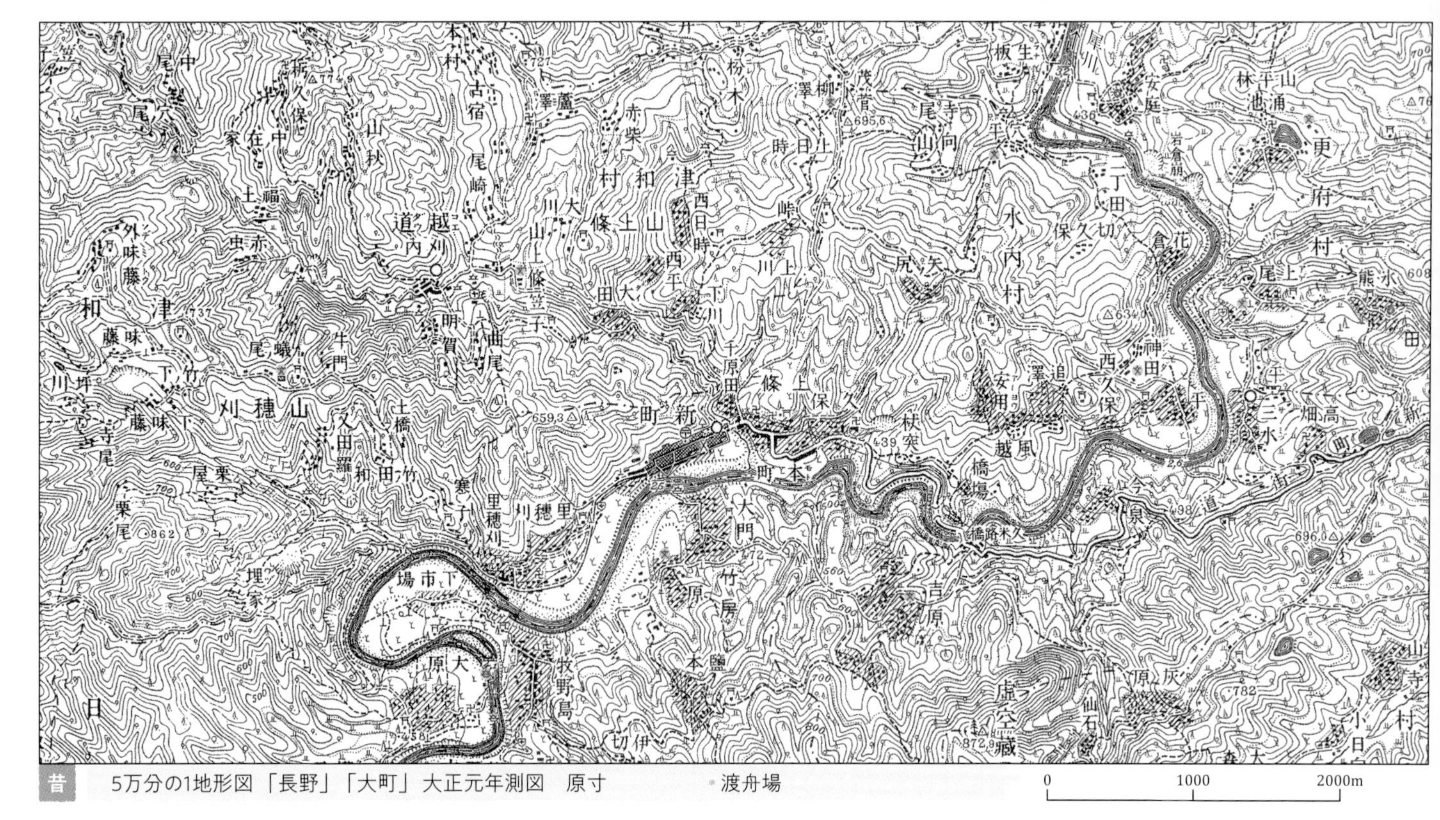

昔　5万分の1地形図「長野」「大町」大正元年測図　原寸　・渡舟場　0　1000　2000m

39
信州新町
〈長野市〉

人口減少が進む中山間地の今

長野市南西端の信州新町は山間地の町である。水内村と津和村が合併して「新町」に、日原村、信級村が加わって「信州新町」となった。さらに牧郷村と左右地域を加え、平成22年には長野市と合併した。かつて物資の中継基地であり、中山間地の中核をなした町は、高度成長期以来の急速な人口減少に直面している。なぜだろう。住民はどんな地域づくりをめざすのだろうか。

1 丘陵地での畑作が中心の村

■犀川がつくる深い谷と急傾斜の地形　旧地図からまず蛇行する**犀川**の流れをたどろう。北が下流である。右岸にはなだらかな北西斜面が開け、左岸には東西に長い尾根部とそれを削る深い谷が続く。川沿いは段丘面と氾濫原が断続して、平坦地は少なく、緩やかな斜面もあるが谷壁部の大部分は急傾斜地である。集落は緩傾斜面に点在し、急傾斜地にも畑は開かれていた。谷が深く水が得にくいため水田は少なく、段丘面上も桑畑であった。ここでは主食の大麦小麦を中心に、豆類やソバ等の雑穀、イモ類や野菜で主食を補った。明治以後も麻や楮、藍などの換金作物や、炭や繭を売って現金収入を得ていた。自給自足的な生活が戦後まで続いた。昭和25年は就業者の81.6%が農業で、畑作中心の山村であった。

犀川の船運から国道開通まで

■犀川通船の終点　天保3年（1832）に松本と結ぶ犀川での船運が始まると、**新町**は物資の中継地としてにぎわった。明治初期には228戸の商店があり、様々な商品が取引された。通船は日に4～5隻が松本と新町間を往来した。下流は難所で通船ができず、積荷はここから陸路で山中や長野方面に運ばれた。**久米路**橋と北国西街道の商都・稲荷山を結ぶ道は江戸時代以後も要路であった。通船は篠ノ井線開通後は縮小されたが、県道（現国道）が開通する昭和13年まで続いた。川岸にある舟のマークは、渡船の場所である。犀川を渡る橋は久米路橋以外にはなかった。

久米路橋（大正6年）

■犀川に沿う県道の開通　大正期には犀川に沿う一続きの道はなかった。長野と松本を結ぶ川沿いの広い道は地域の強い願いで、大正中期になると村々は団結して道路の開設を訴えた。その結果、県は失業救済対策土木工事として昭和5年から本格的に県道整備を進め、昭和13年に全線開通した。犀川をいくつもの鉄橋で渡り、昭和27年には国道19号となって、主要道として南北を結んだ。

■ダム建設と水害　**水内ダム**は戦時中に犀川に計画された水力発電用ダムの一つで、昭和18年に発電が始まった。しかしダムの設置で河床や水位が上がり、上流部の浸水被害が増加した。発電業者は行政とも協力し、補償と護岸工事

5万分の1地形図「長野」「大町」平成9年修正　原寸　注：図中「信州新町」は平成22年から長野市

読図ポイント　［地図記号］　昔　桑畑　針葉樹林　広葉樹林　学校　渡船　今　発電所

1　山間地の暮らしを見る

犀川の激しい蛇行と両岸の急峻な山を見てみましょう。川沿いのわずかな平地利用はどう変化していますか。古い地図の渡し船の記号や、川沿いの道路も見てみましょう。

2　学校の減少を知る

新旧地図で見比べると、小中学校の数が減っています。その要因は何でしょうか。高度経済成長期以来の農山村の抱える問題が浮かび上がってきます。

等の防災対策を行ってきた。久米路橋付近の滞水を防ぐ平成の巨大排水路開設もその一つである（赤二重線）。一方でダム湖は琅鶴（ろうかく）湖と命名され、観光や憩いの場ともなっている。

2　高度成長期の荒波を受けて

■町の変化と対応　戦後、この地域の農家は食料不足を脱し、希望を抱きながら養蚕や羊毛種の飼育、酪農、稲作など様々な農業に取り組んだ。電気揚水による開田もなされ、養蚕も発展した。しかし、昭和30年頃からの商工業発達や高度成長期を経て生活は大きく変化し、山間部では急激な人口流出が始まった。食料や原材料の輸入が急増し、従来の作物の多くは畑から消えた。食の洋風化でコメ余りが生じ、化学繊維の普及もあって羊の飼育や養蚕も消滅した。農家の打撃は大きく、農業で生活できない人や若者の多くは他産業や都市に職を求めた。農業従事者数の大幅な減少で農地も荒廃した。町は農業支援や工場誘致、団地造成や介護の充実、美術館や観光・文化施設の充実など様々な振興策を試みたが、現在も人口流失は止まっていない。

■学校の減少　旧地図には学校記号が多い。合併前の村には本校と分校が複数あって、どの地域にも子どもたちがいた。しかし昭和40年頃以降、分校は徐々に本校に統合され、平成11年には犀明小学校を最後に**新町小学校**1に全て統合された。これは若い世代が減り、少子化が進んだことを示している。平成27年の中学生は71人、小学生は126人。昭和37年より、それぞれ996人、1,540人が減少した。町の人口も昭和30年の3分の1となった。

県下第1号の「道の駅」で活気

■地域に根ざす道の駅　「道の駅信州新町」2は昭和63年に国道19号沿いに産業振興を図って開かれた売店が前身である。平成5年（1993）の長野県第一号の「道の駅」認定を機に、観光客対象から近隣住民に愛される店への転換を図った。今は安くて種類豊富な地元野菜や商品、テナントのそば・おやきが人気で、多くのリピーターが訪れ、地元生産者や働く人々に活気を与えている。

■地域の特色を生かした農業　竹房にある「（株）信州山狭採種場」3は農家に野菜の種の採り方を指導し、商社から委託された種を農家に増やしてもらう採種農業を地域に定着させた。地形や気候等の自然条件は採種に最適といい、多くの農家が参加したが、生産者の高齢化が深刻だ。

■新しい町並みの誕生　平成11年に始まった国道の拡幅事業に併せ、新しい法律に基づく中心市街地活性化事業が行われ、役場やJAの移転等で活気を欠いていた新町の中心街は広い道が通る風景に生まれ変わった。ハード整備の機運と合わせ、地域の自然や資源を生かした魅力創出へ、住民一丸となった英知の結集・実践が試されている。　（渡辺　敏泰）

拡幅した国道19号沿いの町並み

40
上松町
〈木曽郡〉

ヒノキで栄えた木曽谷の集落

「木曽路は全て山の中である」。島崎藤村の『夜明け前』冒頭の一節のように、木曽地方の面積の93%、つまりほとんどが深い山林だ。高低差の最も少ない木曽川沿いの谷に集落が寄せ集まり、道路や鉄道が走る。そんな制約の多い地形にあって、木材の集積場として栄えた上松（あげまつ）町の今昔を地図から見てみよう。

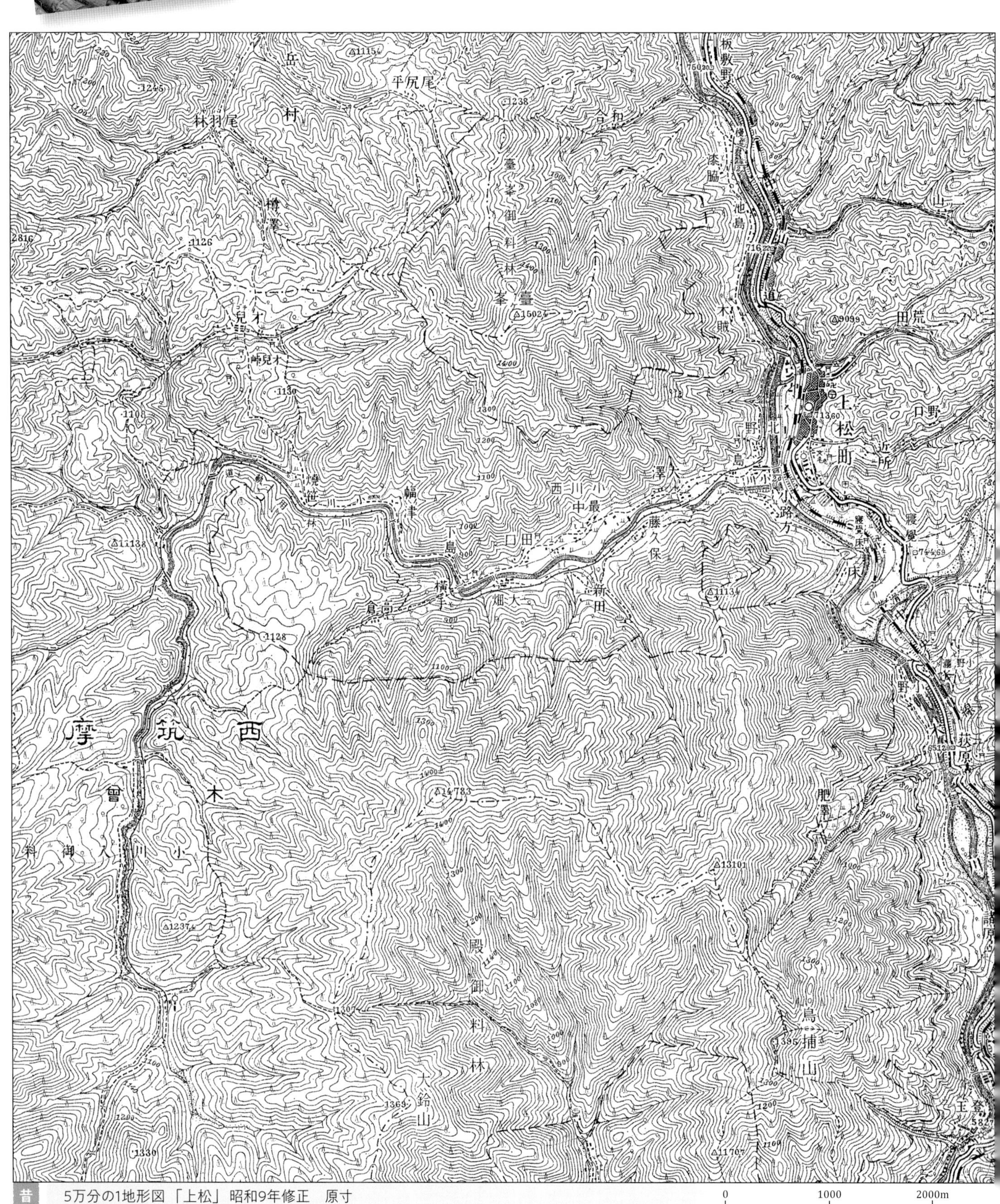

昔　5万分の1地形図「上松」昭和9年修正　原寸

読図ポイント

［地図記号］ 昔 針葉樹林　貯木場　森林鉄道

1 針葉樹の森を見る

等高線と針葉樹の記号からは、ヒノキ産地の険しい地形がわかります。生活域となるわずかな平坦部も探しましょう。

2 木材輸送の変遷を見る

険しい山から伐り出された木材はどう運ばれたのでしょうか。川、森林鉄道、道路への変化を読み取ってみましょう。

3 集落の広がりを見る

林業振興で上松の集落はどう変化したでしょうか。また山間でも比較的傾斜の緩やかな地も利用が進んでいます。

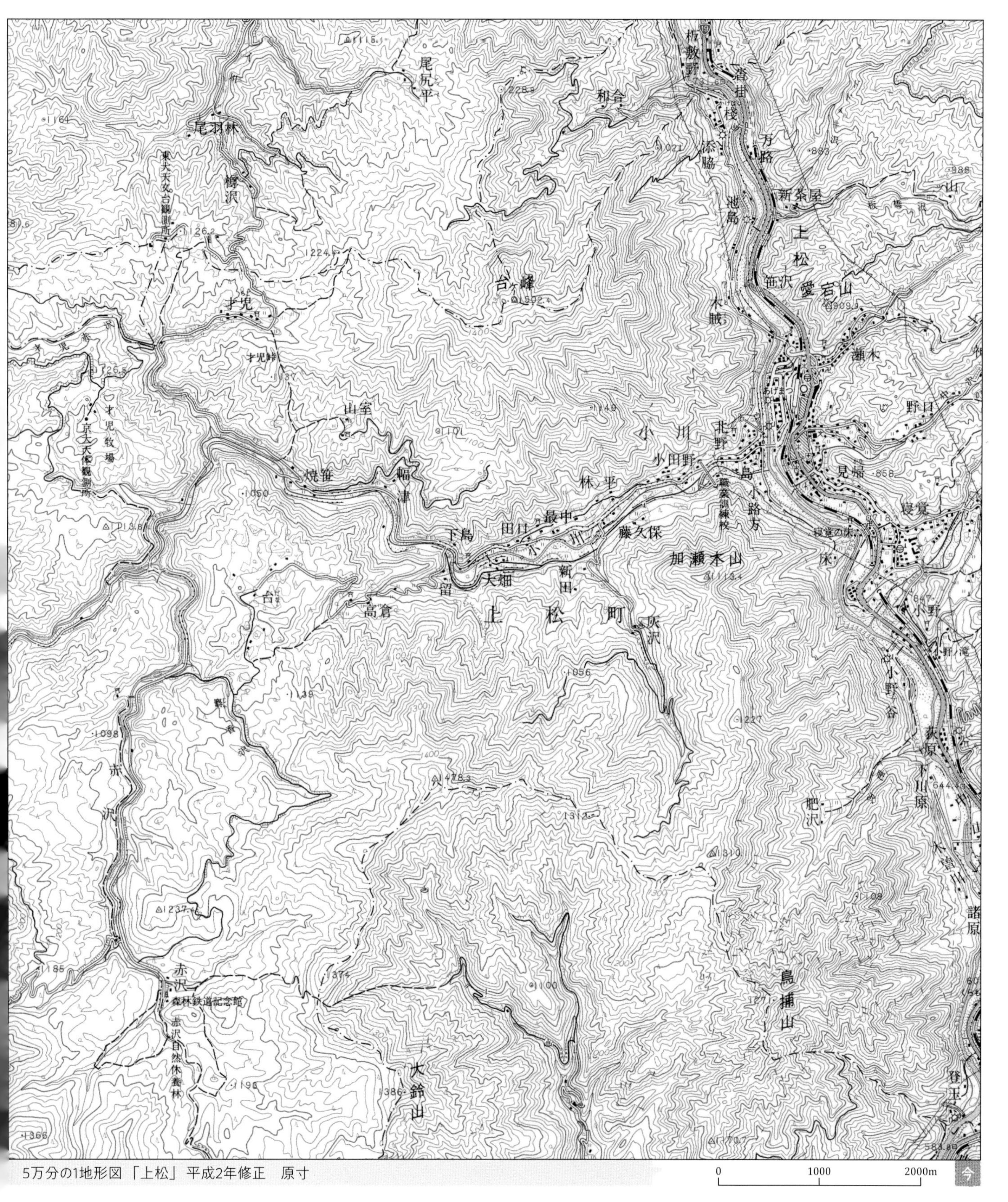

5万分の1地形図「上松」平成2年修正　原寸

0　1000　2000m　今

1 ヒノキ材の宝の山

■木曽五木が茂る木曽山地　新旧地図ともに等高線が密に描かれた険しい山地は針葉樹林で覆われている。これが「木曽五木」と呼ばれる「ヒノキ・アスナロ・サワラ・コウヤマキ・ネズコ」の5種類の針葉樹で、中でもヒノキが圧倒的に多い。木曽のヒノキは冷涼な気候で良材が取れることから、青森ヒバ、秋田杉と並び日本三大美林と言われる。ヒノキ材は強い芳香があり緻密で狂いが少ないことから、古くから日本で最高品質の建材とされてきた。その品質は、千年以上前に建立され現在もその姿を留めている法隆寺五重塔の心柱に使われていることからも伺うことができ、世界でも屈指の優良な木材ともいえる。

■建築用材として利用される木曽ヒノキ　木曽のヒノキは鎌倉時代から建築用として使われ、室町時代の中期、伊勢神宮の遷宮用材の産地に選ばれたことでその名が知られるようになった。戦国時代から江戸時代、大阪城や伏見城をはじめ全国の城下町などの整備で木曽の木材が大量に調達されたことで一時的に資源が枯渇するまでになった。江戸中期からは、尾張藩の管理下で「ヒノキ一本首一つ」とまでいわれる厳しい伐採制限がかかり、ヒノキによく似たサワラやアスナロ、ネズコ、コウヤマキを合わせた5種を伐採禁止とした。その結果、森林資源が徐々に回復、**赤沢自然休養林**では江戸中期から300年以上を経たヒノキの美林を見ることができる。

ヒノキ林

■育ってきた木を再度利用する時代に　明治に入り、木曽の山林は農商務省の管轄を経た後に皇室所有の御料林に編入された。このため旧図には「**台ケ峰**」「**小川入**」「**殿**」の御料林が確認できる。その後、日清戦争から始まる戦争に際し、軍事資材としての木材需要が高まり、木曽の木材も多くが伐採された。旧地図の小川入御料林にある荒れ地の記号からは、大規模な皆伐の一端を想像できよう。ちなみにこの時期、皆伐後には植林が施されたが、苗木が高さ50cmほどと小さくて森林とは扱われなかったためと思われる。荒れ地であれば、この辺は気候からして広葉樹林になることが多いが、新地図には針葉樹林の記号が描かれていて、再びヒノキの人工林となっている。木曽谷には100年を超えるヒノキ人工林も多いが、明治以降の伐採では次世代の森林を育てる配慮があったことも地図から読みとれる。

2 林業を支えた森林鉄道

■川流しから林鉄利用に　山奥で伐採した木は町なかまで運ぶ必要があり、これは重労働であった。人力が主体だった江戸時代には、伐った木を斜面から谷底へと落とし、谷底に集めた木材は川で流して下流へと運んだ。木曽谷は支流経由で木曽川に運べば、河口の名古屋を拠点に全国へと搬送できるため木材の一大産地となった。しかし、河川による木材輸送は岩にぶつかって品質が低下したり、行方不明になる材も多かったりと効率は悪かった。明治末期、木材需要が高まり生産量が木曽谷全体で年間8万㎥を超えるようになると、木材を安全で確実に運搬する必要に迫られた。また、木曽川で水力発電が進められるようになった背景もあり、当時建設中の国鉄中央本線と連携して木材を運ぶため、森林鉄道が採用された。河川沿いの緩い勾配を利用し、狭い軌道で木材を運ぶことが可能で、木曽谷では大正5年(1916)、**上松駅**から赤沢までを結ぶ初の小川森林鉄道(**小川林用軌道**)が開通した。

かつての森林鉄道

■木曽谷林業の全盛期　御料林は戦後国有林となり、最盛期には木曽谷で428㎞に及ぶ森林鉄道が敷設され(図1)、大量の木材が運び出されるようになった。この頃、木曽の国有林だけで平成27年度の長野県全体の木材生産量を上回る年間70万㎥の木材が生産されていた。

木材産業を支える伐採・運搬・加

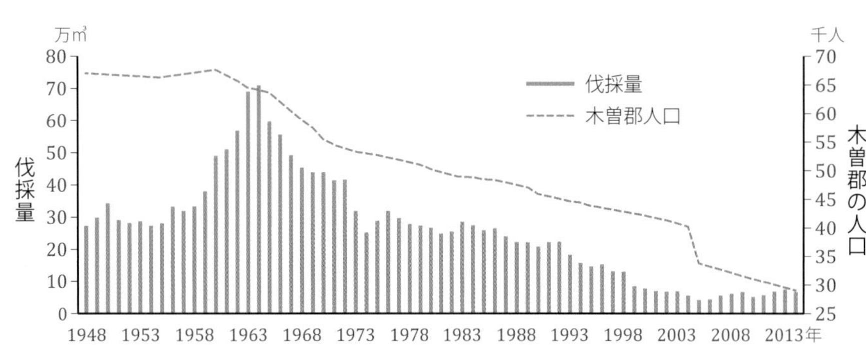

図2:木曽郡の木材伐採量と人口の推移

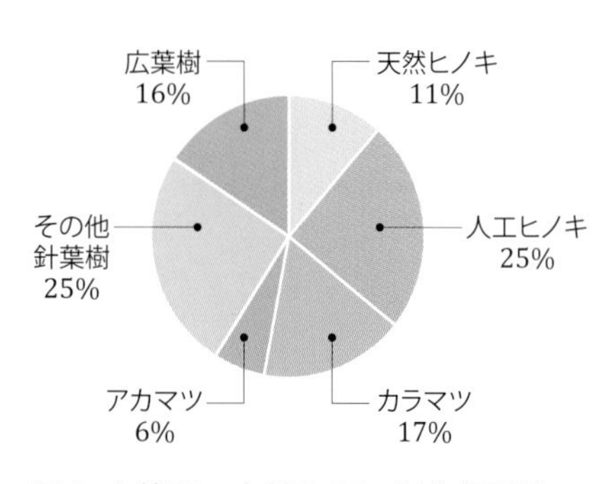

図3:木曽郡の森林資源の割合(面積)

※両図とも「長野県林業統計」「県勢要覧」より作成

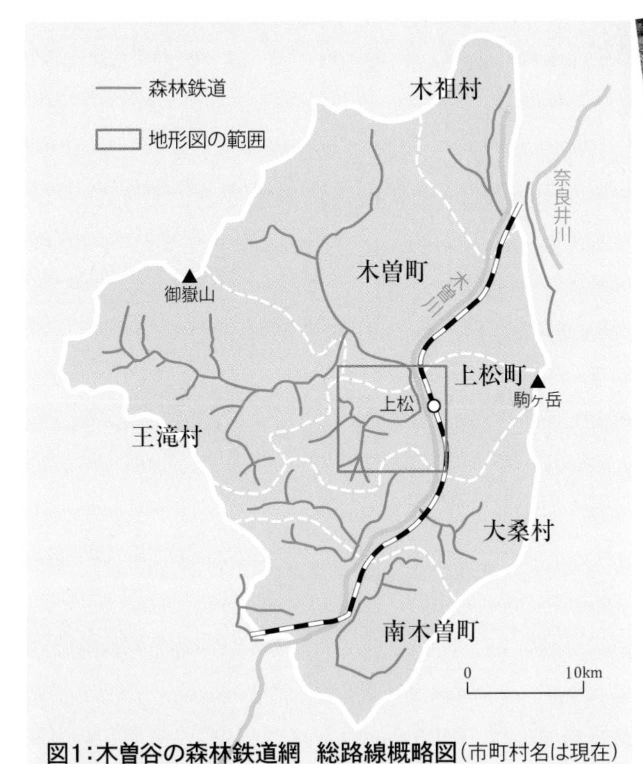

図1：木曽谷の森林鉄道網　総路線概略図（市町村名は現在）

工業者に加え、労働者の生活必需品を提供する第3次産業関係者を含め、木曽谷の人口は6万人を超えていた。（図2）

■木材産業の低迷から資源保護へ　それ以後、外材の輸入自由化や住宅事情の変化を受け、国産材全体の需要が低迷。広大な木曽谷の天然ヒノキ林も、伊勢湾台風などで倒害が発生し資源量は激減した。資源の不足は、天然ヒノキに頼ってきた木曽谷の林業にも打撃となり、働き手減少や製材所の閉鎖、営林署統合などが相次ぎ、現在の木曽谷の人口は最盛期の半分以下となっている。

木曽谷を代表するヒノキを今後も活用していくため、国有林でも生産量を年6～7万㎥程度に抑えながら資源を保護している。また明治以降に植栽したヒノキ人工林からの木材生産も進めており、天然林に偏らず人工林も活用する時代となっている。

平成29年現在の木曽谷における森林資源の状況を蓄積量で見ると、図3のように、天然ヒノキは11%程度にとどまるが、人工林のヒノキやカラマツの資源量が多く、これらの多くが利用可能な大きさに成長している。

林鉄上松駅

■林鉄から林道へ　木曽谷で隆盛を極めた森林鉄道は、自動車の急速な普及によりその役目を徐々に終えていき、昭和50年（1975）までに姿を消した。ただ、急峻な地形では道路の開設が難しいため、林鉄跡地を拡幅し林道として有効活用している。森林鉄道を観光の目玉として復活させる動きも盛んに行われ、赤沢自然休養林では旧小川森林鉄道で使われていた軌道1.1kmが観光用として昭和62年に復活している。

赤沢自然休養林を走る復活機関車

■後世に遺す林業遺産に　木曽谷を初めて走った小川森林鉄道をはじめとする木曽谷の森林鉄道は、その規模や歴史の長さから全国を代表する森林鉄道として高く評価され、平成25年度に日本森林学会が認定する「林業遺産」となっている。小川森林鉄道では赤沢自然休養林内に保存されているボールドウィン蒸気機関車をはじめ、運行当時の姿が残されている橋が遺産として指定されている。さらに、林業地として栄えた木曽谷には林業遺産が多く、平成29年度までに指定された31件の林業遺産の4件が木曽にゆかりがある。木曽の森林鉄道以外では、江戸時代後期の林業の様子が克明に記された絵巻物「木曽式伐木運材図絵」、明治34年に開校した木曽山林学校で使われていた教科書類の林業教育資料を収集した「木曽山林資料館」、御料林を管理していた「帝室林野局木曽支局」が指定されている。

3 山間にも新しい集落

■国道に沿って南にのびる集落　木材の集積地だった上松駅周辺を見てみよう。駅の少し南に木曽川と、赤沢から流れる小川との合流点が確認できる。この辺りを中心に集落が発達しており、木材が集まる場所に人々が暮らしていたことが伺える。旧地図で最も大きな集落は中山道の上松宿があった付近である。しかし、新しい地図では集落は上松駅周辺からさらに南に伸び、現在は**寝覚**（ねざめ）地区にも拡大している。上松駅の西側には大きな貯木場（旧地図に地図記号）があったが、木材の流通が鉄道から自動車へと変わったことを受け、平成21年に町の南にある国道沿いへ移転した。貯木場の跡地は工場などが少しずつ進出している。

■新たな土地を求めた開拓集落　地形からわかるように、木曽谷では農耕地を広げることが難しい。人々は山間のわずかな土地を耕して生活していたが不足するため、この100年に新しい土地も開拓してきた。現在の地図には見られる**才児**（さいちご）**牧場**の場所は、もともと在来馬である木曽馬の放牧地としてしか使われていなかった。また現在、**台**地区となっている場所は集落が広がるが、旧地図で見ると一面の針葉樹林で道路も見られない。ここからは戦後に開拓された新しい集落であることが読み取れる。さらに、ここは周囲に比べて等高線の間隔が広い。つまり傾斜の緩い地での開拓が、生活できる土地が少ない木曽谷ならではの工夫であったことをうかがわせる。　（小山　泰弘）

開拓で生まれた台地区

41
遠山郷
〈飯田市上村・南信濃〉

絶景の傾斜地に根付いた暮らし

「遠山郷(とおやまごう)」は、南北に長い壁のような伊那山地と赤石山脈(南アルプス)に挟まれた谷筋の地である。ここに暮らす人々は神話の雰囲気漂う伝統行事「霜月祭り」などを大切にしながら、狭い谷底や急斜面で生活している。かつては林業でにぎわい、森林鉄道も走っていた時代もある。林業衰退後は人口の減少や高齢化という課題に直面し、域外と結ぶ三遠南信自動車道の整備に新たな期待がかかっている。

読図ポイント

［地図記号］昔 針葉樹林 広葉樹林 森林鉄道

1 急傾斜地集落を見る

上村川と遠山川の両岸に続く険しい山地に点在する集落を見てみよう。山深い郷はどんな暮らしぶりなのでしょうか。

2 林業の繁栄ぶりを見る

旧地図から索道や森林鉄道など、かつて栄えた林業の様子を読み取ろう。新地図ではどうなっているでしょうか。

1 急傾斜地生活と民俗文化は今も

■下栗の地形と生活　急傾斜地にある**下栗(しもぐり)**の里を新旧地図で見てみよう。等高線が極めて密で、傾斜度は30度以上、標高1,000 mの高冷地で、他地区とも隔絶している。このような厳しい場所は県下でも珍しいが、変わらぬ暮らしが根付いている。急傾斜地では横畝(よこうね)の土をかき上げて耕作する伝統の農法を維持し、集落が南斜面に位置しているために日照時間が長いことなどから二度芋(年2回収穫するジャガイモ)、ソバなどを栽培している。家屋は急傾斜地を切り込んで立ち、背後は高い石垣となっている。厳しい地形は絶景を生み、“日本のチロル”と呼ばれ観光客も訪れる。

霜月祭りの最後の舞「天伯」

■遠山郷の象徴「霜月祭り」　国重要無形民俗文化財「霜月祭り」は、郷の各社で12月から順に行われる。湯立(ゆたて)神楽は、昔からの祭事をほぼ原型のまま伝承しているといわれている。面(おもて)や衣装を次々と変える舞が繰り広げられ、村は夜明けまで盛り上がる。祭りの由来には諸説あるが、昔から過酷な山仕事に対する神の加護も願って祭りが営まれてきたといわれている。

2 遠山の林業が盛んだったころ

■初期の林業　かつて山里を支えた林業の様子を見てみよう。遠山は広大な森林に覆われ、明治時代には御料林として保護され、戦後は国有林となった。公有林・私有林も相当の面積を占める。明治期、王子製紙が木材資源が豊富で良材が得られる天竜川の中流地域に進出。明治30年(1897)から**和田**に本拠を置き、大規模な伐採を開始した。1,500人もの山林労働者で和田の街は活性化し、遠山郷の商店数の8割を占めるまでになった。戦時中には大昭和製紙も進出した。

遠山郷の森林鉄道

製炭業も盛んになった。大正8年(1919)、伊那山地を挟んだ西側の喬木(たかぎ)村から**程野(ほどの)**まで**竜東索道**(貨物のみを運搬するケーブル)が引かれた。10年後には現飯田市座光寺まで延長され、毎日60回も往復した。やがてトラックの通行が可能になると、索道は昭和16年(1941)に廃止された。

■森林鉄道時代の林業　林業が盛んになってからも、**木沢**から東の**遠山川**沿いの国有林などは未開発であった。その開発のため、昭和19年から遠山森林鉄道が設けられた。総延長30.5km、木材輸送量は国有林材30万㎥、民有林材40万㎥、最盛期には400人が林業に従事し、貨車4～5両が連なって走った。この運行はトラック輸送への転換により廃止となる昭和44年まで続いた。しかし、林業の衰退に伴い、**上村**(現在は飯田市)の人口は昭和25年の2,655人から、25年後には半減し、高齢化も進行している。

3 新たな自動車道への期待

■三遠南信道への期待　旧地図を見ると、西の飯田方面との交通は人馬による**小川路峠(おがわじ)**越えの**秋葉街道(あきわ)**が重要な道であった。昭和42年に**赤石隧道**経由の林道が開通し、悪路であったが自動車通行が可能となった。

平成6年にようやく**矢筈(やはず)トンネル**経由の三遠南信自動車道が一部開通し(新地図では建設中)、遠山谷と飯田市街地が1時間以内で結ばれるようになった。住民は自動車道の全通に、過疎脱却の期待を込めている。

(中島　博文)

二度芋(下栗いも)

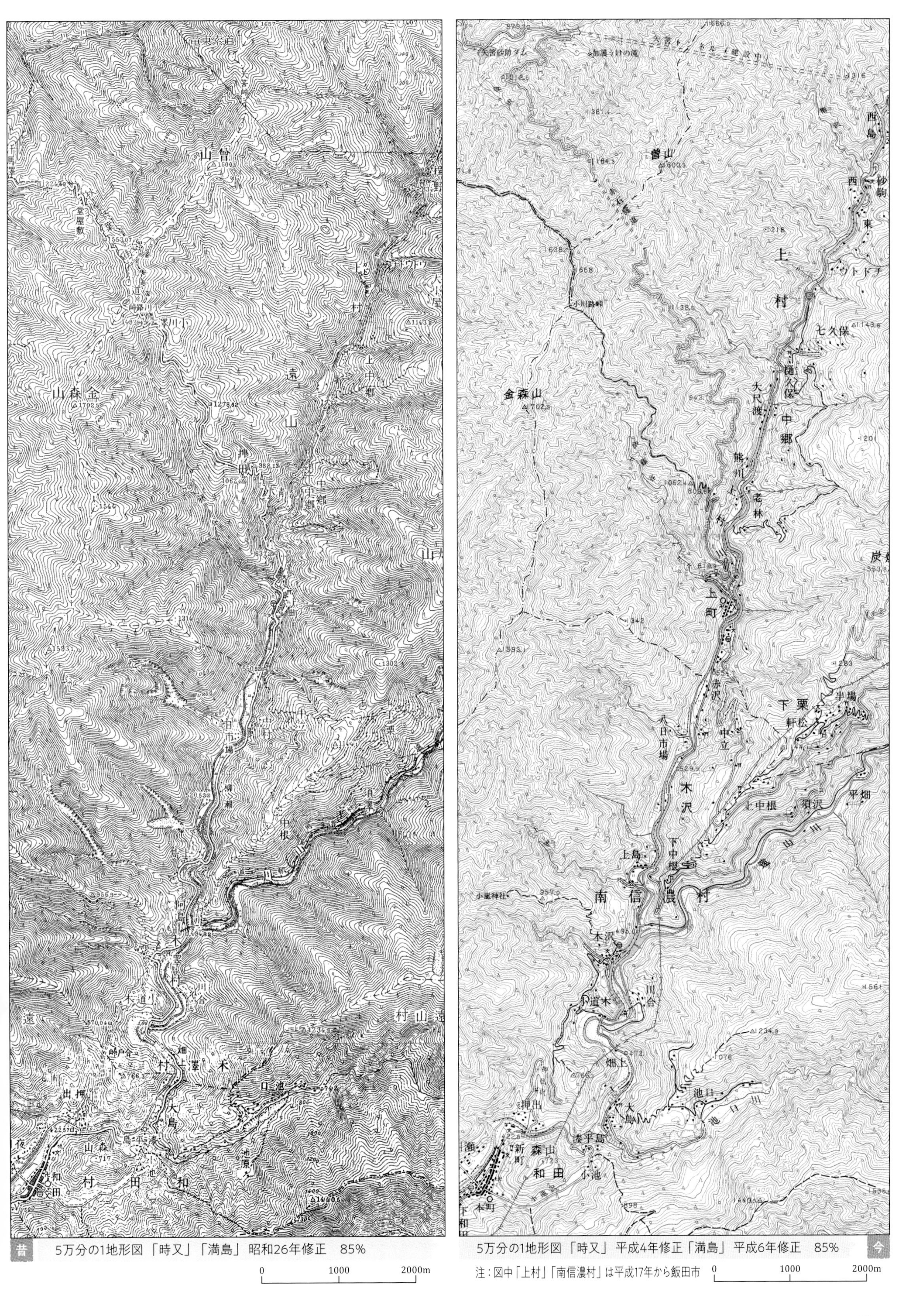

昔　5万分の1地形図「時又」「満島」昭和26年修正　85%

0　1000　2000m

5万分の1地形図「時又」平成4年修正「満島」平成6年修正　85%　今

注：図中「上村」「南信濃村」は平成17年から飯田市

0　1000　2000m

42
上田市

上田が私鉄のまちだったころ

上田が「蚕都」と呼ばれたころ、盆地一帯は私鉄網が張り巡らされた大変便利な地域であった。丸窓電車で知られる別所線を含む私鉄5路線71駅、総延長57km。信越本線を含め鉄道交通がここまで完備された地域は長野県内ではほかにない。人々は電車で通勤通学や買い物、祭りへと行き来し街はにぎわった。やがて自動車の時代が訪れ、私鉄路線は消え、街も変わっていった。鉄路を切り口に変貌をとらえてみよう。

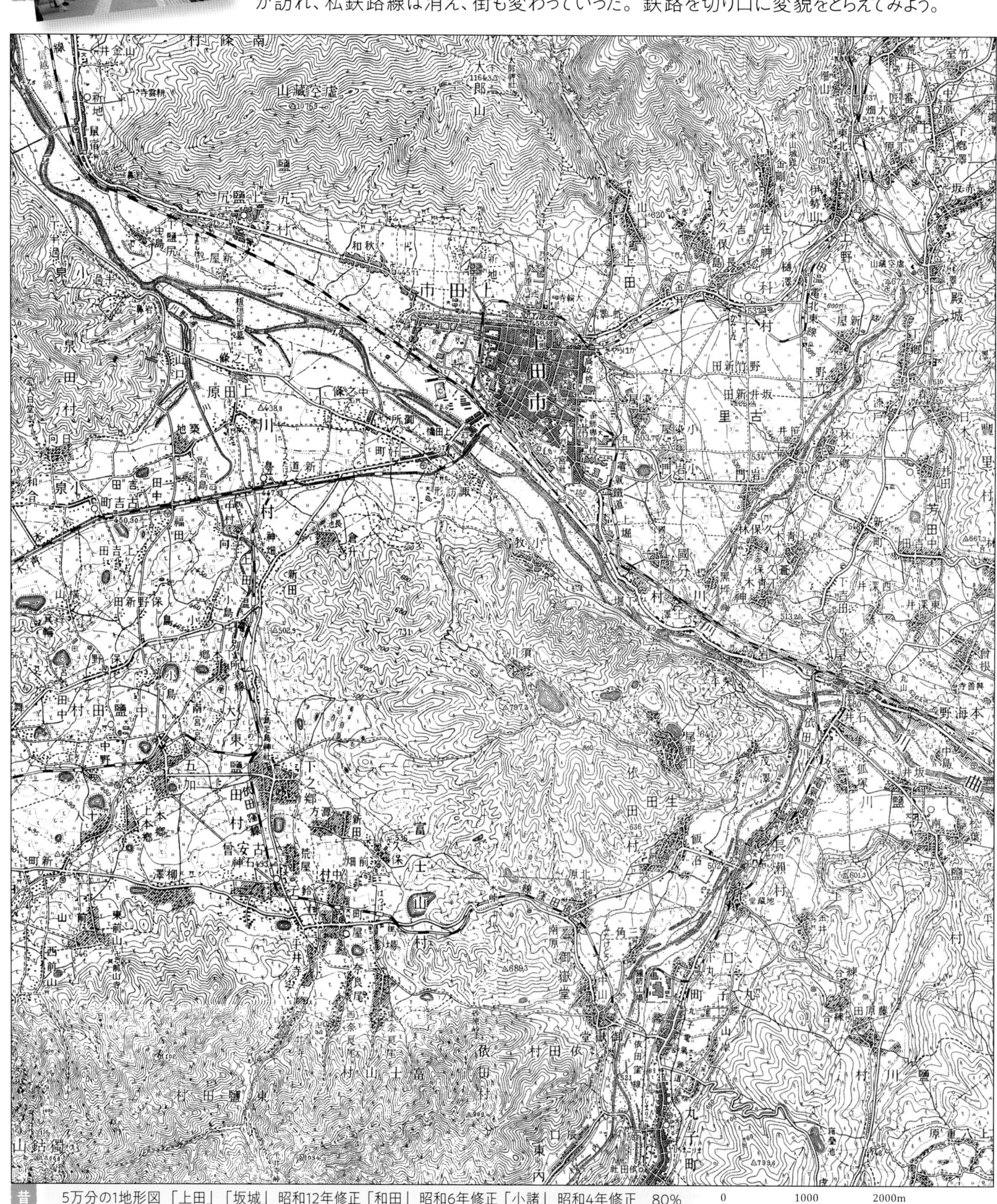

昔　5万分の1地形図「上田」「坂城」昭和12年修正「和田」昭和6年修正「小諸」昭和4年修正　80%

0　1000　2000m

読図ポイント

いにしえの鉄道ルートを見る

旧地図で、かつての鉄道をたどってみよう。多くの私鉄が敷設されたのはなぜでしょう。現在はどうなっていますか。

街と私鉄の関係を見る

かつての私鉄は、養蚕不況後も上田の工業化に役割を果たしました。疎開工場と通勤の利便性を確認してみましょう。

車社会への対応を見る

今は別所線のみ残りました。車社会の到来で交通基盤はどう変わりましたか。新道や千曲川の架橋に注目しましょう。

高速交通時代を見る

新地図では高速道路ＩＣや新幹線ルートも確認できます。交通インフラの進展に伴う集落の広がりも見てみましょう。

注：図中「丸子町」は平成18年から上田市

5万分の1地形図「上田」「坂城」「小諸」平成9年修正「和田」平成3年修正　80%

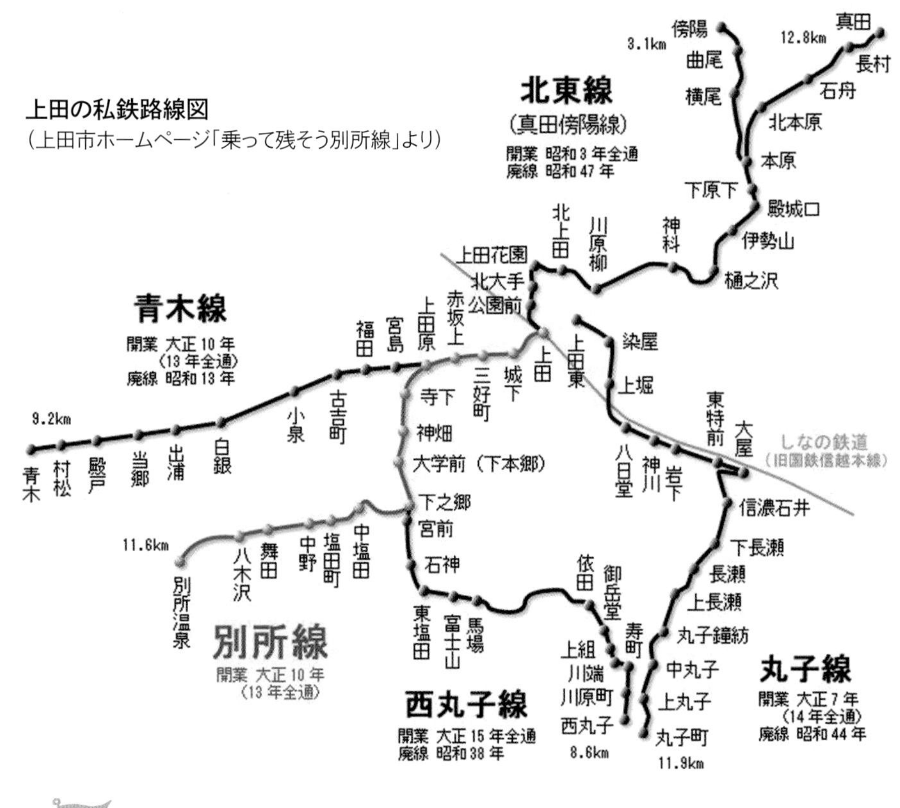

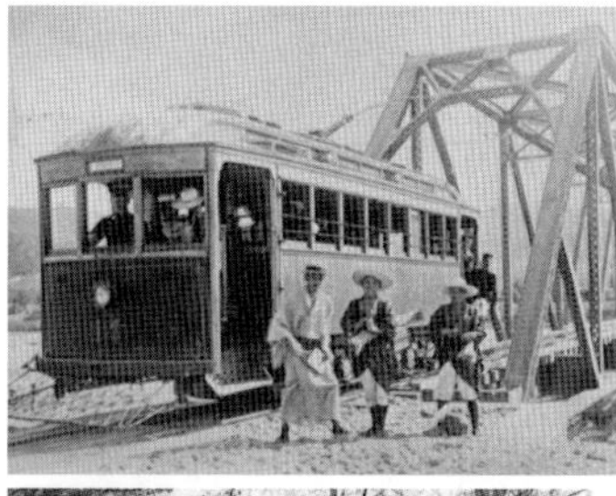

上・千曲川鉄橋が完成し上田温電が上田駅に乗り入れ（大正13年）　中・上田城内を走る真田傍陽線電車（昭和40年代）　下・別所線の列車内（昭和51年）（上中写真は上田市立博物館提供）

1 上田に私鉄が発達した背景

■蚕都上田の発展　上田に多くの私鉄を生んだのは「蚕都」としての繁栄だ。まずそこから振り返ろう。旧地図を見ると中心市街地周辺やその南西に広がる塩田平、山麓、千曲川沿岸、山麓の各地に桑畑があった。江戸中期から養蚕業や蚕種業が発展、大正から昭和初期の土地利用は桑畑が60％で水田より多く、農家の70％は養蚕業に関わっていた。繭や生糸の取引は現金で行われ、金融業も発展した。明治10年（1877）には第十九国立銀行、上田銀行、塩尻銀行など私立銀行8行をはじめ銀行類似会社が90社近くも存在していた。

■上田の鉄道建設　上田地方に鉄道が敷設されたのは明治21年の官設直江津線（後の**信越本線**）で、同26年に碓氷峠に鉄道が通り東京や横浜と結ばれると、原料繭や生糸の輸送に利用されるようになった。やがて信越本線への接続を図り、私鉄各線が誕生することになる。ちなみに中央本線岡谷駅が開通する同38年までは、岡谷や伊那地方の生糸も和田峠を越えて田中・上田経由で横浜へ鉄道輸送された。この方面からは田中・上田駅よりも信越本線に近い**大屋駅**の設置が請願され、同29年に実現している。上田は県内外の繭や生糸の集散地として栄え、「信州の横浜」ともいわれた。

■私鉄の発達した町　岡谷生糸の輸送ルートであった丸子町に同22年、製糸業の**依田社**が創業し急発展した。原料繭や生糸の輸送を目的とした丸子鉄道（株）を設立、大正7年に**丸子線**（丸子電気鉄道）（丸子町―大屋）を敷設し、その後大屋から上田東へと延伸した。上田市街地方面でも蚕都の繁栄を背景に鉄道建設への機運が高まり、製糸業者らが鉄道院の五島慶太の協力を得て、大正8年に上田温泉電軌（株）を設立、10年に**青木線**（**三好町**―青木）、川西線（**上田原**―別所温泉）を開通した。13年には千曲川に架橋して青木線を延長（三好町―上田）し、**上田駅**と結んだ。さらに15年に依田窪（よだくぼ）線（下之郷（しものごう）―西丸子）、昭和3年北東線（上田―真田・傍陽（そえひ））と続き、鉄道網が上田盆地に張り巡らされていった。

蚕都を象徴する繭倉

■私鉄による上田との結合　この私鉄ルートは上田盆地の各谷筋を走り、上田駅や上田市街に直結、通勤や通学、買い物への利便性が高かった。上田都市部にとって千曲川対岸にある塩田・川西は上田藩時代からの穀倉地帯として重要な地で、この地域と鉄道で結ばれたことは街の発展に大きな意味を持った。また、昭和初期には鉄道による観光・湯治がブームとなり、丸子電鉄丸子線では霊泉寺（れいせんじ）温泉や鹿教湯（かけゆ）温泉、上田温泉電軌の青木線は沓掛（くつかけ）温泉や田沢温泉、北東線（後の真田傍陽線）では菅平高原のスキー場がそれぞれ観光の目的地となった。鉄道発着点となった上田市街地の商店街は大いににぎわった。

2 疎開企業と上田の工業発展

■上田の市街地拡大　蚕都としての発展で上田城下町の市街地は大正時代に東へ拡大した。ここは明治43年に**国立上田蚕糸専門学校**（後の信大繊維学部）が設立され、大正5年に**上田高等女学校**、6年上田蚕種（株）が続き、12年には県立小県蚕業学校が移転した。14年設置の丸子電鉄上田東駅は街の東方の**神川**（かんがわ）や**丸子**への玄関口となった。

上田橋

■工場誘致と疎開企業　昭和初期の経済恐慌で上田の蚕糸業は大打撃を受け、失業対策として鐘紡(従業員1,000名)を**上田橋**下の千曲川原へ誘致した。その後、戦時下では京浜工業地帯の企業疎開地となった。戦後、機械・輸送機械・電機等の疎開企業が数多く上田に残り、高度経済成長期に郊外の神川(蒼久保)・**秋和**等の工業団地に工場が集積、私鉄路線は従業員の通勤に利用され、上田の工業化に一定の役割を果たしてきた。上田市は県内で長野・松本に次ぐ第3位の工業都市へと発展した。

私鉄のその後—鉄道から自動車へ

■青木線の廃止　鉄道は地域の足として存続したが、その後、一部は再編されていった。上田温泉電軌の青木線は**松本街道**(後の国道143号)の道路敷の片側を県から借用して路面電車として運行していた。借用期限の昭和13年、青木線の上田原—青木間は廃線となり、バス運行に代わった。川西線は**別所線**と改称、上田—別所温泉を運行することになった。同18年には丸子鉄道と上田温泉電軌が合併、上田丸子電鉄(現上田電鉄)となった。上田温泉電軌が敷いた西丸子線(旧依田窪線)は丸子から上田への乗り入れのためのルートであったが、丸子電鉄による丸子線上田東駅設置のあおりを受け、乗客は少なかった。昭和36年に台風で被災後、復旧を断念し廃線となった。

国道18号の渋滞(昭和56年)

■自動車の普及と私鉄の廃線　高度経済成長期に入り到来した自動車時代は私鉄経営を直撃した。乗降客は減り、昭和40年代になると経営悪化が深刻化、丸子線は同44年、真田傍陽線は47年に廃線となった。同線は菅平の野菜輸送にも貢献したが、トラック輸送に切り替わった。通勤通学客には代替バスで対応したが、自動車の増加に道路整備が追いつかず、各地で渋滞問題を引き起こした。中でも千曲川に沿った地域や動脈国道18号の渋滞は長距離ドライバー泣かせで知られ、上田市街地通過に1時間を要した。千曲川左岸から上田市街地への唯一の架橋、上田橋は大渋滞で、徒歩が一番早いという珍事が生じていた。

■バイパス道路と千曲川架橋　上田市は昭和34年に市街地外沿に産業道路を建設し、国道のバイパス的な役割を見込んだが、市街地拡大に伴い渋滞は常態化。同50年代からはさらに外沿に上田バイパス建設が始まり、平成5年に開通した広域農道・浅間サンライン(上田—軽井沢)もバイパスの役割を担うようになった。課題であった市街地と塩田平を結ぶ千曲川架橋は、新上田橋(昭和45年)、**古舟橋**(同50年)、**小牧橋**(同60年)、常田新橋(平成11年)、上田大橋(同12年)の5橋が順次整備され、市中心部と対岸部との一体化が図られた。一連の道路整備は上田の街の転機ともなった。

高速交通化と市街地の変容

■高速交通の開通と上田　長野県に高速道路が初めて開通したのは昭和50年(1975)、伊那谷を通る中央道であった。それから遅れること21年、**上信越自動車道**の上田開通は平成8年である。首都圏へ2時間半で直結するとあって地元市民の期待も大きく、流通面を中心に環境が大きく改善した。同9年には長野**新幹線**(現「北陸新幹線」)が長野オリンピックに合わせて開通、上田—東京間は1時間30分に短縮され、都内通勤・通学も可能となった。上田は〝東京郊外〟となった。新幹線開通に伴いJR信越線は第三セクター**しなの鉄道**となり、新駅が開設されるなど、より身近な地域の足として通勤や通学、買い物への利便性が高まった。

新幹線、鉄道が交差する上田ガード

平成11年、上田市・長野県・建設省は高速交通網を有効に活用するため、上田都市環状道路整備に着手。これが「上小30交通圏」プランで、上小地域のどこからでも最寄りのICや上田中心部へ30分以内でアクセスできる道路整備を推進した。交通環境が整うにつれて宅地化も進み、新地図に見るように市街地の拡大、バイパス沿いへの大型店進出などの変容が進んでいる。

■中心市街地と別所線を生かすまちづくり　上田は城下町を核として発展したため中心市街地の活性化には苦慮している。中心商店街の駐車場対策やドラマ「真田丸」に付随した観光にも積極的に取り組んだが、東信地方の主要都市としてのステータス維持へ模索を続けている。郊外への宅地化により中心市街地の空洞化が叫ばれていたが、近年では交通・医療の便の良さから、中心市街地でのマンション建設が進み人口増の動きもある。

丸窓電車

上田市の私鉄は自動車の普及とともに廃線に追い込まれていったが、**上田電鉄別所線**(旧上田交通別所線)だけは利用者や地域住民、上田市の協力により今も存続している。沿線住民の通勤や通学の足として、また塩田地区沿線の観光客にも愛される存在となっている。高齢化社会を迎え、かつての上田の繁栄を支えた鉄道は、今度は地域住民との身近さが評価されつつある。　(北澤　文明)

上田駅

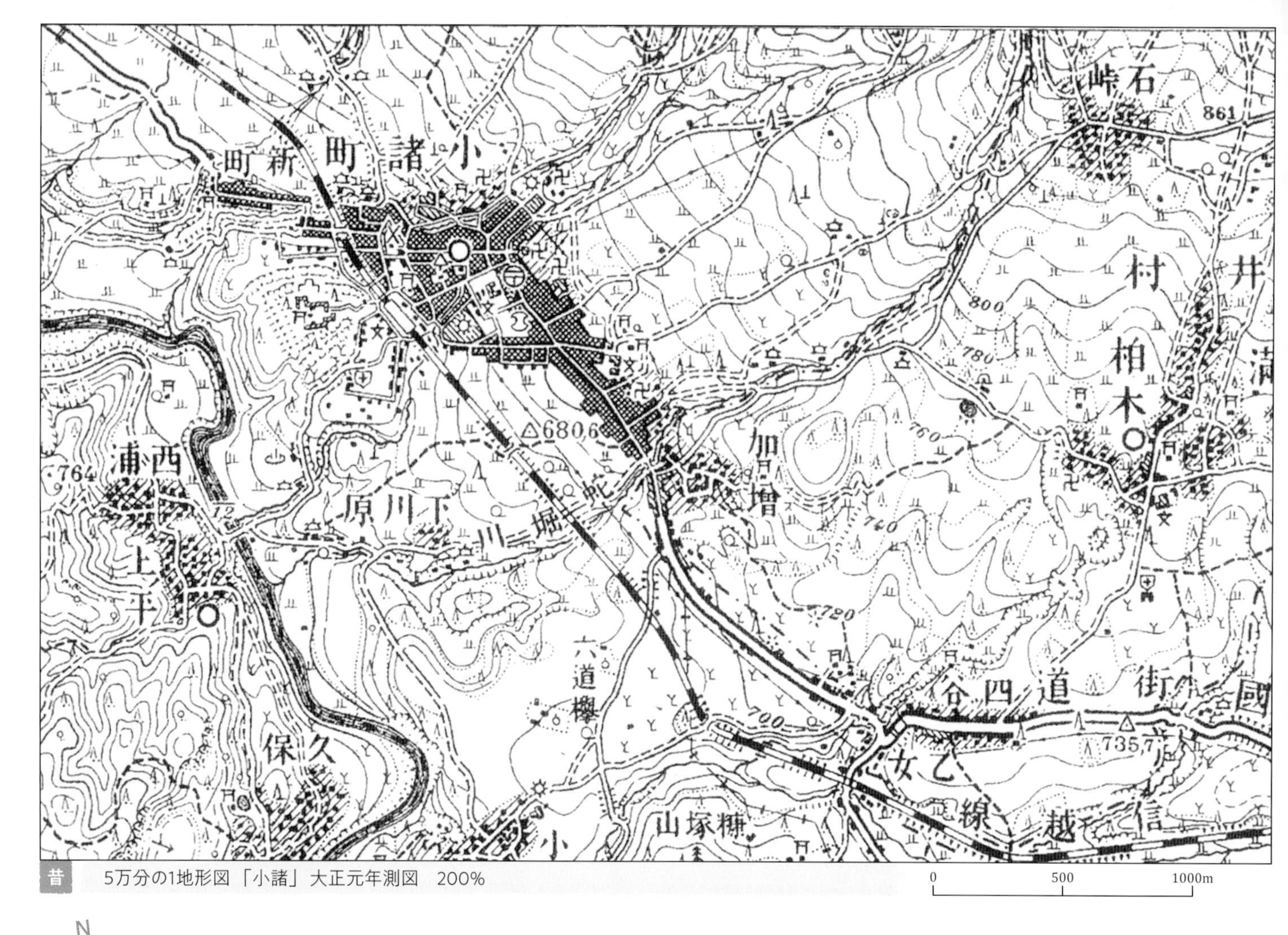

昔　5万分の1地形図「小諸」大正元年測図　200%

43
小諸市

城下町小諸が描く未来像

小諸は新幹線駅が実現しなかった町として、かつてのにぎわいを失った。古くからの商都としての繁栄に支えられていた街は、今後どんな転換を図っていくのか。その動向が内外からも特に注目される町である。城下町や宿場の面影、懐古園、坂の町、コンパクトシティー。小諸の再生につながる魅力とは何だろう。今昔の地図から一緒に探ってみよう。

1 「穴城」を中心とした坂の町

■城下町の骨格が残る街　小諸は北東にそびえる浅間山が吐き出した火山泥流上の傾斜地にある。末端は**千曲川**がつくる比高 100 mの侵食谷で、その急崖上には**小諸城**(懐古園)が築かれた。城は傾斜地上方の城下町より低地に位置し「穴城」とも呼ばれる。城周辺の半径 500 mは標高 650 ～ 850 mと高低差が大きい「坂の町」である。江戸時代に**北国街道**の宿場町だった**与良**(よら)**町・荒町・本町・市町**、明治に敷設された**信越本線**の**小諸駅**と北国街道を結ぶ相生(あいおい)町が核となり、現在に至るまで中心市街地をなしている。城下町防御を目的に、寺院が北国街道北側に配置されているのも特色である。

■商業が発展した町　明治時代、小諸は北国西街道沿いの稲荷山(現千曲市)と並び県内二大商都であった。商圏は東北信から遠く中南信地域まで及び、商家は街道に面して豪壮な店舗を構えていた。各商家では厳しい教育に定評があり、小諸は商業教育でも県下に知られていた。

■糸の町　明治 7年(1874)、豪商高橋平四郎による器械製糸「丸萬製糸場」が創業。初期の製糸業は山麓傾斜地を流れる小河川の水利を活用した水車を動力源とした。同 23 年に小山久左衛門正友が設立した器械製糸「純水館」は、石炭による蒸気機関を動力とし、昭和 2 年には工女 526 名の大工場に発展した。小諸町全体の工女は 2,500 名に達し、町は「糸の町」と呼ばれにぎわった。

商都の面影を残す町並み

2 コンパクトシティー構想

小諸駅(昭和30年ころ

■山麓の東西交通路と市街地の拡大　明治 21 年、直江津線(後の信越本線)が敷設、小諸城二の丸

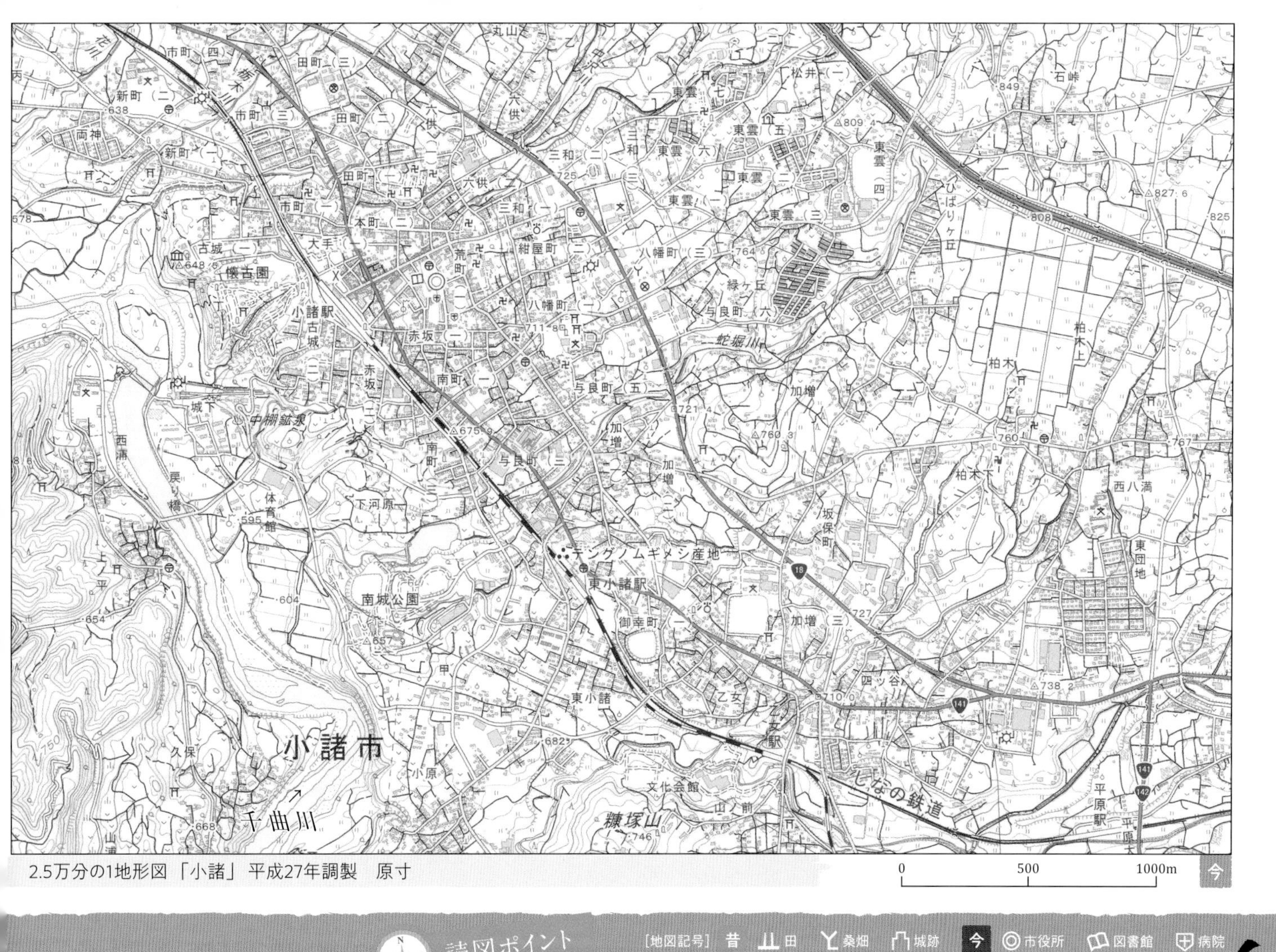

2.5万分の1地形図「小諸」平成27年調製　原寸

0　500　1000m　今

読図ポイント

［地図記号］昔　田　桑畑　城跡　今　市役所　図書館　病院

1 「坂のまち」を見る

千曲川がつくった段丘とその上にある小諸城（懐古園）、北東の浅間山から続くなだらかな傾斜を確認してみましょう。小諸城下町が「坂のまち」と呼ばれる理由がよくわかります。

2 市街地の特性を見る

城下町の骨格を残す市街地は車社会への対応が難しく、また信越線廃止でにぎわいを失いました。街の再生が課題です。コンパクトシティーの可能性を考えてみましょう。

に駅が設置されたため、小諸城の分断や鹿嶋神社の移転が行われた。大正４年、小諸駅から小海線（当時は佐久鉄道）が敷設された。小諸駅は近年まで特急「あさま」の停車駅でもあり懐古園への観光客が絶えず、商店が立ち並ぶにぎわいのある街であった。

高度経済成長期を経て車社会となると、市街地や周辺も変化していった。小諸付近の道路は東西交通が中心で、国道18号は街中の北国街道を通っていたが、昭和40年に中心市街を回避するバイパスが完成。平成に入り、浅間サンラインや上信越自動車道が市北部の郊外に開通した。北陸新幹線佐久平駅に近い市南部は台地の平坦地でもあり、大型商業施設や物流業が進出して宅地化も進み、にぎわいは南部へと分散した。

■動き始めたコンパクトシティー　一方、旧来からの市街地は、城下町の骨格がしっかりしていたことが逆に車社会への対応の遅れにもつながった。新幹線ルートから外れると、商業施設の撤退や空き店舗など空洞化が課題となった。市人口は平成12年をピークに減少に転じた。小諸市は同21年より町再生計画として「コンパクトシティー構想」を打ち出した。制約の多い街の特徴を逆手にとり、市庁舎・小諸厚生病院の公共施設や図書館・市民交流センターなど教育・文化・情報機関を集めることで中心市街地への人の流れをつくり、移動には公共交通を整備して活性化を図ろうという構想である。現在、**市庁舎**・図書館・浅間南麓こもろ医療センター（旧小諸厚生**病院**）が移転を完了し、公共交通の相乗り予約制タクシーも動き出した。

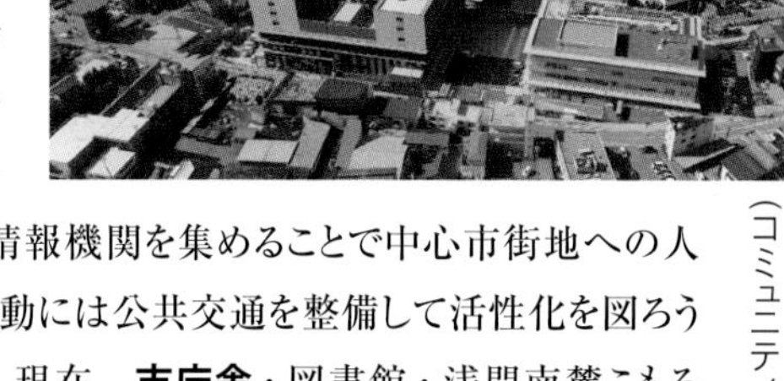
市役所（中央左）と隣接するこもろ医療センター（同右）（コミュニティテレビこもろ提供）

■歴史遺産を観光に　新幹線が来なかったことは、城下町の歴史的遺産が開発から逃れて残されたと見ることもできる。車社会の進展の中でも、小諸城では重要文化財の大手門や三の門が残り、城址は**懐古園**として今に至っている。北国街道沿いの本陣問屋場、はりこし亭、ほんまち町屋館は有形文化財に指定された。商都時代の商家建築も残り、小諸市はこうした歴史遺産を生かそうと観光活性化にも力を入れている。　（栗林　正直）

44
長野市

門前町から県都へ 進化の歩み

明治期まで、善光寺の門前町と北国街道の宿場町だった長野市。明治初期に県庁が置かれてから百年余は、県内政治経済の中心都市として進化を重ねてきた。冬季五輪の開催で世界に知られ、新幹線をはじめ高速交通網も整い、近隣町村との大合併を経て成熟してきた。人口は明治初期の1万人から37万人となった。その一方で中心市街地の空洞化、背後の中山間地の過疎化といった課題に直面している。県都の歩みを振り返る。

昔　5万分の1地形図「長野」大正元年測図　原寸

0　1000　2000m

［地図記号］ 昔 田 桑畑 県庁 町村役場 果樹園 市役所

1 善光寺の扇状地を見る

善光寺はどんな地形に建っていますか。背後の急な山地から続く扇状地の扇頂部にあるのです。旧地図から主要な道が善光寺に集まっている様子も見てみましょう。

2 中心市街地の広がりを見る

かつては善光寺とその周辺だけだった中心市街地はどんな広がりを見せましたか。県庁移転が大きな要因です。善光寺と長野駅間の道路網と合わせ、変貌ぶりを見ましょう。

3 中心街周辺の変化を見る

中心市街地周辺の変化も見てみましょう。善光寺から広がる扇状地は、かつては集落が点在し、その間に農地が広がっていました。現在、農地は残っているでしょうか。

4 冬季五輪後の街を見る

新地図は五輪当時の長野を表しています。関連施設を探したり、アクセス道路もたどってみましょう。犀川を渡る橋の充実ぶりにも注目してください。

5万分の1地形図「長野」平成9年修正 原寸

0 1000 2000m

1 善光寺門前町からの出発

■扇状地の高台に建つ善光寺　長野市を象徴する**善光寺**は7世紀後半の創建とされ、**裾花川**とその北を流れる湯福川がつくる複合扇状地の扇頂部に建立された。古くから「長野」と呼ばれた一帯の傾斜地は高台で見通しが良く、山麓からの湧水が得やすい位置に立地している。善光寺は幾度も火災に遭い、本堂は四回も消失している。現在の本堂は宝永4年(1707)に再建されたもので、弘化4年(1847)の御開帳中に起きて大きな災害となった善光寺地震も経験している。善光寺本堂は撞木(しゅもく)造りという珍しい建築様式。現存する最大級の木造建築寺院の傑作で、国宝である。

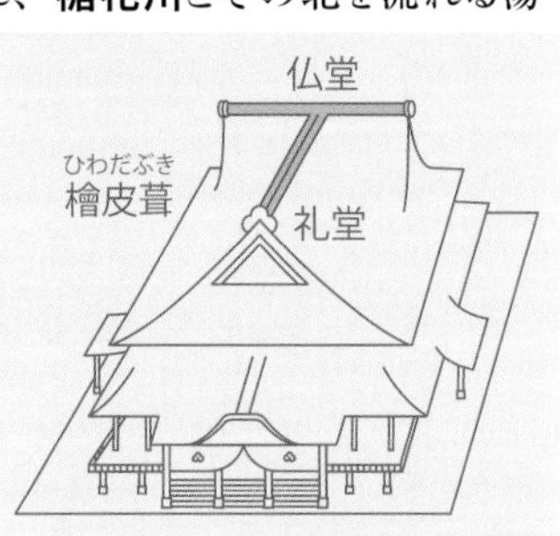

撞木造り 本尊を安置する仏堂と参拝する礼堂の屋根がT字になって、鐘を打つ撞木に似ている

善光寺のにぎわい

■何びとも受け入れた寺　平安期に浄土信仰が起こると、遊行聖(ゆぎょうひじり)の活動によって秘仏である本尊の一光三尊阿弥陀如来が知られ、善光寺信仰が全国に拡がった。『一遍上人絵伝』に描かれるように、鎌倉時代から門前に市が立ち、門前町が形成されていった。善光寺は宗派を問わず女性にも門戸を開いた。江戸時代中期には各地に善光寺講ができて参拝が増加し、受け入れる宿坊が成立した。境内に数多い常夜灯に講名が記されている。

■北国街道と善光寺道　江戸期、信濃の道の多くは善光寺に通じて善光寺道と呼ばれた。**北国街道**は旧図の北東から善光寺の**大門町**に達し、そこに善光寺宿が置かれ、手前の岩石町(がんせきちょう)は魚市場が栄えた。南へ参道を下り、**丹波島**(たんばじま)宿に達する。京、大阪から通じる北国西街道は「善光寺街道」という別名があり、稲荷山宿を経て篠ノ井宿で北国街道に入った。

善光寺西部の山間地は西山(にしやま)と呼ばれた。現信州新町や小川・中条・七二会(なにあい)からの西山街道、大町北安曇からの鬼無里(きなさ)街道は、交易と共に善光寺詣での道であった。江戸時代後期には善光寺町と呼ばれる範囲に約1万人が住んでいたと記録される。

■善光寺名物　往生地りんご　明治7年に政府の勧業寮がリンゴ苗を各地に配布し、新しい換金作物として善光寺西側の**往生地**(おうじょうじ)で栽培が始まった。傾斜地でも栽培できることから、明治40年には地区の7割がリンゴ園になり、善光寺門前で売られた。旧地図の時代、これだけの果樹園は県下では桔梗ヶ原のブドウ(84頁)穂高の梨(172頁)くらいである。

2 県都として一街の骨格形成

■県庁が中野から移転　明治4年、火災で県庁を焼失した中野から善光寺町に仮県庁が置かれ、中野県が長野県と改められた。明治9年、筑摩県が長野県に合併され、明治維新の激動のなかで、長野が現長野県の行政・経済・文化の中心地となっていく。

長野県の旧庁舎(昭和36年)

明治21年、**信越本線**が直江津から開通して**長野駅**が開業し、同26年に上野まで全通した。31年(1898)に**吉田駅(現北長野駅)**が開業し、河東地方(千曲川右岸の須坂など)との物資の集散地となった。明治35年には篠ノ井線が全通して、直後の善光寺御開帳では参拝者が急増した。

大正2年、長野県庁は現在地の長野市幅下(はばした)に移転した。「幅」とは段丘崖のことである。旧図は県庁移転直後に編集発行された地図で、よく見ると裁判所など国の出先官庁はまだ善光寺の近辺にある。長野駅から善光寺まで一直線の北国街道は、大正期に中央通りと命名された。大正12年には県都の象徴として、県庁から中央通りまで現在の昭和通りが開かれ、善光寺と県庁を巡る旧市街の骨格ができあがった。中央通りは翌年拡幅され、以後、長野市街のメインストリートとして重要な役割を果たしてきた。

■地方中核都市となった長野市　長野市の市制は、長野町と**鶴賀**町などが合併して明治30年に敷かれた。大正12年に**吉田**町や**芹田村**(せりた)などを合併、昭和41年には篠ノ井市、川中島町、松代町、若穂町が大合併した。合併にともなって旧地図の若松町**市役所**は手狭になり、緑町の現在地に移転した。昭和通りも**新市役所**のある東へと延伸拡幅され、沿線に市街地の拡大が進んだ。市内屈指の高層建築である県庁舎と市役所を結ぶエリアに、新聞、金融機関、各種団体事務所など県都機能が集中し、デパートが出店した。北国街道の**中御所**から県庁への県庁通りが開かれると、旧地図の**刑務所**1跡に国の出先機関の合同庁舎群が設置された。長野市は数次の市町村合併により、人口約37万人の県内最大の都市となり、平成11年には中核市となった。

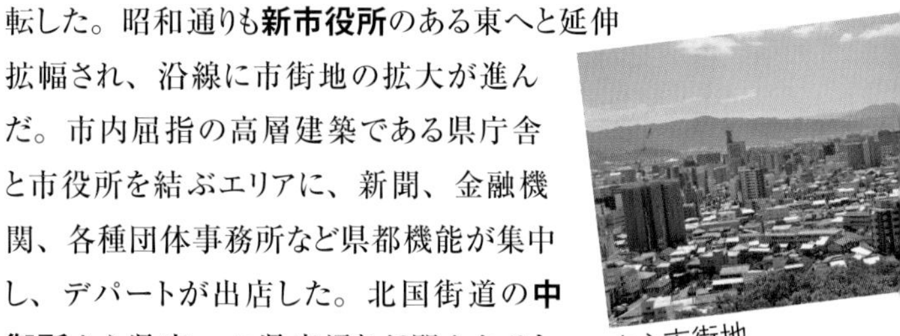
中心市街地

3 扇状地全域が市街地に

■扇状地の田畑や集落は今　新旧地図を見比べると、長野の原型である扇状地全域が百年間で大きく変化しているのがわかる。旧地図からは山間と扇状地に展開する集落・耕地が、善光寺と町を物心ともに支えていたことが感じとれる。後背地として、裾花川扇状地の耕地には水田と桑園が分布

左から、昭和40年代に整備が進んだ住宅団地（浅川地区）／長野電鉄の旧権堂駅舎（昭和40年）
昭和40年の昭和通り（左は建築中の市庁舎）／旧長野駅舎

している。江戸時代初め、東へ乱流した裾花川は現流路に瀬替えされたが、水田は裾花川の旧流路にあり、鐘鋳(かない)堰・八幡(はちまん)堰などの用水が潤していた。新地図になると、住宅や公共施設、工場などが密集してかつての田畑は消滅寸前である。

裾花川より北を流れる**浅川**の扇状地に広がる水田地帯は、山間部の芋井地区からの出作り地でもあった。昭和30年代以降に農協主導で個人住宅やアパートなどの宅地化が進み、**浅川・若槻(わかつき)**の大住宅団地も建設され、新地図になると住宅で埋めつくされている。**三輪(みわ)**の柳町市営住宅は当時の集合住宅のモデルとなった。

■拡大する交通網　大正15年、現**長野電鉄**の権堂駅と須坂間が開通、昭和3年には長野まで開通して信越本線と接続した。河東地域を通勤通学や買い物圏に取り込み、**権堂**は繁華街となった。昭和30年代からは道路網整備も進展した。平林街道拡幅バイパス、国道19号県庁通り、国道18号篠ノ井バイパス、同19号拡幅整備等が相次いだ。モータリゼーションに伴う渋滞対策で、昭和56年に長野電鉄長野駅—善光寺下駅間（2km）が地下化し、地上部に道幅36mの長野大通りが開通した。このころ長野駅や中央通り、長野電鉄**信濃吉田駅**周辺ではいわゆる地上げによる高層マンションブームが訪れ、市街他の人口増加が見られた。

冬季五輪開催の光と影

■五輪道路と再開発　平成3年に開催が決定した長野冬季五輪をきっかけに、競技会場となる市内や志賀高原、白馬村、軽井沢と結ぶ交通網整備が進んだ。中央自動車道長野線、上信越自動車道、北陸**新幹線**（長野新幹線）、関連のインターやアクセス道路、長野駅の改築や東口整備など大型施設整備が続いた。市内には**ビッグハット**や**エムウエーブ**、ホワイトリング、選手村、メディア村などの五輪施設がそろい、NHK長野放送局の移転もあり、それらを結ぶ道路網を軸に再開発が進んだ。

長野五輪での市街地の人並み

国道18号と19号の交差する**古牧(こまき)**地区（旧地図「古牧村」）では区画事業、**稲田(いなだ)・徳間(とくま)**地区は道路整備により、畑地や水田に住宅地が拡大したため、大型スーパーや専門店など商業施設が進出した。長野駅東口の**若里**地区では冬季五輪を契機に再開発が進められた。一帯には**信州大学**工学部や**長野日赤病院、県民文化会館**（ホクト文化ホール）があり、駅へのアクセスに便利で、マンションの林立が見られる。マンション購人層は山間地からの移住例が多い。

■新幹線長野駅　長野新幹線は平成27年に金沢まで延伸されて「北陸新幹線」と名称を変えた。冬季五輪開催で新設された新幹線長野駅は、8両編成から12両編成対応に伴いホーム、駅舎を大幅に改築した。新しい新幹線長野駅は、吹き流しと回廊と、善光寺本堂をイメージさせる意匠が採用されて一新した。

駅周辺では、東口に新しい通り、マンションや住宅、大規模な公園が開設されている。長野市内の住宅地で最も高い地価となっている。

善光寺口は、長野五輪開催時に進出したホテル閉鎖など一時低迷したが、模様替えしてビジネスホテルが増加している。善光寺への客足は絶えず、外国人観光客の姿が特に目立つ。長野は1998年冬季五輪開催都市の面目を保っている。

■空洞化と善光寺表参道の活気　この百年で発展した長野市も市街地では定住人口の減少が進み、オリンピック前後の平成7年からの11年間に約4,000人弱が減少している。住宅の老朽化や後継者不在、土地の狭さや駐車場不足などの要因がある。かつてにぎわった専門店が閉じ、市街地でも県庁に近く歴史のある後町小学校が廃校となった。この跡地は長野県立大学後町キャンパスとして、信州の次代を担う人材育成の場に活用されている。メーンの中央通りでも、新田町交差点周辺の大型商業施設が次々と撤退。跡地に北部郊外にあった信越放送（SBC）を誘致し、通りを表参道と改名して整備。常夜灯や善光寺からの里程標（丁石）を有効に配置したり、車道を狭めて歩道を拡幅し、路面は石畳を敷いて住民や参詣客が歩きやすくするなど、仏都を意識させる街づくりを進めている。

だが、ハード整備による観光振興に頼るだけでは限界がある。長野の街は、善光寺を核としながらも周辺の農村地帯や合併した山間地農村の生産力に支えられてきた。これらの中山間地域をどう活性化して市街地の持続的発展と連携させられるか、次代への課題となっている。（牛山　勉・市川　正夫）

整備された長野駅善光寺口

左から、現在の善光寺門前の街並み／長野駅東口／新田町交差点／長野五輪のスピードスケート会場となったエムウェーブ／五輪前に開業した新幹線

45
川中島平
〈長野市南部〉

扇状地は商業集積の最前線

長野市街地から国道を南へ向かい、犀川の長野大橋や丹波島橋を渡ると、川中島平が広がる。犀川と千曲川に囲まれた一帯である。リンゴや「川中島白桃」など果樹栽培が盛んだ。市北部の市街地に対して郊外のイメージが強かったが、長野冬季五輪の開閉会式の会場となったことで道路などの基盤整備は急速に進み、住宅や商業施設の増加が著しい。今昔の変貌ぶりは地図からもはっきりわかる。

昔　5万分の1地形図「長野」大正元年測図　原寸

0　1000　2000m

読図ポイント

［地図記号］ 昔 田 桑畑 今 果樹園 田 畑

1 扇状地の広がりを見る

犀川が山間から抜け出す犀口を探し、千曲川までの等高線や水路を見ましょう。緩やかな扇状地地形がわかります。

2 交通基盤の進展を見る

旧地図でかつての主幹線だった北国街道を確認し、新地図で東西南北をつなぐ道路網の広がりを見比べてみよう。

3 市街地の拡大を見る

かつて扇状地は桑園や田畑が広がる農村地帯でした。現在はどうでしょう。農地の作物はどう変わっていますか。市街地の広がりも見てみましょう。幹線道路沿線も見てください。冬季五輪開催も変貌の要因となっています。

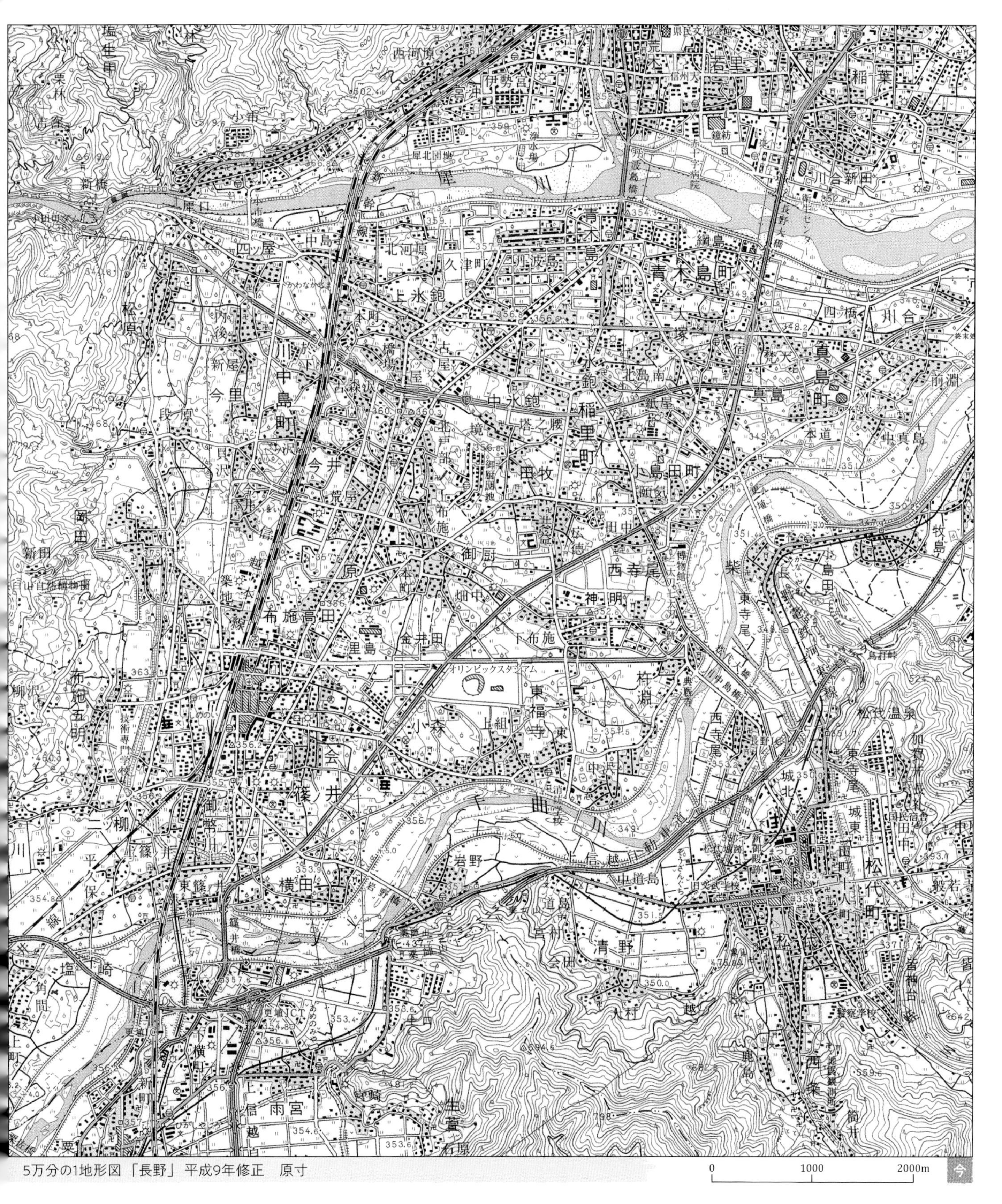

5万分の1地形図「長野」平成9年修正　原寸

0　1000　2000m　今

1 川中島平は犀川がつくる扇状地

■緩やかに広がる扇状地　100年前の様子から振り返ろう。松本盆地から山間を流れてきた犀川が平地へと流れ込む**犀口**（さいぐち）地区（標高380m）を見てみよう。この扇頂部から土地が扇形に広がっているのがわかる。この勾配の緩い扇状地が川中島平である。旧地図は大正元年のものであるが、集落・農地の分布からも扇状地の様子を読み取ることができる。用水路も犀口から扇状に下流へと広がっているのである。長野盆地南部は古くから用水路が整備され、上中堰（じょうちゅうせぎ）・下堰（しも）・鯨沢堰（けいざわ）などの用水路は古犀川の旧流路を利用したといわれる。

土地利用を見ると、周囲より高く洪水の影響を受けにくい微高地には集落が形成され、地表は礫や砂などが堆積しているために畑地として利用されている。扇端の低い土地は水回りが良いので水田に利用されてきた。

■米麦二毛作地帯から果樹園地帯へ　川中島平は多くの用水路によって灌漑が行われ、かつては豊かな米麦二毛作地帯であった。麦を栽培した後に稲を栽培する。麦刈り後の田起こし・代かき・田植えが6月下旬から7月上旬にかけて行われたため、「日本一田植えが遅い稲作地帯」と言われたこともあった。

川中島白桃の出荷作業

昭和30年代の高度成長期になると、それまで主体だった養蚕や麦などは衰退し、果樹・キノコ・野菜などの栽培が盛んになる。川中島平の西山麓にある篠ノ井共和地区では、果樹部門のみを独立させて園芸協同組合を組織して、リンゴを栽培してきた。また、全国に知られる「川中島白桃」は、地元の池田正元氏（故人）が品種改良に力を注ぎ、昭和35年（1960）につくり出したものである。

2 北国街道を軸に広がった街

■北国街道の通る川中島平　川中島平には「**御厨**（みくりや）」「**布施**（ふせ）」などの地名が残る。『吾妻鏡（あづまかがみ）』（鎌倉幕府が編んだとされる史書）に「布施御厨」の荘園名がみえ、古くから地名として継承されてきたことがわかる。川中島平に展開する集落の多くは家屋が塊のように集まった塊村（かいそん）集落で、歴史の古さを物語っている。川中島平の扇央部を南北に縦貫する**北国街道**は、**篠ノ井追分**[1]から北へ**丹波島**（たんばじま）宿を通り善光寺に向かう街道で、江戸時代には多くの人々が往来した。街道に沿って帯状に発達した街村（がいそん）集落が形成された。大正期から昭和初期にかけて、**北原・南原**地区を中心とし、郵便局や銀行、多くの店舗が連なりにぎわった。

■鉄道と幹線道路の開通　明治21年（1888）の**信越本線**（直江津―軽井沢）開通時、篠ノ井―長野間に駅はなく、現**川中島駅**のある場所に列車行き違いのできる犀川信号所があるのみであった。川中島駅開業は大正6年（1917）のことである。昭和期になると、犀川の丹波島橋から南の篠ノ井へと縦断する幹線道路の整備が始まった。昭和9年（1934）に丹波島―塩生（はにゅう）（千曲市）間、昭和16年（1941）に埴生―上田間が開通。昭和27年（1952）以降は国道18号の名称になった。高度経済成長期を迎えると、昭和30年代後半から国道18号沿線の開発が進み、大型小売店の進出が相次いだ。昭

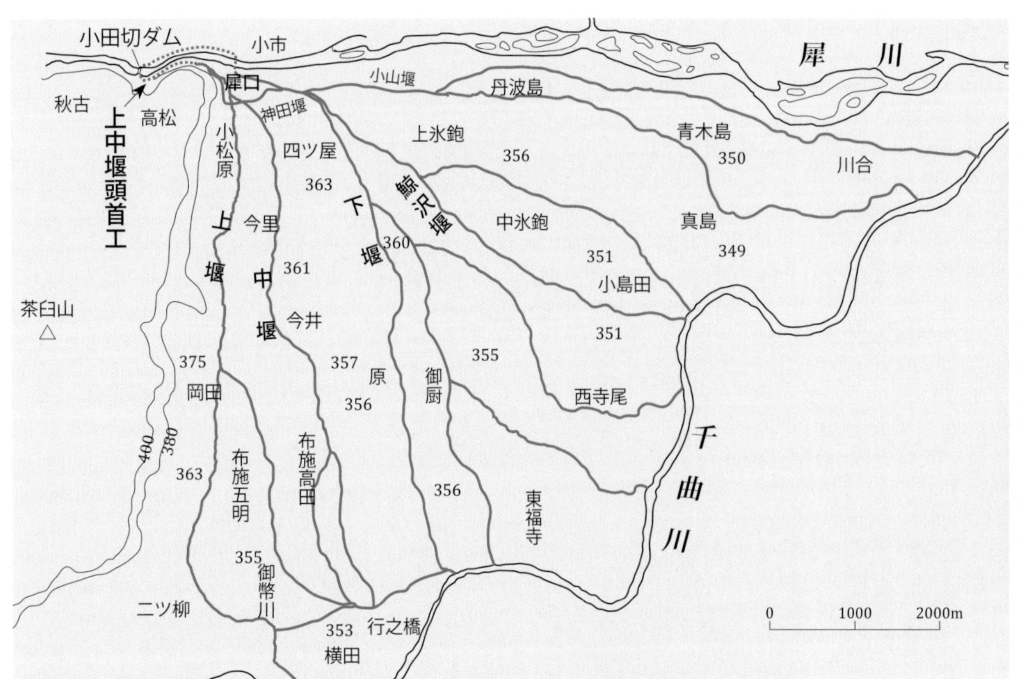

川中島平（犀川扇状地）の用水分布　図中の数字は標高（m）　原図:滝沢公男 1986年

犀口と川中島平

川中島用水分水工

和 57年（1982）には**長野大橋**から**篠ノ井大橋**（篠ノ井橋）までを結ぶ国道 18 号篠ノ井バイパス（現国道 18 号）が開通し、川中島平の交通渋滞が緩和されるようになった。

3 田園から住宅地、商業集積地へ

■開発によって広がる住宅地や商業集約地　長野市では昭和 30 年代以降、大規模な宅地化が進み、住宅地や商業地が旧市街地から郊外へと広がりをみせた。以前からの集落間に広がる低地や果樹園、畑地が開発され、住宅団地の造成が進んだ。**川中島町・青木島町・稲里町**（いなさと）にはいくつもの住宅地ができ、田園地帯だった川中島平では近年も今井ニュータウンなどの宅地化が進んでいる。これに伴い、田園地帯に大規模駐車場を備えた郊外型の中・大型店が相次ぎ進出した。旧国道 18 号沿いの川中島―篠ノ井間には製造工場が進出したり、家具店やショッピングセンター、自動車販売店、洋服専門店、飲食店などの大型店が出店し、新しい商業集積地が誕生した。

店舗が並ぶ旧国道18号沿線

かつて農地だった土地に広がる住宅街

長野市中心部では昭和 55 年までに開店した店舗が多いが、川中島平では加えて平成に入ってからの出店も目立つ。平成 3 年以降の出店件数をみると、更北地区や篠ノ井地区の店舗数の増加が顕著である。国道 18 号篠ノ井バイパスの拡幅整備も沿線農地の開発や大型店進出を促した。

■五輪施設を結ぶ道路と商業施設　平成 10年（1998）の長野冬季五輪開催は、この地域に大きな影響を与えた。平成 3 年 6 月、バーミンガムでの IOC 総会で開催地決定を受け、高速交通網の整備が加速した。平成 5 年には、豊科（現安曇野）IC から須坂東 IC までの高速自動車道（長野・**上信越自動車道**）が開通し松代に**長野 IC** が設けられ、これにアクセスする幹線道路の整備も進んだ。開催前年の 10 月には、長野新幹線（北陸新幹線）も実現している。

上：五輪開閉会式の舞台となった南長野運動公園
下：長野五輪の閉会式

五輪の舞台として、篠ノ井の**オリンピックスタジアム**、真島（ましま）の**ホワイトリング**、**今井**の選手村が相次ぎ建設され、今井駅もできた。この時に整備された国道19号長野南バイパス（青木島町大塚南[2]―**小松原**）は、小松原トンネルを抜けて犀川南部を東西に走り、川中島平の中央を横切る新たな動脈となった。沿道には大型家電など商業施設も建ち並んだ。このバイパスは平成 13 年に、稲里から大塚南交差点までの 3km 間が 4 車線化され、集客力も高まった。

新たな道路周辺に進出した大型店

■新たな商業地の出現　オリンピックスタジアムができた南長野運動公園通り周辺は、区画整理により住宅が増加した。上信越自動車道長野 IC につながるこの通り沿いには、平成 24年（2012）からは商業店舗が次々に開店し、新たなショッピング拠点となりつつある。平成 27 年にはオリンピックスタジアムに隣接してサッカースタジアムも整備された。こうした急激な変化の一方で、既存の大型商業施設の撤退による空地化や店舗の入れ替えも目立ち、農・商のバランスの取れた発展をどう進めるかが課題となっている。（飯田　茂）

南長野運動公園総合球技場
（サッカースタジアム）

46
松本市南部
塩尻市北部

中信2都市間に拡大する街

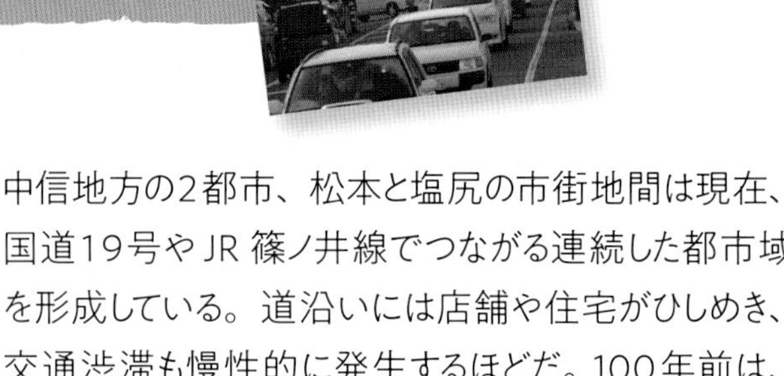

中信地方の2都市、松本と塩尻の市街地間は現在、国道19号やJR 篠ノ井線でつながる連続した都市域を形成している。道沿いには店舗や住宅がひしめき、交通渋滞も慢性的に発生するほどだ。100年前は、多くの村がそれぞれに存在していて田んぼと桑園が広がる農業地帯だった。戦後、農村から都市へと大きく姿を変え、都市域がなお拡大する一帯の移り変わりを新旧地図で追ってみよう。

1 東・南の扇状地が結接する場所

■扇状地と扇状地が合わさる地帯　旧地図Iは松本市が市制を敷いた明治40年頃の市街地以南一帯の様子である。この一帯は東側の山から続く傾斜のきつい複合扇状地と、南からの**奈良井川**の緩やかな扇状地が合わさる場所に位置する。ちょうど縫合部に**田川**が流れ、田川に沿って**五千石街道**が延びている。

■水田と桑園を分ける590m　このころの松本市域は**薄川**（すすきがわ）のやや南まで。家並みが集まる市街地はかつての城下町と北国**西街道**沿線だけである。市域から南や西の地域は、隣

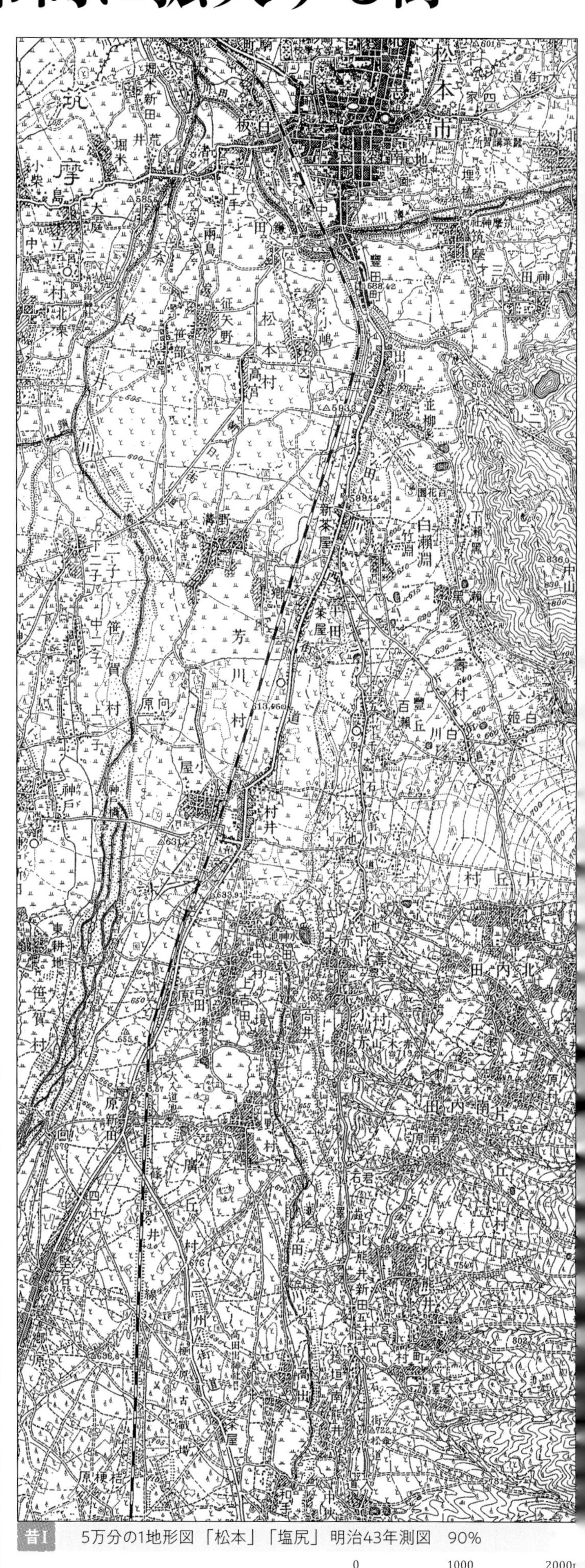

昔I　5万分の1地形図「松本」「塩尻」明治43年測図　90%

0　1000　2000m

［地図記号］ 昔 ⊥⊥ 田　Y 桑畑

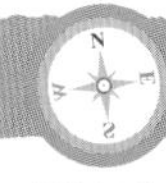

読図ポイント

1 扇状地の合わさる場所を見る

松本と塩尻市街地を結ぶ一帯が、扇状地の合わさる場所であることを確認しよう。田川で接しています。昔は水田と桑園が広がる中に集落が点在するだけでした。

2 南松本駅周辺の変化を見る

3つの地図で、松本市街地や集落の広がりを比べよう。篠ノ井線沿線や南松本、村井、広丘の駅周辺にも着目を。

3 工業化を見る

企業誘致も都市化の要因です。新地図で工場の分布や、郊外に広がる工場団地を探してみましょう。

4 住宅地やミニタウンの広がりを見る

この一帯の市街地は、整然と区画された団地やミニタウンが多く造られたのも特徴です。地図から分かるでしょうか。

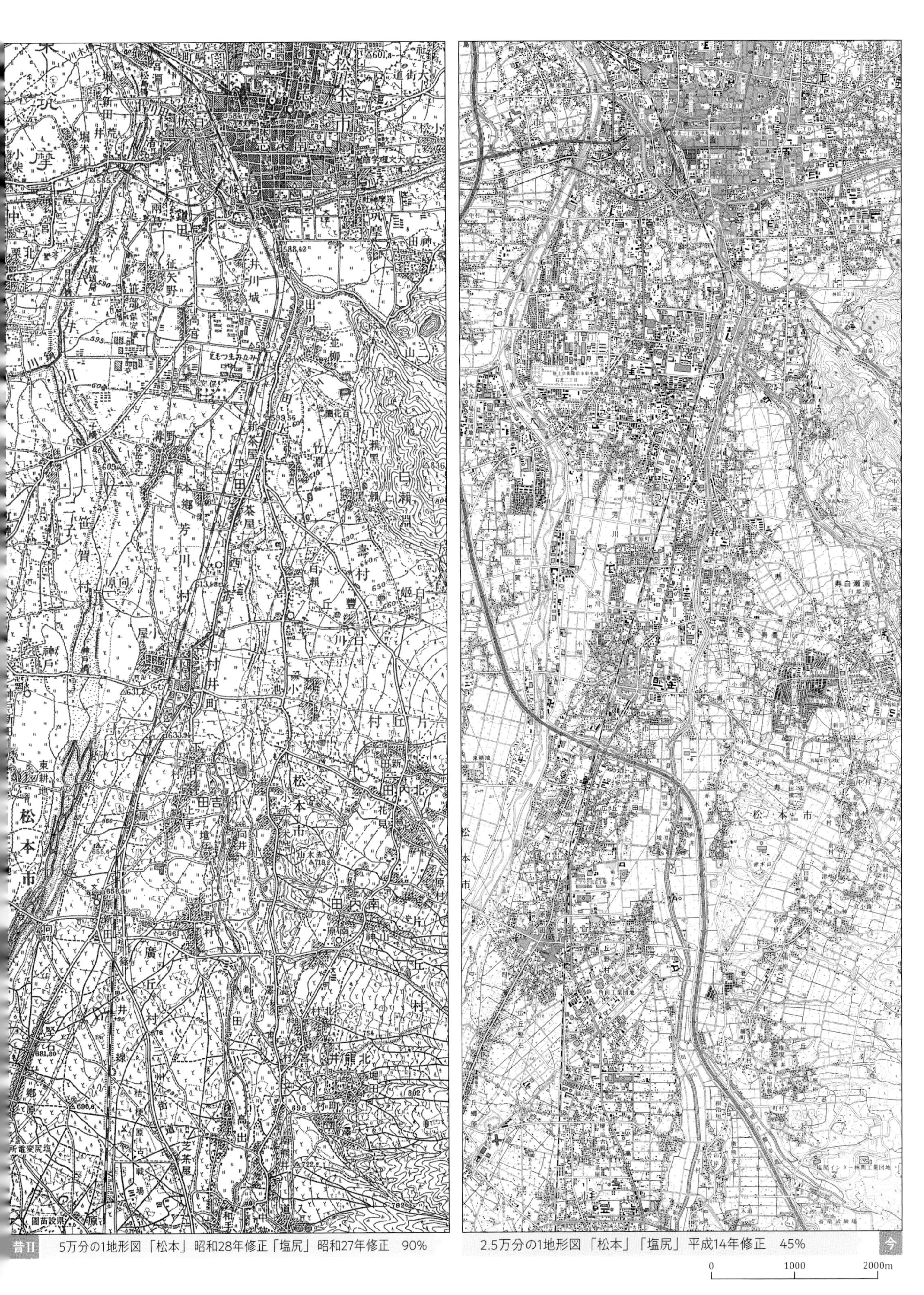

昔II　5万分の1地形図「松本」昭和28年修正「塩尻」昭和27年修正　90%

2.5万分の1地形図「松本」「塩尻」平成14年修正　45%　今

牛伏川扇状地扇頂からの眺め

接の松本村をはじめ多くの農村が点在している。**松本村**の一帯は**奈良井川**の扇状地の扇端に当たる地域で、川が流れる方向に同心円弧状の等高線が見られる。590m ～ 595mの等高線が扇端の湧水帯をなし、下流には水田のほか点在する集落が見られる。**小嶋(井川城)**・**征矢野**・**笹部**などの集落は、この湧水によって形成された農村である。

集落より上流の扇状地面は砂礫質で水が乏しく、桑園など畑作地として利用されている。その多くは市街地に出荷する野菜などを栽培する普通畑だったが、桑園が広範囲に広がっているのは、地形図の表示基準が大正6年図式まで「周囲に桑を植えてある畑は桑畑」として表現しているためである。さらに上流にあたる南部の扇状地上は水田と桑園がまだら模様をなし、左岸が一面の水田地帯であるのに対して対照的な土地利用となっている。一方で東山麓に並ぶ扇状地には多くのため池が見られ、水不足を補っていたことがわかる。

ちなみに、明治35年に新設された**松本駅**は、女鳥羽川と薄川、奈良井川の扇状地末端の湧水地帯が合わさる場所にあり、湿地を埋め立てて建設された。北国西街道に沿って延びる**篠ノ井線**は、奈良井川の扇状地の緩い斜面を塩尻に向かって直線的に走っている。

2 疎開工場による市街地の広がり

■市街地、市域の広がり 昭和28年の地図(旧地図Ⅱ)を見ると、松本市街地は、松本駅とあがたの森公園を結ぶ道路より南へ広がった。明治末から戸数は3倍に増えているが、それでも薄川までである。市街地以外は明治の地図とさほど変化はない。また松本村の名は消えていることから、市域が南部の農村地帯まで広がったことがわかる。これは大正14年の松本村合併による。

南松本駅(昭和40年)

■畑作地帯が疎開工場用地に 篠ノ井線の駅は明治35年の開通当時、松本−塩尻間の**村井駅**だけであった。**南松本駅**が新設されたのは昭和19年である。同16年、日本が太平洋戦争に突入し戦況が厳しくなると、太平洋岸の大都市から内陸へ疎開する工場が増加、松本、塩尻市には17年頃やってきた。工場疎開は国策でもあるため、用地は桑畑や普通畑が強制収用された。畑作地が広がる笹部以南、特に南松本駅周辺には日本ステンレス(12年)、石川島芝浦タービン(17年)、宮田製作所(同)など、筑摩地区には富士電機製造(同)、三菱重工名古屋航空機製造所松本工場(20年)などが入り、軍需品(航空機関係)の生産を始めた。疎開工場の位置などが正確にわかる資料は少ないが、笹部の「**保安隊**」の場所に石川島芝浦タービン、駅南西の「**保安隊**」には宮田製作所(自転車)、駅西に日本ステンレスがあった。疎開工場の操業にあたり、資材輸送や従業員の通勤用に駅を開設する必要があった。なお旧地図Ⅱの保安隊は自衛隊の前身組織で、29年より自衛隊としてこの地に駐屯し現在に至っている。

■新しい地名の誕生 旧地図Ⅰで見たように松本・塩尻両市街地間の一帯は扇状地上に水田や畑地が広がる農村地帯のため、広い範囲を指す地名しかなかった。工場が進出し、従業員の住む住宅団地や商店ができ、新しいまちができると、それぞれの地区名が必要になった。「**宮田**」や「**石芝**」は、疎開工場撤退後の昭和30年頃から住宅団地や地元企業の工場、流通産業用地などに変わったが、疎開工場の存在感が大きかったため、その企業名が公式の地名として定着したものである。その後も小字名(寿○○、芳川○○、広丘○○など)がつけられたり、住宅団地(二美町、寿台など)が一つのまちを形成するところも現れた。

■永久橋の架設と車道の整備 旧地図Ⅰでは主要道路はほぼ現在の幹線と重なっているが、東西方向の道路は奈良井川が障害となって、屈曲の多い道路が細々と続いている。荷車の通行可能な橋は、奈良井川では荒井橋(野麦街道)・**二子橋(朝日街道)**くらいで、洪水で流出してしまうような簡単な木橋でもあればよい方であった。旧地図Ⅱでは自動車交通に耐えうるような永久橋への改良が見られる。笹部西に**月見橋**が架けられ、国道から延びる道路が整備されている。また田川沿いの五千石街道や、昭和8年開業の広丘駅に向かう山手からの道路、宿場町を通らないバイパスなど自動車交通に対応する整備が進んでいる。

3 戦後の工業の活性化

■疎開工場跡地の再開発 戦後、多くの疎開工場は早々に撤退し本拠地に引き揚げたのに対し、南松本駅西に残った**石川島芝浦タービン**(石川島芝浦機械工場)1はトラクターなど農業機械を、筑摩に残った**富士電機**2は電気機械器具の生産に着手した。二大工場の生産活動が中心となり、松本の工業は復興を始めた。疎開工場の跡地には、ゴールドパック(前身: 塚田製作所)や日穀製粉(同: 松本製紙)、共同乳業等の食料品工場が進出して操業を始めた。市街地で在来型・地場産業系の工場が継続生産したのに対して、南松本駅周辺は新興工業地域として形成されつつあった。

■新産業都市の指定を受けて　昭和39年、新産業都市の指定を受けたことを契機に、市は企業の誘致活動を活発化した。新企業の受け入れや、郊外移転する地元企業向け用地として工業団地の造成を進めた。木工家具製造業の集積を図るために建設した**野溝**(のみぞ)の木工団地を手始めに、松本空港周辺に製造、販売卸、輸送業などを集めた西南工場団地、また農業地域での工業開発促進と本格的な県外企業誘致を図った**大久保工場公園団地**を建設した。これらにより、機械金属工業や食料品工業を中心に松本市の工業は成長していった。

昭和34年に市制を敷いた塩尻市では、広丘を中心に工場誘致を進め、野村地域が工業専用地域に指定されると、**角前工業団地**や堅石原工業団地を造成した。また、現セイコーエプソン傘下となる塩尻工業が創業し、広丘は塩尻の工業をリードする地域として発展していった。

4 郊外の住宅地とミニタウン

■連続する街　新地図を見ると、松本市街地は、南に広がっていた農地が住宅などの非農用地に変わり、南松本まで拡大している。また国道19号線(かつての北国西街道)とJR篠ノ井線に沿って、自動車関係の店舗やガソリンスタンド、飲食店などの建物が連続して塩尻市街地までつながっている。住宅が規則正しく並んだ場所は計画的に開発された住宅団地である。旧市街地は住・工・商が混在し過密化したため、郊外に住宅地を造成することが急務となった。市街地の北、城山の麓には高級住宅街として蟻ヶ崎台を開発、市街地南部では笹部、二子、**並柳**(なみやなぎ)、**芳川**地区などに住宅団地が造成されていった。それでも足りず、牛伏川扇状地扇央に**寿台**などの住宅団地が造成された。この動向に対しては市街地空洞化の心配もあるため、マンション建設によって市街地へ居住者を呼び戻そうとする動きもある。

■郊外や駅周辺に新拠点　市街地西の**渚**(なぎさ)では、かつての紡績工場跡地に飲食店街を、**庄内**では土地区画整理事業によって道路を整備し、飲食・ショッピング街がつくられた。工場は南松本からさらに南へ進出し、和田地籍に県下でも最大級になる工業団地が造成され、IT産業の誘致や育成が図られた。近年はこのように郊外に工業地域や商業地域がつくられている。またJR篠ノ井線各駅の周辺には大型店を核店舗として飲食店や商店を集めた利便性が高く効率的な街がつくられている。南松本は工場、住宅団地、大型店やショッピングセンター、飲食店が集まり、市の保健・福祉関係機関や支所、公民館などの公共施設が置かれたことにより、市南部の拠点としての性格が強まってきた。

■ミニタウンの形成　平成19年、南松本と村井間にJR篠ノ井線平田駅が新設された。駅周辺では大規模な商店が出店し商店街が形成された。その西部には市場や流通業務団地が造成され、国道19号と結ぶアクセス道路で平田駅とも結ばれた。駅の北には村井から移転した松本南郵便局があり、松本平の集配業務の多くを取り扱う一大拠点となっている。村井駅はかつて石炭や絹糸などの貨物を扱い、石油会社の油槽所への専用線として、またナガノトマトやセイコーエプソンからの商品輸送など貨物駅としての性格が強かった。現在ではイオンタウンが核店舗となり、飲食・ショッピング街となっている。ここには国立病院(まつもと医療センター)があり、市南部の医療拠点を担っている。**広丘**は、塩尻市の官公庁が集中する中心市街地(大門地区)のドーナツ化現象もあり、郊外型の大型店や住宅が増加し市街地化した。またセイコーエプソンや流通業者などの企業が集中し、工業団地も造成されて市の新たな経済的中心地となっている。国道19号は松本−塩尻間の4車線化、東西を結ぶ陸橋などによる渋滞緩和を進めている。また、工場団地と高速道ICを結ぶアクセス道路や、奈良井川堤防道路の整備によって流通の効率化が図られている。　(藤森　喜雄・斎藤　慎一)

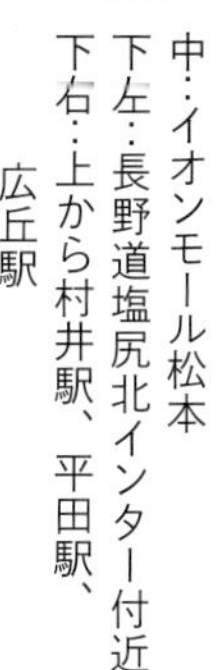
上：平田駅周辺の市街地
中：イオンモール松本
下左：長野道塩尻北インター付近
下右：上から村井駅、平田駅、広丘駅

47
伊那市

交通の要地から発展した街

伊那市は長野県の南信地方を代表する都市のひとつである。ただ、都市の多くが城下町を起源とするのに対し、それとは異なる市街化の歩みをたどってきた。中央を天竜川が南流し、周辺を段丘崖で囲まれた特徴的な地形の中、宿場、船着き場、鉄道駅といった交通環境の変化に伴い少しずつ街区を広げ都市を形成してきた。その歩みを振り返ってみよう。

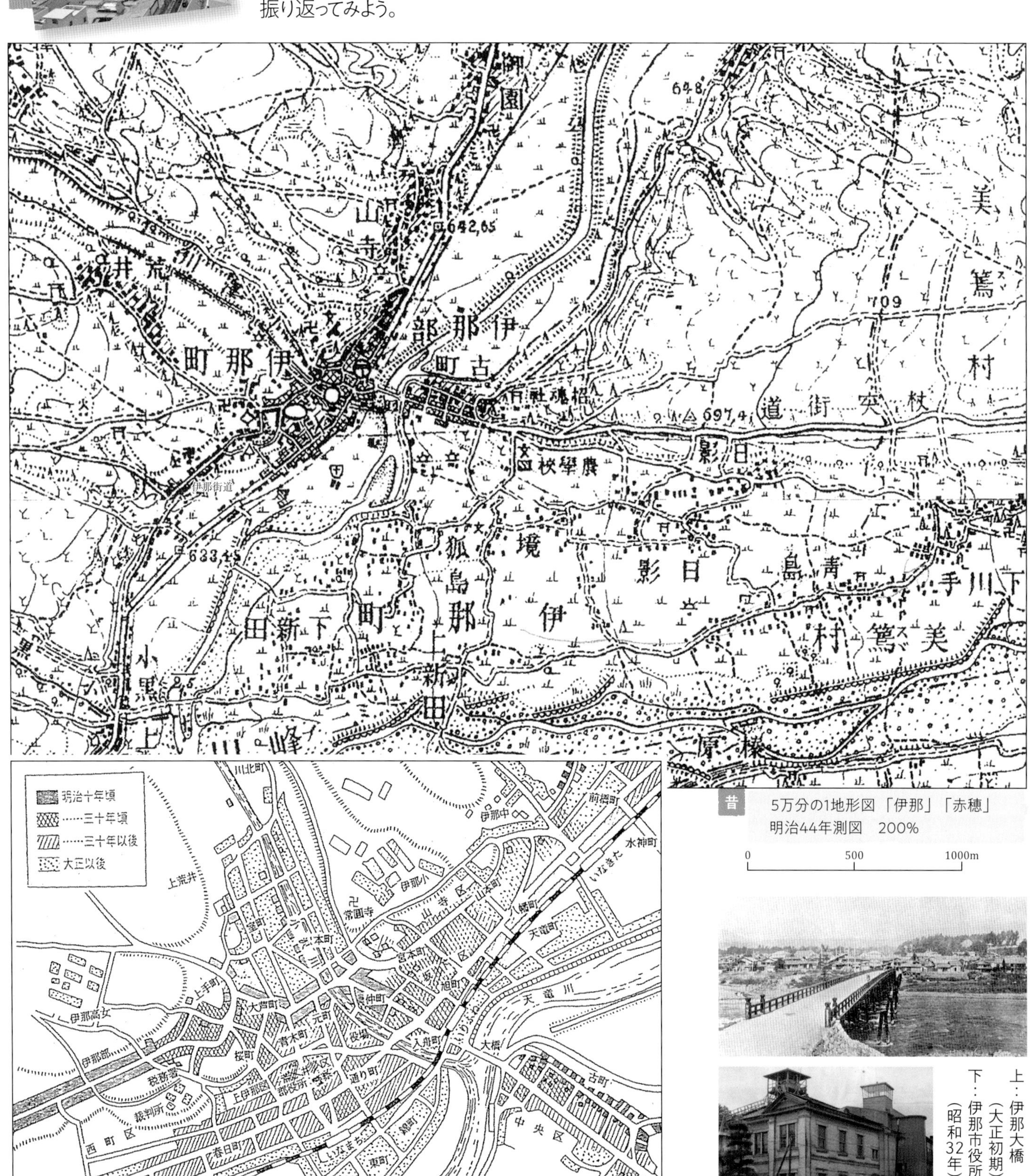

昔　5万分の1地形図「伊那」「赤穂」明治44年測図　200%

0　500　1000m

上：伊那大橋（大正初期）
下：伊那市役所旧庁舎（昭和32年）

「伊那町発展概略図」（昭和5年刊『伊那町誌』より 区名・町名は現在名に補足）

読図ポイント

[地図記号] 昔 田 桑畑 町役場 郡役所

天竜川と街道筋を見る

旧地図で街道筋をたどり、街の分布を確かめよう。天竜川の右岸・左岸の地形の違いや沿岸がどんな土地だったかも見てみよう。

街の広がりと変化を見る

新旧地図で、鉄道や駅ができた場所を見比べてみよう。旧地図でかつての伊那町役場の場所も確かめよう。

天竜川東岸の今昔を見る

新旧地図で天竜川東側（左岸）の土地利用の変化を見てみましょう。街の範囲が大きく広がった様子を確かめてください。

戦時下の記憶をたどる

新地図では北東に広がる平らな地に戦時下、伊那飛行場がありました。どんな場所だったのでしょう。現在はどうなっていますか。

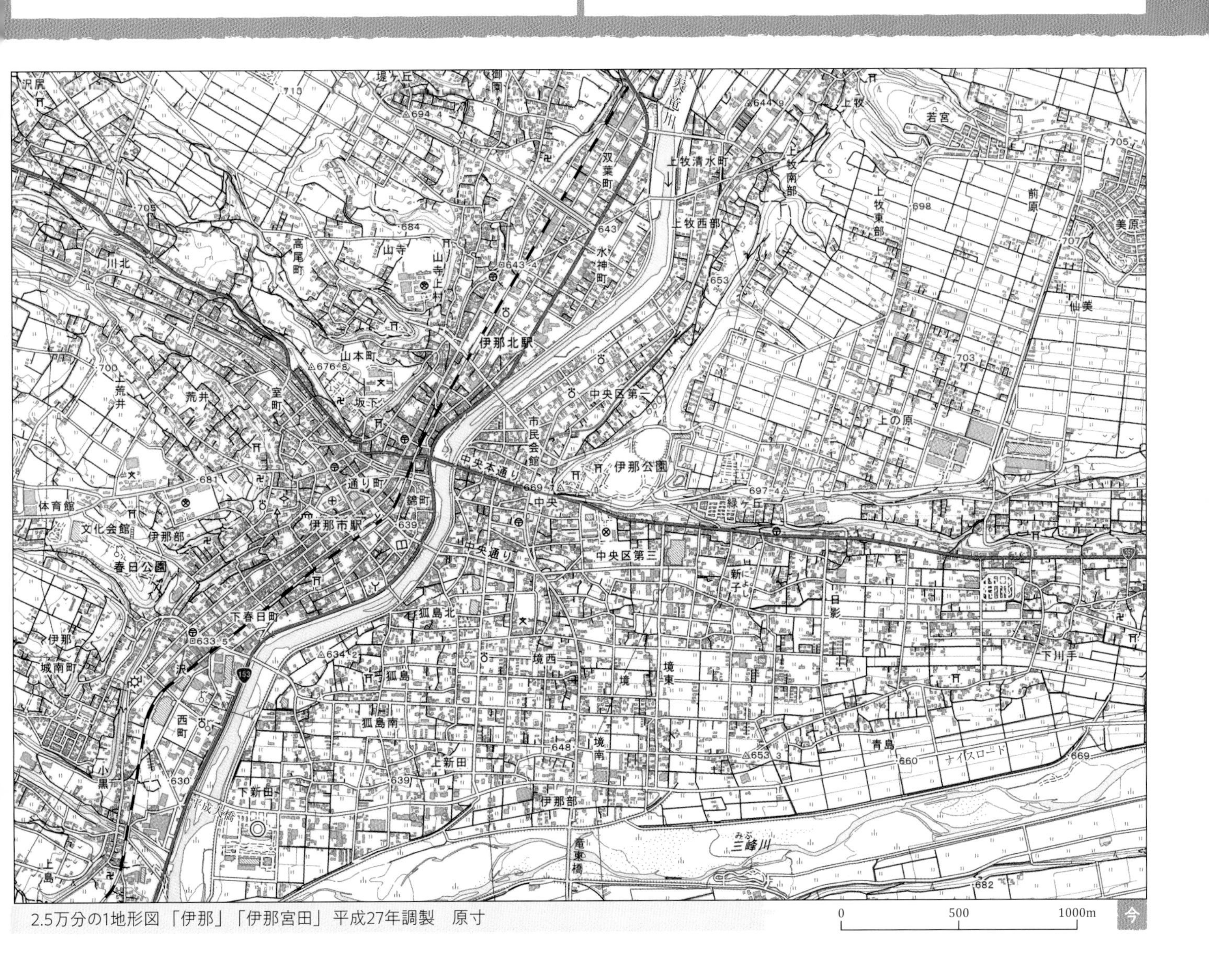

2.5万分の1地形図「伊那」「伊那宮田」平成27年調製　原寸

0　500　1000m　今

点在した集落から生まれた街

■街道沿いから発達　伊那市街地の形成は江戸中期、街道沿いの集落を核に始まった。当時、**天竜川**右岸に**伊那街道**（後の三州街道）、木曽への権兵衛街道、左岸に諏訪への**杖突**（つえつき）**街道**が通り、伊那街道沿いの**伊那部**（いなべ）宿や左岸の**古町**、三本の街道が交差する**坂下区**には比較的早く集落ができた。間もなく街は天竜川通船の船着き場で**小沢川**との合流点にあたる**入舟町**に拡大し、明治6年（1873）、入舟町と古町を結ぶ伊那大橋が架けられた。こうして点在する集落が起源となって、伊那市街地の前身である**伊那町**を形成していった。

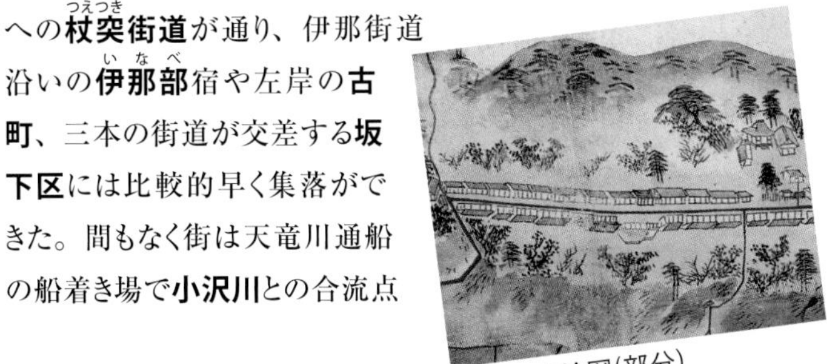

伊那部宿絵図（部分）

■城下町の高遠から宿場町の伊那へ　それまで上伊那の政治・経済の中心地といえば、古くからの城下町・高遠であった。しかし、高遠は山間の狭い地形にあり市街地を拡大できず、交通上も主要な街道筋から外れて周辺地域となってしまった。代わりに伊那町は平坦な土地があり、交通の要地だったために集落が発展し拡大した。やがて伊那大橋が大改修され、さらに街道の整備により「**通り町**」の新集落もできた。地元資本による上伊那銀行も開業したことで中心地の基盤が固まった。明治30年には、**青木町**に郡役所が設置された。

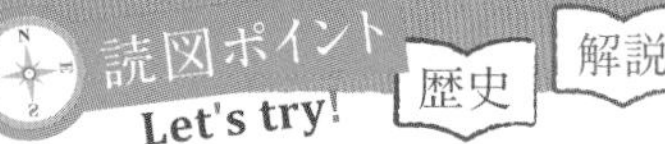

伊那電鉄の開通で市街地拡大

軒先をかすめるように走る電車

■町制の施行後の動き

明治27年に三州街道（現国道153号）を改修した後の同30年、伊那町は町制を施行し、**荒井**区の小沢川畔に伊那町**役場**を建設した。その後も南から**春日町**・通り町・入舟町が帯状に拡大し、特に入舟町から通り町にかけて商店等が相次いで進出し、にぎわうようになった。

■伊那電鉄の開通による影響　明治45年までに、私鉄「伊那電気鉄道」が軽便鉄道として辰野駅－伊那町駅間で開通し、**伊那北**・**入舟**・**伊那町**の各駅が開設された。市街地は天竜川沿いの**錦町**や線路沿線、伊那北駅周辺、さらに線路と天竜川の間の低地へと拡大していったため、電車は市街の真ん中を走ることになった。伊那町の人口は明治18年の7,050人から大正4年（1915年）に11,265人へと急増した。伊那電鉄はその後飯田まで伸び、昭和18年（1943）に国鉄飯田線となった。

竜東や段丘上への広がり

伊那市役所

■竜東の平坦地に広がった市街地　昭和29年、伊那町と周辺の5村が合併し伊那市が誕生した。天竜川の西側（竜西）の平坦地から形成された旧伊那町の市街地は、天竜川と西側の段丘に挟まれ、市街地の発展が制約されてきた。この頃になると、竜西の平坦地は拡大の余地が少なくなり、天竜川にいくつもの橋が架けられ、対岸の東側（竜東）の平坦地へと市街地が伸びていった。また、段丘上へも崖をスロープで登る道路が整備された。天竜川東の広大な段丘は、旧地図では平地林と桑畑が広がっており、その南の三峰川氾濫原はやはり広い水田地帯となっている。現在の様子を見てみよう。昭和47年の国道153号伊那バイパスの全線開通により、沿線にユニー（現アピタ）などの大型店や様々な商業施設が立地した。平成5年（1993）に国道153号から天竜川を**下新田**へ渡る**平成大橋**が完成し、高遠町に至る道路（ナイスロード）が開通、**市役所**も天竜川西岸から東岸の平成大橋近くに移転した。竜東に拡大した市街地には、ベルシャインやヤマダ電機などの大型店も進出した。

■段丘上へも広がる市街地　天竜川沿岸を中心として市街地拡大が進むと、東西の段丘上にも土地確保の容易さと地価の安さから住宅団地が造成されていった。西南にある**城南町**などはその例である。旧陸軍伊那飛行場があった東北部には**若宮**・**美原**などの団地や住宅地が拡大している。昭和63年には西岸段丘上に県伊那**文化会館**などの公共施設等も開設された。このように伊那市街地は、様々な地形を取り込みながら形作られた特徴的な街なのである。

伊那にも飛行場があった

飛行場跡に残る格納庫の基礎部分

■地形を変えた飛行場　伊那に飛行場があったのはあまり知られていない。伊那飛行場は旧陸軍が天竜川東岸の杖突街道の北に広がる平地林と桑畑の広大な六道原台地に目を付け、昭和18年に接収して翌年開設した。新地図でいうと上の原の北の一帯になるが、軍事施設ということで地形図表記は禁止されていた（昭和26年頃まで）。その後、米軍資料でその全容が明らかになった（下写真）。大型重機も導入した大規模工事により、2つの沢が埋め立てられ、特に滑走路付近が平らになった。新地図では等高線がほとんど見られない。一部残された平地林は敵から飛行機を隠す場所として使われた。昭和20年からは、特攻機を製造する工場となったが、敗戦に伴い米軍によって解体された。

■飛行場の跡地利用　飛行場の跡地一帯は戦後、三峰川総合開発事業の灌漑で水田化されている。高度経済成長期以降は住宅団地や工業団地となり、市街地の一部として姿を変えている。現在、上の原保育園前の一角に飛行場の遺跡を記した案内板が市教委により設置され、平和の大切さを伝える場となっている。　（山口　通之）

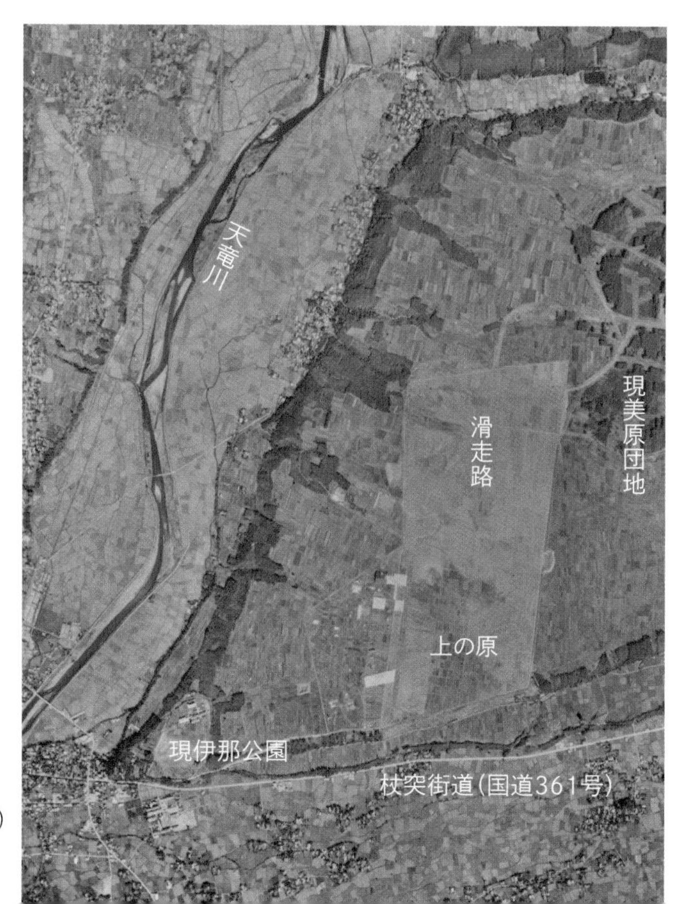

昭和22年に米軍が日本全土を撮影した空中写真より（国土地理院頒布）

Column: 09　南アルプス林道がもたらした恩恵

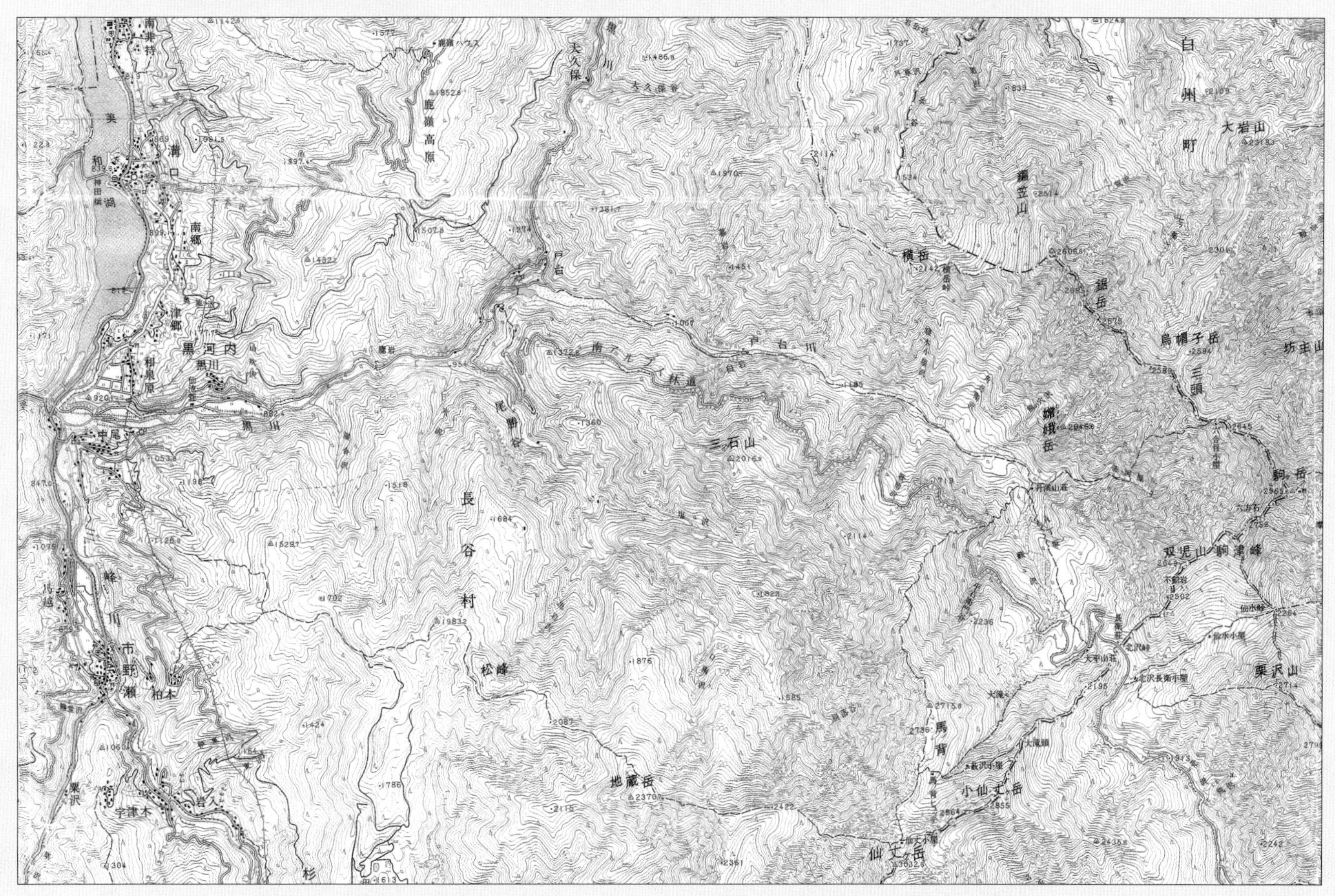

5万分の1地形図「市野瀬」平成3年　80%　注：図中「長谷村」は平成18年から伊那市

伊那市長谷（はせ）黒川の戸台大橋から北沢峠を経て、山梨県南アルプス市芦安芦倉（あしやすあしくら）まで約57kmの南アルプス林道。昭和40年の「森林開発公団法」を受けた特殊法人森林開発公団が42年、特定森林地域開発林道として建設に着手した。建設時は「南アルプススーパー林道」の名称で全国6番目の着工であった。その目的は森林資源の開発と地域・観光開発であった。

■紆余曲折の建設経過

この林道は既存の野呂川林道を基に昭和41年、山梨県芦安村から建設が開始された。昭和55年の供用開始まで以下のような経過をたどった。

- 昭和39年／南アルプスが国立公園に指定。山岳地帯の道路開鑿（かいさく）は自然破壊とされ建設反対の運動が起きる。
- 昭和48年／大石環境庁長官が北沢峠区間（1.6km）の建設凍結を表明
- 昭和53年／峠部分の幅員の縮小、一部路線変更により建設再開
- 昭和54年／完成

自然保護団体による反対運動は環境保護への関心の高まりを呼び起こし、計画は曲折をたどった。また、地図で道路脇の随所に崖の記号が見られるのは道路の開設によって削られたもので、いかに難工事であったかがわかる。昭和36年までは仙流荘から戸台を経てさらに黒川に沿って北へとのびる森林鉄道があり、南アルプス林道の一部はこの廃線跡を通っている。森林鉄道起点にあった広大な貯木場は、仙流荘やバスターミナル、マイカーの駐車場となっている。

■観光開発への期待と課題

今、長野県側（戸台口～北沢峠）は「伊那市営林道南アルプス線」、山梨県側は「山梨県営南アルプス林道」として管理されている。長野県側は戸台大橋（海抜約900m）から北沢峠（2,032m）間が一般車両通行禁止で、路線バスのみの利用である。通行は6月15日から11月中旬に限られる。

この林道による恩恵は大きかった。林道ができる前は、北沢峠まで戸台川に沿って5時間以上かけて歩いたが、バスを使い1時間で行けるようになり、北沢峠から駒ケ岳や仙丈ケ岳への登山には大変便利になった。運行開始の昭和55年には1万人足らずであったバス利用者数は、平成27年には5万3千人余となっている。

一帯は中央構造線上にあり、平成20年に「ジオパーク」、さらに南アルプス「ユネスコエコパーク」にも認定され、観光集客への期待も高まっている。

（堀内　敏文・湯澤　敏）

南アルプス林道バス

48
佐久平
〈佐久市〉

高速道と新幹線で大きく変貌

北陸新幹線佐久平駅ができた佐久市岩村田は、近年の長野県内では例のない大変貌をとげた街である。駅周辺では、高速道路や既存幹線のバイパス開通・拡幅が相次いで交通基盤整備は劇的に進展、沿線には商業施設や飲食店、マンション、小学校などが続々オープンして全く新しい街が出現した。一方で中山道宿場町として歴史ある既存市街地では空き店舗が目立つ。急速な大開発の光と影を新旧地図から探ってみよう。

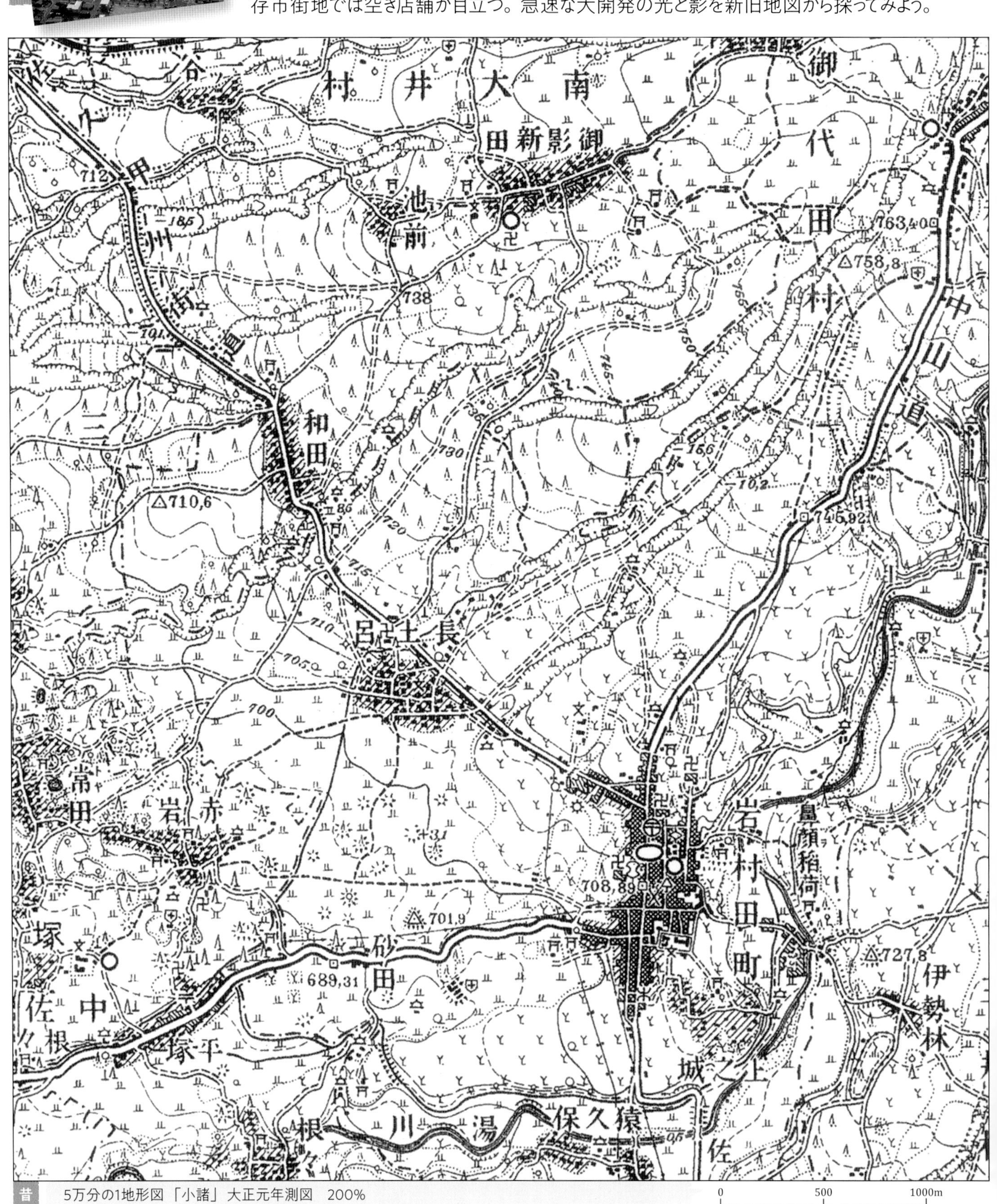

昔　5万分の1地形図「小諸」大正元年測図　200%

0　500　1000m

読図ポイント

［地図記号］ 昔　田　畑　桑畑　果樹園

田切地形を見る

新幹線佐久平駅周辺に現れた新たな街は、濁川・湯川などが削った田切や流れ山の地形が台地上にあります。川沿いの起伏ある地形を見てみましょう。

新幹線駅を見る

佐久平駅は水田地帯につくられました。新幹線ルートもたどってみましょう。在来の小海線と交差し、高速道IC直下の地下を通過しています。

道路網の発展を見る

幹線道路の劇的な充実ぶりを見てみましょう。国道141号を動脈とし、縦横に結ぶ道や中部横断自動車道もあります。高速道ICの周辺には産業団地も整備されています。

旧中心街の変化を見る

古くからの中心市街であった岩村田の街はどう変わったでしょうか。一帯の道路充実により郊外型の商業施設へと客足が流れ、にぎわい再生が課題となっています。

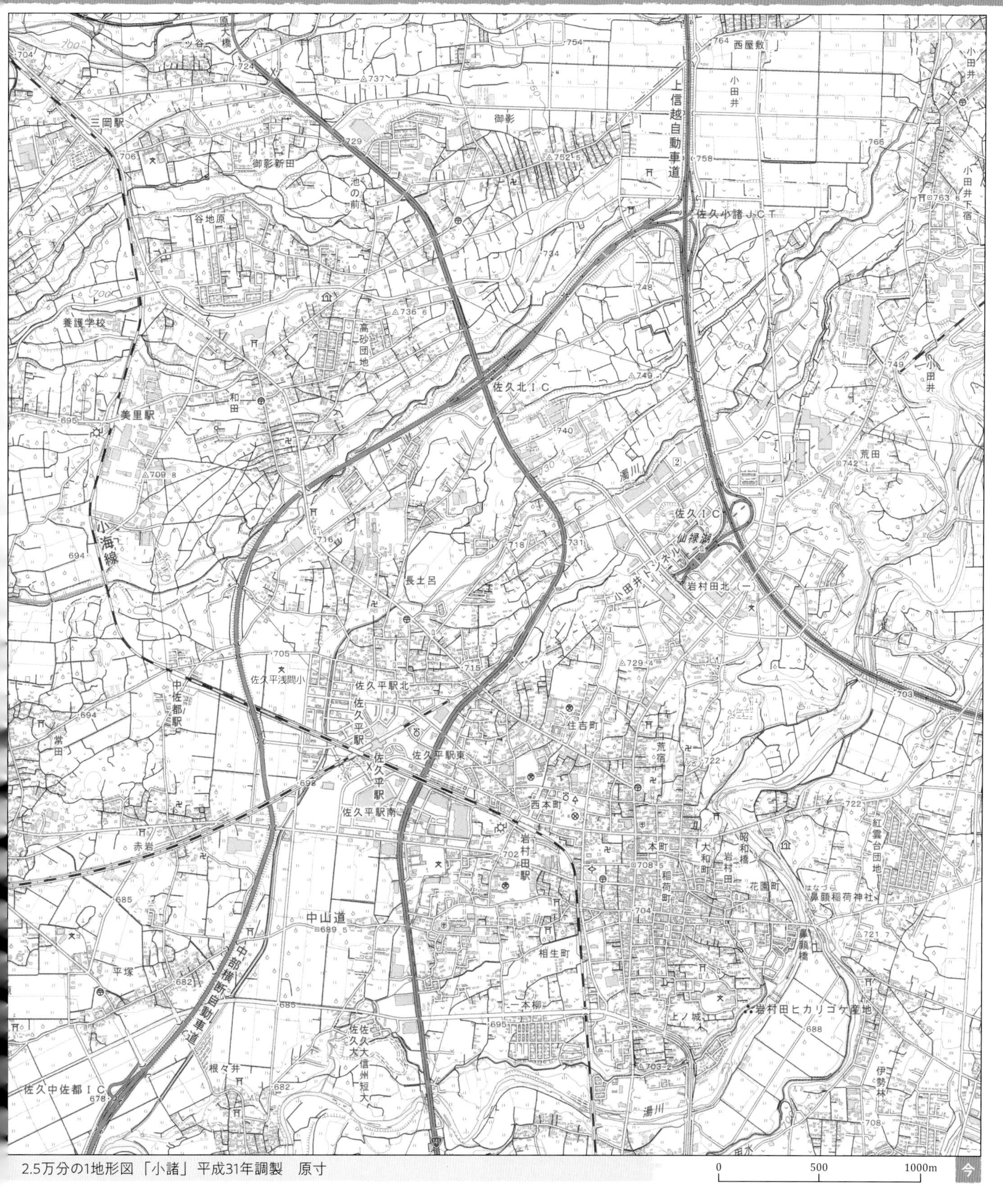

2.5万分の1地形図「小諸」平成31年調製　原寸

0　500　1000m

今

1 田切地形につくられた街

■長土呂田んぼに現れた街　新市街地となった地域の地形をまず見てみよう。ここは浅間山南麓に広がる火山堆積物が土石なだれとなり流れ下って堆積したところである。流れの末端で固まって、旧地図の南西部に数多く見られる土盛りの小丘のようになった。これは流れ山という。また、流水に侵食された崖と水田がいく筋も確認できる。このような谷地形を田切地形と言い、その底部は水田、上部の平地は畑として利用されてきた農業地帯であった。新幹線駅が建設された岩村田郊外は、**濁川**(にごりかわ)と軽井沢の千ケ滝から引いてきた用水を**仙禄湖**(せんりょくこ)に貯えた水で拓かれた水田地帯、「長土呂田んぼ」と呼ばれた穀倉地帯である。この広い農業地が駅や商業地、住宅地、学校などの用地として開発された。

上:開発前の長土呂田んぼ
下:現在の佐久平駅周辺

2 新幹線駅を核に風景激変

佐久平駅

■モチーフは「旧中込学校」　JR小海線**中佐都**(なかさと)駅—岩村田駅の中間に建設された**佐久平駅**は、新幹線の地上ホームと小海線の高架ホームが交差する珍しい立体構造の駅である。市内の重要文化財「旧中込学校」を駅舎のモチーフとし、「太鼓楼」やステンドグラス、重厚感のある白壁、周囲の山並みを表わす三角屋根を取り入れた。水田地帯の真ん中にこつ然と現れた新幹線駅が建ちあがっていく様子は、新しい時代の到来を予感させるものであった。

■フル規格佐久ルート　新幹線開通までには曲折もあった。ルート決定は昭和57年。当初は全線フル規格の想定であったが、同63年、財政難によるミニ新幹線構想が浮上した。軽井沢—長野間は在来線(信越本線)上に広軌レールを敷設するという案で、在来線の通る小諸市と御代田町は支持、危機感を募らせた佐久市はフル規格による佐久ルートを強く訴え、一時は論争となった。在来線のこの区間には踏切98カ所、カーブ123カ所があり、最高時速は130km/h止まりとなってしまい新幹線機能が発揮できない。吉村午良県知事は在来線の軽井沢—篠ノ井を第三セクター化で残すことを表明して理解を求め、フル規格の佐久ルートで決着した。

■駅周辺の道路整備　新幹線整備に併せて周辺でも道路整備が進んだ。佐久平駅へのアクセス道として、**佐久IC**や小諸市南部の国道18号から市北部を通り市南部の野沢・臼田方面と結ぶ国道**141号バイパス(現国道141号)**が整備された。道幅25～30m、片側2車線(一部3車線)の広い道路で、これを基軸に駅周辺の道路や地区内幹線が整備されていった。

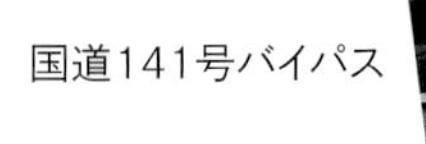

国道141号バイパス

また、新幹線は東京まで1時間20分と通勤・通学が可能となり、駅周辺には駐車場が多くつくられている。また、ホテルの建設や宅地化の波が押し寄せた。

■進む市街地化　新幹線駅周辺で進んだ大商業地域形成の先駆けは、平成11年オープンの**イオン佐久平店**である。駅に隣接し商業施設面積3.3ha、駐車2,200台、テナント70店が入る県下最大級の大型店である。駅周辺や国道141号バイパス沿線には、スーパー、ホームセンター、衣料、電器店、靴、外食店などの大型チェーン店が続々と出店。商圏は近隣の南北佐久や上小地域、群馬県下仁田町に拡大し、休日は家族ぐるみで買い物へという姿でにぎわっている。

小海線高架と佐久平浅間小学校

■新規小学校の建設　佐久平駅周辺では宅地化などによる人の移動も誘発された。高速道と新幹線の開通前後に岩村田は農地が半分以下に減って急速な市街地化が進み、世帯数は1.8倍、人口は4,000人以上も増加した。岩村田小学校の児童数は平成8年の875人から、同27年には1,108人に増加。老朽化した校舎や狭い教室では対応できなくなり、新規に学校設置を決定した。

平成27年4月、佐久平駅から北西約500mの**長土呂区**に「**佐久平浅間小学校**」が開校、児童数は岩村田小557、佐久平浅間小551名と半々になった。県内の小学校新設は平成8年の南箕輪村南部小学校以来19年ぶりであった。

交通革命は高速道開通から

■上信越自動車道　新幹線開通より少し前、佐久地域の「交通革命」は平成5年(1993)からの**上信越自動車道**開通に始まった。まず藤岡—佐久間、翌年に佐久—小諸間が開通。新幹線開通前年の同8年に小諸から更埴JCTまでが完成し、首都圏や県北部と直結した。東京まで所要時間は約2時間と短縮された。

■佐久IC周辺の施設　佐久ICができた仙禄湖の周りを旧地図で見ると、周辺は水田を中心とする農業地域であった。開通後は商業団地の**インターウェーブ**[1]と**佐久流通業務団地**(17ha)[2]が造成された。インターウェーブは新幹線**小田井トンネル**上に造成された商業団地で、ホームセンター・書店・ファッション・レストラン・食料品店など20店舗が営業している。流通業務団地には青果市場・水産市場・園芸市場など卸売市場5社と建築資材、運輸など17社が入った。

■中部横断道　**中部横断自動車道**は、静岡市を起点に山梨県甲斐市を経由して小諸市で上信越道に接続する延長約132kmの高速道で、長野県内関係では上信越道佐久小諸JCT—中央道長坂JCT間が建設区間である。平成23年に佐久小諸JCTから佐久南ICまでが開通、同30年には八千穂高原ICまで計23.1kmが完成している。南佐久地域では初の高速道となった。佐久小諸JCT—佐久北IC間は田切地形を利用していて、**佐久中佐都IC**から佐久平駅へのアクセスが良いことが地図から読み取れる。開通後は南佐久から佐久市への買い物客が増加している。

岩村田商店街活性化の取り組み

■旧商店街の改造　高速交通網が整備される前の佐久地方の商業は、商都の伝統があり商圏も広い小諸市が盛んであった。高度経済成長期の小諸では店舗改装やデパート・スーパーなどの大型店も現れて商業活動は大いに活性化した。

岩村田商店街

この動きに触発され、店舗改装などで商店街の改造を打ち出したのが岩村田や中込である。**岩村田**は中山道の宿場として発達した町だが、小諸商店街の近代化に押されて活気を失っていた。**本町**商店街から道路拡張と店舗改装に取り組み、昭和44年までに全商店街で店舗の改装を進め、佐久地方の中心としてにぎわいを取り戻した。

中込の商店街「グリーンモール」

岩村田の活況をみて、それより南にあり、岩村田とともに佐久市の核市街地である中込も商店街全域の改装に着手。同59年には一般住宅も含めて新装した中込商店街が誕生した。街の中央にグリーンモールや緑地帯を設け、千曲川から引き込んだ清流には佐久鯉が泳ぐ近代的な商業地区に生まれ変わった。これに続き、中込とは千曲川の対岸となる野沢でも商店街改装に着手したが、景気の落ち込みで途中断念した。

■岩村田商店街への影響　上信越道佐久ICと新幹線佐久平駅という高速交通網への二つのアクセス拠点が岩村田市街からわずか2kmの郊外にできたことは、佐久地方の既存市街地に大きな衝撃を与えることになった。

最も大きな影響を受けたのは新市街地に隣接する岩村田商店街であった。大手スーパーや全国チェーンで展開する店舗に客を奪われ、一時は3割が空き店舗という事態となった。改装で近代化した店舗での営業が軌道に乗っていた時期でもあり、影響は特に大きかった。中込でも同様の影響を受けることになった。駐車場完備の新市街地の店舗に対し、既存商店街では共同駐車場を設けたものの店舗と離れていることもあり客足の戻りも鈍かった。

岩村田商店街の寺子屋塾

■岩村田商店街の取り組み　こうした状況に危機感を募らせた岩村田では、若手経営者が中心となって「本町商店街振興組合」を設立。地域密着の顧客創造型商店街づくりを掲げ、地域づくりも併せた商店経営を展開した。具体策として、空き店舗を活用してコミュニティースペースを提供する「おいでなん処」、惣菜を製造販売する「本町おかず市場」、小学生の学習場所となる「岩村田寺子屋塾」、短時間の託児も請け負う「子育てお助け村」などを展開した。一連のユニークな取り組みは「商店街モデル」としてメディアに取り上げられ、同24年には経済産業大臣が視察に訪れるなど全国的にも注目を浴びた。ただ、客足回復には至っておらず、さらなる模索が続いている。

(野澤　敬)

佐久インター周辺

49
千曲市

古代からの往来の要地は今

千曲市一帯は古代の「信濃の中心地」である。古代人は、千曲川に沿う肥沃な土地を稲作の適地と見なして水田を開き、後の支配者は屋代田んぼを見おろす山腹に信濃の国最大の前方後円墳「森将軍塚」を築いた。古代から近世に至るまで、西の畿内や東の江戸、また北陸へ通ずる北信濃という3方面との結接・分岐点であり、平地と山間地を結ぶ交通の要所であった。この地は今どんな役割を担っているのだろうか。

昔　5万分の1地形図「長野」「坂城」大正元年測図　90%

読図ポイント

[地図記号] 昔 田 桑畑 温泉 今 果樹園 

1 棚田の地形を見る

古くから都に知られた姨捨棚田の地形を確かめましょう。また、そこから見える千曲川を含む東側の風景を地図から想像してみましょう。

2 街道の分岐を見る

東西の分岐・結節点である西街道、北国街道をたどってみましょう。西街道の商都・稲荷山や猿ヶ馬場峠の様子も見てみましょう。

3 古代の繁栄の地を見る

森将軍塚古墳と、そこから見渡せる屋代田んぼの広がりを見て、この地が栄えた古代の様子を想像してみましょう。

注：図中「更埴市」「戸倉町」「上山田町」は平成15年から千曲市

5万分の1地形図「長野」「坂城」平成9年修正　90%

0　1000　2000m　今

姨捨駅

更埴ジャンクション周辺

1 都にも知られた姨捨の眺望

■往来の地が生んだ伝説　『万葉集』には埴科(はにしな)郷の防人の歌など、この地の作者の歌があり、**上山田温泉**の千曲河畔には万葉の歌碑が立つ。奈良時代の官道「東山道(とうさんどう)」の越後へと結ぶ支道が通る**冠着山**(かむりき)(姨捨(おばすて)山 1,252m)は棄老伝説と古歌で知られ、古代から都とつながる往来の要地であったことを物語っている。古い峠道の急坂を往来する時に目にする千曲川と善光寺平の眺望、姨捨伝説、棚田に映る月などが都に言い伝えられていた。松尾芭蕉は『更科紀行』に「俤(おもかげ)や姥(うば)(姨)ひとり泣く月の友」の句を詠んだ。ここは往来の要地であるとともに風流な文化の地でもあった。

冠着山の北麓に見られる緩傾斜地は古い地滑りによるもので水もちがよく、棚田として今に続く。全国棚田百選に選ばれ、**姨捨**の名勝「**田毎(たごと)の月**」は重要文化的景観に指定されている。近年は棚田オーナー制度が定着し、味の良いブランド米としても知名度が上がりつつある。

■三大車窓　棚田を見下ろす**篠ノ井線**は、明治 33 年(1900)に 25‰の急勾配地に西条まで開通。スイッチバックの**姨捨駅**は根室本線新内(にいない)駅(狩勝(かりかち)峠 1966 年廃駅)・肥薩(ひさつ)線矢岳(やたけ)駅と並ぶ日本三大車窓の眺望で鉄道ファンを魅了している。

2 首都圏・中京・北陸へ

■峠越えの変遷　旧地図の**猿ヶ馬場峠**(さるがばんば)から**稲荷山**(いなりやま)へ下る**西街道**は、元々はすぐ東の古峠を越える古代東山道の支道であった。後に**一本松峠**、さらに猿ヶ馬場へと峠道は移った。江戸時代には「北国西往環」、「善光寺道」とも呼び、今は国道 403 号が通る。**桑原**宿には街道の名残として鍵型が見られる。稲荷山宿は西街道最大の宿場で、明治期には善光寺平に集まる人と物資で繁栄した北信の商都であった。西街道が**北国街道**と交わる**篠ノ井追分**①には、更級(さらしな)郡の郡役所が置かれていた。明治 35 年(1902)に篠ノ井線が塩尻まで開通すると一帯は次第にさびれたが、稲荷山には重厚な蔵造りの街並みが残り、平成 26 年には重要伝統的建造物保存地区に選定された。

稲荷山の商家を利用した「蔵し館」

一方、江戸へと向かう北国街道が通る千曲川右岸では埴科(はにしな)郡**屋代**(やしろ)から**谷街道**が松代へと通じ、明治 21 年には信越線**屋代駅**が開業。大正 11年(1922)には河東線(平成 24 年廃線)が須坂へとつながり、昭和 10 年には旧北国街道に沿う国道 18 号が整備された。

■首都・北陸・中京と結ぶ　平成 5年(1993)から 8 年にかけて長野自動車道、**上信越自動車道**が開通、**更埴 JCT** は首都圏・中京・北陸とつながる高速道の三差路となった。更埴 JCT 付近は国道、鉄道、新幹線が交差し合い、各方面の結節点ともなっている。利便性の良さから、**八幡**(やわた)や屋代の工業団地などにハイテク産業、精密加工業、食品産業などが進出した。平成 18 年(2006)には、姨捨 SA にスマートICも実現した。時を経た高速交通の時代においても、この地は要所としての役割を担い続けている。

Mini Column　屋代田んぼ

■古代の稲作地を望む森将軍塚

千曲市の中央を長野盆地へと北流する千曲川は、八幡から篠ノ井唐猫(からねこ)間で急に緩やかな流れとなり、蛇行を始める。流れは屋代**杭瀬下**(くいせけ)付近から直角に折れて広い氾濫原を形成している。その少し下流の**雨宮**(あめのみや)では、増水時に左岸が水衝部となって盛んに削られる一方で、右岸は水勢が弱くなるため、むしろ細かい土砂が堆積して広い平地ができた。これが屋代田んぼである。土壌は肥沃で稲は水没の害も少ないので、最良の稲作地となった。旧地図で雨宮の南に広がる平地に見られる直線的な道筋は 10 世紀頃の条里制の名残りである。左岸も含めて一帯には古代からの集落と水田遺跡が多い。

屋代田んぼは典型的な二毛作地帯で、裏作には高品質の麦が作付けされていたが、チューリップや玉ねぎに代わった。二毛作は減少したが、最近では麦作の復活が見られる。**森**地区の崖錐(がいすい)面ではアンズ栽培が盛んである。

屋代田んぼを見下ろす**有明山**山腹の**森将軍塚古墳**は、11 年かけて平成 4 年(1992)に完全復元された国史跡で、教科書にも載った。4 世紀に築かれ、縦約 100m の前方後円墳は県下最大。石室も国内最大級である。一帯が大きな勢力を養える地であったことがわかる。ふもとの長野県立歴史館・森将軍塚古墳館は歴史研究の中核である。周辺の尾根や対岸の篠ノ井石川の山中には古墳が多い。

千曲川の氾濫原一帯は水害の多発地帯でもあった。**粟佐**(あわさ)には明治期の洪水で出現した池が旧地図に見える。**土口**(どぐち)地区では、大正時代頃から石垣を築いて盛土をし、その上に住宅を建てて洪水に備える水屋(みずや)集落が形成された。多くの神社は水神を祀り、千曲川沿いには水神の祠(ほこら)が点在していて、人々の切実な願いが伝わってくる。

(近藤　正義)

Column: 10　地域の食文化とアイデアを生かす「道の駅」

①道の駅 おがわ ②さんさん市場
③道の駅 中条 ④わんさか市

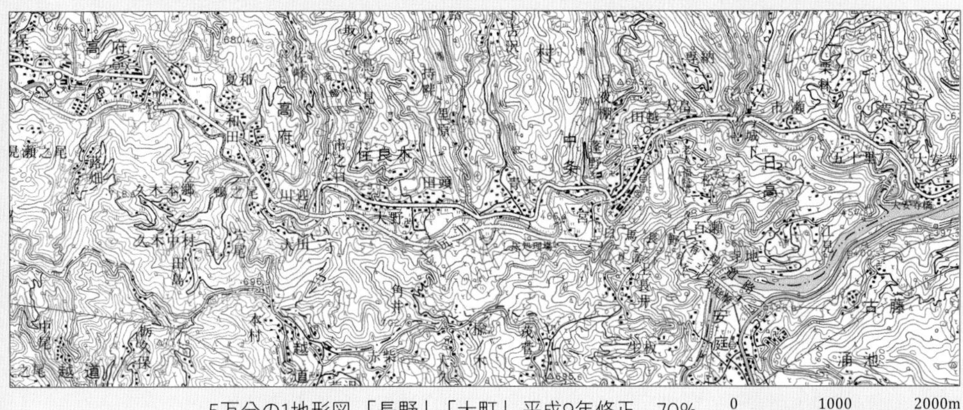
5万分の1地形図「長野」「大町」平成9年修正　70%

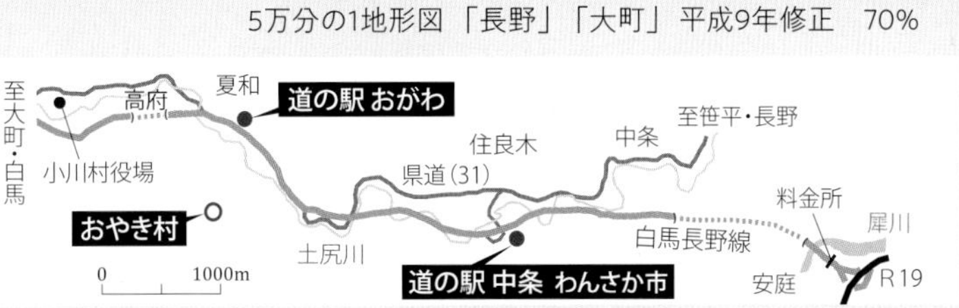

虫倉山麓南の西山地域

■「粉もん文化」発祥の地

長野盆地西側の中山間地は“西山”と呼ばれる農村地帯である。ここでは陣場平・虫倉山塊から南側へと傾斜しながら広がる中条村（現長野市中条）や小川村の山麓部を取り上げよう。地形図から幾筋もの尾根と谷が犀川と土尻川に下り、谷壁も急傾斜な様子がわかる。限られた耕地のほとんどは畑地で、大麦・小麦や豆類、ソバを主食としてきたことから独自の「粉もん文化」が生れた。「おやき」「おぶっこ」「煎餅」などである。伝統的な食文化から生まれた郷土食が今では多くの人に受け入れられ、「道の駅」の人気商品として村づくりを支えている。

■「おやき」文化を広めた「小川の庄」

「おやき」で有名になった農産物加工販売会社「小川の庄」は昭和61年（1986）、会社と農協、村の協力で誕生した。漬物加工から始め、同年におやきを製造販売する「おやき村」を開村。縄文風の建物で灰の中で焼く「縄文おやき」が人気を呼び、10年で年間600万個のおやきと120万袋の漬物を販売する会社に成長した。西山の伝統おやきを県内外や海外に広めただけでなく、“60歳入社、定年なし”のユニークな雇用で、高齢者が知恵や技術を生かせる職場を創出し、村の活性化に貢献している。

■西山の「道の駅」を訪ねてみよう

1980年代半ば、各地の山間地では過疎化に加えて住民の高齢化や児童生徒の減少が顕著となり、地域の活性化が喫緊の課題となった。平成に入ると各地で農産物やその加工品販売による村おこしの試みが盛んになり、西山でも平成8年のオリンピック道路の開通を機に「道の駅」が誕生した。各施設を見てみよう。

「道の駅 おがわ」　「味菜」「さんさん市場」「農の花」とコンビニの複合施設である。平成8年に竣工した第三セクター施設「ふるさと伝統館」から発展し、平成19年に「道の駅おがわ」として開設した。平成14年に伝統館を改装オープンした「味菜」は、試行錯誤をしながらソバ・おやきを中心にすえたメニューを考案し、レストランスタイルを確立した。品目は多彩でセンスもよく美味である。肉・魚以外の素材は地元産を使い、ソバ・おやき・小豆餡は全て店内での手作り。地域の人々にも支持され、経営の強みとなっている。

「さんさん市場」は、女性生活改善グループの活動から生まれた。会員で運営され、自分たちで作った野菜や花類のほか、農産物加工品や村人が作る手芸品など、販売するのは全て小川村産である。「農の花」は農産物を加工・販売し、さんさん市場に惣菜、おやき、漬物等の加工品を提供している。ソバや焼きおやきが人気の「大洞地場産センター」等の諸施設は地元の人々の熱意と村の全面的な支援により設立された。働く人のほとんどが村内者である。

「道の駅 中条」　発足は地区内を通るオリンピック道路の開通と同じ平成7年である。特産物販売棟の広い食堂内には、食事を作る女性たちの元気な声が響く。おぶっこ・笹おやき・ソバが人気だが、新たに地元産の「西山大豆」を使った「豆乳ドーナツ」と「中条味噌」が開発されて人気商品となり、野菜・果実を利用した商品も好評だ。現在は市の指定管理者が運営しているが、農家と共に遊休農地で豆や麦・野菜を栽培したり、それを食材や商品化に生かす試みなど、将来を見据えつつ地域に根ざした経営を目指している。

「わんさか市」は、平成2年に有志が集まって「農産物直売所」を広場で開いたことに始まる。人・物・話題が“わんさか”するようにとの願いを込めた。70歳以下の地元農家が会員となって運営。交代で店に立つことで消費者のニーズをつかみ、栽培品目の決定や質の向上に生かしている。作物を育てる楽しさ、それが売れて収入が入る喜びを味わいながら働く人々の顔は皆生き生きとしている。

（渡辺　敏泰）

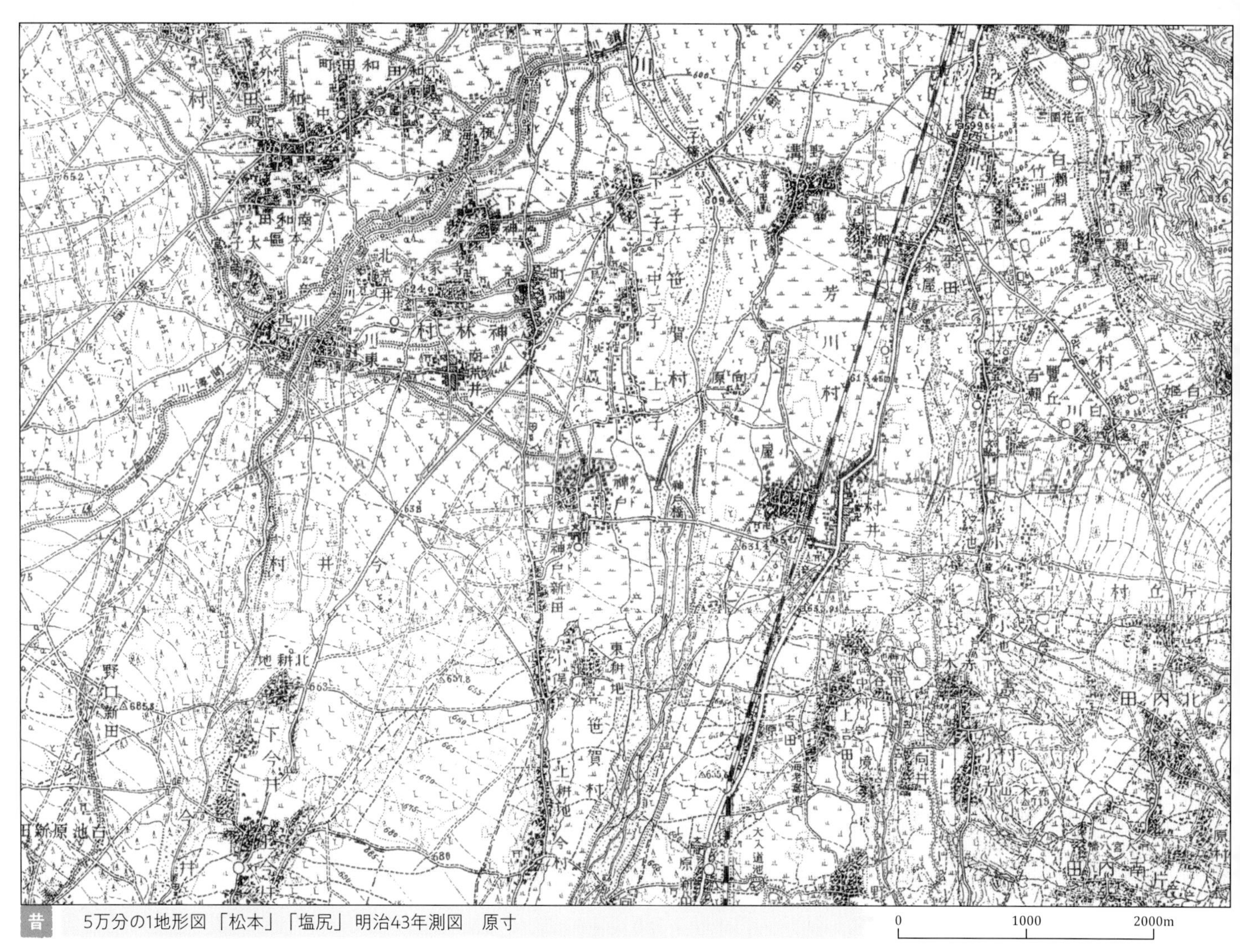

昔　5万分の1地形図「松本」「塩尻」明治43年測図　原寸

50
松本空港周辺
〈塩尻市・松本市〉

信州の「交通革命」を象徴

信州の交通インフラは明治時代の鉄道敷設にはじまった。徒歩や馬車で往来する旧街道は国道となり、自動車向けに拡幅・直線化・舗装整備され、やがて高速道路も開通した。鉄道は電化され高速化も進んだ。松本・塩尻の境界辺は、山岳県初の空港が実現し、「交通革命」を象徴する基盤を一堂に見ることができる。人や物の行き来の変容を見てみよう。

1 開かれゆく空港周辺

■信州唯一の空港　新地図の中央南側に見える県営**松本空港**「信州まつもと空港」は昭和40年(1965)7月に開港した。標高は全国一だが滑走路が短くなるなどの制約があり、ジェット化したのは平成6年(1994)。一時は搭乗率が低下し、定期便路線の廃止で苦境に陥った。同22年にフジドリームエアラインズ(FDA)が就航すると、県や地元も利用促進に力を入れ、乗客数は回復傾向にある。サッカーJリーグの松本山雅ホームグランド「アルウィン」(**松本平広域公園**内)と近接するため、対戦チームの選手・サポーターも利用するようになった。国内線増便や新規路線開拓、さらに東アジアの国・地域へのチャーター便で国際化を図りつつ、国際定期便の就航にもつなげようとしている。

アルウ

■平地林を生かす　空港周辺を旧地図で見てみよう。飛行場周辺は桑畑や針葉樹(松林)の広がりがわかる。この平地林はアルウィンのほか、スポーツ施設、**やまびこドーム**、花壇や水場のある松本平広域公園(信州スカイパーク)として整備され集客の場となっている。また、昭和58年には空港西側の**今井**に302区画の分譲地・今井ニュータウンが開発され、松本・塩尻両市のベッドタウンとして人の移動も促した。

■臨空工業団地　空港には新たな物流も期待された。製品や部品輸送の効率化を図り、昭和48年(1973)に空港を

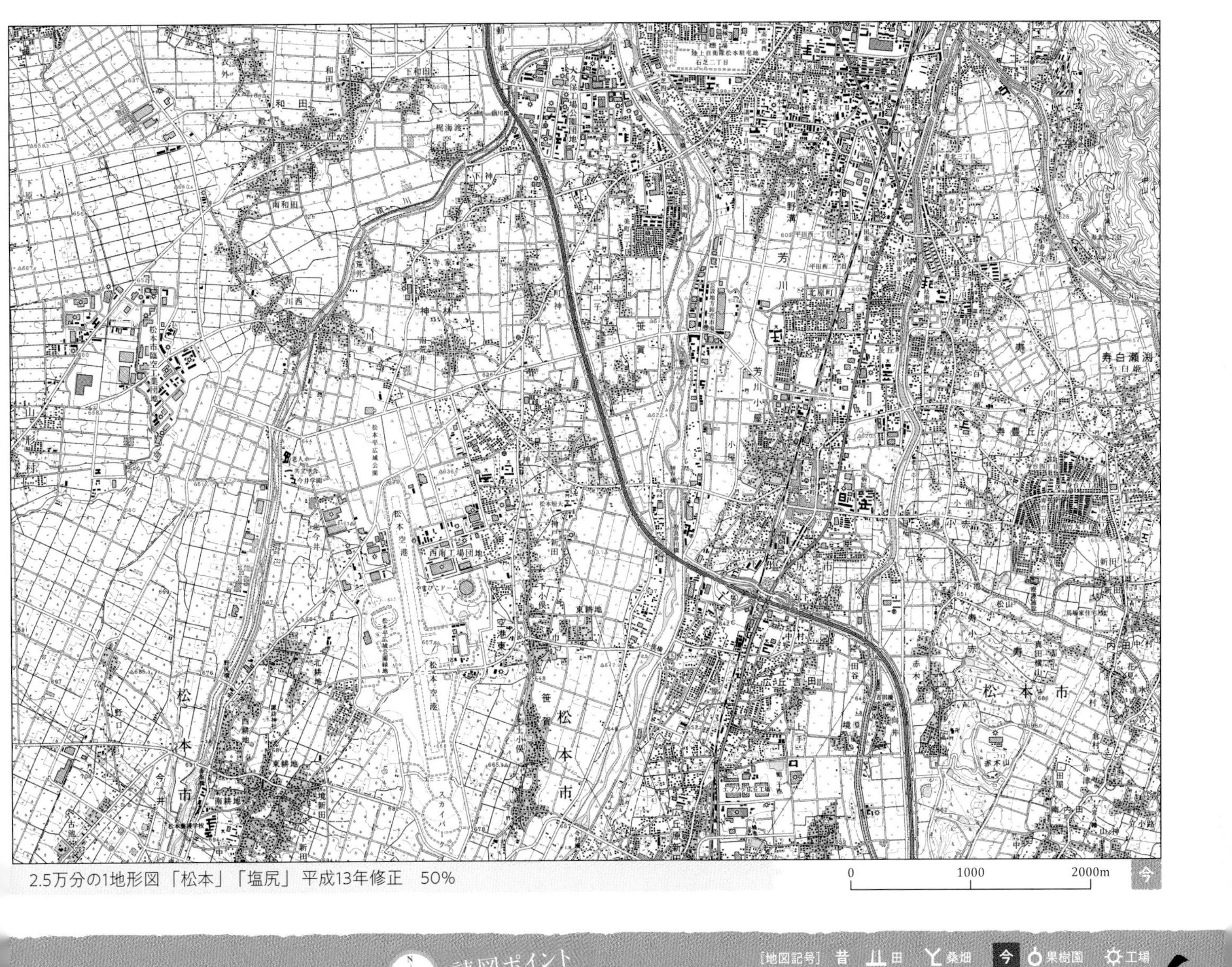

2.5万分の1地形図「松本」「塩尻」平成13年修正　50%

読図ポイント

［地図記号］ 昔　田　桑畑　今　果樹園　工場

1 空港と周辺の今昔を見る

松本空港、西南工場団地、臨空工業団地ができた場所は旧図ではどんな場所でしょう。平地林にも注目しよう。

2 交通機関と街のかかわりを見る

空港と高速道、鉄道、各工場団地の位置関係を確かめよう。基盤整備に誘発された住宅地や生活道路の広がりも併せて見てみましょう。

挟んで**西南工場団地**が、平成3年（1991）には空港の北西1㎞に県内最大規模の**松本臨空工業団地**が造成された。西南工場団地は市街地から移転してきた企業が多く、臨空工業団地はソフトウェア開発など高付加価値型の企業が集まっている。一帯は長野自動車道ICに近い利点もあるが、空港自体は人員輸送や企業の小型機の発着が主体で、物流拠点としてはなお課題が多いのが実情である。

2 道路網の整備は着々と

■物流の高速化を図る道路整備　昭和63年（1988）の長野道岡谷─豊科間開通以降、松本・塩尻北ICへのアクセス道路整備が進んだ。塩尻北IC北方の松本流通業務団地（松本市**公設地方卸売市場**を核に、倉庫などの民間企業の流通拠点が集まっている）との連絡も効率化され、人・物の流動性は高まった。

空港周辺の物流幹線は現在、安曇野市から南下延長された広域農道が、臨空工業団地と松本空港、西南工場団地を結び、国道19号線に連結する。松本市域の外環状線としても位置づけられ、企業拠点と高速道とを結ぶ新たな動脈となっている。

松本空港の一帯

■篠ノ井線駅の移り変わり　**篠ノ井線**は明治35年（1902）に塩尻駅まで延伸開業、この一帯では塩尻、村井の2駅が新設された。**村井駅**は一般駅として開業したが、最盛期には石炭や絹糸・繭などを積み卸しする貨物ホームが開設されて物流基地の役割を担った。篠ノ井線は電化・複線化（地図内は複線化区間、篠ノ井線のほとんどが単線）によりスピードアップが図られたが、やがて物流の中心はトラック輸送へと移り、村井駅の利用者は通勤通学、通院、買い物客など旅客へと変化している。　（斎藤　慎一）

51
飯田市

リニア新幹線が新たな転機に

飯田市はリニア中央新幹線駅が建設される街として、新しいまちづくりへの期待が高まっている。南北に長い長野県の中で、南の玄関口となるこの都市は、近世から美濃や尾張・三河・遠江を結ぶ交通の要所となってきた。明治以降、飯田線の開通、終戦直後の飯田大火、中央自動車道の開通といったいくつもの節目を経て街を発展させてきた。リニアという新たな飛躍の転機を手にした県南最大都市の今昔を振り返ってみよう。

昔　5万分の1地形図「飯田」大正14年修正「時又」昭和8年修正　170%

左：リニア駅の予定地
右：飯田駅

1 リニア駅は市街地より北に

■**アルプスを貫くルート**　平成23年(2011)に南・中央アルプスを貫くルートでの建設が決定したリニアは、飯田市中心市街地の北を通り、駅は**上郷飯沼**(かみさと)地区に設置されることになった(予定地1)。駅の周辺整備では、飯沼・**座光寺**(ざこうじ)間の国道153号4車線化、中央道座光寺パーキングのスマートインターチェンジ導入、**土曽川**(どそ)沿いの道路建設などが検討されており、市街地北部の再開発とともに飯田の街がどのように変

読図ポイント

［地図記号］ 昔  田 桑畑  今 市役所

1 リニアルートを見る

待望のリニア新幹線駅は、地元が希望した鉄道駅との併設が実現しませんでした。なぜでしょうか。予定ルートを踏まえ、過密な市街地通過の課題を考えてみましょう。

3 市街地の拡大を見る

新旧地図で市街地の拡大ぶりを見てみましょう。中央自動車道飯田IC開設や接続する環状道路が大きな役割を果たしています。

2 飯田線のカーブを見る

飯田線が飯田駅周辺で大きくカーブしているのはなぜでしょう。市街地や集落の位置、段丘地形も関係しています。カーブ前後の地形やルートも見ながら考えてみましょう。

4 マス目状の街並みを見る

飯田市街地は整然としたマス目のような街並みが特徴です。なぜそうなったのでしょう。戦後間もないころの大火災が教訓となっています。

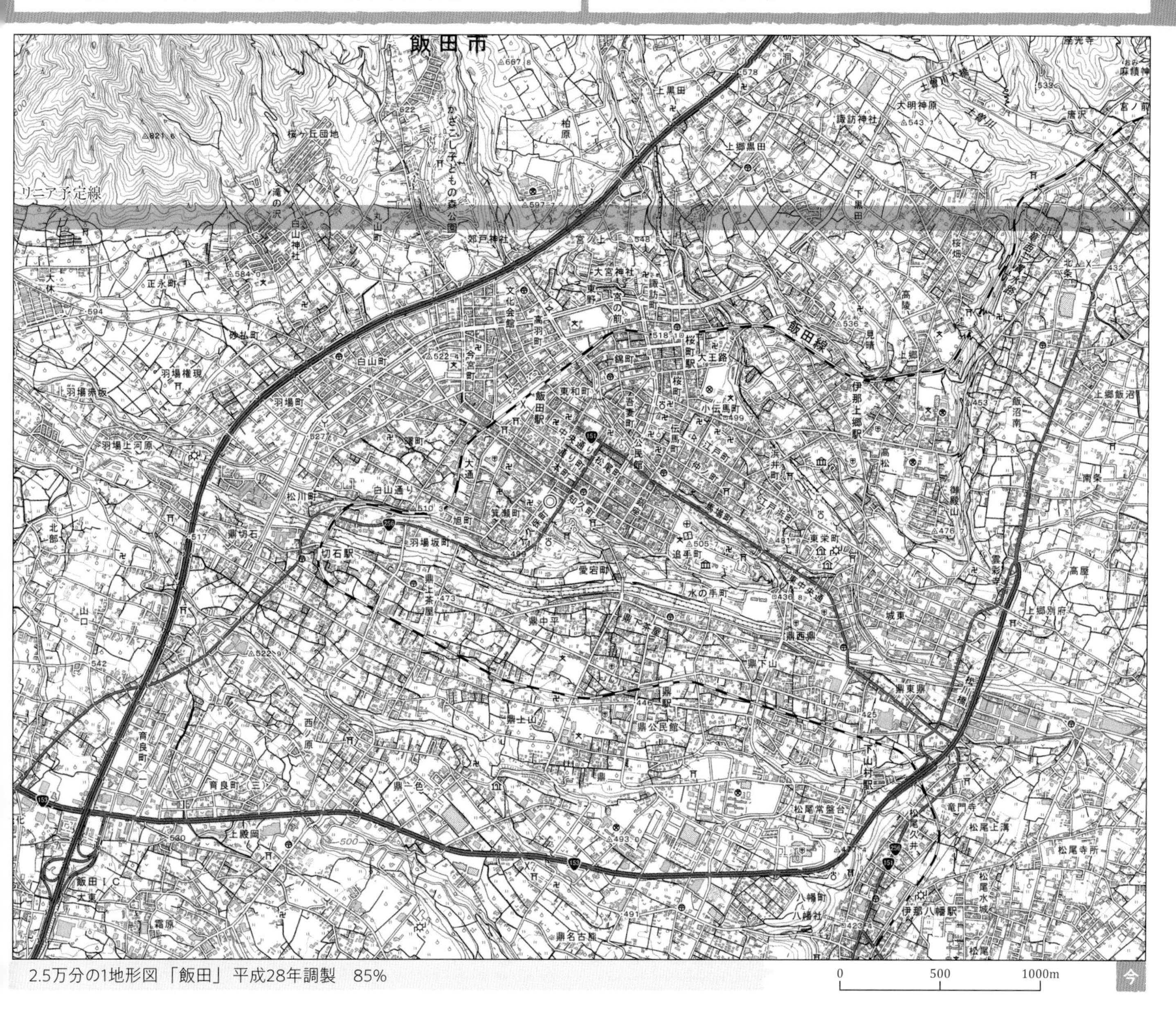

2.5万分の1地形図「飯田」平成28年調製　85%

0　500　1000m　今

わっていくのか注目される。

■JR飯田駅には併設されず　ただ、地元要望だったリニア駅と**JR飯田駅**併設は実現しなかった。これは伊那谷横断で予定されている直線ルートを駅に向けて曲線化するのは困難であることや、仮に飯田駅に併設したとしても、密集市街地通過に伴う移転などが大きなハードルになるからである。

2 大きなカーブを描く飯田線

■飯田町の成立と飯田線の開通　飯田の街が発展した過去の転機を振り返ってみよう。近世より飯田は段丘上の城下町であった。さらに飯田は木曽、美濃へつながる**大平街道**や**三州街道**、**遠州街道**の起点であった事から、明治初年には大きな街が形成されていた。ただ鉄道建設では取り残されていた。明治45年（1912）に上伊那で開業した伊那電気鉄道の鉄道整備は、飯田では大正12年（1923）になって元善光寺駅から南へと進められ、同年に飯田駅が開設された。その後、紆余曲折を経て昭和18年（1943）に国鉄飯田線となった。

■市民運動でルート決定　旧地図を見ると**飯田線**は、**伊那上郷駅**手前から大きく西に曲がって**飯田駅**（「いひだ」）に至り、すぐに東へと向かうルートになっている。飯田駅の前後でこんなにもカーブを描いているのはなぜだろう。それは、飯田駅の設置場所をめぐる市民運動の結果である。

伊那電延伸に注目が集まった大正8年、元善光寺駅から真っ直ぐ南進して天竜川段丘下の**上郷村別府**に駅を設ける当初案に対して、駅を段丘上の市街地（現飯田駅の場所）に求める声が上がった。段丘上の駅はルートの延長で費用がかかる上、線路の勾配もきつくなるが、飯田市街地を経由する方が営業的には有利であることを訴え、現飯田駅を決定させたのである。市街地を一回りするように列車が巡り、街の利便性が高まった。ただし、市街地の規模は開通後もあまり変わらなかった。飯田線はその後、大正15年に**伊那八幡駅**まで延長した。（旧地図の下部分（3cmほど）は昭和8年の「時又」地形図をつなげてあるため、伊那八幡駅から南への飯田線が記載されている。）

3 待望の中央自動車道開通

■中央自動車道開通の影響　次の大きな転機は昭和51年（1976）の中央自動車道開通と**飯田IC**の開設である。名古屋が日帰り圏となり、物流や各種業務の連携や関係強化が進み、中京との経済面での結びつきが強まった。高速バスも東京、名古屋、長野などへの路線が設定され、飯田線より安い運賃や多い運行本数、時間短縮で鉄道に代わる役割を果たすようになった。

国道153号飯田バイパス（アップルロード）

■新市街地の誕生　新地図を見てみよう。飯田ICは**国道153号**につながっている。市の大動脈を担う国道153号の改良は高速道時代を見越して進められ、中央道完成と同時に飯田ICとつながった。その後、伊賀良（いがら）（**育良**）・**鼎**（かなえ）・**松尾**・**上郷**へと4車線道路が順次開通、「アップルロード」と呼ばれるようになった。中心市街地の外環道路の役割も担い、沿線には広い駐車場を備えた郊外型の大型小売店や運送会社のトラックターミナル、各種大型商業施設が集積している。旧市街からは市立病院も移転した。かつて桑園や果樹園、田畑だった郊外は商圏中心地へと姿を変え、さらに北に向かう飯沼、北条などへも市街地が拡大している。同時に国道153号の伊賀良以南や151号の改良も進み、飯田は南信の物流拠点としても重要な位置を占めている。

4 大火後の新しい街づくり

■飯田大火の様子　市街地の整備と発展を交通の観点から見たが、大転機がほかにもあった。飯田大火である。戦後間もない昭和22年（1947）4月、上常盤町の民家から出火。延焼が拡大し、火災は約10時間続いた。罹災戸数3,577戸（4,010世帯）、死者・行方不明者3人、焼損面積48万1,985m² で、中心街の約7割が焼き尽くされた。旧地図に見える城下町時代からの碁盤の目状に整然と区画された町並み、「小京都」と言われた美しい町は大火で消失してしまった。大火の要因として木造建物の密集、消防設備の不備などが挙げられた。

裏界線

■復興による新しい街づくり　今の飯田の街を訪れると、マス目のような整然とした街並みに気付くだろう。大火の翌年から始まった市街地復興事業は街全域が対象となった。碁盤目状の町並みを再生させ、幅員20mの通り町通りと40mの並木通りを新設し、この交差する幹線道路を防火帯道路として町を4分割した。万一の火災時には火元の区画内での消火態勢を整えるなど、防火モデル都市に生まれ変わった。また、大火の際に消防活動や避難のための通路が無かった反省から、拡げた街路の裏に幅2mの通路が設けられた。これは「裏界線（りかいせん）」と呼ばれ、消防活動や避難路に利用するほか、上下水道・電力線・電話線などライフラインの地下埋設にも使われている。

りんご並木

防火帯道路の緑地帯には、地元の飯田東中の生徒によりリンゴの木が植樹された。これが復興シンボルとなった「飯田りんご並木」である。このように飯田市街地は、大火災を教訓として他の中小都市には見られないような近代的な機能を持ち合わせた市街地として生まれ変わったのである。

（遠山　高雄）

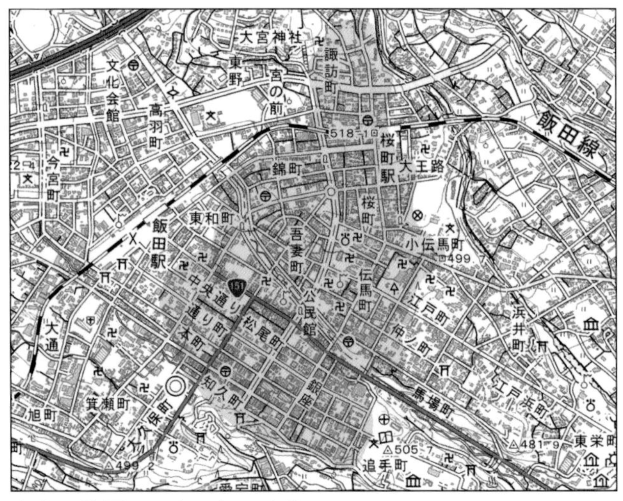

大火の範囲と現在の飯田市街　着色部分が大火範囲

Column: 11　中央線「大八廻り」で活気があった辰野駅

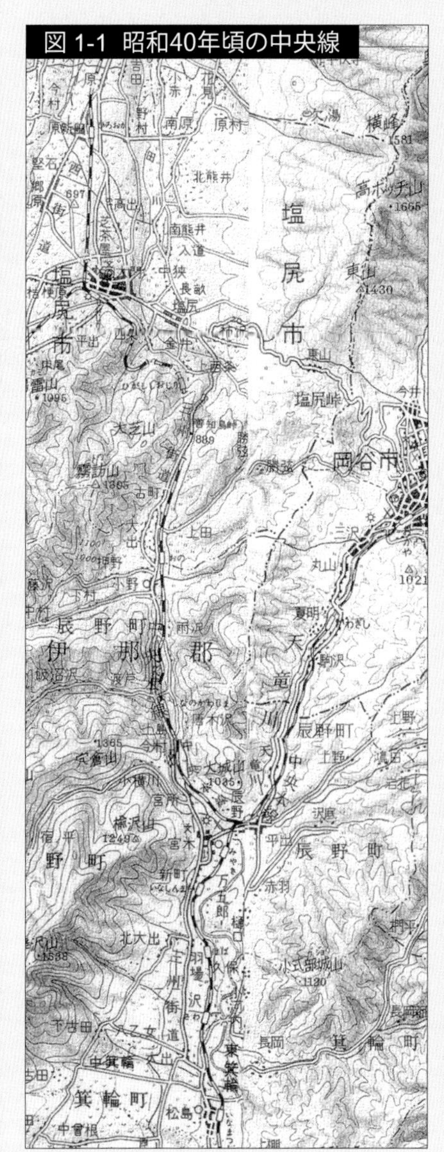

図 1-1 昭和40年頃の中央線

20万分の1地勢図「甲府」「長野」「飯田」昭和41年修正、「高山」43年修正　原寸

図 1-2 現在の中央線

20万分の1地勢図「甲府」平成16年修正、「高山」「飯田」「長野」17年修正　原寸

図 2-1 明治末期の辰野駅

5万分の1地形図「伊那」明治43年測図 200%

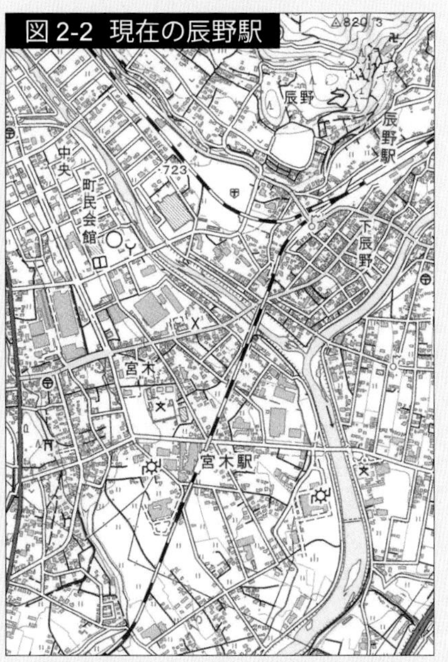

図 2-2 現在の辰野駅

2.5万分の1地形図「宮木」平成27年調製 原寸

辰野駅

中央本線（現在の中央東線）の岡谷・塩尻間は明治 39年（1906）、飯田市出身の鉄道局長・伊藤大八の奔走により開通した。当時のルートは両駅間の塩尻峠を迂回する大変な大廻りで、「大八廻り」ともいわれた。この大きなカーブの折り返し点にあたる場所に辰野駅が開業した。昭和 58 年（1983）に塩尻峠を貫く塩嶺トンネルが建設されると、中央本線は新線がメーンとなり、辰野駅は大きな影響を受けた。

辰野では明治 45 年、伊那電気鉄道（現在の飯田線）が開通した。ただ、当時の終点は中央線の辰野駅より少し手前南にある西町駅であった。これを機に西町駅周辺は運送業等が発展し、人家のなかった場所に大規模な駅前集落が誕生した。大正 5年（1916）に飯田線は中央線接続により辰野駅が終点となり、伊那谷の玄関口という立地条件もあって、戦後しばらく人や貨物の中継拠点として活気をみせた。昭和 40 年代からは自動車時代の到来もあり、にぎわいに陰りが見え始め、塩嶺峠経由の新路線開通で拍車がかかった。辰野経由の区間は中央線として残ったものの、支線に位置付けられ、現在は飯田線の諏訪乗り入れもあり通過駅となってしまった。

なお新線の開業に伴い、塩尻駅では駅舎を北に移すとともに新線を増設、さらには中央線が東線と、名古屋へ向かう西線に分離されたため、乗り継ぎが必要な駅となった。諏訪地方の商圏の中核であった岡谷駅は、新線増設を受けてにぎわいは松本に吸引され、ララ岡谷など駅周辺の中核店舗の閉店といった影響を受けている。（小林　辰興）

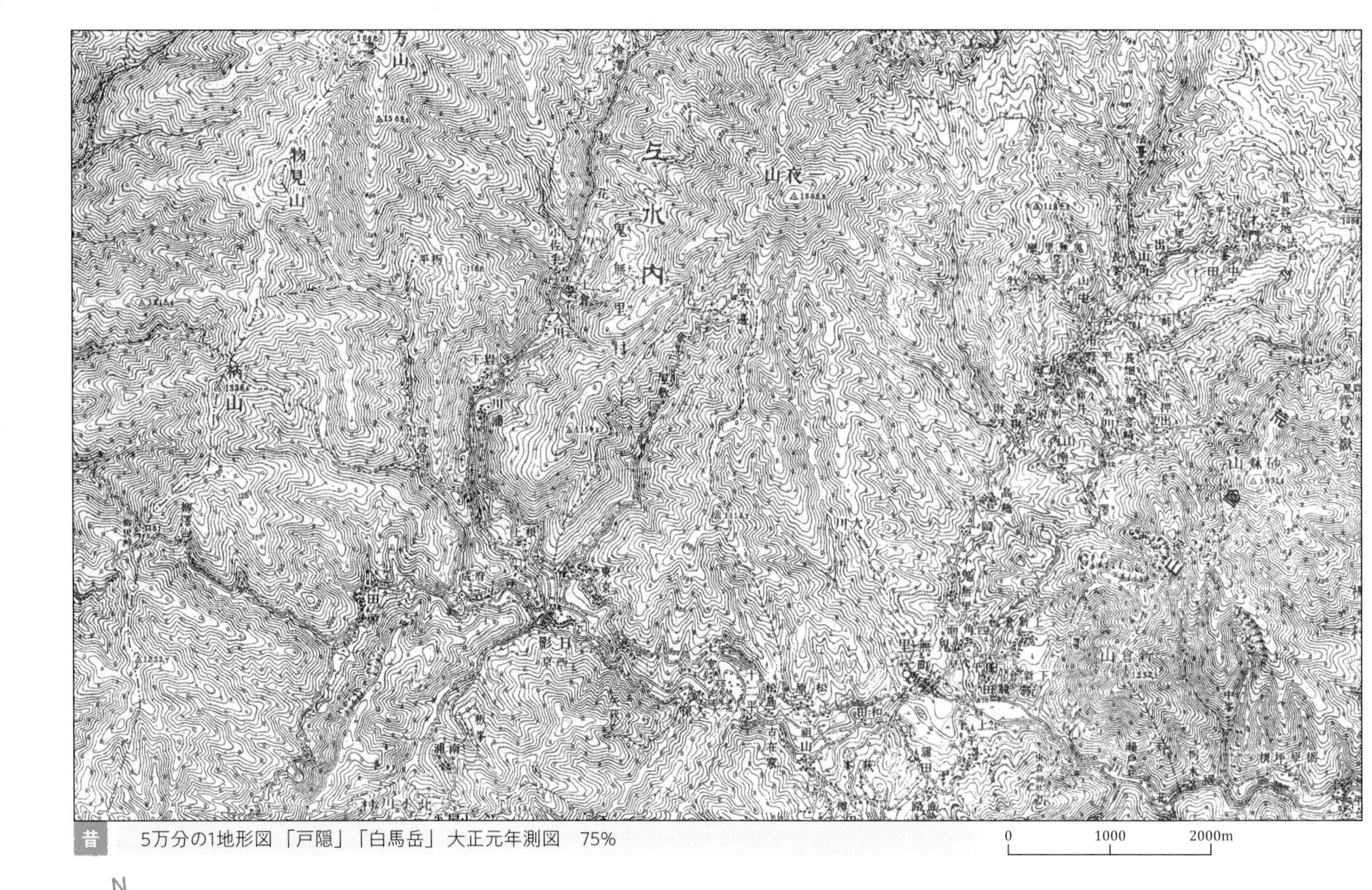

昔　5万分の1地形図「戸隠」「白馬岳」大正元年測図　75%

0　1000　2000m

52
鬼無里
〈長野市〉

麻づくりの里、往き交った峠道

1,000mを超す山々に四方を囲まれる鬼無里の里は、「鬼女紅葉」伝説がよく似合う山村である。周囲の村々とつながる峠道は、戸隠や善光寺への参拝者や物資を運ぶ人々でにぎわっていた。物だけではなく、情報や文化など必要なものは全て峠道からもたらされた。昭和30年代までは麻栽培が村の生活を支えていたが、今はどんな様子だろうか。

1 緩やかな斜面と段丘面で麻づくり

大望峠[1]からの眺めは上の写真のように、尾根の連なりが平坦な盆地のように見える。しかし、地形図の等高線からはこの里が険しい山間にある様子がわかる。谷間を流れる**裾花川**とその支流は急峻な山を激しく侵食し、上流では深い谷、中・下流部では緩傾斜地や狭い数段の段丘面を形成している。谷間の緩やかな斜面とわずかな段丘面が集落や水田、また麻作りの場であった。

山に囲まれた盆地状の地形は、遅い雪融けや日照時間の短さ、気温の低さのため麦や稲作には不利であった。反面で風が弱く、背丈の長い麻作りには有利で、この自然条件が麻作りを定着させたのだろう。麻は中心作物となり、明治期には養蚕が加わった。特産品の畳糸は高値で売れ、冬の大事な賃稼ぎであった。ただ昭和 30 年代に栽培が激減し、40 年頃には途絶えた。その後はタバコ、野菜、米作等に変わった。この地形図上ではわかりにくいが、昭和 40 年頃まで残っていた急斜面上の畑は今は林野である。

昭和30年代後半の麻畑（「鬼無里村の百年」より）

峠を往き交った人々と物資

■峠道という里の動脈　険しい山々に囲まれた鬼無里では、他地域との交流や物資の調達は峠道を活用するしかなく、人馬の峠道の往来は日常の光景だった。鬼無里からは麻、漆、炭、和紙、外からは塩、米、魚介類などの生活物資が主な荷であった。峠道が果たした役割は大きく、交易に限らず技術や芸能などの文化交流、情報伝達、信仰の道でもあった。戸隠や善光寺参りの人々や、裾花川上流の**土倉の文珠堂**を訪れる人々も往来した。

長野県の行政資料と鬼無里に残る古文書から、**小佐出**から奥裾花の山合いを抜けて、焼山（新潟県）西の富士見峠（標高 2,070m）を越え、早川谷をたどって現糸魚川市梶屋敷に至る古道の存在が明らかになった。この道を南に向かうと小

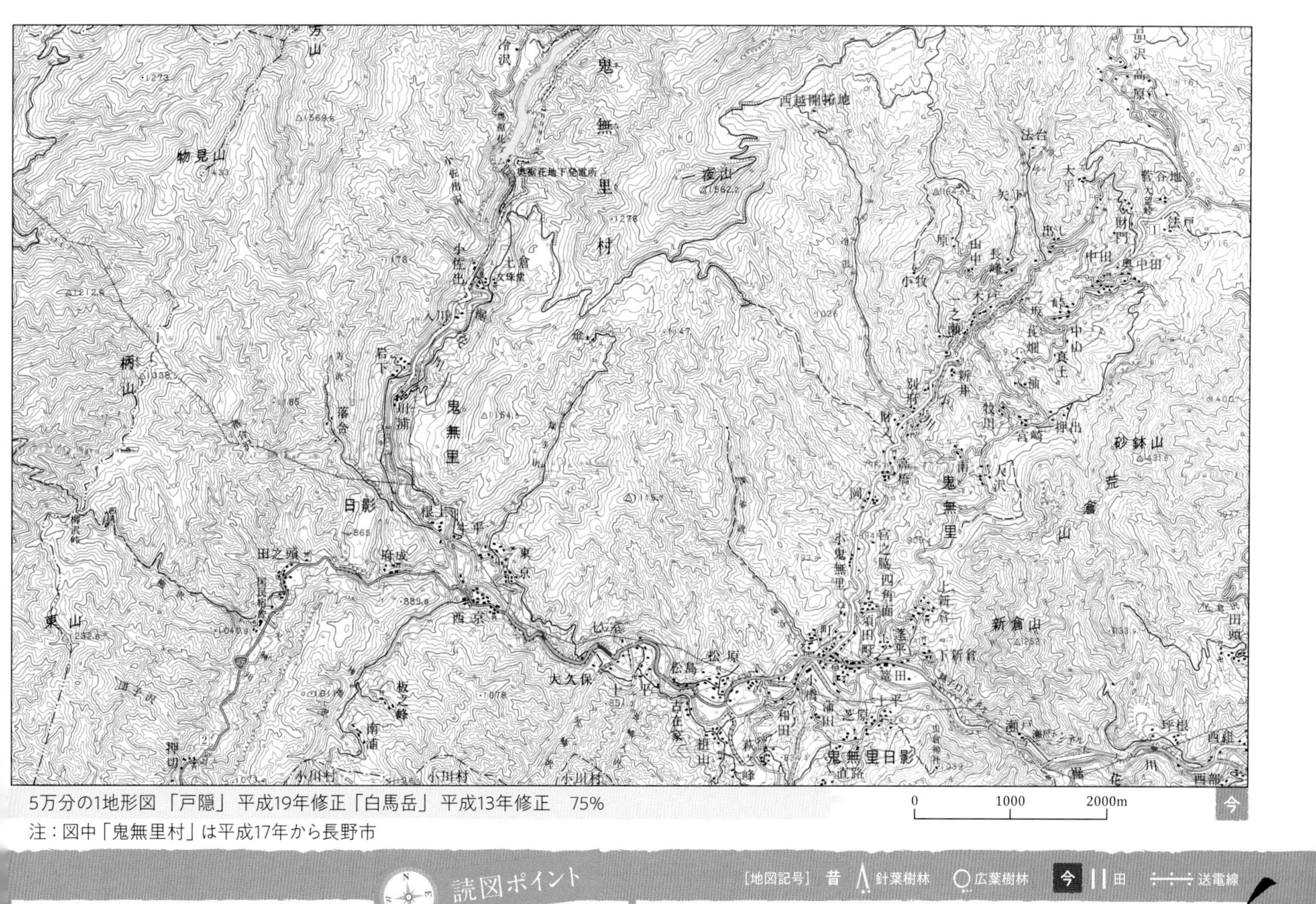

5万分の1地形図「戸隠」平成19年修正「白馬岳」平成13年修正　75%
注：図中「鬼無里村」は平成17年から長野市

読図ポイント

［地図記号］昔 針葉樹林 広葉樹林 今 田 送電線

1 険しい地形を見る

鬼無里は険しい山々に囲まれた山里です。かつては善光寺へ通じる古道の往来でにぎわっていました。川筋などのわずかな平坦地を確認しながら、古道をたどってみましょう。

2 古今の道を見る

古道の道筋は現在はどうなっているでしょうか。舗装道路として存続する道、人知れず埋もれてしまった道があります。車社会以前の古道の価値を考えてみましょう。

昭和40年ころの西京周辺（「鬼無里村の百年」より）

川・新町を経て麻績宿に通じた。幕末と明治初頭に鬼無里村と越後の大平村が費用と仕事を分担して古道の修復をしている。修復の請願書には信州の沿道の村々が名を連ね、多くの村が普請人夫を出した。山中を結ぶ峠道は生活を支える大事な道であった。

3 車道化された峠の今

■**難所だった裾花川沿岸**　鬼無里から善光寺や松代方面に向かうには裾花川に沿えば下り道となるが、馬が通れるひと続きの道にはならなかった。川に沿う広く平坦な道は地域の願いであったが、虫倉山系の**瀬戸**や裾花ダムがある長野市小鍋の峡谷が大きな障害となった。そのため、善光寺への道は北側の飯縄山麓面上へ一度上がり、芋井から七曲と茂菅に下っていた。松代や長野市南部地域との往来は、東西に連なる虫倉山系の複数の峠道を越えていた。**町**からの戸隠往来は、**荒倉山**の西山麓の平坦地を通る道と、**小川川**に沿う道が大望峠手前で合流して戸隠中社に通じていた。裾花川峡谷部の危険で狭い道に馬が通れるようになったのは江戸時代末期であった。

■**古道から県道へ**　明治になると、流域の村々が組合を作り、川筋と峠道の拡幅を進めた。明治21年（1888）には、善光寺西の茂菅から柄山峠（**柄山**）を越えて北城村（現白馬村）に至る一続きの道が整備され、北安曇や富山、新潟方面から善光寺平への参拝者や出稼ぎに向かう人々でにぎわった。大正8年には**柳沢峠**越えの道が整備され、同12年には天神川に沿った嶺方峠越えの道2が拡張されて県道となった。この県道では大正7年に運送馬車、12年に貨物自動車が通り、昭和8年にはバス輸送が始まった。県道は昭和57年に国道406号に昇格し、今も拡幅とトンネル開削による直線化が続いている。車道化により峠道は車が通過するだけの人気ない道となり、生活の様子や他地域との関わり方も大きく変化した。

奥裾花自然園

■**急激な過疎化と高齢化**　昭和40年代、**奥裾花ダム**建設や、その上流に水芭蕉で知られる奥裾花自然園が開発され、入園者が年間10万人を超えた年もあった。峠道の合流地点、「町」と和田沖には旅の駅や新たな公共施設もでき、平成17年（2005）には長野市と合併するなど鬼無里の変化は著しい。急激な過疎化と高齢化で、空き家の増加や田畑の荒廃も目立つ。美しい山村をどう維持し生かしたらいいのか、私たちに課せられた大きな課題であろう。（渡辺　敏泰）

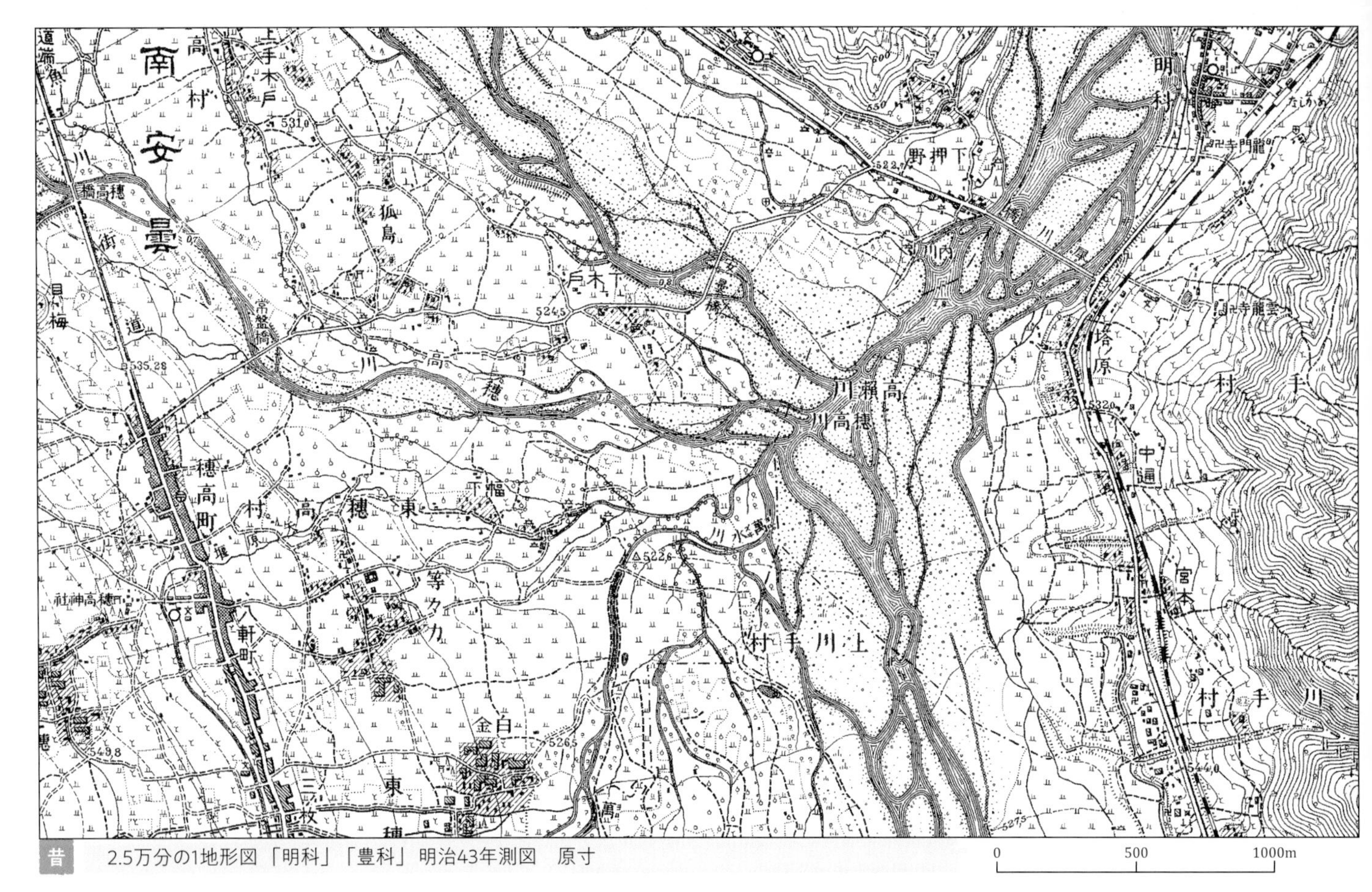

昔　2.5万分の1地形図「明科」「豊科」明治43年測図　原寸

53
安曇野
〈松本盆地最低部〉

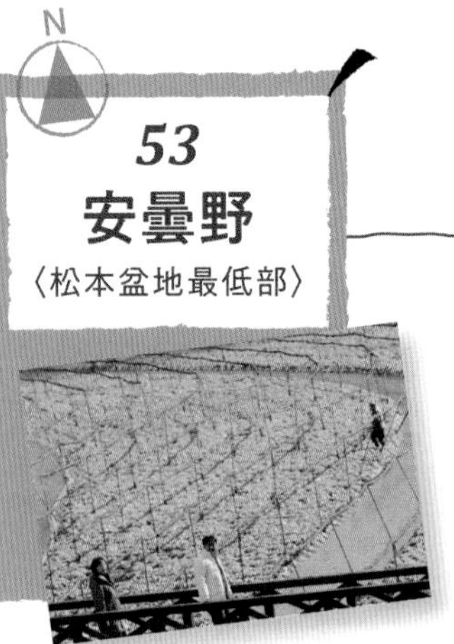

湧水が育む特産ワサビと養魚

松本盆地の全ての河川が合流し、「安曇節」にも歌われる押野崎（おしのざき）付近は、扇状地の末端に位置するため地下水の湧き水が豊富である。その水を利用したワサビの水耕栽培は、安曇野観光の代名詞ともいえる。最近は「信州サーモン」をはじめ淡水魚養殖でも話題を呼んでいる。水の恵みを活かす一帯を地図から見てみよう。

1 ワサビ田が脇役から主役へ

■ワサビ栽培の始まり　この地域は南から北流する**犀川**に、**万水川**（よろずいがわ）（萬水川）、**穂高川**、**高瀬川**が合流する松本盆地でも一番低い（標高 522m）場所である。旧地図からは犀川や高瀬川が乱流する水害常襲地で荒れ地が広がっていることが読み取れる。やや高い自然堤防上は桑園や林、低い場所は主に水田が広がり、その中間に果樹園地が点在する。

4河川が合流する押野崎一帯

明治の初めから大正時代の中頃まで、この一帯はナシの栽培地であった。ところが各所で地下水が湧き出してナシの病害がひどく、水はけをよくするために排水路を掘った。厄介な湧水を除くための水路の中で栽培を始めたのがワサビだった。

■ナシ園からワサビ田へ　排水路によって湧き水によるナシの病害は少なくなった。またナシの木陰で直射日光を避けることで、ワサビの出来もよかった。明治 20 年代にはワサビの粕漬けを、犀川を舟で下って新潟方面に販売を始めた。明治 35年（1902）に**篠ノ井線**が開通して**明科駅**から東京に出荷できるようになると、高い値段で売れたためナシ園は次第にワサビ田に変わっていった。大正 12年（1923）の関東大震災と台風の影響で、主要産地だった伊豆や静岡のワサビが大打撃を受けた。信州産ワサビに注目が集まり、それまでの2 倍近い値がつくようになった。するとナシ園や桑園のみならず、水田までもワサビ田に開墾され、大正末期にはワサビ田の面積が 90 町歩余りにも及ぶ広大なものになった。

■生産量は日本一　ワサビ栽培の中心は**大王わさび農場**である。荒れ地同然の地を開田するのには大正 4 年から 20 年の歳月がかかった。農閑期に地元の農民を雇い、地面を掘り下げ、土砂を周りに積み上げて土手を築き、ワサビ田をつくり上げた。新図で土手に挟まれた水田記号がワサビ田である（図）。約 15ha のワサビ田から、年間

ワサビの花摘み作業

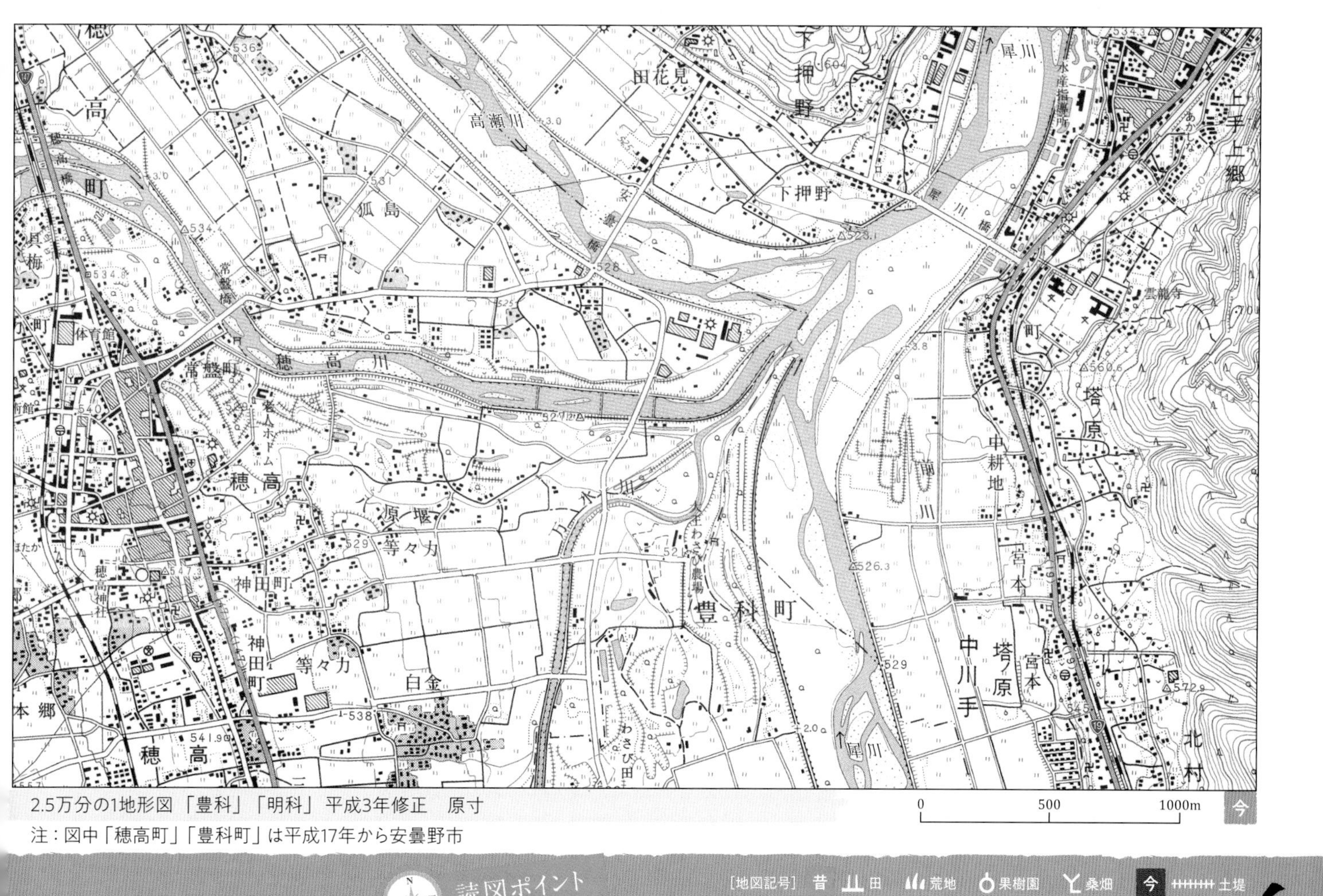

2.5万分の1地形図「豊科」「明科」平成3年修正　原寸
注：図中「穂高町」「豊科町」は平成17年から安曇野市

読図ポイント

［地図記号］ 昔 田 荒地 果樹園 桑畑 今 土堤

1 4河川の合流点を見る

ここは犀川・万水川・穂高川・高瀬川が合流し、水に恵まれた地です。新図で合流点周辺の水の流れに注目してみよう。また、土手に囲まれた場所は何に使われているのでしょうか。

2 養魚場をみる

穂高川などの沿岸にある養魚場を探してみましょう。護岸工事の際に見つかった湧水を利用しています。「信州サーモン」もここで開発され、稚魚を生産・出荷しています。

130t の収量をあげるまでに大成した。今では入場者が年間 120 万人と安曇野観光の目玉にもなっている。

わさび田

ワサビの主産地は安曇野市の穂高・豊科・明科の3 地域。多量の湧き水、冷涼な気候及び適度な日陰という限定された環境条件が必要なため、作付面積の増加は見られない。近年では逆に生産農家の人手不足や飲料水工場による地下水の大量汲み上げに伴う湧水量減少などで荒廃した田も出始めている。

2 人気高まるニジマスと新品種

■鮭漁が途絶え、ニジマスを養殖　犀川水系では鮭漁が1000 年以上前から行われていた。明治 30 年代ころから信濃川に水力発電所が建設され、大正 8 年以降、電力需要が増えると大きなダムの建設が進められた。昭和初めから鮭の遡上は激減し、昭和 15 年頃には途絶えてしまった。

大正時代、犀川の護岸工事をした際、きれいな湧き水が大量に発見された。地元明科の倉科多策が私財を提供し、村長の竹田信平とともに「明科養鱒場」を設立し、長野県に貸し出した。後の長野県**水産試験場**（水産指導所）で魚の養殖や研究・指導を行う拠点が生まれ、養魚池も増えた。

■ニジマスの輸出から卵の移出へ　昭和に入り病気に強く、より味の良い魚の改良・育成と、ニジマスの研究養殖が進められた。昭和 37年（1962）には、ここで養殖された黄色いニジマスが伊勢神宮内の川に放流された。翌 38 年、県水産試験所が養殖ニジマスの冷凍技術を確立し普及させたことで、生産量のほぼ 8 割が輸出されるようになった。良質な卵も市場の信頼を得て、昭和 43 年には国内出荷量の 70%を占めるまでになった。現在は採卵から 2 ～ 3 週間育てた発眼卵を 15 道県に 120 万粒出荷している。

大王イワナ

■養殖品種を開発しブランド化　「信州サーモン」は、県水産試験場が 1 年の歳月をかけて研究を重ね、難しいかけ合わせに成功した。育てやすく肉質の良いニジマスとウイルス性の病気に強いブラウントラウトを親に持つ養殖品種である。同試験場では 36 万尾の稚魚を県内の養殖業者に出荷し、業者は約 2 年育てて全長 50 ～ 60cm になった成魚 345t を全国に出荷している。味の良さから徐々に人気が高まり出荷量も年々増加、県内外の飲食店や宿泊施設等で提供されている。現在は信州サーモンのブランド化や、新開発した「信州大王イワナ」の品質保持と出荷増に取り組んでいる。

（吉澤　正彦）

地図記号の変遷　変化、不変、消滅…

本書の新旧地図を見比べてもわかるように、水田や針葉樹林など、地図記号が変わっている。「地図記号」の使用は江戸時代の絵図にも見られるが、明治時代からの近代的な地形図から始まった地図記号は、現代の地図に至るまでに実は何度も形を変えているものが多い。地図記号の変遷をたどると奥は深く、当初から不変の記号、戦後の改訂により役割に応じて分化した記号、わずかずつ変化しながら存続している記号、使われなくなった記号、新設された記号があることがわかる。

傾向としては、明治期の地形図では最初は手のこんだ記号が多かったが、次第に簡略化・単純化されて現在にみる記号に落ち着いたといえよう。記号の変化の背景には、景観的また文化的な背景や表現技術の変化といった要素も考えられる。

本書で掲載の多い明治42年図式と平成元年5万分の1図式との比較で、いくつか例を紹介しておく。

◆不変の記号

市役所　税務署　果樹園　寺院

◆変化しながら存続している記号

水田 旧 → 現　針葉樹林 旧 → 現

◆役割に応じて分化した記号

警察署 旧 → 現 警察署　交番

◆新設された記号

電子基準点　電波塔　図書館　博物館　老人ホーム

◆使われなくなった記号

銀行　水車　刑務所

◆この章の参考文献　〈編著者　書名　発行者（編著者と同じ場合は省略）　発行年　の順〉

【東信】信濃毎日新聞社『信州の鉄道物語 上・下』平26／小林宇一郎『信州の廃線紀行』郷土出版社 平10／小林寛義『長野県の地誌』信州教育出版社 昭60／小林收『佐久の変貌』櫟 平24／純水館研究会『純水館ものがたり』櫟 平19／信州大学経済学部武者忠彦ゼミ『信州まちなみスタディーズⅡ』信濃毎日新聞社 平27

【北信】信州新町『わがふるさと信州新町』平21／信州新町『中心市街地商業活性化基本計画』概略版 平14／小林計一郎『善光寺と長野の歴史』信州教育出版社 改訂版・長野光風舎 平15／市川正夫『知って得する!地域を再発見する‼信州学 長野と松本のなぜ?』信州教育出版社 平30／上中堰土地改良区『上中堰の歴史』昭61／虫倉山系総合調査研究会『むしくら：虫倉山系総合調査研究報告』平6年／信越古道交流会『信越古道 越後梶屋敷宿から信濃鬼無里・麻績宿へ』ふるさと草子刊行会 平19／鬼無里村『写真集 鬼無里村の百年　新たな世紀のはぐくみに』平元　【中信】木曽教育会郷土館『木曽・歴史と民俗を訪ねて』信州教育出版社 昭43／銀河書房『木曽の森林鉄道』昭48／田中武夫『長野県水産史』長野県漁業協同組合連合会 昭44／中村建治『中央本線、全線開通』交通新聞社 平31

【南信】下伊那教育会地理委員会『下伊那誌地理編』下伊那誌編纂会 平6／荒井区誌編纂委員会『荒井区百年の歩み』伊那市荒井区 平11／山口通之『授業のための日本地理：スーパー林道の開発』古今書院 昭56／片桐億『図説 下伊那の歴史』郷土出版社 平7／田代博『知って楽しい地図の話』新日本出版社 平17

【地図一般】田代博『知って楽しい地図の話』『地図がわかれば社会がわかる』新日本出版社 平17・28／井上英二『五万分の一地図』中公新書 昭41／岩波写真文庫114『地図の知識』岩波書店 昭29／上野明雄『地図で見る 百年前の日本』小学館 平10／堀淳一『地図の科学』講談社 平2／五百沢智也『地図を読む』岩波書店 平3／藤岡謙二郎『地形図に歴史を読む―第1集』大明堂 昭44／今尾恵介『地図入門』講談社 平成27／立正大学マップ会『地図通になる本』オーエス出版社 平9／渡辺一夫『地形図の読み方・歩き方』誠文堂新光社 平22／矢野桂司『地理情報システムの世界』ニュートンプレス 平11／大竹一彦・秋山実『二万五千分の一地形図が変わった 進化する地図の世界』日本地図センター 平27

◆全章共通

『長野県史』各郡史誌　各市町村史誌　長野県町村誌／信州地理研究会『変貌する信州』『変貌する信州 Ⅱ』『地図に見る長野県の風土』『おはなし長野県の地理』信州教育出版社／信州地理研究会『長野県の自然とくらし』信濃毎日新聞社 平14／市川健夫『信州学大全』信濃毎日新聞社、『信州学』シリーズ　信州教育出版社／古川貞雄・井原今朝男・青木歳幸・小平千文・福島正樹　『長野県の歴史』山川出版／塚田正朋『長県県の歴史』山川出版

あとがき

本書校正の最終盤、台風19号が襲来(令和元年10月12日)、千曲川流域での連続降雨により翌13日未明にかけて流域の各地に大きな災害をもたらした。特に下流の長野盆地では千曲川堤防が各所で越水、なかでも左岸の長野市長沼では堤防が決壊，未曾有の大水害となってしまった。流域全体では5名の犠牲者と9,000戸を超える住宅の浸水をはじめ、沿岸の農地、商業地、工業地の浸水もおびただしく、鉄道や道路も寸断された。凄惨な災害を被った現地では、避難生活からボランティアも参加して復旧へと進みはじめているが、その道は困難を極めると想像される。一日も早い生活再建を願わずにはいられない。

本書において「災害」は大きなテーマのひとつであった。旧地図を見ると、この地域は千曲川がつくる氾濫原で水害常襲地であり、各地に「洪水水位標」が建ち、過去の水害を知らせていた。現堤防は改修が重ねられてきた強固な近代的堤防で、これが逆に後背湿地への住宅や公共施設(新幹線基地や下水処理施設等)の建設へと進ませた。その堤防が越水により破堤した。ハザードマップは洪水を想定し警告していたが、私たちの多くは「この地域は大丈夫」の意識に陥っていたことは否めない。異常気象もあるが治山や治水の弱点、河道の荒れもある。今後、私たちには、災害の検証はもとより、地域の地形や地質、気象、災害史へ改めて関心をよせ、この地域を見直すことが求められているのではないだろうか。本書がそのひとつの手がかりとなってくれれば幸いである。

さて、本書の編集はまず県内4地区で、テーマに沿った変貌を研究し、次いで全県を担当する編集委員会へ集め、地図の本としてテーマに沿って新旧地図で変貌が読み取れるか、読図のポイントの設定と読図の解説が適切か、検討に多くの時間を費やした。地図を読むことに徹底してこだわり、読図の面白さを引き出そうと、研究やフィールドワークの聞き取りなど執筆者は入念に原稿を整えてくれたが、編集の過程で、「もっと親しみやすく、読みやすく」との意図から割愛せざるを得なかったエピソードや資料も多数ある。もし読者が、不足を感じる部分があるとすれば、一重に編集委員会の責任である。また、資料や写真の提供・許諾をいただきながら、紙数や編集の都合から掲載できなくなってしまったものが多々あることもお許し願いたい。執筆には県地理学会の会員のほか、同じ地理学の研究団体であった旧信州地理研究会会員の方にも応援いただいて出版にこぎつけることができた。御礼を申し上げる。

本書の刊行に当たり、顧問の小林寛義先生、小林詢先生、吉田隆彦先生、廣内大助先生、武者忠彦先生には常にご指導をいただいた。さらに、本書の企画・編集全般にわたって信濃毎日新聞社出版部の菊池正則氏には格別なご努力をいただいた。併せて感謝申し上げます。

令和2年(2020) 2月

『地形図でたどる 長野県の100年』編集委員長　佐々木清司

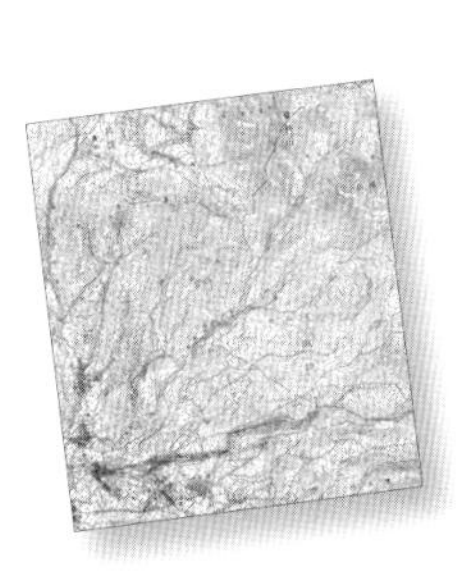

長野県年表〈戦前〉

本書掲載（関連）の出来事を抜粋

元号	和暦	西暦	逆算		
明治	1年	1868	150		■伊那県できる
	2年	1869	149		
	3年	1870	148		■伊那県が中野県･伊那県に
	4年	1871	147	廃藩置県	■中野県の県庁が長野へ　長野県に　■伊那県が筑摩県に
	5年	1872	146	日本に鉄道　富岡製糸場設立	■諏訪･上田に器械製糸場
	6年	1873	145		■伊那大橋できる　■信毎スタート
	7年	1874	144		■小諸に丸萬製糸場
	8年	1875	143		■平野村（現岡谷市）に器械製糸場「中山社」　■須坂の製糸業者が「東行社」
	9年	1876	142	長野県できる	■筑摩県が長野県合併　■旧開智学校校舎開校
	10年	1877	141		■片倉が諏訪式製糸場（川岸村）
	11年	1878	140		
	12年	1879	139		■製糸結社「開明社」創業（片倉兼太郎ら）　■郡制で伊那村に郡役所
	13年	1880	138		
	14年	1881	137		
	15年	1882	136		
	16年	1883	135		■菅平に北信牧場
	17年	1884	134		■碓氷新道（旧国道18号）開通　■須坂に製糸結社「俊明社」
	18年	1885	133		
	19年	1886	132		■前橋街道整備　■須坂の勝山仲兵衛がブドウ栽培
	20年	1887	131		
	21年	1888	130		■直江津線（直江津ー軽井沢）開通　■ショーが軽井沢に最初の別荘
	22年	1889	129		■丸子に「依田社」、上田に「信陽館」
	23年	1890	128	長野県の成立	■松本片倉清水製糸場開業　■桔梗ケ原でブドウ栽培
	24年	1891	127	（府県制･郡制による）	
	25年	1892	126		
	26年	1893	125		■軽井沢ー横川間にアプト式鉄道　■直江津線（直江津ー高崎）全通（直江津ー上野直通）
	27年	1894	124	日清戦争	■片倉製糸が「開明社」から独立
	28年	1895	123		■直江津線が「信越線」に　■和田峠に新道開削
	29年	1896	122		■信越線に大屋駅開業（請願駅）
	30年	1897	121		■長野市制始まる　■菅平区できる
	31年	1898	120		■信越線吉田（北長野）駅が開業
	32年	1899	119		
	33年	1900	118		■篠ノ井線（篠ノ井ー西条）開通
	34年	1901	117		
	35年	1902	116		■篠ノ井線全線開通（松本、明科、塩尻、村井駅新設）
	36年	1903	115		■須坂に信濃電気株式会社（越寿三郎）
	37年	1904	114	日露戦争	
	38年	1905	113		■中央東線富士見-岡谷延伸
	39年	1906	112		■中央東線全通（塩尻ー八王子）
	40年	1907	111		
	41年	1908	110		■松本に歩兵50連隊
	42年	1909	109		■伊那電車軌道の辰野（西町）ー伊那松島開業
	43年	1910	108		■上田蚕糸専門学校設立
	44年	1911	107		■中央本線（八王子ー名古屋）全通　■稗田山崩れ
大正	45/元年	1912	106		■信越線横川ー軽井沢電化　■長野県のスキー「発祥」（飯山）
	2年	1913	105		■県庁が現位置移転　■白馬スキーはじめ
	3年	1914	104		
	4年	1915	103		■軽井沢に野沢原別荘地（野沢源次郎）　■松川町でブドウ栽培、果樹はじめ
	5年	1916	102		■木曽の小川森林鉄道開通（森林鉄道運行は昭和50年ころまで）
	6年	1917	101	蚕糸業ピークに	■内務省千曲川堤防（上田ー立ヶ花･飯山）着工　■川中島駅開業
	7年	1918	100	米騒動	■軽井沢千ケ滝別荘開発（堤康次郎）　■丸子鉄道（丸子ー大屋）開業
	8年	1919	99		■佐久鉄道（羽黒下ー小海）延伸　■遠山郷に竜東索道（昭和16年まで）
	9年	1920	98		■河東鉄道設立
	10年	1921	97		■飯山鉄道（飯山線）豊野ー飯山開通　■野尻湖国際村開設
	11年	1922	96		■河東鉄道屋代ー須坂間（長野電鉄河東線･屋代線）開通　■西天竜水路開発着工（S3まで）
	12年	1923	95	関東大震災	■長野市の昭和通り（県庁ー中央通り）できる　■飯田駅（伊那電気鉄道）できる
	13年	1924	94		■旧釜トンネル開通（手掘りによる）
	14年	1925	93		
昭和	15/元年	1926	92		■長野電気鉄道（須坂ー権堂）開通　■長野電鉄発足
	2年	1927	91		■上田温泉電軌の北東線（菅平鹿沢線）開業　■菅平「日本ダボス」命名
	3年	1928	90		■長野電鉄（長野ー須坂）全通　■北東線上田ー真田間開通（全通）
	4年	1929	89	世界恐慌	
	5年	1930	88	繭価の大暴落	■須坂製糸「山丸組」倒産　■志賀の丸池ヒュッテ開業
	6年	1931	87	満州事変	■臥龍公園の竜ケ池完成　■上田飛行場が開場　■梓川の赤松頭首工完成
	7年	1932	86		■大糸線（信濃大町ー信濃森上）開通　■小海線（小海ー海ノ口）開通
	8年	1933	85		■旧和田トンネル建設　■松川町のナシが東京で好評
	9年	1934	84		
	10年	1935	83		■小海線（小諸ー小淵沢）全通
	11年	1936	82		
	12年	1937	81	日中戦争始まる	■辰野ー豊橋間の鉄道つながる　■野尻湖ホテル開業（H9まで）
	13年	1938	80	満州分村移民始まる	■松本ー新町の通船終わる（犀川の現国道19号開通）　■青木線（上田原ー青木）廃線
	14年	1939	79		
	15年	1940	78	東京オリンピック＝開催返上	■坂城にアルプスツール誘致
	16年	1941	77	**太平洋戦争開戦**	■千曲川の内務省堤防完成　■川上の野菜栽培が穀物上回る
	17年	1942	76		■富士通須坂疎開創業
	18年	1943	75	企業の県内疎開盛ん	■現在の「飯田線」できる　■丸子電鉄･上田電鉄合併（上田丸子電鉄）
	19年	1944	74		■遠山森林鉄道開通（昭和44年まで）　■南松本駅開設
	20年	1945	73	**終戦**	■米艦載機グラマン東北信空襲

※「逆算」は平成30年から遡った年数です。本書をご覧いただいている時点の令和年を加算してください。

■碓氷新道に馬車鉄道

■小諸機械製糸「純水館」操業

■伊那村が町制施行　■遠山郷和田で林業本格化

■松本に蚕業講習所

■日本のスキー「発祥」(レルヒが伝える)

■伊那電車軌道が伊那町まで延伸

■焼岳の噴火、大正池できる　■佐久鉄道(後の小海線・小諸-羽黒下)開業　■草津軽便鉄道開業

■大糸線(旧信濃鉄道)松本ー信濃大町間開通　■「軽井沢避暑団」結成

■塩尻のワイン醸造本格化

■上田温泉電軌設立

■上田温泉電軌の青木線・川西線開業

■長野市の中央通り拡幅整備　■「青木線」が上田駅延伸

■草津電気鉄道全通(新軽井沢-草津温泉)　■上田の西丸子(依田窪)線開業　■県営犀川ふ化場(明科・現県水産試験場)設置

■製糸の山一林組(岡谷)で労働争議(山一争議)

■西天竜水路完成

■菅平のスキー場知られる(シュナイダー指導)

■大正池までバス運行・上高地帝国ホテル開業　■上田飛行場、陸軍へ献納　■篠ノ井線広丘駅開業

■呉羽紡績工場を豊科に誘致　■県営志賀高原ホテル開業

■塩田平の沢山湖(ため池)造成

■水内ダム発電開始

■B29上田空爆、小県蚕業学校全焼　■伊那に飛行場　■松代大本営地下壕工事始まる　■第二精工舎が諏訪疎開　■上田に増島製針所疎開

長野県年表〈戦後〉

本書掲載（関連）の出来事を抜粋

	和暦	西暦	逆算		
昭和	21年	1946	72		■白樺湖できる（当初は「蓼科大池」） ■志賀高原ホテル米軍接収
	22年	1947	71		■飯田大火 ■志賀高原に国内初のリフト
	23年	1948	70		
	24年	1949	69		■川上が蔬菜生産指定地
	25年	1950	68	朝鮮戦争（1953年まで）	■旧制松本高が閉校（昭和24年設立の信州大学に包括） ■梓川頭首工（旧）が完成
	26年	1951	67	日米講和条約	■乗鞍にバス乗り入れ ■中央アルプス県立公園指定
	27年	1952	66		■蓼科湖できる ■志賀高原丸池リフトが一般営業（ゲンレデスキーはじまり）
	28年	1953	65		
	29年	1954	64	**高度経済成長期**	■伊那市・須坂市・小諸市が市政開始
	30年	1955	63		■栄村切明まで道路開通
	31年	1956	62		■軽井沢スケートセンター開設 ■東御のブドウ栽培開始（和地区）
	32年	1957	61		■大糸線（松本－糸魚川）全通
	33年	1958	60		■高遠ダム完成 ■八方尾根リフト架設・大開発（東急）
	34年	1959	59		■美和ダム完成 ■諏訪精工舎発足
	35年	1960	58		■ビーナスライン計画浮上 ■蓼科の大規模別荘開発始まる（東洋観光事業が用地取得）
	36年	1961	57		■三六災害 ■牧尾ダム完成・通水
	37年	1962	56		■松本・諏訪地区が新産業都市指定（諏訪市中洲に精密工業団地）
	38年	1963	55		■碓氷峠電化（アプト式終了） ■乗鞍に自動車道（鶴ヶ池まで）開通
	39年	1964	54	東京オリンピック	■三河田工業団地（佐久）造成 ■岡谷蚕糸博物館開館
	40年	1965	53	（モータリゼーションはじまり）	■松本空港開港 ■松代群発地震（昭和47まで）
	41年	1966	52		■長野市の大合併（篠ノ井・川中島・松代・若穂） ■国道18号アップル・ライン開通
	42年	1967	51		■駒ヶ岳ロープウェイ開業 ■ピラタス横岳ロープウェイ開業
	43年	1968	50		■小布施橋（永久橋）完成
	44年	1969	49		■川上村が国の夏秋レタス野菜指定産地 ■丸子線廃止
	45年	1970	48	開田の抑制	■穂高で中房温泉引湯実現
	46年	1971	47	生産調整（減反）始まる	■碓氷バイパス（新国道18号）開通 ■中野市北部の畑地かんがい完成
	47年	1972	46		■伊那西部農業開発事業着工 ■真田傍陽線廃止
	48年	1973	45		■昼神温泉が湧出 ■穂高「しゃくなげ荘」オープン
	49年	1974	44		■軽井沢別荘に宅地並み課税（以後不交付団体） ■長野東洋通信（安曇野）がソニー子会社に
	50年	1975	43		■中央道（駒ヶ根－中津川）開通（恵那山トンネル完成）
	51年	1976	42		■中央道（伊北－駒ヶ根）開通
	52年	1977	41		
	53年	1978	40		■奥志賀スーパー林道本格開通 ■新和田峠トンネル開通（54年完成）
	54年	1979	39		■JICA駒ヶ根訓練所開設 ■御嶽山水蒸気噴火
	55年	1980	38		■南アルプススーパー林道供用開始（54年完成）
	56年	1981	37		■中央道（伊北－小淵沢）開通 ■ビーナスライン全線（茅野市街－美ケ原）開通
	57年	1982	36		■国道18号篠ノ井バイパス全線開通
	58年	1983	35		■焼額山スキー場開設（志賀高原のスキー場そろう） ■中央線塩嶺トンネル開通
	59年	1984	34		■長野県西部地震 ■佐久中込商店街が新装
	60年	1985	33		■セイコーエプソン発足
	61年	1986	32	**バブル経済**	
	62年	1987	31		■中信平農業水利事業完成 ■「浅間テクノポリス構想」承認
	63年	1988	30		■長野道（岡谷－豊科）開通 ■伊那西部農業開発事業（国営灌漑）完成
	64/元年	1989	29		■御岳ロープウェイ運行開始
平成	2年	1990	28		
	3年	1991	27		■長野五輪開催決定
	4年	1992	26		■サイトウ・キネン・フェスティバル松本開催 ■森将軍塚古墳完全復元完了
	5年	1993	25		■長野道全通（豊科－更埴） ■上信越道（藤岡－佐久）（長野－須坂東）
	6年	1994	24		■県立歴史館オープン ■矢筈トンネル開通
	7年	1995	23		■上信越道（佐久－小諸）（須坂長野東－信州中野）開通 ■小谷で豪雨災害
	8年	1996	22		■上信越道（小諸－更埴）開通 ■小谷蒲原沢で土石流災害
	9年	1997	21		■長野新幹線開業 ■上信越道（信州中野－中郷）開通
	10年	1998	20	長野冬季オリンピック	■中野市西部地区の畑地かんがい完成
	11年	1999	19		■上信越道全線開通 ■イオン佐久平SC開店
	12年	2000	18		■美和ダムリフレッシュ事業始まる
	13年	2001	17		
	14年	2002	16		■ビーナスライン無料化 ■塩田平の県営灌漑排水事業完成
	15年	2003	15		■平成の大合併（千曲市発足） ■県道乗鞍岳線マイカー規制
	16年	2004	14		■松代城太鼓門など復元完了 ■あづみの公園堀金・穂高　開園
	17年	2005	13		■平成の大合併（長野・松本・佐久・塩尻・中野・佐久穂・安曇野・飯田・長和・飯綱・筑北・木曽）
	18年	2006	12		■県北部豪雪（前年暮れから）・栄村一時孤立 ■川上村のレタス輸出
	19年	2007	11		■「近代化産業遺産」に岡谷の製糸業関連15件 ■篠ノ井線平田駅新設
	20年	2008	10		■飯田山本・天龍峡 IC 開通
	21年	2009	9		■上松町の貯木場移転 ■阿智村・清内路合併
	22年	2010	8		■長野市・信州新町・中条村合併 ■松本市・波田町合併（平成大合併終了）
	23年	2011	7		■リニアCルート（南ア貫通）決定 ■中部横断道（佐久小諸－佐久南）開通
	24年	2012	6		■長野電鉄屋代線廃線
	25年	2013	5		■飯田のリニア新駅建設地公表
	26年	2014	4		■御嶽山が噴火 ■白馬神城断層による県北部地震
	27年	2015	3		■北陸新幹線延伸 ■千曲川ワインバレー（東地区）特区認定
	28年	2016	2		■大河ドラマ「真田丸」放送
	29年	2017	1		■イオンモール松本開業
	30年	2018	0		■中部横断道（佐久南－八千穂高原） ■五郎兵衛用水が世界かんがい施設遺産登録
	31年	2019		平成から令和へ	

※「逆算」は平成30年から遡った年数です。本書をご覧いただいている時点の令和年を加算してください。

■軽井沢国際親善文化観光都市建設法

■大糸線信濃四ツ谷(現白馬)ー信濃森上電化　■川中島白桃開発
■西丸子線で豪雨災害(後に廃線)　■ビーナスライン蓼科線着工

■志賀草津高原ルート開通　■国営中信平農業水利事業スタート(52年まで)　■長野市が緑町に新庁舎
■国設黒姫高原スキー場開設　■碓氷峠の鉄道複線化　■ビーナスライン霧ヶ峰・八島線着工
■県庁新庁舎完成　■県営灌漑排水事業(中信)着工　■赤石林道が開通

■梓川に奈川渡・稲核ダム
■梓川に水殿ダム

■上高地乗鞍スーパー林道開通

■県営塩田平灌漑排水事業開始

■穂高ー松本広域農道全通　■松代城跡国史跡指定　■長野電鉄(長野ー善光寺下)地下化

■赤沢森林鉄道で観光列車
■志賀高原のスキー客ピーク

■園原 IC(ハーフ)開設　■上田リサーチパーク落成　■県営箕輪ダム完成
■さかきテクノセンターオープン　■須坂で蔵の町保存活動　■佐久リサーチパーク完成　■信州新町第1号「道の駅」　■伊那に平成大橋・市役所移転
■松本空港ジェット化

■白馬五輪道路全線開通
■安曇野でVAIO生産　■しなの鉄道開業　■長野南バイパス整備

■テクノさかき駅開業　■信濃町の IC 近くに道の駅　■信州新町の小学校統合　■長野市が中核市に

■富士通須坂工場が生産規模大幅縮小　■川路氾濫原の新堤防完成　■中野市北部の畑地かんがい改修完成
■国道18号野尻バイパス開通
■信州サーモン承認
■国営中信平二期農業利水事業(25年まで)　■神流川発電所稼働
■伊那市・高遠町・長谷村合併

■梓川の新頭首工完成
■松本空港でFDA 就航　■小諸市でコンパクトシティー構想

■岡谷蚕糸博物館リニューアル　■VAIO操業
■佐久平浅間小開校　■南長野運動公園総合球技場完成　■富士通須坂工場閉鎖

『地形図でたどる長野県の100年』編集委員会

顧　問　信州大学名誉教授　小林寛義　信州大学名誉教授　小林　詢　信州大学名誉教授　吉田隆彦
信州大学教授　廣内大助　信州大学准教授　武者忠彦
刊行会長　長野県地理学会会長　長野大学教授　市川正夫
編集顧問　千田俊明　横澤　瑛　藤森喜雄

編集委員長　佐々木清司　副委員長　小林辰興　編集主任　小林　勲
編集委員　斎藤慎一　渡辺敏泰　北原譲二　畔上不二男
執筆者　青木正彦　有賀秀樹　飯田　茂　伊藤文夫　岩下和芳　牛山　勉　内川　淳　大橋幸文　小木曽俊彦
小崎　博　上條利春　北澤文明　栗林正直　小林秀行　小林　博　小山泰弘　近藤正義　坂巻敏夫
相良　誠　櫻井　洋　関田芳和　関　雅一　武田　明　遠山高雄　中島博文　野澤　敬　橋都洋治
藤沢　誠　堀内敏文　松村正明　丸山宇一　村瀬敏行　矢澤要輔　山口通之　湯澤　敏　吉澤正彦

◆協力いただいた方々（敬称略）
青木廣安　芋川五作　牛山　与　小林　收　白倉雅弥　柴本育男　鈴木治男　田中貴之　月岡昌治　中山与一　布施谷永太郎
村瀬敏行　若林邦宏　国交省三峰川総合開発工事事務所　国交省天竜川ダム総合管理事務所　国交省千曲川河川事務所
国交省天竜川上流河川事務所　長野県立歴史館　北信地方事務所　伊那建設事務所　上伊那地域振興局　上田市役所
川上村役場　長野市信州新町支所　伊那市役所　伊那市長谷総合支所　伊那市西町区　小川村役場　大鹿村役場
中野市教育委員会　中川村教育委員会　上田市立博物館　上田市公文書館　佐久市五郎兵衛記念館　中野市立博物館
小布施町文書館　志賀高原歴史記念館　諏訪市博物館　市立岡谷蚕糸博物館　飯田市美術博物館　八ヶ岳農業協同組合
上田市塩田平土地改良区　日滝原土地改良区　道の駅信州新町　道の駅おがわ　道の駅中条　小川の庄
南信州松川観光まちづくりセンター　飯田市川路まちづくり委員会　阿智昼神観光局　上田電鉄㈱　信州山峡採種場
中央アルプス観光　エプソン　ハナマルキ　JR東海　コミュニティーテレビこもろ　信濃毎日新聞社

編集進行　菊池正則
ブックデザイン　石坂淳子

地形図でたどる長野県の100年

2020年2月22日　初版発行
2021年4月14日　第2刷

編著者　長野県地理学会（代表：市川正夫）
発　行　信濃毎日新聞社
〒380-8546 長野市南県町657
電話 026-236-3377
印刷所　信毎書籍印刷株式会社
製本所　株式会社渋谷文泉閣

ISBN 978-4-7840-7358-0 C0025
落丁・乱丁本はお取替えします。定価はカバーに表示してあります。

この地図は、国土地理院長の承認を得て、同院発行の20万分1地勢図、5万分1地形図及び2万5千分1地形図を複製したものである。
（承認番号 令元情複、第702号）